AF218750

ACCESO GRATIS *a la Lectura en la Nube*

Para visualizar el libro electrónico en la nube de lectura envíe junto a su nombre y apellidos una fotografía del código de barras situado en la contraportada del libro y otra del ticket de compra a la dirección:

ebooktirant@tirant.com

En un máximo de 72 horas laborables le enviaremos el código de acceso con las instrucciones de acceso

LA MEDIACIÓN COMO CLAVE PARA LA RESOLUCIÓN PACÍFICA DEL CONFLICTO

LA MEDIACIÓN COMO CLAVE PARA LA RESOLUCIÓN PACÍFICA DEL CONFLICTO

Mª PAZ GARCÍA-LONGORIA Y SERRANO
MANUELA AVILÉS HERNÁNDEZ
(Coordinadoras)

tirant lo blanch
Valencia, 2021

© Mª Paz García-Longoria y Serrano
Manuela Avilés Hernández
(Coordinadoras)

© TIRANT LO BLANCH
EDITA: TIRANT LO BLANCH
C/ Artes Gráficas, 14 - 46010 - Valencia
TELFS.: 96/361 00 48 - 50
FAX: 96/369 41 51
Email:tlb@tirant.com
www.tirant.com
Librería virtual: www.tirant.es
DEPÓSITO LEGAL: V-2634-2021
ISBN: 978-84-1397-498-9
MAQUETA: Disset Ediciones

Si tiene alguna queja o sugerencia, envíenos un mail a: *atencioncliente@tirant.com*. En caso de no ser atendida su sugerencia, por favor, lea en *www.tirant.net/index.php/empresa/politicas-de-empresa* nuestro procedimiento de quejas.

Responsabilidad Social Corporativa: http://www.tirant.net/Docs/RSCTirant.pdf

Índice

MEDIACION: ESTRATEGIA CLAVE PARA LA SOLUCIÓN
DE CONFLICTOS

M. PAZ GARCÍA-LONGORIA Y SERRANO
MANUELA AVILÉS HERNÁNDEZ

1ª PARTE:
MEDIACIÓN Y POLÍTICAS PÚBLICAS

LA PREVENCIÓN DE CONFLICTOS MEDIANTE POLÍTICAS DE BUEN
GOBIERNO Y DE GOBIERNO ABIERTO

FRANCISCO RAMÓN VILLAPLANA JIMÉNEZ

BRUTOPIA, MEDIACIÓN VECINAL Y PARTICIPACIÓN EN "LAS 507"

FRANCISCO JAVIER ROS CLEMENTE
AMPARO YÁÑEZ MORENO

PARTICIPACIÓN CIUDADANA Y MEDIACIÓN

JUAN JOSÉ GARCÍA ESCRIBANO
ESTHER CLAVERO MIRA

HACIA UN MARCO NORMATIVO QUE GARANTICE LA CONSOLIDACIÓN DE LA MEDIACIÓN

J. PASCUAL ORTUÑO

2ª PARTE:
LA DISCIPLINA DE LA MEDIACION

LA ELECCIÓN DE MODELOS EN EL PROCESO MEDIADOR

RAQUEL IRENE RODRÍGUEZ RODRÍGUEZ
HERIBERTO RODRÍGUEZ-MATEO
ISABEL LUJÁN HENRÍQUEZ

EL GRADO DE MEDIACIÓN EN EL MARCO DE DESARROLLO LEGISLATIVO ACTUAL

PILAR MUNUERA GÓMEZ
FRANCISCO JOSÉ FERNÁNDEZ SÁNCHEZ
MANUEL MORENO HUESCA

CALIDAD DE LA JUSTICIA RESTAURATIVA EN EUSKADI: APORTES DE LA SUPERVISIÓN

ALBERTO JOSÉ OLALDE ALTAREJOS
AINHOA BERASALUZE CORREA

LAS TIC'S COMO SOPORTE EN LOS PROCESOS DE MEDIACIÓN. CASO DE ESTUDIO: CENTRO DE ANÁLISIS Y RESOLUCIÓN DE CONFLICTOS (ECUADOR)

EYLIN DOLORES CALDERÓN CARRIÓN
CARMEN GEORGINA PUCHAICELA HUACA
DIANA VALERIA VEINTIMILLA SANCHEZ

EVALUACIÓN DE PROGRAMAS Y PRÁCTICA DE LA MEDIACIÓN: IMPACTO REAL EN LOS USUARIOS

IMMACULADA ARMADANS TREMOLOSA

LA CALIDAD DE LA FORMACIÓN EN MEDIACIÓN: UNA PROPUESTA BASADA EN COMPETENCIAS

MANUEL ROSALES ÁLAMO

LETICIA GARCÍA VILLALUENGA

3ª PARTE:
LA MEDIACION EN EL ÁMBITO DE LA FAMILIA

LA MEDIACIÓN: RESOLUCIÓN DE CONFLICTOS EN LAS NUEVAS FORMAS FAMILIARES

ANTONIA MARCELINA SÁNCHEZ URIOS

EXPERIENCIAS EN MEDIACIÓN INTRAJUDICIAL EN TEMAS DE FAMILIA Y BUSQUEDAS DE DIFERENCIAS CON LA MEDIACIÓN EXTRAJUDICIAL. TÉCNICAS MÁS DESTACADAS EMPLEADAS

DELIA FERNANDEZ-DELGADO REVERTE

GUSTAVO TERRER MOTA

ANÁLISIS DE LA PRÁCTICA PROFESIONAL COMO COORDINADORA PARENTAL EN COLABORACIÓN CON LOS JUZGADOS DE BARCELONA: DIVORCIOS CONFLICTIVOS, MENORES EN RIESGO

IMMACULADA ARMADANS TREMOLOSA
GLORIA TERRATS RUIZ

MEDIACIÓN FAMILIAR: EL DERECHO DE LOS ABUELOS A MANTENER CONTACTO CON SUS NIETOS

ANTONIO LUIS MARTÍNEZ-MARTÍNEZ
PEDRO SÁNCHEZ VERA
MARCOS BOTE DÍAZ
JUAN ANTONIO CLEMENTE SOLER

LA JUSTICIA RESTAURATIVA COMO PREVENCIÓN EN LA VIOLENCIA FAMILIAR: CASO NUEVO LEÓN

HILDA SANDRA SALDAÑA RAMÍREZ

CONFLICTOS FAMILIARES Y ROLES PARENTALES

NATALIA CARRERES CASANOVES
PEDRO MARÍN GIRÓN

4ª PARTE:
LA MEDIACIÓN EN EL CONTEXTO EDUCATIVO

LA MEDIACIÓN COMO HERRAMIENTA PARA LA GESTIÓN DEL CONFLICTO EN EL ÁMBITO ESCOLAR

INMACULADA CONCEPCIÓN SÁNCHEZ RUIZ
LAURA PAREDES GALIANA

MANEJO DE CONFLICTOS EN EL AULA: PROGRAMA DE
ENTRENAMIENTO EN MEDIACIÓN Y REGULACIÓN EMOCIONAL
PARA DOCENTES

PEDRO BONILLA

IMMACULADA ARMADANS

MARÍA TERESA ANGUERA

MANIFESTACIÓN DE LA VIOLENCIA ESCOLAR DE ALUMNADO DE
EDUCACIÓN PRIMARIA EN UN CONTEXTO RURAL: LA MEDIACIÓN
ESCOLAR COMO PROPUESTA DE GESTIÓN POSITIVA DE CONFLICTOS
Y PREVENCIÓN DEL ACOSO ESCOLAR

JOSÉ LUIS GONZÁLEZ-SODIS

JUAN LORENZO BERMÚDEZ DÍAZ

MEDIACIÓN ESCOLAR, METODOLOGÍA DE AFRONTAMIENTO DE
CONFLICTOS POTENCIADORA DE ACTITUDES RESPONSABLES

EMILIA DE LOS ÁNGELES ORTUÑO MUÑOZ

EMILIA IGLESIAS ORTUÑO

MARÍA PAZ GARCÍA-LONGORIA Y SERRANO

LA RESOLUCIÓN DE CONFLICTOS EN EL PROFESORADO DE EDUCACIÓN SECUNDARIA: EL APORTE DE LA MEDIACIÓN

MARÍA ISABEL ROJO GUILLAMÓN

5ª PARTE:
APLICACIÓN DE LA MEDIACION EN ÁMBITOS DIVERSOS

LA UNIDAD DE MEDIACIÓN INTRAJUDICIAL DE MURCIA. SEIS AÑOS DE EXPERIENCIA

CARMEN MARÍN ÁLVAREZ

DIEZ CLAVES PARA LA MEDIACIÓN EN EL PROCESO CONTENCIOSO-ADMINISTRATIVO

FERNANDO MARTÍN DIZ

MEDIACIÓN EN ARRENDAMIENTOS: UNA HERRAMIENTA EFICIENTE

ISABEL VIOLA DEMESTRE

EMMA LÓPEZ SOLÉ

LA MEDIACIÓN POLICIAL. MODELO DE SEGURIDAD Y CONVIVENCIA

JOSE ANTONIO MIRETE PARRA

LA ESPECIALIDAD DE LA MEDIACIÓN CONCURSAL

KAREN BARRIGA VILLAVICENCIO

MEDIACIÓN PENAL COMO UN NUEVO CAMINO PARA LA CONCRETIZACIÓN DE LA JUSTICIA

ARIANE TREVISAN FIORI

MEDIACIÓN INTERCULTURAL, SOCIAL Y COMUNITARIA: UNA TRÍADA INSEPARABLE PARA CONSTRUIR ESPACIOS DE MEDIACIÓN

LUIS MIGUEL RONDÓN GARCIA

MEDIACION: ESTRATEGIA CLAVE PARA LA SOLUCIÓN DE CONFLICTOS

M. PAZ GARCÍA-LONGORIA Y SERRANO
Universidad de Murcia
MANUELA AVILÉS HERNÁNDEZ
Universidad de Murcia

En las últimas décadas la Resolución Pacífica de Conflictos y, más concretamente, la Mediación, ha seguido una evolución creciente y un desarrollo, tanto normativo como de aplicación, en los países occidentales. Como muestra, haremos un breve repaso por la realidad de distintos países.

En Estados Unidos, el inicio de los métodos alternativos de resolución de conflictos (conocidos como ADR), especialmente la Mediación y el Arbitraje, se fija en las primeras décadas del siglo XX, con la creación de la Asociación Americana de Arbitraje y la entrada en vigor de leyes modernas. Aunque estos métodos han tenido un desarrollo desigual entre estados, su uso llegó a generalizarse a finales del siglo XX. Actualmente, están muy extendidos tanto en la administración pública como en el sector privado.

Los Países Nórdicos, como Noruega, Suecia, Finlandia y Dinamarca, hace más de veinte años tomaron conciencia de la rigidez que caracterizaba a sus sistemas judiciales en la gestión de conflictos. Para hacer frente a esta situación, fueron introduciendo experiencias públicas y privadas de métodos ADR, con excelentes resultados. En Canadá los servicios de conciliación familiar datan de los años setenta.

El Consejo Permanente de la Organización de los Estados Americanos (OEA), en el que se incluyen 18 países de este continente, reiteró en 2001 su "compromiso con el mejoramiento del acceso a la justicia de los habitantes de los Estados Miembros de la Organización a través de la promoción y el uso de métodos alternativos de solución de conflictos", decidiendo "dar seguimiento al tema de la resolución alternativa de conflictos en el marco de la OEA, a fin de seguir fomentando el intercambio de experiencias y la cooperación entre los

Estados Miembros de la OEA". El propósito principal es el de mejorar el acceso a la Justicia. También contribuir a la democratización, haciendo que el ciudadano tenga un mayor protagonismo.

En Europa, la Directiva 2008/52/CE del Parlamento Europeo y del Consejo, de 21 de mayo de 2008, sobre ciertos aspectos de la Mediación en asuntos civiles y mercantiles, aunque no cubrió las expectativas generadas por el informe del Libro Verde de 2002, obligó a los países miembros a legislar en la materia. Ocho años después se realizó un Informe sobre la aplicación de la directiva, que dio lugar a la Resolución del Parlamento Europeo de 12 de septiembre de 2017. Las principales conclusiones que se alcanzaron fueron, textualmente, las siguientes:

1. Acoge con satisfacción el hecho de que en muchos Estados miembros los sistemas de mediación han sido objeto recientemente de modificaciones y revisiones, y en otros Estados miembros se han previsto enmiendas a la legislación aplicable.

2. Lamenta que solo tres Estados miembros hayan optado por transponer la Directiva solamente en lo que se refiere a los casos transfronterizos y constata la existencia de dificultades relativas al funcionamiento en la práctica de los sistemas nacionales de medicación, vinculadas principalmente a la tradición del proceso contradictorio y a la falta de una cultura de mediación en los Estados miembros, el bajo nivel de conocimiento de la mediación en la mayoría de ellos y el insuficiente conocimiento del modo de tratar asuntos transfronterizos y el funcionamiento de los mecanismos de control de calidad aplicables a la mediación;

3. Hace hincapié en que todos los Estados miembros prevén la posibilidad de que los tribunales insten a las partes en un litigio a recurrir a la mediación o, al menos, a participar en sesiones informativas sobre la mediación; observa que, en algunos Estados miembros, la participación en estas sesiones informativas de este tipo es obligatoria, ya sea por iniciativa del juez, o por disposición legal en el caso de determinados litigios, como los litigios de familia; indica, asimismo, que en algunos Estados miembros es obligatorio que los abogados informen a sus clientes sobre la posibilidad de recurrir a la mediación o que las

solicitudes presentadas a los tribunales confirmen que se ha intentado la mediación o que hay motivos que lo impiden; toma nota, no obstante, de que el artículo 8 de la Directiva relativa a la mediación garantiza que el hecho de que las partes opten por la mediación con ánimo de solucionar un litigio no les impida posteriormente recurrir a los tribunales debido al tiempo dedicado a la mediación; pone de relieve que no parece que los Estados miembros hayan planteado cuestiones específicas en relación con este punto.

4. Toma nota de que numerosos Estados miembros ofrecen incentivos económicos para que las partes recurran a la mediación, ya sea en forma de reducción de costes, asistencia jurídica o sanciones en caso de negativa injustificada a considerar la mediación; observa que los resultados obtenidos en estos Estados demuestran que la mediación puede proporcionar una resolución extrajudicial rentable y rápida de los litigios a través de procedimientos adaptados a las necesidades de las partes.

5. Considera que la adopción de códigos de conducta constituye un instrumento importante para asegurar la calidad de la mediación; observa, a este respecto, que el Código de conducta europeo para los mediadores es utilizado directamente por las partes interesadas o ha constituido una inspiración para los códigos nacionales o sectoriales; observa, asimismo, que la mayoría de los Estados miembros dispone de procedimientos de acreditación para los mediadores y/o lleva registros de mediadores.

6. Lamenta la dificultad de obtener datos estadísticos completos sobre la mediación, incluidos el número de casos de mediación, la duración media y las tasas de éxito de los procedimientos de mediación; toma nota de que, sin una base de datos fiable, resulta muy difícil seguir fomentando la mediación y aumentar la confianza de la opinión pública en su eficacia; subraya, por otra parte, la creciente importancia de la Red Judicial Europea en materia civil y mercantil por lo que respecta a la mejora de la recopilación de datos nacionales sobre la aplicación de la Directiva sobre la mediación.

En Brasil, la Ley 13.140, de 26 de junio de 2015, dispone sobre la Mediación como medio de solución de controversias entre particulares, y sobre la autocomposición de conflictos en el ámbito de la administración pública.

En Argentina, la Ley 26.589, de 15 de abril de 2010, establece con carácter obligatorio la Mediación previa a todos los procesos judiciales. Los datos constatan que su uso ha tenido un impacto sobre el sistema judicial, al reducir significativamente el número de litigios en los tribunales. Esto se ha producido de manera especialmente intensa en el ámbito de la familia.

En México, la reforma de 2008 del artículo 17 de la Constitución Federal Mexicana, introdujo al ordenamiento jurídico nacional, los mecanismos ADR como un derecho humano. Es así como la justicia alternativa se consolida en este país, pues la norma constitucional establece que su uso es obligatorio para todas las áreas del derecho.

En España, es la Ley 15/2005, de 8 de julio, la que marca un punto de inflexión en materia de Mediación, al introducirla en los procesos de ruptura conyugal y considerar que las partes pueden suspender el proceso contencioso para acogerse a ella. Su incorporación plena se materializó unos años después, con la entrada en vigor del Real Decreto-Ley 5/2012, de 5 de marzo, de Mediación en Asuntos Civiles y Mercantiles. El posterior Real Decreto 980/2013, de 13 de diciembre, vino a desarrollar determinados aspectos de la Ley 5/2012.

El impulso normativo de la Mediación ha favorecido el desarrollo de programas formativos en la mayoría de las universidades, así como propuestas investigadoras. El escenario actual está generando una conceptualización más profunda de los métodos de resolución de conflictos. Los estudios y artículos científicos se han multiplicado en la literatura especializada. Se resalta la disciplina de la Mediación con un impulso hacia el carácter científico de la materia (Gorjón y Pesqueira, 2015).

En este sentido, la Mediación va más allá de una metodología, para confluir con los requerimientos de un conocimiento científico. Dispone de un objeto de estudio, de un procedimiento, de una profesión. Se plantea la ciudadanización de la justicia de forma que se focaliza y se ordena la participación de la sociedad en la solución de sus conflictos, lo que supone un verdadero servicio público. En esta actividad científica la Mediación analiza y compara sus diversos enfoques, datos, experiencias, y genera teorías, teniendo como objeto la transacción de las relaciones humanas conflictivas a relaciones armoniosas mediante la intervención de un mediador (Saenz, 2015: 60).

Se perfilan las funciones y competencias de la actividad mediadora (Rosales y García, 2020). Estas se concretan en: *Autogestión*, de forma que el mediador se configura como un tercer implicado en la gestión del conflicto; *Acogimiento* para crear el ambiente adecuado que permita un proceso de confianza; *Información* en donde el mediador instruye sobre el proceso; *Análisis* de los elementos, estructura y dinámica del conflicto; *Planificación* para organizar el proceso; *Dinamización* para mantener la motivación; *Confirmación* para fortalecer las percepciones de los implicados; *Incitación empática* para promover nuevas perspectivas y percepciones; *Clarificación* para que los implicados puedan visualizar sus intereses y necesidades; *Gestión emocional* para favorecer la expresión y comprensión del conflicto; *Gestión del equilibrio* para evitar las asimetrías de poder y, por último, la *Ética* como responsable del proceso.

Por otro lado, se introduce la Mediación como servicio público al alcance de la ciudadanía (Blohorn y Soleto, 2019). O bien se proponen claves para lograr el bienestar y la felicidad (Gorjón, 2020), en donde se reconoce el papel que tiene la Mediación como vía hacia ese bienestar y esa felicidad. Se reconoce, también, como la vía idónea para la construcción de consensos personales y colectivos. Destacan valores tan importantes como la confianza y la capacidad de decidir, enfocados en la solución de nuestros problemas, que nos permitirán alcanzar la felicidad como un derecho personal.

Con estos argumentos, fundamentamos que la Mediación se está convirtiendo, cada vez con más intensidad, y en diferentes esferas, en una clave para la solución pacífica de los conflictos. Se encuentra inmersa en un desarrollo disciplinar y profesional, que trasciende más allá de una metodología, para incorporar los elementos necesarios que ayuden a solucionar los conflictos de una forma menos traumática para los participantes y con un menor coste emocional. Elementos como el apoyo legislativo y de las políticas públicas, la formación específica y de calidad en materia de Mediación, y el conocimiento científico que se está generando, además de una mayor diversificación en su aplicación individual o colectiva, hacen que la Mediación, como ciencia y clave en la resolución de conflictos, avance y se afiance en los países.

En resumen, la configuración de la Mediación como una ciencia emergente, y como un servicio público, es clara. Cuestiones como la evaluación de los servicios de Mediación, las competencias profesionales que deben ser tener los mediadores, la supervisión, los modelos e instrumentos y las aplicaciones que se emplean en ámbitos diversos, etc., son temas abordados por los mediadores. Reflexionar y ahondar en ellos contribuye a la evolución y consolidación de la Mediación, a la vez que permite ahondar en su filosofía, su metodología y en la propia disciplina.

En este monográfico hemos querido profundizar, precisamente, en la Mediación, como ciencia y disciplina clave para la transformación de los conflictos que pueden darse en diversos ámbitos de la vida social. El libro se organiza en cinco partes. En cada una iremos ahondando en diversas aristas de esta disciplina, de la mano de grandes profesionales.

La primera parte del libro pone el foco de atención en la relación tan estrecha que se establece entre la Mediación, el órgano legislativo de un país y las políticas públicas que se implementan. En el primer capítulo, Francisco Ramón Villaplana Jiménez nos muestra cómo las políticas gubernamentales pueden prevenir los conflictos comunitarios. El autor sostiene que el funcionamiento de las instituciones de gobierno no solo implica resolver los conflictos que ya existen, sino también evitar otros nuevos que puedan derivar en fracturas estructurales. En este trabajo se aborda cómo las políticas de buen gobierno y de gobierno abierto favorecen la prevención de conflictos comunitarios mediante la proactividad institucional, la innovación pública y la colaboración ciudadana. En el segundo capítulo, Francisco Javier Ros Clemente y Amparo Yáñez Moreno nos presentan un caso práctico. Se trata del desarrollo del proceso de mediación vecinal en un barrio de Murcia. La propuesta busca mejorar la convivencia, prevenir conflictos futuros y resolver las situaciones conflictivas que puedan darse en las viviendas de titularidad municipal. En el tercer capítulo, Marta Gonzalo Quiroga analiza el momento actual de la mediación en España, a través de los sistemas de formación, calidad, evaluación y control. La autora señala que, con la entrada en vigor del actual Anteproyecto de Ley de impulso de la mediación, ésta pasará a ser obligatoria en determinadas materias sin que ello haya venido acompañado de la fijación de unos mínimos comunes en cuanto a formación, calidad y evaluación. Ante esto, la autora propone la creación de un Servicio Público de Mediación, que garantice uniformemente la aplicación de la mediación en el Estado español. En el cuarto capítulo, Gonzalo Iturmendi se centra en el derecho colaborativo, y en la relación tan estrecha que tiene con respecto a la Mediación y otros sistemas alternativos de solución de conflictos. Profundiza en el significado del derecho colaborativo, y en los principios y valores que lo guían: comprensión, compromiso de integridad, confianza y respeto. También en cómo es el método y el proceso que se sigue. El autor lo define como un método para la solución de conflictos no confrontativo, autocompositivo y amistoso, basado en la negociación, pacificación y cambio social. En el quinto capítulo José Luis Argudo Périz y Francisco de Asís González Campo ponen el foco de atención en la dispersión normativa estatal y autonómica que caracteriza a la Mediación. Señalan que la mediación en España evoluciona hacia una regulación compleja en la que confluyen textos legales estatales y autonómicos con confusión de competencias, títulos habilitantes, ámbitos, sujetos afectados e incluso régimen sancionador. En el sexto capítulo Juan José García Escribano y Esther Clavero Mira reflexionan sobre la relación estrecha que existe entre Mediación Comunitaria y Participación Ciudadana. Exponen y analizan una experiencia que surgió en 2011. Se trata del G1000, una forma de minipúblicos deliberativos, que facilita el diálogo entre los ciudadanos en un lugar físico concreto y en una realidad local. Esta primera parte del libro finaliza con el capítulo de J. Pascual Ortuño, quien reflexiona sobre el impulso normativo de la Mediación. Entre otras cosas, indica que, si se pretende legislar con carácter estatal para la introducción de la mediación, hay que adaptar las experiencias internacionales de ADR. Estas medidas deben tener unas características comunes que el autor relata a lo largo de su texto.

La segunda parte del monográfico se centra en la propia Mediación, como disciplina. Se profundiza en cuestiones que le son inherentes, como su evaluación, los modelos, la supervisión de la praxis, la formación de calidad, etc. Para comenzar, Raquel Irene Rodríguez

Rodríguez, Heriberto Rodríguez-Mateo e Isabel Luján Henríquez exponen los resultados de un estudio que llevaron a cabo sobre cuáles son las preferencias de uso de modelos de mediación por parte de profesionales de la mediación familiar y de la mediación educativa. Analizan cuatro modelos surgidos de los paradigmas teóricos: el Modelo tradicional-lineal de la escuela Harvard, el Modelo Transformativo, el Modelo Circular Narrativo y el Modelo Interactivo Integrador de Mediación, MIIM. En el segundo capítulo Pilar Munuera Gómez, Francisco José Fernández Sánchez y Manuel Moreno Huesca reflexionan sobre las ventajas que tendría la puesta en marcha de un Grado Universitario en Mediación que ayude a consolidar el perfil profesional, elimine las controversias y competencias existentes entre profesionales de diversas disciplinas, unifique criterios profesionales de intervención y permita la formación equilibrada como disciplina científica. En el tercer capítulo, los autores reflexionan sobre la importancia que tiene el desarrollo de la supervisión en servicios y programas de justicia restaurativa en el contexto intrajudicial. Esto permitiría mantener estándares de calidad en la práctica según Alberto José Olalde Altarejos y Ainhoa Berasaluze Correa. En su capítulo exponen una experiencia de formación, asesoramiento y supervisión llevada a cabo en el Servicio de Justicia Restaurativa de Euskadi durante el año 2019. El cuarto capítulo se centra en el uso de las TIC´s en los procesos de mediación. Las autoras, Eylin Dolores Calderón Carrión, Carmen Georgina Puchaicela Huaca y Diana Valeria Veintimilla Sanchez, se centran en el caso del Centro de Análisis y Resolución de Conflictos (CENARC) de Ecuador. En el quinto capítulo, Immaculada Armadans Tremolosa se centra en la evaluación de programas y de la propia práctica de la Mediación. Su capítulo aporta reflexiones e ideas acerca de la utilidad que la evaluación puede tener para la consolidación legal, institucional y social de la mediación. Cierran esta segunda parte del monográfico Manuel Rosales Álamo y Leticia Garcia Villaluenga, quienes exponen las competencias que deben ser incluidas en el aprendizaje de este perfil profesional, el del mediador.

La tercera parte de este monográfico se centra en la aplicación que tiene la mediación dentro del ámbito familiar, donde su uso está bastante extendido. Antonia Marcelina Sánchez Urios abre esta tercera parte, analizando la variedad y complejidad de situaciones conflictivas que se producen en las conocidas como nuevas formas familiares. Destaca los conflictos susceptibles de utilizar la mediación: procesos de ruptura de la pareja, familia monoparental, homoparental, reconstituida, familias biculturales y multiculturales. Delia Fernandez-Delgado Reverte y Gustavo Terrer Mota exponen en el segundo capítulo una experiencia práctica en temas de familia desde la Mediación Intrajudicial. En su trabajo recogen las diferencias de tipologías entre los asuntos familiares que acuden a mediación intrajudicial y extrajudicial. También, sobre las diferentes técnicas que se aplican. El tercer capítulo pone la atención en la figura del coordinador de parentalidad. Immaculada Armadans Tremolosa y Gloria Terrats Ruiz analizan su práctica profesional en colaboración con los juzgados de Barcelona. El objetivo es analizar el nivel de conflicto desde que los padres llegan a la coordinación hasta que finalizan, alcanzando acuerdos o no. También incluyen el nivel de rechazo de los hijos y su posible re-vinculación. En el cuarto capítulo, Antonio Luis Martínez-Martínez, Pedro Sánchez Vera, Marcos Bote Díaz y Juan Antonio Clemente Soler analizan las características que tiene la relación entre abuelos y nietos tras la separación o el divorcio de los progenitores. Reflexionan sobre los conflictos que pueden surgir en este sentido, y el uso aplicado que la mediación tiene ante este tipo de casos. Hilda Sandra Saldaña Ramírez, en el siguiente capítulo, analiza los efectos positivos y trascendentales de la justicia restaurativa en los casos de violencia familiar, concretamente en hechos de pareja. Centrada en el Estado de Nuevo León (México), aborda la necesidad de conocer y aplicar, como una figura jurídica la justicia restaurativa en su modelo transformador, considerándola, de suprema relevancia para la prevención del conflicto social. Cierran esta parte del monográfico Natalia Carreres Casanoves y Pedro Marín Girón, quienes explican la experiencia que se deriva de su práctica profesional como mediadores en el ámbito de la familia, concretamente con casos de ruptura de pareja. Reflexionan sobre los conflictos que se dan dentro de la pareja y de qué manera éstos se relacionan con distintos factores, incluido el ejercicio de roles tradicionales por parte del hombre y la mujer.

Como hemos señalado, el ámbito en el que la mediación se encuentra más extendida es el de la familia. Existe un nuevo contexto en el que ha ido calando de manera rotunda. Se presenta como un espacio profesional emergente, donde la mediación tiene por delante un largo recorrido. Se trata del contexto educativo. La cuarta parte del monográfico se centra, precisamente, en este ámbito. En el primer capítulo Inmaculada Concepción Sánchez Ruiz y Laura Paredes Galiana exponen los resultados de una investigación, centrada en identificar las características del conflicto dentro de la comunidad educativa, los estilos de afrontamiento, los procesos de resolución, y la mediación como sistema alternativo en la comunidad educativa. El estudio ha estado dirigido al alumnado y se ha optado por una metodología cuantitativa, teniendo en cuenta como técnica de investigación la encuesta. En el segundo capítulo, los autores presentan un Programa de Entrenamiento en Mediación y Regulación Emocional para docentes. Pedro Bonilla, Immaculada Armadans y María Teresa Anguera explican que este programa pionero se fundamenta en elementos centrales del conflicto y se organiza en 4 módulos de trabajo teórico-práctico. En el tercer capítulo, José Luis González-Sodis y Juan Lorenzo Bermúdez Díaz exponen resultados de un estudio que se desarrolla en Málaga sobre conflictos escolares en alumnado de primaria y de secundaria obligatoria tanto de centros públicos como privados. Los factores que se analizan corresponden a los conflictos que se dan más habitualmente en los centros escolares: disrupción, violencia verbal, exclusión social, violencia, violencia profesorado-alumnado y violencia TIC. El siguiente capítulo tiene su punto de partida en una investigación realizada por las autoras, Emilia de los Ángeles Ortuño, Emilia Iglesias Ortuño y María Paz García-Longoria, en centros educativos de la Comunidad Autónoma de la Región de Murcia, España. A través de una investigación cuantitativa se constata el impacto de un programa preventivo de sensibilización en los escolares. Posteriormente, se realiza una valoración cualitativa, a través del estudio de caso de los expedientes de mediaciones realizadas por los propios alumnos, en uno de los centros escolares participantes. Para finalizar, María Isabel Rojo Guillamón se centra en las relaciones que se establecen entre el profesorado de Educación Secundaria. Analiza los tipos y causas de los conflictos que se generan entre ellos. Al mismo tiempo, determina cuáles son las estrategias empleadas para su resolución.

La última parte de este monográfico se centra en otros ámbitos de aplicación de la mediación, con proyección de futuro. En el primer capítulo, Carmen Marín Álvarez nos cuenta la experiencia de la Unidad de Mediación Intrajudicial de la Región de Murcia. Este servicio, integrado en la Oficina Judicial, ofrece mediación de forma gratuita en los ámbitos de familia, penal, civil, menores y contencioso-administrativo, por medio de un dispositivo instalado en la Oficina Judicial. Fernando Martín Diz nos habla, en el segundo capítulo, de la mediación en el proceso contencioso-administrativo. Isabel Viola Demestre y Emma López Solé se centran, en el tercer capítulo, en la mediación que se realiza en arrendamientos urbanos o rústicos de bienes inmuebles. Jose Antonio Mirete Parra centra su atención en la Mediación Policial, como un modelo de intervención proactivo, dirigido al abordaje pacífico de los problemas de convivencia que surgen en la comunidad. Karen Barriga Villavicencio analiza la aplicación de la mediación en el ámbito civil y mercantil. Concretamente, se centra en la especialidad de la mediación en el derecho concursal. Ariane Trevisan Fiori se centra en la aplicación que la mediación tiene al ámbito penal. La autora sostiene que la justicia restaurativa puede ser un nuevo camino para la disminución de los efectos de la delincuencia y la reinserción social. En esa línea se contempla la mediación aplicada a este ámbito. Por último, Luis Rondón nos habla de la estrecha relación que se establece entre la mediación intercultural, comunitaria y social.

Como se aprecia, el lector se encuentra ante un monográfico en el que se profundiza de manera clara y directa en la MEDIACIÓN. Es una estrategia complementaria o alternativa a la vía judicial, que permite la gestión positiva y resolución pacífica del conflicto a través de la colaboración voluntaria de todas las partes. Las ventajas que tiene su aplicación en cualquier contexto son evidentes. Cada vez son más las personas que asumen la utilidad de esta estrategia. Se va a abriendo paso con fuerza en los ámbitos normativos, formativos y prácticos de numerosos países occidentales. Esperamos que este monográfico aporte claridad y contribuya a fortalecer su uso.

1ª PARTE:
MEDIACIÓN Y POLÍTICAS PÚBLICAS

LA PREVENCIÓN DE CONFLICTOS MEDIANTE POLÍTICAS DE BUEN GOBIERNO Y DE GOBIERNO ABIERTO

FRANCISCO RAMÓN VILLAPLANA JIMÉNEZ
Universidad de Murcia

RESUMEN

Mientas que actores políticos y sociales tales como partidos, sindicatos, empresas, organizaciones no gubernamentales o los medios de comunicación pueden tener entre su repertorio de actuaciones la puesta en relieve de divisiones existentes en una comunidad, reducir la conflictividad social es uno de los principales objetivos de la acción política institucional. En este sentido, el buen funcionamiento de las instituciones de gobierno no solo implica resolver aquellos conflictos que ya han estallado, sino evitar que las aquellas divisiones latentes entre la ciudadanía alcancen la consideración de conflicto o, incluso, de fractura estructural. En este trabajo se aborda cómo las políticas de buen gobierno y de gobierno abierto favorecen la prevención de conflictos comunitarios mediante la proactividad institucional, la innovación pública y la colaboración ciudadana. Se muestran algunos ejemplos.

PALABRAS CLAVE: gobierno abierto, prevención de conflictos, mediación comunitaria, políticas públicas, buen gobierno.

1. INTRODUCCIÓN

Las sociedades están conformadas por personas que, de un modo natural, se relacionan entre sí debido a muy distintas motivaciones. Las relaciones entre las personas dan lugar, inevitablemente, a numerosos conflictos. Frecuentemente, los conflictos no son únicamente entre individuos sino que se producen entre comunidades o grupos dentro de la sociedad. Estos conflictos son, igualmente, naturales y no tienen por qué ser problemáticos para la convivencia siempre y cuando sean abordados de un modo acertado. Un objetivo primordial de las sociedades es evitar que se produzcan aquellos conflictos más graves que pueden alterar la pacífica convivencia y perjudicar la calidad de parte de la población o, incluso, de toda ella. Para esto, conocer cómo realizar la prevención de conflictos en la comunidad resulta un objetivo esencial, al igual que provechoso.

La prevención de conflictos sociales es uno de los pilares de la mediación comunitaria. En este sentido, las políticas de buen gobierno y de gobierno abierto se demuestran eficaces para generar nuevos parámetros de convivencia en la ciudadanía. Por un lado, las políticas de buen gobierno se anticipan al estallido de confrontaciones graves, actuando de manera proactiva en los focos de probable conflicto, como la utilización de espacios comunes, la toma de decisiones colectivas o el reparto de bienes y servicios públicos. Por otro lado, las políticas de gobierno abierto facilitan que la sociedad sea partícipe del buen gobierno y colabore en la búsqueda de soluciones para los conflictos existentes y para aquellos otros que se desean prevenir.

En las siguientes páginas, se relacionan los conceptos de buen gobierno, gobierno abierto y prevención de conflictos comunitarios y analizaremos algunos ejemplos de políticas de éxito en este ámbito, tanto en España como a nivel europeo e internacional.

2. METODOLOGÍA

A nivel teórico, realizamos una revisión teórica de los conceptos de prevención de conflictos comunitarios, buen gobierno y gobierno abierto, a fin de definir y relacionar dichos conceptos en su estado actual de la cuestión. A un nivel más práctico, abordamos el análisis de varios casos de políticas de buen gobierno y de gobierno abierto de probado éxito en la prevención de conflictos comunitarios desde un enfoque funcionalinstitucional contemporáneo.

3. LA PREVENCIÓN DE CONFLICTOS, UN PILAR DE LA MEDIACIÓN COMUNITARIA

Un conflicto es una situación en la que dos o más partes tienen intereses contrapuestos en torno a una cuestión o una pluralidad de ellas. El conflicto es perceptible y catalogable por un observador ajeno. El conflicto forma parte de la normalidad de cualquier tipo de ser vivo, sin embargo, algunos conflictos pueden ser profundamente dañinos cuando no son bien abordados. Por eso, es mejor el conflicto que se asume y se enfrente que el que se trata de evitar. Previamente, es necesario conocer la naturaleza de cada conflicto.

El conflicto es un elemento natural de la sociedad y, como tal, tiene un importante papel en la evolución de las relaciones humanas. Aunque los conflictos a gran escala resultan dañinos, la mayoría de conflictos de menor envergadura traen resultados positivos a la par que constructivos y cumplen las siguientes funciones:

a) Se refuerza la identidad y la unión en el interior de los grupos enfrentados.

b) Los conflictos favorecen el surgimiento de liderazgos y la mejora de la organización de los grupos.

c) Cuando el conflicto llega a un estado manifiesto, se producen una comunicación entre los grupos. Esta comunicación es el primer paso para su aproximación y la resolución del conflicto.

d) Algunos conflictos tratados estallados y resueltos a tiempo pueden evitar que se produzcan otros conflictos de mayor calado.

e) El conflicto estimula la participación social de las partes implicadas y de aquellas que se movilizan en apoyo de alguna de las partes o a favor de la neutralidad.

Los conflictos se resolverán cuando las partes lleguen a un acuerdo que suponga el fin de las hostilidades y de la pugna por el interés que las enfrenta.

Un primer grupo de metodologías directas de relación del conflicto son las que se pueden dar entre los grupos sin la intervención de terceros, tales como: 1) Negociación. Se produce un intercambio de concesiones entre las partes hasta alcanzar un punto de acuerdo satisfactorio para ambas. Los grupos implicados son los que controlan el proceso durante todo el momento y deciden hasta dónde quieren llegar en la búsqueda de la solución; 2) Lucha. El enfrentamiento es directo mediante todo tipo de hostilidades, con las que cada parte intenta imponer su postura frente a la del contrario. Ello puede implicar tácticas de desgaste o, incluso, la violencia. 3) Inacción. Cuando, a pesar de que se sabe de la existencia del conflicto, las partes deciden no actuar, a la espera de que el tiempo ponga solución por sí solo al mismo.

Las actividades de mediación están enfocadas, sin duda alguna, a favorecer el encuentro de aquellas personas o grupos que puedan verse circunstancialmente confrontadas. Es por ello que es necesario conocer qué tipo de espacios podemos utilizar a nuestro favor en la mediación para trabajar con los grupos y conseguir resultados en materia de solución y prevención de conflictos.

Se llaman espacios de encuentro a aquellos lugares neutrales en los que las partes que intervienen puedan reunirse para debatir sobre el conflicto existente, sobre los perjuicios de prolongar el mismo y donde se puedan alcanzar posibles acuerdos. En ellos se podrán reunir: A) El mediador con cada una de las partes; B) El mediador con ambas partes. El objetivo será siempre el de construir soluciones al conflicto con la colaboración de todos los actores implicados así como prevenir la repetición del conflicto o el surgimiento de nuevos conflictos en el futuro. De forma indispensable, los espacios de encuentro deberán:

1. Garantizar la continuidad del proceso de mediación comunitaria y su sostenibilidad en el futuro próximo.

2. Favorecer la coordinación entre las diferentes administraciones y su implicación en el proceso.

3. Propiciar la colaboración entre recursos técnicos, públicos y privados, para realizar acciones comunes.

4. Dar cabida a las organizaciones civiles y a la participación de personas interesadas en contribuir positivamente a la mediación comunitaria.

Algo que puede ser objeto de preocupación en las sociedades actuales es el deterioro de algunos espacios públicos que en otros tiempos habían servido como puntos de encuentro social, cultural y deportivo muy activos y que en este momento se encuentran total o parcialmente en desuso o, incluso, abandonados y olvidados. La expansión de las alternativas de ocio privadas como las que representan los grandes centros comerciales y otras actividades lúdicas y deportivas han restado muchos usuarios a los espacio de tiempo libre tradicionales y muchos de ellos han ido perdiendo su equipamiento y, en algunos casos, han sido cerrados al público. Es por eso que, aunque no sea una tarea propia del mediador sino responsabilidad de los gestores institucionales, es importante tener conciencia de la necesidad de la recuperación y rehabilitación de numerosos espacios comunitarios para que puedan volver a ser utilizados y empleados como espacios de encuentro.

En otros casos, el problema no ha sido el desuso sino el exceso de formalización y burocratización de ciertos espacios como centros cívicos o centros sociales, donde la espontaneidad a la hora de proponer actividades e iniciar las mismas, se puede ver ciertamente limitada por la necesidad de realizar trámites que pueden llegar a ser lentos y costosos.

En definitiva, los espacios de encuentro resultan esenciales para la actividad del mediador comunitario ya que serán aquellos lugares donde podrá desarrollar su trabajo con las garantías de contar con un entorno favorable para sus objetivos profesionales respecto a las personas con las que va a trabajar. Algunos espacios de encuentro naturales, como son los colegios e institutos, se encuentran limitados en la actualidad al permanecer cerrados fuera del horario escolar. Realmente, los centros educativos podrían aprovechar las redes de alumnos, profesores, madres y padres para generar todo tipo de relaciones de nexo dentro de las sociedades. Desde el punto de vista del mediador, cuanto mayor sea la connotación positiva que las personas con las que mediar otorguen al espacio de encuentro, más fácil resultará realizar la mediación.

Nos referimos al análisis sociológico del conflicto como las interpretaciones e hipótesis que hacemos sobre lo que está pasando en torno al conflicto: nuestras teorías sobre las motivaciones de cada grupo, el porqué de sus intereses, la naturaleza de las relaciones que se dan. La sociología no es una ciencia exacta ya que su objeto de estudio es el ser humano en relación con otros y, como es sabido, la persona puede ser el elemento más inestable sobre la faz de la tierra aunque, por lo general, todas las personas seguimos patrones de conducta que nos hacen ser, hasta cierto punto, predecibles en nuestros actos sociales.

Lo importante en este sentido es hacernos preguntas (hipótesis) bien formuladas y que seamos capaces de contrastar objetivamente en base a una metodología técnica de observación. Según vayamos obteniendo las respuestas que buscamos, podremos avanzar en un sentido u en otro en nuestras pesquisas. Estas preguntas vendrán motivadas porque sabemos que las partes implicadas no siempre dirán la verdad (o toda la verdad) de los acontecimientos y sus propias motivaciones, así que tendremos que ser nosotros los que, según nuestra interpretación profesional, técnica y aséptica, nos planteemos posibles relaciones causales entre causas y acciones. Nuestras teorías podrán responder a enfoques más racionalistas (las personas actúan buscando siempre su máxima satisfacción individual según la valoración que hacen de cada situación en términos coste-beneficio) o conductistas (determinadas influencias sociales y opiniones personales son las que condicionan el comportamiento de los individuos hacia unas conductas y otras). También intervendrá aquí nuestra propia visión del ser humano, si pensamos que el hombre puede ser un lobo para el hombre como declaraba Thomas Hobbes o, si bien, el ser humano es bueno por naturaleza y buscará siempre el modo para convivir bien en sociedad.

Tres conceptos se vuelven clave:

- Construcción de paz. Supone el mantenimiento del orden público, la prevención y resolución de conflictos, velar por la seguridad ciudadana y el cuidado de la paz social.

- Cohesión social. Implica una visión compartida por la ciudadanía del sistema en el que viven, en el que se aceptan conceptos comunes sobre la administración de justicia, el reparto de la riqueza y la solidaridad entre los miembros de la comunidad.

- Convivencia ciudadana. Relaciones de normalidad entre los individuos de una sociedad, en la que se producen responsabilidades compartidas e interacciones de cooperación, resolviendo de forma pacífica y constructiva los conflictos que puedan surgir.

Asimismo, es muy frecuente valerse de técnicas participativas de dinamización para intervenir con grupos en los que es necesario realizar un proceso de mediación, incluyendo la prevención de conflictos. Estas técnicas participativas son una herramienta muy valiosa para el aprendizaje colectivo a través de las experiencias y las emociones compartidas que se provocan entre los miembros de los grupos. También ayudan a que los participantes se sientan más implicados con las temáticas que se tratan y motivados para trabajar conjuntamente en la resolución del problema que les ocupa.

4. EL BUEN GOBIERNO Y EL GOBIERNO ABIERTO EN RELACIÓN CON LA PREVENCIÓN DE CONFLICTOS

La administración pública se encuentra, desde hace décadas, en transición desde un modelo de gestión antiguo y jerárquico hacia nuevas formas de utilización de los recursos públicos a partir de la filosofía del buen gobierno (Aguilar, 1996). En este sentido, el Gobierno Abierto, se caracteriza como una forma de funcionar, por parte de las Administraciones Públicas, más transparente, ética y accesible a la participación de la ciudadanía, que se convierte en protagonista de las políticas públicas al poder influir de forma más directa en su elaboración y evaluación. El Gobierno Abierto tiene un aspecto tecnológico muy relevante, dado que a través de la web y las redes sociales, la ciudadanía puede controlar mejor a los gobernantes y, también, contribuir más a la toma de decisiones colectiva.

García (2014) realiza una importante revisión del estado actual del Gobierno Abierto (GA) en las democracias más avanzadas, principalmente desde un punto de vista teórico y normativo pero con la mirada puesta en la aplicación práctica de los principios y criterios que conforman el «deber ser» del GA. El objetivo principal es desarrollar y mejorar la gestión pública, llevándola a nuevos niveles de eficiencia y facilitando la contribución de los ciudadanos en la gobernanza, lo cual repercutirá beneficiando la propia calidad de vida de estos así como la legitimidad de las instituciones públicas.

La penetración de la tecnología en la administración es un factor clave para el éxito del Gobierno Abierto. Por un lado, García indica que es fundamental la existencia de datos públicos abiertos (DPA) para que la información sea transparente, pero además debe ser accesible, oportuna y puesta a disposición siguiente una serie de principios, para favorecer la evaluación de las políticas públicas y la participación de toda la sociedad en la toma de decisiones y no incurrir en prácticas perniciosas. Finalmente, el autor señala los pasos para implantar un GA, importando, en conjunto, tanto los procedimientos como los contenidos para su aplicación exitosa.

De acuerdo con Acevedo y Dassen (2016), entre los principales objetivos de la innovación en las administraciones podemos encontrar: 1) Desarrollar innovaciones específicas; 2) Promover un ambiente de innovación en la administración pública; 3) Incorporar tecnología a la administración pública; 4) Modernizar procesos de la administración pública; 5) Nuevas formas de comunicación en la administración pública; 6) Generar nuevos mecanismos de participación ciudadana y 7) Abrir datos de la administración. Para Mulgan (2007) la innovación pública supone alcanzar nuevas ideas que funcionan en relación a su capacidad para crear valor público. Por tanto, son ideas que son: nuevas, tenidas en cuenta y útiles.

Para que se produzca la Innovación Abierta o Colaborativa es fundamental que se genere un clima de participación que facilite la creatividad y la colaboración de múltiples participantes en un proceso abierto a las contribuciones de políticos, técnicos, académicos, expertos, ciudadanos, organizaciones de la sociedad civil y empresas. El ensayo y error debe estar concebido como parte necesaria para el aprendizaje y la consecución de objetivos a largo plazo.

La Innovación Pública Abierta supone el contagio de ideas entre sociedad y administración pública, en un proceso de creación y de aprendizaje conjunto en beneficio de lo global. Para ello, se necesitan: gobiernos implicados, empleados públicos capaces y sociedades activas.

¿Cómo ayuda el buen gobierno y el Gobierno Abierto a prevenir conflictos? En tanto que las políticas públicas de buen gobierno y de gobierno abierto intervienen de forma proactiva en los focos de mayor interés social y pluralidad de intereses, no dejan espacio para que surjan conflictos que no estén canalizados de forma constructiva dentro del marco establecido por la propia política pública.

5. EXPERIENCIAS DE ÉXITO EN LA PREVENCIÓN DE CONFLICTOS MEDIANTE POLÍTICAS DE BUEN GOBIERNO Y DE GOBIERNO ABIERTO

5.1. Innovando en la cooperación internacional: el Laboratorio de Desarrollo Global U.S. AID

El Laboratorio de Desarrollo Global de los Estados Unidos, perteneciente a la Agencia de Desarrollo Internacional del Gobierno de Estados Unidos, un laboratorio de innovación pública especializado en el sector de la cooperación y el desarrollo para ayudar a terceros países en situaciones de pobreza y necesidad. Destaca la importancia de esta agencia (USAID) dado que EE.UU. es el estado que mayor cantidad total de recursos aporta a la cooperación y al desarrollo.

El Laboratorio fue puesto en marcha en 2014 (2ª administración Obama) con el objetivo de aplicar ideas innovadoras a la lucha contra la pobreza extrema y cumplir con los Objetivos para el Desarrollo Sostenible marcados por USAID para 2030 y practica un enfoque con cuatro aspectos: 1) abierto e inclusivo, 2) basado en la evidencia, 3) catalizador y 4) ágil.

Entre las acciones que realiza el laboratorio, destacan:

- Development Innovation Ventures (DIV), proyectos de colaboración y financiación público-privada para trabajar conjuntamente en algún ámbito concreto. El primer proyecto de este tipo ha sido el The Village Enterprise Development Impact Bond (DIB) que está actuado a través de microempresas con familias en Kenya y en Uganda.

- Grand Challenges for Development, la definición de los grandes retos que deben ser prioritarios de solucionar en materia de lucha contra la pobreza y que requieren mayores esfuerzos de innovación.

- Global Innovation Fund (GIF), es un fondo de inversión para financiar proyectos innovadores en el ámbito de la cooperación al desarrollo.

- LAUNCH, es una red de colaboración en innovación entre organizaciones, universidades, líderes industriales y expertos para compartir ideas en la lucha contra los retos globales.

- The Global Innovation Exchange, es un portal libre y colaborativo promocionado por la agencia USAID del Gobierno de EEUU donde cualquiera puede aportar ideas o financiación a proyectos innovadores en materia de cooperación internacional al desarrollo.

En su corta trayectoria, parece estar realizando un gran trabajo. La sociedad civil está implicada con el Laboratorio dado que su actividad se identifica fuertemente con mejoras que pueden repercutir en las personas que más lo necesitan. Casi el 80% de las personas que han participado en las actividades de innovación no habían trabajado previamente con la agencia. Tiene una gran cantidad de recursos económicos y una red de actores enorme. En cambio, el principal problema que puede experimentar este laboratorio es su carácter público en un país donde la agenda presidencial puede cambiar su sentido de un modo drástico en este sector de un presidente a otro; claramente, el viraje internacional de la administración Trump frente a la administración Obama es un buen ejemplo. Lo cual, además del presupuesto que se destine tanto a la Agencia como al propio Laboratorio puede fluctuar según el mandatario, puede suponer que muchas de las innovaciones alcanzadas mediante el proceso creativo y de colaboración no se lleguen a poner en marcha si desde los niveles políticos no se confía en ellas o, simplemente, no se les da importancia.

5.2. Colaboración ciudadana para localizar a los más peligrosos: Europe's Most Wanted Fugitives

La colaboración ciudadana es esencial para la detención de los criminales más peligrosos de Europa. La web Europe's Most Wanted Figitives creada por Europol publica fichas policiales de fugitivos peligrosos y permite que cualquier ciudadano con información sobre ellos pueda contactar con el departamento de policía responsable de su búsqueda. Además, es muy frecuente que los cuerpos de seguridad de los Estados miembros de Europol difundan sus fotografías por redes sociales para mejorar la repercusión de la búsqueda y que pueda participar más gente en su localización. La mayoría de estos fugitivos son buscados por delitos de terrorismo, delitos con violencia extrema, delitos contra menores o por pertenencia a organización criminal.

Permitir la participación ciudadana en la detención de estos fugitivos ayuda a incrementar la sensación de seguridad construida por la propia ciudadanía, en colaboración con las fuerzas y cuerpos de seguridad, ante un tipo de criminalidad que genera gran alarma social por sus características. Además, con frecuencia, los cuerpos policiales ofrecen recompensas económicas –muy elevadas en algunos casos- a aquellos ciudadanos que aporten información que conduzca a la detención de los fugitivos.

5.3. Alertcops

Alertcops es una aplicación móvil lanzada por el Ministerio de Interior español para que los ciudadanos puedan contactar fácilmente con los cuerpos de la Policía Nacional y de la Guardia Civil. La aplicación permite avisar mediante geolocalización de desapariciones, de actos de vandalismo, de violencia escolar o de situaciones de tensión social que puedan desencadenar violencia en los espacios públicos.

La función "Centinela" permite que el usuario de la aplicación esté en contacto permanente con un agente de la autoridad mediante su móvil mientras realiza un trayecto que considera inseguro. Esta aplicación está especialmente pensada para que posibles víctimas de violencia de género puedan avisar en tiempo real de si sufren algún tipo de asalto mientras se encuentran solas, por ejemplo, caminando de noche.

6. CONCLUSIONES

La filosofía del buen gobierno y las políticas activas de Gobierno Abierto, especialmente las más innovadoras, se demuestran eficientes para la prevención de conflictos comunitarios y su resolución. También, en algunos casos, dicha prevención de conflictos va acompañada de una mejorar de la calidad de vida y de la seguridad de la ciudadanía. El aspecto tecnológico, junto a la transparencia y la ética de gobierno, es muy importante en estas políticas pero el factor determinante es la colaboración entre sector público, privado y ciudadanía.

BRUTOPIA, MEDIACIÓN VECINAL Y PARTICIPACIÓN EN "LAS 507"

FRANCISCO JAVIER ROS CLEMENTE
Fundación Cepaim
AMPARO YÁÑEZ MORENO
Ayuntamiento de Murcia

RESUMEN

El trabajo presenta el desarrollo del proceso de mediación vecinal llevado a cabo a través de la participación en "Las 507" del barrio del Infante Juan Manuel (Murcia). Una propuesta que está favoreciendo la mejora de la convivencia, así como la prevención y resolución de situaciones conflictivas en las viviendas de titularidad municipal. En un primer apartado se recoge un acercamiento al contexto de la situación y sus características. Los siguientes apartados recogen los aspectos metodológicos relativos a la mediación comunitaria y su aplicación al ámbito vecinal de las 507. Finalmente, se muestran las conclusiones de las acciones y propuestas de trasferencia metodológica. El proyecto fue titulado por las propias vecinas y vecinos con el nombre BRUTOPIA. Impulsado gracias a la colaboración entre la Concejalía de Educación, Relaciones con Universidades y Patrimonio del Ayuntamiento de Murcia – Servicio de Vivienda- y la Fundación Cepaim, Centro territorial de Murcia.

PALABRAS CLAVE: mediación comunitaria, mediación vecinal, participación, convivencia vecinal, resolución de conflictos.

1. INTRODUCCIÓN

El Ayuntamiento de Murcia a través de la Concejalía de Vivienda gestiona algo más de 1.000 viviendas de propiedad municipal, distribuidas por todo el término municipal de Murcia. La mayoría están ubicadas en el Barrio del Infante "Las 507" (325), en el Barrio del Espíritu Santo de Espinardo (368), El Palmar (61), Beniaján (41), La Ñora (44), Aljucer (21), Los Ramos (39), Javalí Nuevo (23), Monteagudo (13), Patiño (12), Churra (9), Corvera (8) y el resto están diseminadas por las distintas Pedanías (barrios en zona rural) de Murcia.

Las 507 del Barrio del Infante Juan Manuel de Murcia, están situadas al margen derecho del río Segura, en la propia ciudad de Murcia. Se trata de una barriada de viviendas sociales construidas a principios de los años 80, y adjudicadas en régimen de alquiler a partir del año

1985: Las 507 están divididas en 5 bloques de edificios, 4 ubicados en el propio Barrio del Infante y el 5° en la Avenida de la Fama.

Se trata de un Barrio que cuenta con los servicios básicos necesarios: centro de salud, centros educativos, comercios y a escasos metros de un hospital público.

Inicialmente estas viviendas se adjudicaron a familias jóvenes con hijos menores. Una gran parte de estas familias permanecen en el barrio, aunque actualmente, ya son personas mayores que viven, en el mejor de los casos, en matrimonio. Por tanto, hay un porcentaje elevado de mayores de 65 años que viven solos o solas.

En el año 2004 el Ayuntamiento de Murcia aprueba en Junta de Gobierno el Plan de Acceso a la Propiedad, poniendo a disposición de los inquilinos la compra de su vivienda, habiéndose vendido aproximadamente el 36% de las viviendas, quedando 325 de propiedad municipal.

A grandes rasgos, podemos resumir que, hoy en día estas viviendas siguen ocupadas, en general por familias vulnerables, con bajos ingresos económicos, monoparentales, mayores de 65 años que viven solas, hay un porcentaje alto de población gitana, algunas familias inmigrantes y alguna vivienda ocupada ilegalmente. Además, en los últimos años, se ha detectado un deterioro progresivo en las zonas comunes y suciedad, debido fundamentalmente al mal uso de los espacios y al paso del tiempo.

Las problemáticas detectadas en el Barrio de Las 507 se asemejan a otros barrios vulnerables, de características semejantes, siendo las más significativas, las siguientes:

- A raíz de la puesta en marcha del programa de Acceso a la Propiedad, en los bloques conviven propietarios e inquilinos, habiéndose establecido una especie de "estatus" diferente en función de si se tiene la casa en propiedad o no. Esta distinción que se produce entre las familias vecinas está generando unos problemas de convivencia importantes, afectando además a las comunidades de propietarios que se han formado.

- El deterioro en el Barrio es evidente, no sólo por el paso de los años sino también por el propio uso del vecindario. Las obras de mejora y acondicionamiento corresponderían a la Comunidad de Propietarios y no todas las familias propietarias podrían asumir este coste. Además, en la mayoría de los casos, las comunidades se mantienen gracias a las cuotas de las viviendas de propiedad municipal, ya que son asumidas por el propio Ayuntamiento, lo que ha permitido en un trabajo conjunto con el Administrador, poner al día los pagos atrasados con Iberdrola, el cambio de ascensores, y otros gastos básicos y necesarios para el correcto funcionamiento de las comunidades.

- Determinadas familias presentan múltiples problemáticas, algunas de ellas están siendo atendidas por servicios sociales.

- Los garajes se han estado utilizando para depositar enseres, basuras e incluso para arreglar coches y/o motos, apoderándose unos cuantos del espacio común e incluso de plazas de garaje que no les corresponde.

- Se producen reiteradas denuncias por el comportamiento incívico de vecinos y vecinas, poniéndose de manifiesto conductas como: no respetar las mínimas reglas de comportamiento, suciedades y destrozos de elementos comunes, realización de barbacoas en las plazas, fiestas en los garajes, intimidaciones y amenazas, etc

Por todo ello, se consideró necesario elaborar un proyecto de actuación que abarcase diversos ámbitos de actuación, de manera que se pudiesen atajar problemas concretos que se estaban manifestando en el Barrio. Destacamos a continuación los más importantes:

1. Acondicionamiento y reapertura de una Oficina de Información en Las 507. Este espacio trata de ser un punto de encuentro entre el Servicio de Vivienda y los vecinos del Barrio, donde además de atender a las familias, se utiliza para cursos de formación, para dar información, para reuniones de las comunidades de propietarios, etc.

2. Programa RED-CONECTANDO, que desde el Servicio de Vivienda consideramos la estrella de nuestra intervención en el Barrio. Se trata de un Proyecto iniciado hace tres años, con una intervención directa con determinadas familias muy vulnerables, realizando un seguimiento y acompañamiento social más intenso. Posteriormente, consideramos necesario abarcar

el trabajo desde una perspectiva sociocomunitaria, de manera que se realizó un estudio que sirviese de diagnóstico inicial de la situación con el objetivo de identificar a líderes naturales, formarles como mediadores, con el fin de participar en asuntos relacionados con la resolución de conflictos y problemas vecinales. En este punto es donde nos encontramos actualmente.

3. Actuaciones en los garajes, consistentes en la señalización, balizamiento y colocación de las Plazas de Garaje municipales para su distinción respecto de las que son de propietarios particulares e impedir en lo posible su ocupación por vehículos no autorizados, e impedir el mal uso de los mismos.

4. Instalación de nuevos contadores digitales que controlan el consumo de escaleras y zonas comunes, para evitar en lo posible enganches ilegales a las líneas eléctricas de uso comunitario, ya que hay un alto riesgo de incendios por sobrecarga de la red eléctrica.

5. Paralelamente, en aquellas situaciones familiares donde se han detectado una serie de irregularidades de determinadas familias que ocupan viviendas municipales, se está procediendo a su estudio para la toma de medidas oportunas.

Por último, se ha seleccionado una Entidad del Tercer Sector para la puesta en marcha de este Proyecto piloto RED CONECTANDO, a la Fundación Cepaim, al considerar importante promover mecanismos de colaboración que favorezcan la participación de aquellas entidades implantadas en el municipio de Murcia que actúan en ámbito de la vivienda y trabajan con los mismos sectores de población y, de esta manera, aunar esfuerzos para el aprovechamiento óptimo de los recursos, tendentes al fomento de la mejora de las condiciones de vida de las familias que residen en las viviendas sociales de titularidad municipal.

2. METODOLOGÍA

Para el desarrollo de la parte de investigación, para el diagnóstico inicial, se ha implementado una metodología mixta, cuantitativa y cualitativa. La principal técnica utilizada para la recogida de información ha sido la encuesta. Para la realización de dicha encuesta se ha utilizado un cuestionario elaborado conjuntamente por personal de Fundación Cepaim (equipo técnico del proyecto y coordinaciones de Centro y Área de la entidad) y el personal del Servicio de Vivienda del Ayuntamiento de Murcia, cuyo contenido pretende recoger información relevante para la consecución de los objetivos propuestos.

Al mismo tiempo, el modo en el que se ha realizado la encuesta, ha permitido a los encuestadores implementar la técnica de la observación, identificando elementos importantes para la investigación como el lenguaje no verbal o la observación del entorno en el que se desarrolla la vida cotidiana de las personas encuestadas, relaciones entre los vecinos, con el barrio o escalera, etc. La información de dicha observación se ha recogido en un diario de campo, y el análisis de la misma se ha incorporado junto con los resultados del análisis de la encuesta.

Finalmente cabe añadir, que las personas que han realizado el trabajo de campo han desarrollado previamente intervención en el barrio, con la población objeto de estudio, lo que ha facilitado el contacto con la mayoría de las personas encuestadas.

El trabajo de campo se desarrolló entre el 18 de diciembre y el 16 de febrero de 2018 con las Escaleras 2 y 4, y entre el 15 de Junio y el 25 de Julio de 2018 con la Escalera 3 del Bloque Uno de las Viviendas Sociales del Ayuntamiento en el Barrio Infante Don Juan Manuel en la ciudad de Murcia. La mayoría de las entrevistas han sido personales en el domicilio de los/as entreistados/as. No obstante, por preferencia de los encuestados/as se han realizado 3 cuestionarios telefónicos y 3 en el local del Ayuntamiento ubicado en el barrio.

El contacto con las personas susceptibles de participar en el proyecto, se ha llevado a cabo a través de diferentes técnicas; de forma telefónica, a través de carteles en zonas estratégicas (rellanos, ascensor, puerta principal), a puerta fría y de forma espontánea.

En total se han realizado 59 cuestionarios, 18 de ellos correspondientes a la escalera 4ª, 20 a la escalera 2ª del bloque seleccionado para la investigación. Con ello, se ha conseguido información relativa a más de la mitad de los hogares que constituyen el bloque.

La unidad de análisis ha sido cada uno de los hogares del bloque por lo que se ha seleccionado para realizar la encuesta al menos a una persona adulta, cabeza de familia de cada uno de los hogares.

En lo que respecta a la metodología desarrollada en la segunda Fase, cabe destacar el carácter abierto y flexible planteado a través de las metodologías participativas, entendiéndolas como un conjunto de pasos que permiten la implicación, análisis y toma de decisiones sobre los problemas y dificultades del entorno (Fundación Cepaim, 2014).

A nivel metodológico distinguimos tres líneas de trabajo:

1. Prevención

   A través de acciones que ayuden a facilitar la convivencia desde el conocimiento y el diálogo, las normas de convivencia, el trabajo coordinado entre entidades...

2. Dinamización comunitaria

   Con la organización de acciones encaminadas a la creación de una imagen positiva de la zona, el respeto vecinal y del entorno, jornadas de encuentro, ...

3. Transferencia

   A partir de la sistematización y del diseño de materiales trasferibles sobre convivencia y mantenimiento de las viviendas sociales, así como reuniones, formaciones y acompañamientos que favorezcan el buen clima vecinal.

De este modo es el propio vecindario es protagonista y responsable de su propio proceso de mejora de la convivencia (Giménez Romero, 2011), convirtiéndose en líderes y responsables de la mediación a través de la organización y creación de espacios de encuentro, conocimiento y reflexión conjunta.

3. RESULTADOS Y CONCLUSIONES

A continuación, se muestran algunos de los resultados más relevantes de la investigación desarrollada en la Fase 1, así como la descripción de las acciones implementadas durante la Fase 2; finalizando con una exposición, a modo de conclusiones, del impacto generado por el proceso de mediación en "Las 507".

Fase I.

Características socio-demográficas básicas de las personas encuestadas

Como se puede observar en el cuadro 1, las mujeres suponen más de la mitad del total de las personas encuestadas. A su vez, se puede ver que se trata de una población con una estructura de edad relativamente envejecida, puesto que la mayoría de las personas encuestadas tienen edades comprendidas entre los 68 y 78 años, y entre los 57 y 67.

Cuadro 1. Personas encuestadas según sexo y nacionalidad

Sexo	N	%
Mujer	41	69,5
Hombres	18	30,5
Total	59	100
Edad	N	%
De 35 a 45 años	9	15,3
de 46 a 56 años	11	18,6
de 57 a 67 años	18	30,5
de 68 a 78 años	18	30,5
Mayores de 78 años	3	5,1
Total	59	100
Nacionalidad	N	%
Española	57	96,6
Extranjera	2	3,4
Total	59	100

Fuente: Encuesta realizada por Cepaim 2018.

Sentido de pertenencia, satisfacción, conflictos latentes y predisposición para el cambio

La mayor parte de vecinos y vecinas manifiesta que le gusta su barrio pero que cambiarían algunas cosas como se aprecia en el cuadro

2. Cuando comentan este sentimiento suelen completar la frase con comentarios del tipo: "si hubieseis conocido esto antes" o "esto no se parece en nada a como era antes", "era tan bonito y ahora…", es decir que existe un sentimiento de pertenencia mezclado con otro de nostalgia y resignación. Las familias que mantienen estas opiniones son las que más tiempo llevan residiendo en la zona. Por otro lado, hay un considerable número de familias que, si pudiesen, dejarían de residir en el barrio. Es muy relevante el dato de que solo a una persona le gusta su barrio tal y como está.

Cuadro 2. Auto-identificación con el barrio

Auto-identificación	N	%
Me gusta mi barrio tal y como está	1	1,7
Me gusta vivir en mi barrio pero cambiaria algunas cosas	39	66,1
No me gusta el barrio, y me gustaría marcharme de aquí	19	32,2
Total	59	100,0

Fuente: Encuesta realizada por Cepaim, Barrio Infante, 2018.

Con el fin de conocer la percepción sobre cuestiones importantes del barrio, se pide a los vecinos y vecinas que puntúen en una escala de satisfacción, de cero a diez, algunos aspectos que a continuación se describen en gráfico (cero es la mínima puntuación y diez la máxima). Para interpretar los gráficos que se presentan a continuación hay que tener en cuenta que el número de personas se corresponden con la columna que hay en vertical, mientras que las cifras que encontramos en horizontal expresan el grado de satisfacción. A continuación, se detallan los aspectos valorados en este apartado de la encuesta:

Al igual que sucede con el uso de los espacios comunes del bloque, son muchos los vecinos/as que consideran que se les da un mal uso a los espacios comunes del barrio (plaza, jardines, acceso a bomberos, etc.) como se aprecia en el gráfico 1.

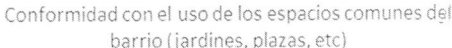

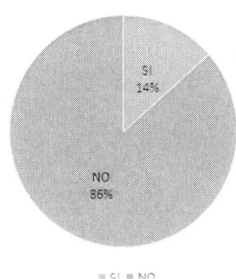

Gráfico 1. Conformidad con el uso de espacios comunes (jardines, plazas, etc.)Fuente: Encuesta realizada por Cepaim, Barrio Infante, 2018.

Los motivos manifestados más comunes (gráfico 2) son el miedo, la inseguridad y temor que generan grupos de vecinos/as que suelen frecuentar estos espacios. A la hora de realizar la entrevista, casi todos los vecinos/as coincidían en la convicción de que frecuentar estas zonas siempre desembocaban en malentendidos y discusiones ocasionado por cotilleos, críticas y provocaciones. Es común que surjan peleas, así que es preferible no participar de ello. Además, es considerable la visión de los espacios deteriorados que hacen que no se frecuenten.

Gráfico 2. Motivos

Fuente: Encuesta realizada por Cepaim, Barrio Infante, 2018.

En cambio, al preguntar si les gustaría disfrutar de estos espacios, la gran mayoría de encuestados/as responden que si, como se aprecia en el cuadro 3.

Cuadro 3. Disfrute de espacios públicos

Te gustaría disfrutar de los espacios públicos	N	%
No	6	7,9
Si	48	78,9
NS/NC	5	13,2
Total	59	100,0

Fuente: Encuesta realizada por Cepaim, Barrio Infante, 2018.

Fase 2.

Acciones desarrolladas a partir de Metodologías Participativas

En el desarrollo de la Fase 2, las metodologías participativas se han posicionado en el centro de la acción, donde lo importante no es construir un proyecto, sino un proceso dinámico, cambiante y adaptable a los vaivenes del territorio; como bien remarca Marchioni M. (2002).

En este proceso se han establecido tres líneas de trabajo, donde se han enmarcado las diferentes acciones para la mediación entre el vecindario. A continuación, se detallan las diferentes acciones implementadas correspondientes a las diferentes líneas:

1. Prevención.
   - Creación y formación de un Grupo de participación vecinal
   - Creación de una Mesa de Entidades para el trabajo en red
   - Reuniones de coordinación

2. Dinamización comunitaria
   - Jornada de Encuentro vecinal
   - Difusión de una imagen positiva
   - Actividades y Talleres comunitarios (Juegos infantiles, formaciones, …)

3. Transferencia
   - Sistematización de la experiencia
   - Producción de un Vídeo del barrio

Con las diferentes acciones se ha llegado a unas 300 personas, lo que supone un alto porcentaje que ya conoce y ve en el proceso de mediación una oportunidad para mejorar las relaciones vecinales y el clima de conflictividad de la zona.

Impacto generado

El proyecto ha conseguido promover la mejora de la convivencia vecinal mediante la mediación y la participación activa de la comunidad en la vida comunitaria. Se han superado las expectativas previstas, llegando a más de 300 vecinas y vecinos de vivienda social.

Las diferentes actividades han promovido la convivencia vecinal, la mejora la imagen reduciendo las connotaciones negativas de la zona, la coordinación e implicación de las diferentes entidades, y la formación y participación del vecindario.

Todo el proceso ha sido desarrollado a partir del equilibrio entre las acciones de dinamización y formación donde la mediación y la sensibilización social han estado muy presentes.

Junto con la desconfianza y las actitudes negativas iniciales, se ha dado la dificultad de involucrar a algunas de las familias. La participación más activa y constante ha venido de parte de personas mayores o familias monoparentales.

Se ha detectado la necesidad de continuar llevando a cabo acciones que permitan disminuir y finalmente eliminar por completo la sensación de abandono.

Entre los logros, cabe destacar el avance y el cambio experimentando hacia un clima más distendido y de diálogo que ha permitido el acercamiento entre vecinas, así como dotar de estrategias de mediación. De este modo se ha favorecido el respeto a las zonas y espacios comunes, la responsabilidad, el cuidado y el mantenimiento de la vivienda.

Este proyecto supone la aplicación y el estudio piloto de una propuesta metodológica y de intervención social para favorecer la convivencia y el mantenimiento de las viviendas municipales. Consideramos la necesidad de continuar avanzando en el proyecto, permitiendo ajustar y producir cambios reales en las comunidades. Así como, pudiendo realizar una transferencia metodológica del proceso a otras zonas y áreas, interviniendo de manera participativa y desde una dimensión comunitaria a partir de la figura de la mediación intercultural.

Como propuesta de mejora apostamos por la creación y fortalecimiento de un servicio de mediación intercultural que pueda hacer frente a la prevención y resolución de conflictos en las viviendas municipales, ya que en su mayoría son zonas donde la diversidad cultural está muy presente. Nos referimos a un cuerpo de profesionales que favorezca espacios de encuentro, negociación y comunicación entre las personas que representan valores culturales diferenciados. Una figura profesional que permita el acercamiento, la resolución y prevención del conflicto.

HACIA UN SERVICIO PÚBLICO DE MEDIACIÓN: UNIFORMIDAD, FORMACIÓN Y CALIDAD

MARTA GONZALO QUIROGA
Directora del Título Propio de Experto en Mediación
Universidad Rey Juan Carlos

RESUMEN

El presente trabajo tiene por objeto analizar el momento actual de la mediación en España a través de nuestros sistemas de formación, calidad, evaluación y control ante la oportunidad legislativa que, desde enero de 2019, estamos protagonizando. Con la entrada en vigor del actual Anteproyecto de Ley de impulso de la mediación ésta pasará a ser obligatoria en determinadas materias sin que ello haya venido acompañado de la fijación de un mínimo común actualizado en cuanto a formación, calidad y evaluación que garantice uniformemente la mediación en el Estado español. Una mediación obligatoria exige un adecuado sistema de formación de los mediadores, supervisión y evaluación continuada y continua de los servicios de mediación. Sin embargo, hoy por hoy, carecemos de diseños y uniformidad al respecto de los que podamos partir para lograr un necesario consenso. Si bien, el debate deriva no tanto de uniformar dichos servicios sino de cómo hacerlo para que, con los mismos criterios, podamos remar todos en la misma dirección y, con ello, procurar el incremento del número de mediaciones en España en un contexto en el que calidad y cantidad deberían venir unidas de la mano. Desde esta perspectiva, se aboga por armonizar los sistemas de formación, evaluación, supervisión y calidad de nuestros servicios de mediación a través de la creación de un Servicio Público de Mediación.

PALABRAS CLAVE: Mediación, Formación, Metodología, Calidad, Servicios de mediación, Evaluación y Supervisión.

1. INTRODUCCIÓN

Los avances y logros alcanzados por la mediación en España desde diversos ámbitos en los últimos años han sido significativos. Sin embargo, sin desmerecer los mismos, un primer diagnóstico de la mediación en nuestro país arroja un espacio de luces y sombras particularmente tenues en los temas referidos a formación, metodología y calidad, en particular en el aspecto referido a la evaluación, supervisión y calidad de nuestros servicios de mediación.

De un lado, el reciente informe del estado de la mediación en España (2018) concluye que, en general, la aprobación de la Ley 5/2012, de 6 de julio, de mediación en asuntos civiles y mercantiles (LMed) significó un mayor conocimiento de esta institución y la formación de miles de profesionales. No obstante ello no ha supuesto un mayor acceso de los ciudadanos a los servicios de mediación debido, entre otros factores, a que ésta no ha venido acompañada de otros apoyos necesarios para su adecuada implementación, evidenciado que la sola aprobación de la ley no ha sido suficiente. Si bien, la entrada en vigor de la LMed pudo haber propiciado la formación de un amplísimo colectivo de profesionales que se ha especializado en mediación ha procurado también una oferta desproporcionada de mediadores, instituciones y servicios de mediación que supera con creces la demanda. De ahí que, por un lado, dichos mediadores se hayan visto un tanto frustrados o decepcionados al no haber visto satisfechas sus expectativas de trabajo en este campo. En definitiva, nos encontramos en un momento crucial donde cada vez más, con distinta legitimidad, proliferan diversos centros y organismos de formación en mediación. Hecho que ha catapultado el número de mediadores en España sin que el número de mediaciones haya crecido a la par, provocando una desilusión en el sistema, tanto de mediadores que no logran trabajar como tales, instituciones de mediación, que tienden a desbordar con una oferta que supera con creces una demanda que no llega y ello, como no, revierte en nuestra institución. Es hora de poner el freno y recapitular sobre nuestra formación, servicios y calidad. A través de una evaluación, criterios uniformes en materia de formación y supervisión continuada y constante de la calidad, sin duda, se logrará procurar estabilidad, credibilidad y cambio. Y, con ello, el incremento del número de mediaciones en España en un contexto, el de la mediación, en el que calidad y cantidad deberían venir unidas de la mano.

De otro lado, el compromiso de la administración parece haber quedado reducido a declaraciones institucionales, al Registro de Mediadores e Instituciones de Mediación y al apoyo moral a determinados proyectos. Sin embargo, según el informe de 2018 citado, los mediadores de todas las Comunidades Autónomas vienen reiterando la necesidad de unificar los registros autonómicos, nacional y de los colegios profesionales. Reivindican que, también, exista una coordinación entre el Ministerio de Justicia y el CPGJ y criterios unificados para el control de calidad, supervisión y articulación de la mediación (p. 323). No obstante, a sabiendas de la Directiva Europea de Servicios, Ley Ómnibus en España, se plantea la conveniencia de un Colegio Profesional de Mediadores y de un organismo nacional de coordinación, cabeza visible donde dirigirse, con el liderazgo del Ministerio de Justicia (p. 324). De otro lado, la propia realidad judicial, legislativa y práctica nos muestra todavía ciertas carencias que, si la sabemos aprovechar, nos brindan una extraordinaria oportunidad de cambio y mejora en formación y calidad de nuestro sistema de mediación.

Estos y otros factores desencadenaron que, a tan sólo siete años desde su aprobación, haya sido necesaria la reforma y modernización de nuestra actual Ley de Mediación, teniendo los criterios de formación y calidad mucho que decir en este sentido. El pasado 11 de enero de 2019 el Consejo de Ministros aprobó el actual Anteproyecto de Ley de Impulso de la mediación. Uno de los factores que más pesaron en la reforma fue el de corregir el número tan bajo de mediaciones en España. La reforma actual trata de impulsar la mediación en nuestro país en un claro avance en el cumplimiento de la Directiva 2008/52/ CE y los objetivos que, sobre la implantación de la mediación, vienen marcando tanto el Parlamento Europeo como la Comisión. En este contexto, el actual Anteproyecto de Reforma de la mediación en España ha sido acogido con cierta dosis de expectación y esperanza, conscientes de que, si bien sus preceptos distan de ser todo lo exigentes a lo que hubiéramos podido aspirar, todavía hay tiempo para realizar modificaciones y mejoras (como las realizadas por GEMME, CUEMYC, 2019) que, sin duda, serán constructivas y bienvenidas de cara a mejorar la práctica de la mediación en nuestro país.

A la situación descrita en el epígrafe anterior se suma además el informe favorable del Consejo General del Poder Judicial (CGPJ) al Anteproyecto, de 28 de marzo de 2019, que realiza una valoración general muy positiva del texto (nota 5, 2019). Si bien, lo que más llama la atención de dicho informe es que al Poder Judicial español, el presente Anteproyecto le sabe a poco. Defiende la necesidad de ir más allá del estricto planteamiento normativo previsto en el mismo, subrayando la necesidad de aprobar medidas que garanticen una "implicación real, efectiva y coordinada de las instituciones responsables de la mediación y un mayor compromiso" tanto de los jueces y magistrados como de las administraciones competentes en la materia.

Llamada a una mayor implicación administrativa e institucional, llamamiento a la coordinación en materias de mediación en el Estado español, cooperación, trabajo común, responsabilidad y compromiso. Todo ello en la consecución de la tutela judicial efectiva directamente relacionada con la "calidad de la mediación". Calidad como baluarte de su confianza y de la perfecta compatibilidad de su utilización como instrumento de Justicia facilitador del acceso a la misma de todos los ciudadanos, reto al que se han de enfrentar la práctica totalidad de Estados en un mundo internacionalizado y globalizado (Gonzalo Quiroga, 2019: 164).

De modo que, respondiendo a estos llamamientos explícitos hacia una cooperación, integración, responsabilidad y compromiso en materia de mediación, una de las mejoras que más hemos de procurar de cara a la práctica y la mejora de la mediación en España, es la que atañe a nuestra Área temática -Formación, Metodología y Calidad- de la mediación y, con ello, a la evaluación, supervisión y calidad de nuestros servicios. Y, de ahí, la extraordinaria oportunidad que estamos protagonizando. Más aún, cuando el Anteproyecto de Ley de impulso de la mediación pretende la implantación definitiva de la mediación en España a través de la imposición de la mediación obligatoria en un número delimitado de materias. Una mediación obligatoria exige un adecuado sistema de formación de los mediadores, supervisión y evaluación de los servicios de mediación. De ahí que, ante la ausencia de servicios uniformes al respecto debamos llegar a un consenso. Nos encontramos, por ende, ante una oportunidad señalada de armonizar los sistemas de evaluación, supervisión y calidad de los servicios de mediación en España. Y, para ello, proponemos que sea a través de la creación de un Sistema Público de mediación, también presente en el Anteproyecto.

2. METODOLOGÍA

No existen, al día de hoy, estudios e instrumentos validados, nacionales o internacionales para medir la calidad de la mediación. Lo que sí encontramos es algún diseño de aplicación y análisis de ciertos instrumentos, más o menos novedosos, dirigidos a la evaluación de procesos de mediación de conflictos en ciertos ámbitos sustantivos, destacando la mediación familiar (Fuentealba-Martínez, M.S., González-Ramírez, I.X. y Valdebenito-Larenas, 2018). De ahí que, en cuanto a metodología, los materiales y métodos empleados se basen en el análisis de distintos sistemas de calidad experimentados de modo local en ámbitos materiales determinados y su aportación de cara a la implantación de un Servicio Público de Mediación con un compromiso de armonización en los sistemas de evaluación, supervisión y calidad de los servicios de mediación en el Estado español, ante la oportunidad legislativa que, insistimos, no podemos desaprovechar.

De otro lado, ha sido difícil también encontrar de qué manera y bajo qué criterios crear e uniformar un Servicio público de mediación para todos y en todo el Estado, esto es, apostando por una metodología uniformadora y uniforme. El Actual Anteproyecto de reforma señala que se va a establecer la obligatoriedad de que las partes intenten previamente a la interposición de una acción judicial, un acuerdo a través de un proceso de mediación. Es así como la mediación, al ser uno de los mecanismos que el Estado ofrece a las personas para la solución jurídica de importantes conflictos (familiares y mercantiles, fundamentalmente) requiere que sus servicios sean de calidad, surgiendo por ello, el siguiente planteamiento: ¿Cómo es el sistema que tiene España para supervisar? ¿Existe algún sistema de evaluación y supervisión de la calidad de la mediación en España? No hemos encontrado nada concreto que resuelva estas cuestiones más allá de los códigos deontológicos o de conducta que tienen los mediadores y análisis locales, muy restringidos, existentes en distintas comunidades autónomas, servicios y sus profesionales de la mediación. El diseño de un Servicio Público de Mediación es fundamental ante la importante y necesaria tarea que deberá abordar: uniformar la formación, evaluación y control de nuestros sistemas de mediación, guardián a la vez que garante de nuestra calidad.

Para ello nuestro análisis se ha basado en parte en el trabajo realizado, en abril de 2018, desde la Federación Nacional de Asociaciones de profesionales de la Mediación, FAPROMED, y la Universidad de Murcia, gracias al cual hemos podido conocer la trayectoria de la Ley 5/2012, de 6 de Julio, su nivel de cumplimiento y evaluación y cómo se había implantado en las diferentes CCAA del Estado Español (Estado de la mediación en España, 2018), a través de las preguntas relativas a formación, calidad, supervisión y control de la mediación.

Gracias a la información aportada tras este estudio desde las comunidades autónomas hemos podido obtener información que, al igual que en sus conclusiones, esperamos propicie la adopción de políticas públicas y privadas que den el definitivo impulso para que la Mediación sea conocida y utilizada de forma normalizada y que la figura de la persona mediadora se profesionalice, todo ello con garantías profesionales y de calidad.

3. RESULTADOS Y CONCLUSIONES

En España hemos de asumir un compromiso necesario dirigido a la calidad de la mediación así como a una cierta armonización de nuestro sistema de formación, evaluación, supervisión y control de nuestros servicios. La investigación parte del actual Anteproyecto de Ley de impulso de la mediación en España y el informe general emitido por el CGPJ en marzo de 2019. Nos encontramos así ante una oportunidad extraordinaria porque, al no haber entrado todavía en vigor, podemos aprovechar su desproporcionada vacatio legis, de tres años, para hacer los cambios necesarios y realmente impulsar la mediación en España. Cambios que vienen por diseñar, mejorar y gestionar la calidad de la mediación en nuestro país. Calidad que, lejos de estar reñida con la cantidad, es esencial para lograr que aumenten el número de mediaciones en un contexto donde calidad y cantidad deberían venir unidas de la mano.

El porqué de esta necesidad de uniformización de nuestros sistemas de mediación proviene no sólo desde un punto de vista meramente estructural, sino que, precisamente, en aras de la calidad de que la mediación sirva como ejemplo y modelo de referencia para sus ciudadanos, confíen en ella y, por tanto, comiencen a utilizarla o lo sigan haciendo. Sólo si se tienen servicios de calidad en mediación el sistema está legitimado y funcionará. No hay necesidad, pues, de contrastar calidad con cantidad sino de trabajar más en calidad para, con ello, procurar más cantidad y que, por fin, se eleven el número de mediaciones en España, algo que todos queremos y por lo que deberíamos trabajar en aras de la Justicia.

Con estos planteamientos, el debate deriva, no tanto de uniformar los sistemas de evaluación, supervisión y calidad de los servicios de mediación en un país como el nuestro, que, sin embargo, ha sido tan desigual en su desarrollo en cuanto a métodos alternativos, por las diferentes leyes de mediación en las comunidades autónomas, previas a la Ley estatal de mediación de 2012, con un Anteproyecto de impulso, en este año 2019; sino de cómo hacerlo y qué hacer para establecer dichos servicios para que, gracias a un consenso básico que proporcione unas directrices esenciales, podamos remar todos en la misma dirección.

Y, para ello, en materia de formación, las universidades son las que tendrían que asumir competencias exclusivas al respecto y estructurar, junto al Ministerio de Justicia, esta armonización. El actual Anteproyecto traerá como consecuencia un importante cambio en los planes de estudio de diversos Grados o carreras universitarias. Donde se tendrían que especificar detalladamente los requisitos para la formación en mediación. La mediación tiene que sostenerse sobre conocimientos reconocidos por el campo científico al que pertenecen sus disciplinas de base formativa. Tema controvertido, el de la formación en mediación, que, sin embargo, es esencial para dotarla del crédito y garantía que precisa en el ámbito profesional y en la Justicia. Formación en general al que hay que sumar la formación específica de la persona mediadora teniendo en cuenta el campo específico en el que actúa. Y aquí, las instituciones y los centros de formación en mediación podrían jugar, en colaboración con las Universidades, un papel esencial de cara a la especialización y práctica.

El reciente informe favorable del CGPJ afirma, en consonancia con las recomendaciones tanto del Parlamento Europeo como del Parlamento Español, que la reforma podría ser una oportunidad para diseñar un Servicio Público de Mediación. Ello se traduciría en la creación de una especie de administración pública de apoyo, coordinación y prestación de servicios en favor de la mediación, que garantizara en todo el territorio nacional el acceso a la mediación en igualdad de condiciones y oportunidades. Por ello, considera necesaria una formación de calidad en mediación que se haga extensiva no sólo a los planes formativos de los grados universitarios que se considere oportuno (Derecho, Psicología, Trabajo Social, Ciencias Sociales y Jurídicas en general) sino también a todos los ciclos formativos. Asimismo, entiende que debería incluirse en los temarios de las oposiciones, especialmente las de la Administración de Justicia. De manera que, a nuestro entender, dicho Servicio Público de Mediación estatal estaría auspiciado por las Universidades y el Ministerio de Justicia.

En este sentido, y aprovechando el momento en cuanto al cambio en la mediación propiciado por el actual Anteproyecto de Ley de impulso de la mediación que aquí hemos analizado, apuntamos las siguientes líneas de trabajo:

– Lo primero, es la creación de un Servicio de Mediación, tal y como prescribe el actual Anteproyecto. Y, una vez creado, que sea éste el que, gracias al papel de otras instituciones de formación con el aval y papel fundamental y exclusivo de las Universidades como formadoras en mediación, se pueda establecer de forma clara un sistema de formación, evaluación, supervisión y calidad de los servicios de mediación en todo el territorio. Una de las funciones de este servicio sería fundamental: Armonizar y unificar dichos sistemas.

– En segundo lugar la inclusión de la mediación en los planes formativos es un factor de calidad esencial. Las Universidades tienen que recoger este testigo y hacerlo de una manera también armonizada y coordinada entre las Universidades y las instituciones de mediación, insistiendo en la evaluación también de los propios mecanismos de formación. Y de ahí trabajar por un sistema en constante capacitación y evaluación dirigido por el Servicio Público estatal y a través de la garantía y calidad que se presume de las Universidades, garantía de formación.

– En tercer lugar la práctica y los mecanismos de control de nuestros clientes en mediación también deberían tener un papel importante de cara a su continua supervisión para garantizar el sistema. Evaluación y la supervisión como elementos dinamizadores del conocimiento ya que, el trabajo de registro, supervisión y retroalimentación de cada servicio de mediación y la cooperación en cuanto a dicha supervisión y retroalimentación entre los distintos servicios de mediación entre sí mejora efectivamente la calidad de la mediación.

Tras todo lo señalado son varios los interrogantes que quedan para resolver en este campo. ¿Qué se hace y cómo se supervisan los Registros de mediadores ya realizados? ¿Habría que hacerlo en su caso? ¿Hasta dónde debería llegar la supervisión en la calidad en la formación? ¿Cómo diseñar, articular y gestionar dicho Servicio? ¿Con qué presupuesto y financiación? etc. Desde aquí sólo hemos aportado modestamente una serie de propuestas y líneas de trabajo en las que tendremos que profundizar, destacando la oportunidad extraordinaria que vivimos en el momento actual y no podemos dejar escapar. Sólo a través de análisis empíricos sobre el tema nos permitirán validar o no, mejorar, y con ello diseñar un sistema de supervisión y los instrumentos necesarios para medir, comprobar y comparar la calidad de los componentes examinados en cada profesional de la mediación y servicios de mediación creados, así como diseñar el protocolo mínimo necesario para los nuevos profesionales y los servicios de mediación que se estén por inaugurar. Para ello es muy importante el diseño, gestión y coordinación realizado por el Servicio Estatal de mediación y, a su vez, el papel de las Universidades como formadoras y la cooperación entre mediadores y servicios. Sólo a través de sus experiencias y la retroalimentación fiel y honesta de nuestra gestión lograremos mejorar la calidad de nuestros servicios y que el número de mediaciones aumente.

Esperemos, pues, que la reforma legislativa implique, además, un incremento cualitativo y cuantitativo de las mediaciones en España que es de lo que se trata. No de renovar superficialmente la Ley y quedar con ello bien con Europa, sino que la reforma sea estructural, profunda y, efectivamente, entré en vigor en un futuro inmediato. La mediación requiere de calidad a través de políticas públicas capaces de crear un sistema que garantice el acceso del ciudadano a la justicia y que cuente con la implicación real, efectiva y coordinada de las instituciones responsables de la misma y también un mayor compromiso tanto de los miembros de la Carrera Judicial como de las administraciones competentes y de las Universidades como formadoras en mediación por excelencia.

EL ABOGADO ANTE LA MEDIACIÓN Y EL DERECHO COLABORATIVO

GONZALO ITURMENDI
Bufete G. Iturmendi y Asociados

RESUMEN

En este capítulo se reflexiona sobre el derecho colaborativo y la relación tan estrecha que guarda con la Mediación y el resto de sistemas alternativos de solución de conflictos. Se profundiza en su significado, así como en los principios y valores que lo guían: comprensión, compromiso de integridad, confianza y respeto. También en el método y proceso que se sigue. El Derecho colaborativo es un método para la solución de conflictos, no confrontativo, autocompositivo y amistoso, basado en la negociación, pacificación y cambio social. Como método alternativo de resolución de conflictos, se caracteriza por su carácter innovador, colaborativo y amistoso. Pero, sobre todo, es una nueva forma de entender la defensa jurídica y la justicia desde unos principios y valores. Los valores del derecho colaborativo son los mismos que los de la mediación y los de otros sistemas alternativos de solución de conflictos, pues todos se basan en la Directiva 52/2008/CE del Parlamento Europeo y del Consejo sobre ciertos aspectos de la mediación en asuntos civiles y mercantiles, y en la ulterior Ley 5/2012 de Mediación en asuntos civiles y mercantiles.

PALABRAS CLAVE: derecho colaborativo, mediación, sistemas alternativos de solución de conflictos.

1. INTRODUCCIÓN: ¿QUE ES EL DERECHO COLABORATIVO?

El derecho colaborativo es un método para ejercer la Abogacía para la solución de conflictos, no confrontativo, autocompositivo y amistoso, basado en la negociación, pacificación y cambio social.

Como método alternativo de resolución de conflictos, se caracteriza por su carácter innovador, colaborativo y amistoso, pero sobre todo es una nueva forma de entender la defensa jurídica y la justicia desde unos principios y valores.

El Derecho colaborativo crea un espacio para que las partes puedan disponer de mutuo acuerdo la solución de sus conflictos.

El Derecho al acuerdo implica y posibilita el acceso al pacto entre las partes dentro del Derecho y a la Justicia.

Los conflictos jurídicos no son sino la manifestación de otro tipo de conflictos emocionales, afectivos, de lenguaje, incomprensión, etc. A la Abogacía los conflictos vienen de muchas formas y como quiera que la Abogacía está al servicio de la Justicia, este método de solución de conflictos se basa en la esencia misma del ejercicio de la Abogacía que debe optar siempre por lo mejor para el interés del cliente.

El derecho colaborativo se basa en la negociación por intereses, buscando que todas las partes satisfagan sus necesidades. Es un proceso extrajudicial, voluntario, confidencial y multidisciplinar.

2. PRINCIPIOS DEL DERECHO COLABORATIVO

Se trata de un proceso amistoso basado en intereses. El protagonismo de las partes es esencial de forma que cada abogado que utiliza este método de resolución de conflictos, lo que hace es asistir a la parte a la que representa y trabajar de forma conjunta con los distintos interesados en la solución del conflicto.

No se utiliza un mediador sino tantos Abogados como partes existan, sin embargo concurren los mismos principios que en la mediación de conflictos:

- Voluntariedad, en el sentido de que las partes eligen libremente acudir a un método de gestión de conflictos determinado y, también, en el sentido de que no están obligados a mantenerse en él ni a llegar a un acuerdo.

- Igualdad de las partes, en el sentido de que ninguna de las partes tendrá una posición de preeminencia sobre la otra.

- Confidencialidad, en el sentido de que las manifestaciones, ofertas e, incluso, documentos realizados en la negociación que se produce en el proceso de mediación, no podrán ser utilizados como prueba en un procedimiento judicial o arbitral posterior.

- Flexibilidad, en el sentido de que las partes pueden diseñar y gestionar un proceso a medida de sus necesidades en cuanto a tiempo, gestión de documentos, etc.

La carta de Stuart Webb.

"Fue hace un cuarto de siglo cuando las frustraciones de Stu Webb con el sistema legal, a menudo infraequipado para servir a la gente, y su visión y coraje para buscar un camino mejor, culminaron con una carta al Juez Sandy Keith. ¡Con esa carta se produjo el nacimiento del "proceso colaborativo"! ¡Hemos llegado muy lejos desde entonces!" Estas son las palabras de Linda K. Wray, actual Presidenta de la IACP, invitando a toda la comunidad a participar en este IACP Forum, al tiempo de aprendizaje y de networking.

Stuart Webb era un abogado matrimonialista "quemado" tras 17 años de ejercicio profesional "adversarial", tradicional, en la Minnesota de los últimos ochenta. Imposible de sintetizar en una frase o un lema, establezcamos que lo "ancilar y esencial" del proceso que diseño "Webb" es la "cláusula de representación limitada".

¿Qué es esto, qué significa? ¿Cuál es la esencia, lo diferencial, del proceso colaborativo? En el "proceso colaborativo" los letrados llevan al extremo su compromiso con la consecución de un acuerdo dialogado, razonable, plenamente asumible por ambas partes, y eficaz y sostenible en el tiempo..., y lo llevan al extremo renunciando expresa y explícitamente a intervenir en el caso fuera de ese contexto, renunciando expresa y explícitamente a representar a su cliente ante los tribunales para el caso, hipotético, de que el proceso no llegue a buen fin, no se consiga ese acuerdo.

Ese detalle "extremo" generó un cambio radical en el modo de ejercicio de la Abogacía en este ámbito del "proceso colaborativo", y la preparación técnico-jurídica se convirtió en "necesaria pero no suficiente".

El Abogado necesita ahora otra "set de herramientas", sobre negociación, escucha activa, diálogo, asertividad y empatía... Todo se transforma en el "proceso colaborativo", al punto que la expresión "paradigm shift", el "cambio de paradigma", es la consigna más repetida en los diversos seminarios y formaciones en que he participado.

El éxito del "Derecho Colaborativo" y su potencial transformador están hoy fuera de toda duda, en USA y Canadá, principalmente, y en otras muchas comunidades anglosajonas y europeas.

En las comunidades hispanas, y en España en particular, la cuestión va mucho más despacio. Este 16th IACP Forum tiene de especial, como avanzávamos, la participación de una delegación española.

En la tarde del sábado 17 de octubre 2019 se programó un taller con el título "Business and CP: Prevent/Resolve Disputes (ADCE Experience)", encomendado a Ana Armesto, JD; Carmen Aja, JD and Amancio Plaza, JD, PhD (ADCE, es la Asociación de Derecho Colaborativo de Euskadi).

En el descriptor de este "Workshop" se indicaba que "El Derecho Colaborativo de los Negocios debería también focalizarse en la prevención de conflictos. En las etapas iniciales de las relaciones comerciales, los abogados colaborativos pueden ayudar a sus clientes a definir los contratos de forma colaborativa y sostenible. Este taller abordará la consideración del Derecho Colaborativo como una parte de las políticas de gobierno corporativo en las empresas, así como la implementación de protocolos específicos para los conflictos empresariales".

Es un gran paso para la consolidación del "Derecho Colaborativo" en las comunidades de habla hispana (en Latinoamérica sólo en Brasil existe una comunidad amplia de profesionales del "Derecho Colaborativo"); y es una gran responsabilidad. Pero al mismo tiempo, es un símbolo de como es posible que, aun habiendo llegado los últimos, o precisamente por haber llegado los últimos, desde aquí se puedan promover enfoques novedosos, iniciativas avanzadas que pongan un grano de area en el desarrollo del "Derecho Colaborativo".

Porque el "Derecho Colaborativo" en España está todavía en su más tierna infancia. Poco más de dos años desde los primeros pasos de la Asociación de Derecho Colaborativo de Euskadi, pionera y "tractora" del "Movimiento del Derecho Colaborativo" en España. Pero la intensa implicación de nuestros "pioneros", con el liderazgo de María José de Anitua desde ADCE, y las de los compañeros de las hermanas Asociaciones de Derecho Colaborativo de Madrid, o Asturias, Navarra, Galicia o La Rioja, y en crecimiento..., van dando sus frutos.

Juventud y frescura, pero compromiso y alta preparación, nos permiten aprender y compartir experiencias de forma simultánea.

3. ¿CUÁL ES LA ESENCIA O FACTOR DIFERENCIAL DEL PROCESO COLABORATIVO?

En el "proceso colaborativo" los Letrados llevan al extremo su compromiso con la consecución de un acuerdo dialogado, razonable, plenamente asumible por ambas partes, y eficaz y sostenible en el tiempo..., y lo llevan al extremo renunciando expresa y explícitamente a intervenir fuera de ese contexto, renunciando expresa y explícitamente a representar a su cliente ante los tribunales para el caso, hipotético, de que el proceso no llegue a buen fin, no se consiga ese acuerdo.

- El procedimiento de solución de conflictos basado en el derecho colaborativo es un procedimiento extrajudicial.
- Es un procedimiento transparente.
- Se basa en el trabajo en equipo de las partes.
- Se trata de un procedimiento basado en la buena fe y la confianza que suscita la renuncia al procedimiento judicial y el conocimiento compartido sobre las bases sobre el que se sustenta el método.
- La confianza posibilita alcanzar pactos de paz gracias a la autonomía de la voluntad.
- Es un procedimiento multidisciplinar en tanto en cuanto pueden ser invitados al mismo otros profesionales que participen ya ayuden en la solución de las distintas alternativas al conflicto.
- Las partes deben de llegar a un acuerdo global y duradero basado en la comprensión y el respeto a los intereses en conflicto, pero también pueden establecer mesetas de paz que permitan desbloquear el conflicto y alcanzar acuerdos futuros a corto plazo. * La negociación está basada en intereses.

4. VALORES

Los valores del derecho colaborativo son los mismos que los de la mediación u otros sistemas alternativos de solución de conflictos, ya que todos ellos comparten los mismos valores reflejados en la Directiva

52/2008/CE del Parlamento Europeo y del Consejo sobre ciertos aspectos de la mediación en asuntos civiles y mercantiles y la ulterior Ley 5/2012 de Mediación en asuntos civiles y mercantiles.

El artículo 4 de la mencionada Directiva, establece que dentro del marco de la calidad de la mediación, los Estados miembros fomentarán la elaboración de códigos de conducta voluntarios y la adhesión de los mediadores y las organizaciones que presten servicios a dichos códigos. En el mismo sentido el artículo 12 de la Ley 5/2012 de Mediación en asuntos civiles y mercantiles, que traspone al Derecho español dicha Directiva, establece que el Ministerio de Justicia y las Administraciones públicas competentes, en colaboración con las instituciones de mediación, fomentarán la elaboración de códigos de conducta voluntarios, así como la adhesión a ellos de los mediadores y de las instituciones de mediación[1]

Principios y valores que -como decíamos- deben estar alineados en todos los intervinientes en la solución del conflicto, pues de lo contrario, la distinta visión de los fundamentos del procedimiento de solución puede hacer fracasar el intento de resolución de las controversias. De ahí la relevancia de tomar decisiones basadas en principios y códigos de conducta compartidos por la comunidad de profesionales de la resolución y transformación de conflictos, ya que "esto requiere valorar cursos de acción alternativos durante el proceso de mediación y decidir cuáles favorecen más los objetivos y valores subyacentes a la mediación."

Advertimos que cuando nos referimos a los principios de la solución de conflictos, hablamos de aquellos establecidos en el marco legal de referencia y el Estatuto de la Abogacía, tales como la buena fe, autonomía y autodeterminación de las partes, la imparcialidad de la persona mediadora (en caso de mediación), la evitación de conflictos de interés de los Abogados colaborativos con las partes o el asunto a gestionar, la formación profesional, habilidades, competencia y calidad personal y profesional de los Abogados, la confidencialidad,

---

[1]   Alzate Saéz De Heredia, R. y Merino Ortiz, C. (2010). Principios éticos y Código de Conducta para personas y entidades mediadoras, DOXA, Cuadernos de Filosofía del Derecho, 33, 659-670. Disponible en: https://doxa.ua.es/article/view/2010-n33-principios-eticos-ycodigo-de-conducta-para-personas-y-entidades-mediadoras

la flexibilidad, el debate simétrico, la inmediatez y presencialidad, la calidad del proceso de gestión de solución de conflictos y las garantías jurídicas y control de transparencia del proceso de solución.

Pero cuando nos referimos a los valores del proceso colaborativo, hablamos de comprensión, compromiso de integridad, confianza y respeto, cualidades, capacidades y aptitudes que sustentan la ética del proceso colaborativo, sin las cuales este sistema de resolución de conflictos corre el riesgo de terminar siendo un mecanismo formal vacío de sentido y de escasa eficacia práctica.

Queremos hacer referencia a la labor realizada por la Unidad de Mediación Intrajudicial de Murcia (UMIM), que ha recogido ha recogido una serie de buenas prácticas en su Código Ético de valores, fundamentados en su experiencia práctica en la mediación intrajudicial de dicha UMIM, así como diversos instrumentos de investigación y de participación de las personas y grupos que forman parte de la Unidad de Mediación o interactúan con ella, tras haber analizado cerca de 50 entrevistas personales a mediadores, jueces, letrados de la Administración de Justicia y Fiscalía, 56 encuestas en línea para mediadores[2] y 18 encuestas en línea a Abogados[3]. Las conclusiones de aquellos grupos de trabajo coincidieron los valores destacados: comprensión, compromiso, confianza y respeto.

4.1. Comprensión

El primer problema que se plantea en todo conflicto es la identificación, análisis y evaluación desde la buena fe de la realidad del conflicto, así como de las posiciones, intereses y necesidades de las partes.

La fase de diagnóstico y comprensión del conflicto es fundamental. La comprensión de la realidad del conflicto, su descripción, el diagnóstico correcto de los problemas detectados, es básico para después

---

[2] Encuestas para mediadores Código Ético. Se puede consultar en el siguiente enlace: https://docs.google.com/forms/d/e/1FAIpQLSfBSIX8d543G82vFHciOwmpu 4r37xu71jWc9hr3qAiSiZbK 2g/viewform?c=0&w=1

[3] Encuesta para abogados Código. Ético. Se puede consultar en el siguiente enlace:
——https://docs.google.com/forms/d/e/1FAIpQLSea-7Rswauzh6z4hYnFPg4gtZLE-Yzt7z7Ja09xVqfN1uxGg/viewform?c=0&w

determinar sus causas y para proponer las acciones correctivas o tratamiento para alcanzar el consenso en su resolución. Para ello todos los implicados en el procedimiento colaborativo deben contar con fuentes fiables de información, tanto de tipo externo, como interno y del entorno, comprensión no sólo de las claves del conflicto, sino también del procedimiento de mediación intrajudicial, como establece el Código de Conducta Europeo para mediadores de la Comisión Europea de julio de 2004: "El mediador tomará todas las medidas apropiadas para asegurarse de que las partes den su consentimiento al acuerdo con pleno conocimiento de causa y comprensión de los términos del mismo"[4]. Esta fase del proceso es especialmente delicada ya que, si se fracasa a la hora de comprender la realidad del conflicto con objetividad o si falta comprensión de las partes sobre el significado del procedimiento de mediación la trascendencia de la prestación del consentimiento en caso de alcanzarse un acuerdo, es casi seguro que fracasaremos en la eficacia de todo el proceso de mediación.

La falta de empatía es la causa principal de la incomunicación. Cada persona tiene una percepción diferente de la realidad, aprecia matices diferentes y la interpreta a través de experiencias diferentes. Si la comprensión nos hace indulgentes, la empatía nos permite adaptar el modo de transferir la información al interlocutor y al receptor escuchar activamente, hasta alcanzar una forma de compresión de las situaciones ajenas en cualquier circunstancia, lo cual, a la postre, es algo más cognitivo que emocional. Sin embargo, existen factores que impiden el encuentro y el reconocimiento de las partes, de forma que

---

[4]   El código de conducta europeo para mediadores establece una serie de principios cuyo cumplimiento se deja al arbitrio de los mediadores individuales, bajo su propia responsabilidad. Según determina el mismo: "Podrá aplicarse a cualquier tipo de mediación en asuntos civiles y mercantiles. Las organizaciones que proporcionen servicios de mediación podrán también ajustarse a él, pidiendo a los mediadores que actúen bajo sus auspicios que respeten el Código de conducta. Las organizaciones podrán divulgar información sobre las medidas que estén tomando en materia de formación, evaluación y supervisión con el fin de que los mediadores individuales respeten el Código de conducta. A efectos del Código de conducta, se entenderá por mediación cualquier procedimiento, con independencia de cómo se denomine o a él se refiera, en el que dos o más partes en un conflicto de intereses acuerden voluntariamente intentar resolverlo con la asistencia de un tercero, denominado en lo sucesivo, "el mediador". el texto está disponible en: http://ec.europa.eu/civiljustice/adr/adr_ec_code_conduct_es.pdf

la narración inicial de las partes es una apreciación conscientemente espuria de lo real, en la que las partes y los testigos perciben de modo diferente la realidad misma, como consecuencia de las interferencias originadas por la intensidad emocional de cada persona, de las experiencias previas, de las propias expectativas, así como una larga lista de factores como las creencias, la educación, la cultura, el interés extremo, la necesidad, la supervivencia, la seguridad, las limitaciones del lenguaje limitado, los perjuicios sociales y personales, etc.

Los factores que impiden la comprensión de la verdad del conflicto se basan casi siempre en la subjetividad y la percepción personal a la hora de contar la misma historia o situación, desde los distintos puntos de vista de las personas que narran su discurso de forma diferente, pero de manera que cualquiera de las versiones es razonablemente posible, sin tener que ser por ello ninguna de estas versiones falsa; simplemente están influidas por la propia variabilidad y percepción individual.

Una propuesta metodológica que ayuda a superar los factores distorsionantes de la realidad pasa por hacer tres preguntas básicas por este orden. Primero: ¿Qué?. Segundo: ¿Cómo? Y tercero: ¿Por qué? Es decir, de forma objetiva: ¿Qué pasó? ¿Cómo pasó? y ¿Por qué pasó? Resulta decisivo respetar este orden, ya que –advertimos- que de no hacerlo, se puede generar aún más confusión ya que el recorrido del relato desde las causas de los problemas normalmente terminan radicalizando las posiciones opuestas a partir de las justificaciones personales u otros factores que impiden alcanzar el objetivo propuesto de basado en la comprensión mutua de las partes en conflicto que es, a la postre, la base de una relación cooperativa y colaborativa.

4.2. Compromiso de integridad

La integridad es clave para construir la confianza necesaria para que todos los implicados en el proceso colaborativo de solución del conflicto ejerzan la legitimación social reconocida procedente del conocimiento, la experiencia y las buenas prácticas de la negociación; autoridad, al fin, que es otorgada por las partes en conflicto a los agentes intervinientes en el proceso de solución.

El objetivo es la recuperación de la dignidad de las personas que llegan al proceso colaborativo en una manifiesta situación de deterioro.

El compromiso de integridad incluye otros valores adicionales, tales como el cumplimiento, la justicia, el respeto y la fiabilidad. Así, dentro de este contexto, cumplimiento hace referencia al contenido y espíritu de la ley y el marco legal aplicable en cada caso. La justicia y el respeto implican no solo el tratamiento igualitario a todas las personas con independencia de su raza, género, orientación sexual, religión, edad o discapacidad, sino también el compromiso permanente con la tutela judicial efectiva, acercando la justicia a las personas que la reclaman, ofreciendo una solución práctica, cercana, rápida y eficaz y más humanizada, mediante la búsqueda activa de soluciones y el eficaz cumplimiento de los acuerdos. Y la fiabilidad es una cualidad esencial necesaria para asegurar que se respetan los valores del proceso de solución colabotativa.

El proceso de solución basado en el derecho colaborativo no será posible sin un compromiso de integridad de los Abogados que permita la autodeterminación y libertad de las partes en el mismo. La integridad se considera un principio fundamental de conducta de los Abogados, que conducirá a un comportamiento profesional adecuado, entendiéndose por comportamiento profesional el estado mental aplicado a todas las tareas diarias de su actuación, en el entendimiento de que se está haciendo lo correcto según el marco legal de actuación y las expectativas de las partes.

La Integridad también requiere tener una idea clara de cuáles son los intereses de las partes a largo tiempo sin verse afectados por los beneficios a corto plazo que no se correspondan con las mejores prácticas.

En el procedimiento de solución basado en el derecho colaborativo, se garantizará la intervención de las partes con plena igualdad de oportunidades, manteniendo el equilibrio entre sus posiciones y el respeto hacia los puntos de vista por ellas expresados, sin que el mediador pueda actuar en perjuicio o interés de cualquiera de ellas.

En cualquier momento del procedimiento debe existir suficiente control de transparencia fomentado por los Abogados colaborativos que deberá informar a las partes sobre los términos del proceso de solución, así como su desarrollo y consecuencias de los acuerdos alcanzados. El compromiso de confidencialidad implica que, si no se alcanza un acuerdo, las partes no podrán utilizar en el procedimiento judicial la información nueva que hayan adquirido en proceso, debiendo apartarse los Abogados de la defensa jurídica de sus defendidos en caso de plantearse la intervención del juzgado o tribunal.

4.3. Confianza

La confianza es el ingrediente básico de las relaciones interpersonales, sin embargo lo habitual es que cuando las partes someten sus disputas a la resolución judicial, la confianza entre ellas está muy deteriorada. Se basa en dos pilares, que coinciden con dos habilidades personales, por un lado la capacidad de apertura a la hora de compartir sin asimetrías las necesidades, posiciones e intereses y por otra parte el juicio de valor respecto de si los demás son dignos o no de nuestra confianza y los temores de compartir información que debiliten las posiciones en caso de no alcanzar el acuerdo.

La confianza se propicia mediante la buena comunicación de las partes, algo que se materializa en el equilibrio y el principio de igualdad de oportunidades en la participación de las partes en el proceso de solución colaborativa del conflicto. Pero tan importante como que no existan asimetrías en la oportunidades de intervención es que exista un diálogo voluntario basado en la escucha, en el que "los que dialogan tienen algo válido que decir, argumentando sus convicciones, estando dispuestos a aceptar el cambio de posición si los argumentos en contra son convincentes, encontrando los puntos comunes que son el logro del entendimiento, basando las decisiones finales en los intereses, no solo de las partes sino de todos aquellos a los que puedan afectar las decisiones.[5]

Es sabido que los sistemas de resolución alternativa de conflictos son voluntarios, sin perjuicio de la obligatoriedad de su inicio cuando lo prevea la legislación procesal, de manera que nadie pueda sentirse presionado a alcanzar un acuerdo. La voluntariedad del proceso de solución del conflicto implica que las partes son libres para optar por este procedimiento y acceder a él o desistir del mismo en cualquier

---

[5]   Barea Cobo, L.C. Los valores del mediador. Reflexión sobre su formación y desarrollo, en Repositorio Institucional de la Universidad Internacional de Andalucía: http://dspace.unia.es/handle/10334/2677

momento, sin que pueda derivarse sanción alguna por esta circunstancia. Nadie está obligado a mantenerse en el procedimiento colaborativo ni a concluir un acuerdo. La voluntariedad alcanza también a
la persona a los Abogados colaborativos, quienes pueden declinar en
su intervención, negarse a comenzar un procedimiento colaborativo,
suspenderlo o darlo por finalizado una vez comenzado si apreciaran
que no se dan las circunstancias adecuadas para su desarrollo. En los
supuestos en que cualquiera de los Abogados colaborativos apreciara
el incumplimiento de alguno de los principios rectores del proceso de
solución colaborativa, deberán negarse a actuar en el mismo.

Junto con la integridad y la profesionalidad, la confidencialidad
forma parte esencial del código de conducta de los Abogados colaborativos. La capacidad de saber garantizar la confidencialidad supone
una demostración práctica de la fiabilidad del sistema. La revelación
de información confidencial podría dañar seriamente a las partes y su
reputación. El respeto de la confidencialidad es un elemento esencial
de confianza que depositan las partes interesadas en Abogados.

Si las partes comparten en un espacio de confidencialidad la convicción de que pueden alcanzar acuerdos que solventen el conflicto,
es porque previamente se ha generado el clima de confianza necesario
basado en el convencimiento de que el procedimiento de mediación
será útil, de ahí que una de las primeros objetivos de la persona mediadora es intentar restaurar la confianza entre las partes en conflicto
a través del diálogo y la construcción positiva.

4.4. Respeto

El respeto se manifiesta en el ámbito interno del proceso de solución colaborativa. Naturalmente nos referimos a la tolerancia en el
desarrollo del proceso, el derecho a expresar las ideas propias, aunque los demás no las compartan y el derecho a ser escuchado sin ser
juzgado ni atacado.

A lo largo del procedimiento de solución colaborativa, las partes
deben poder expresar libremente sus puntos de vista sobre la situación conflictiva.

Hay que contar con que en cualquier diálogo tolerante surgirán
confrontaciones. Se puede ser crítico desde el respeto, a pesar de ello,

lo peor es el déficit de esfuerzo de las partes a la hora de comprenderse mutuamente, ya que no se aceptan, se disgustan, se inquietan, se pierden en el temor, la inseguridad y las limitaciones del lenguaje de confrontación vivido antes del intento de la mediación intrajudicial. El proceder destructivo de la confrontación ignora que la tolerancia, por definición, es un ejercicio activo de respeto ante la pluralidad de pensamientos basado en la idea de que, con casi absoluta seguridad, si el diálogo es respetuoso, la otra parte del conflicto aportará algo positivo a nuestro propio pensamiento. Pero parece realista contar con los mecanismos del funcionamiento interno de toda confrontación, en los que la hostilidad irrumpe como el sentimiento profundo e intenso de repulsa hacia alguien, que provoca el deseo de producirle un daño o de que le ocurra alguna desgracia, su instinto se encarna en la pulsión de muerte, su base es la falta de aprendizaje, la ignorancia, la incapacidad de escuchar, que provocan, el odio, la destrucción y la intolerancia que no sabe perdonar, desconoce la habilidad de doblar sin romper en el trance de los inevitables fallos de la vida. Negar el perdón a uno mismo y a los demás supone seguir haciendo daño, desconocer los mecanismos del perdón.

El espacio que existe va entre la pasividad, la indolencia la indiferencia y el pasotismo a la tolerancia, el respeto, la comprensión y la aceptación, pasa por puentes como la escucha, la observación, la empatía, en suma el acto de reconocimiento de la realidad del otro. A menudo se confunde tolerancia con indiferencia. Sin embargo, una actitud tolerante no implica ser indiferente, pues lo realmente relevante no es ser pasivo sin crítico, confiar en el ser humano, en su dignidad, sus derechos y su aspiración a promover el progreso social y a elevar el nivel de vida, dentro de un concepto más amplio de la libertad.

Entre los riesgos de la tolerancia está la condescendencia o tolerancia blanda que es la complacencia, indulgencia, beneplácito, benevolencia, anuencia, que roza la indiferencia por comodidad de no afrontar el conflicto de forma madura, al fin, una forma de acomodarse por evitar la confrontación al gusto y voluntad de alguien. Somos conscientes de que la tolerancia hay que trabajarla mediante al aprendizaje diario, de ahí la importancia de la educación dirigida al pleno desarrollo de la personalidad humana, al respeto a la pluralidad y la tolerancia como vehículo de concordia. El respeto en el procedimiento colaborativo implica expresar de forma veraz, honesta y digna los planteamientos propios, reconociendo el derecho a que los demás no los compartan, como el primer paso para superar las discrepancias.

5. MÉTODO Y PROCESO

El método se basa en la negociación por intereses o lo que es lo mismo en el sistema denominado Harvard de negociación.

El ritmo y el tiempo del proceso de solución de conflictos deben ajustarse a las necesidades de las partes.

Las partes tienen que prestar un consentimiento informado para abordar el proceso de solución de conflictos.

El diseño de las reuniones debe responder a un propósito común de solucionar el conflicto. En este sentido los Abogados deben de tener un especial cuidado a la hora de diseñar los objetivos de las reuniones y su forma de llevarse a cabo, teniendo en cuenta los Principios del derecho colaborativo.

6. CAMBIO DE PARADIGMA

El cambio de paradigma de cara la solución del conflicto que sustenta el derecho colaborativo se basa en la nueva escucha, el trabajo en equipo y la confianza en el trabajo desarrollado y la voluntad de todos de llegar a acuerdos.

Cambiar el paradigma como consecuencia de una evolución en el modus operandi del ejercicio de la Abogacía, de forma que podamos pasar de un modelo cuyo núcleo central se acepta sin cuestionar que suministra la base metodológica para resolver conflictos a otro modelo basado en la justicia de paz como sistema de resolución de conflictos en el que las partes siempre ganan porque avanzan en el conocimiento y superación consensuada de los problemas.

Dos características predominan en este cambio de paradigma:

- Ruptura de la comunicación personal entre las partes que han tocado fondo
- Posibilidad de mantener las relaciones continuadas en el futuro.

El derecho colaborativo permite superar viejos planteamientos. El cliente pide, más cada vez, que le permitan participar en la solución de los problemas, con una mayor grado de implicación personal.

El compromiso de los Abogados de no recurrir a los Tribunales implica una transformación que supone:

* Pasar de un planteamiento de objetivos de ganar o perder, a ganar y ganar.
* Pasar de un planteamiento adversarial a otro de búsqueda de aliados.
* Pasar de la figura de un Abogado que es protagonista a un abogado actor secundario.
* Pasar de defender posiciones jurídicas a asesorar y llenar en el proceso de negociación.
* Pasar de ceñirse a los hechos objetivos a integrar y gestionar las emociones en juego.
* Pasar de buscar la mejor solución técnica a respetar la mejor solución para el cliente.
* Pasar de una visión unilateral del conflicto a una visión integral del conflicto.

Sin embargo, no basta solamente con la intención. En el derecho colaborativo es imprescindible:

* El uso de nuevas herramientas de negociación y ADrs.
* Mucho entrenamiento del método Harvard y preparación minuciosa de las reuniones encaminadas al pacto de paz.
* La aplicación de los principios y procedimientos del Estatuto General de la Abogacía Española. Debemos recordar la formulación del artículo 1, 1 del Estatuto General de la Abogacía para comprender el sentido del derecho colaborativo: La Abogacía es una profesión libre e independiente que presta un servicio a la sociedad en interés público y que se ejerce en régimen de libre y leal competencia, por medio del consejo y la defensa de derechos e intereses públicos o privados, mediante la aplicación de la ciencia y la técnica jurídicas, en orden a la concordia, a

la efectividad de los derechos y libertades fundamentales y a la Justicia.

7. PODER DE DISPOSICIÓN

Es muy importante saber los asuntos que son susceptibles de ser abordados por este método de solución de conflictos. Sin embargo es cuestión de diferenciar lo que es innegociable y lo que se soluciona sin necesidad de litigio.

Común denominador en todos los casos será la posibilidad jurídica para disponer del derecho por las partes.

El derecho colaborativo no es un método adecuado para la resolución de cualquier tipo de conflictos, es necesario el uso de herramientas de diagnóstico y análisis de conflicto para reconocer cuando nos encontramos ante un conflicto susceptible de ser resuelto a través de la mediación.

Hay conflictos que por sus características, parecen especialmente adecuados al intento de llevar a cabo una gestión inter-partes y extrajudicial.

Por ejemplo:

- los conflictos en el ámbito familiar (derivados de ceses de la convivencia, relaciones paternofiliales, alimentos, sucesiones),
- en la empresa familiar (en el que los lazos familiares se entrecruzan con las relaciones empresariales),
- aquellos en los que hay multitud de partes, (que pueden dar lugar a una concatenación de litigios que encarecen y demoran las soluciones), los conflictos laborales o internos en la organización y los relacionados con vecindad.
- responsabilidad por negligencia profesional.
- división de cosa común (activos materiales e inmateriales compartidos),
- conflictos entre socios y/o con los órganos de administración de las sociedades mercantiles.

- reclamaciones en materia de responsabilidad extracontractual y reparación de daños y perjuicios.
- propiedad horizontal y comunidades de bienes.
- derechos reales sobre cosa ajena.
- contratos de distribución, agencia, franquicia, suministro de bienes y servicios siempre que hayan sido objeto de negociación individual,
- reclamaciones de cantidad entre personas físicas cuando no traigan causa de un acto de consumo,
- defectos constructivos derivados de un contrato de arrendamiento de obra, diseño y dirección facultativa de procesos constructivos,
- protección de los derechos al honor, la intimidad y la propia imagen (art. 18 de la CE)
- contratos de arrendamiento y procesos arrendaticios.

8. CAMBIO SOCIAL

La repercusión social pone al Abogado como eje fundamental, agente para el cambio social entendida la sociedad, no como un sistema rígido, estático o estacionario, sino como una realidad en evolución, flexible y multidimensional de relaciones con procesos constantes en lugar de entidades estables.

El Abogado se centra en la solución de problemas que permite una superación de los mismos y por tanto una aportación al cambio social.

9. OTRAS MANIFESTACIONES DEL DERECHO COLABORATIVO: LOS CONTRATOS CONSCIENTES

Los contratos conscientes son una nueva herramienta y metodología para alcanzar acuerdos duraderos. Se trata de acuerdos basados en la confianza y colaboración entre las partes. Para ello es necesario que las partes puedan compartir sus intereses, expectativas, valores y visiones; con ayuda de profesionales colaborativos.

Como resultado del proceso, las partes obtendrán un acuerdo donde regularán su relación y preverán el mecanismo para resolver sus propias disputas.

Para ello es necesario que las partes puedan compartir sus intereses, expectativas, valores y visiones; con ayuda de profesionales colaborativos. Se trata de un proceso donde las partes exponen sus necesidades e indagan las de la otra parte en aras a encontrar las sinergias y colaboraciones posibles.

Además, las partes tendrán la oportunidad de diseñar su propio método de resolución de diferencias y/o controversias ajustado a sus necesidades y reacciones. De esta manera, en el momento de creación de la relación prevén como quieren abordar los desacuerdos que puedan surgir.

Se trata de contratos flexibles y vivos que se deben adaptar a las necesidades de las partes en cada momento; siendo una herramienta que busca la colaboración genuina de las partes.

Se pueden aplicar a toda clase de relaciones contractuales, siempre que las partes valoren la relación y se comprometan con el proceso.

Tal y como hemos explicado con anterioridad, el derecho colaborativo participa y coincide con los principios fundamentales de la mediación de conflictos pero sin la presencia de un mediador que intervenga en el proceso.

En cada conflicto cabe el diseño propio de un sistema de resolución mediante un proceso convenido.

10. REQUISITOS PARA EL EJERCICIO DEL DERECHO COLABORATIVO

1. Cada parte debe tener su propio Abogado ejerciente que acompañará al cliente.

2. El acuerdo de negociación colaborativa donde se establezcan las reglas del proceso.

3. Trabajo en equipo de los Abogados de las partes en el proceso colabotarivo que deben preparar con detenimiento las sesiones y fases del proceso.

4. Formación adecuada de los Abogados colaborativos.

5. Entrenamiento de los Abogados colaborativos en habilidades del proceso colaborativo

11. ALGUNAS CONCLUSIONES QUE CONFIGURAN EL PACTO POR LA PAZ

1. La viabilidad y el éxito del proceso colaborativo, reside en su adecuación a las características del conflicto concreto que deba ser gestionado, de ahí la importancia del correcto diagnóstico y análisis del conflicto y si el mismo es susceptible o no de resolverse con arreglo al método del derecho colaborativo.

2. El desarrollo del derecho colaborativo es una vuelta a las fuentes de la pulsión que subyace en el Derecho de obligaciones.

3. No hay proceso colaborativo de solución de conflictos sin consentimiento informado de las partes implicadas.

4. La apuesta por el acuerdo y la renuncia a los órganos jurisdiccionales por parte de los Abogados intervinientes supone un compromiso de enorme trascendencia que facilita la consecución del el éxito del proceso colaborativo.

LA INDEBIDA DISPERSIÓN NORMATIVA ESTATAL Y AUTONÓMICA DE MEDIACIÓN: ALGO MÁS QUE LEYES DE SEGUNDA GENERACIÓN

JOSÉ LUIS ARGUDO PÉRIZ
Director Experto Universitario en Mediación
Universidad de Zaragoza

FRANCISCO DE ASÍS GONZÁLEZ CAMPO
Subdirector Experto Universitario en Mediación
Universidad de Zaragoza

RESUMEN

El trabajo pretende mostrar, en síntesis, como el marco regulatorio de la mediación en España evoluciona en la actualidad hacia una regulación compleja en la que confluyen textos legales estatales y autonómicos con confusión de competencias, títulos habilitantes, ámbitos, sujetos afectados o incluso régimen sancionador. Para ello es necesario analizar la legislación autonómica de mediación, especialmente la de los últimos años que, en la mayoría de los casos, ha supuesto una ampliación de ámbitos regulados desde las leyes iniciales de mediación familiar contemplando otros ámbitos de Derecho privado, e incluso con la pretensión de abarcar todos los ámbitos posibles de mediación.

PALABRAS CLAVE: Mediación. España. Ley estatal 5/2012. Leyes autonómicas. Leyes de mediación de segunda generación. Ley de mediación valenciana.

1. INTRODUCCIÓN: EL DESARROLLO LEGISLATIVO ESPAÑOL DE LA MEDIACIÓN. LAS LEYES AUTONÓMICAS DE SEGUNDA GENERACIÓN

El marco normativo de la mediación de la Ley estatal 5/2012 se circunscribe al ámbito competencial del Estado en materia de legislación mercantil, procesal y civil (disposición final 5ª), sin perjuicio de la legislación autonómica. En este sentido, once Comunidades Autónomas han aprobado –y algunas modificado- desde 2001 las correspondientes Leyes sobre mediación familiar, fundadas en sus competencias estatutarias sobre acción social, servicios sociales y protección de la familia (artículos 39 y artículo 148.1.20 CE)[1].

Las leyes de mediación de las Comunidades Autónomas han evolucionado, sin embargo, en el siglo actual desde la regulación de la mediación familiar, a nuevas leyes «de segunda generación»[2], como la catalana de 2009 (Ley 15/2009, de 22 de julio, que deroga la anterior Ley 1/2001, de mediación familiar), que apela a otras competencias –al Derecho civil propio de Cataluña- para una regulación más amplia que la mediación familiar en Derecho privado; o la Comunidad de Castilla-La Mancha que por la Ley 1/2015, de 12 de febrero, del Servicio Regional de Mediación Social y Familiar de Castilla-La Mancha (BOE nº 148, de 22 de junio), deroga la anterior Ley 4/2005 de mediación familiar, ampliando los servicios de mediación familiar a otros ámbitos sociales[3]. Pero el punto de inflexión autonómico lo marca la Ley de Mediación de Cantabria de 2011(Ley 1/2011, de 28 de marzo,[4] que pretende una regulación integral de la mediación, camino que se consolida con la Ley 24/2018, de 7 de diciembre, de la Generalitat, de mediación de la Comunidad valenciana[5], que obliga a considerar el marco competencial estatal y autonómico del posible desarrollo legislativo de la mediación en España.

La aprobación de la legislación estatal de mediación en asuntos civiles y mercantiles (Ley 5/2012 –trasponiendo al ordenamiento español la Directiva comunitaria europea de 2008-, y su parcial desarrollo reglamentario por el Real Decreto 980/2013) marca una mayor

---

[1]   García Villaluenga, L. (2006). *Mediación en conflictos familiares. Una construcción desde el Derecho de familia*: Madrid: Editorial Reus, pp. 327-8.
       La última modificación, para adaptarla a la ley 5/2012, ha sido de la Ley 14/2010, de 9 de diciembre, de mediación familiar de las Illes Balears por la Ley 13/2019, de 29 de marzo (BOE nº 109, 07/05/2019)
[2]   *Vid.* García Villaluenga, L. y Vázquez De Castro, E. (2013). La mediación civil en España: luces y sombras de un marco normativo, *Política y Sociedad*, 50, (1), 71-98.
[3]   Marín López, M. J. (2015). Nueva Ley de mediación social y familiar en Castilla-La Mancha... que no se aplica a la mediación de consumo, *Noticias consumo*, 9/03/2015, www.uclm.es/centro/cesco
[4]   BOE núm. 99, de 26 de abril.
[5]   Diario Oficial de la Generalitat Valenciana de 7 de diciembre de 2018. Boletín Oficial del Estado nº 23, de 26 de enero de 2019

delimitación de las competencias estatales, pero genera dudas sobre el futuro desarrollo legislativo autonómico.

Esta competencia legislativa estatal (mercantil, procesal y civil) exclusiva es la que arguye la Ley 5/2012 en su disposición final quinta, pero no se refiere explícitamente en su articulado a la distribución de competencias en materia de mediación entre el Estado y las Comunidades Autónomas. El Preámbulo de la Ley 5/2012 (apartado II), se refiere al desarrollo de la mediación por las Comunidades Autónomas, y el apartado III expresa que «la presente Ley se circunscribe estrictamente al ámbito de competencias del Estado en materia de legislación mercantil, procesal y civil, que permiten articular un marco para el ejercicio de la mediación, sin perjuicio de las disposiciones que dicten las Comunidades Autónomas en el ejercicio de sus competencias». Y el Real Decreto 980/2013, de 13 de diciembre, en desarrollo reglamentario de la ley estatal, no es más clarificador por la ambigüedad con la que se regula su ámbito de aplicación y la ausencia de determinación de qué preceptos se consideran dictados en ejercicio de las competencias estatales.

En la actualidad no se discute la competencia para regular la mediación en su ámbito competencial y territorial por las Comunidades Autónomas pero la doctrina –con excepciones- era más pacífica cuando la regulación versaba sobre mediación en ámbitos familiares, a pesar de algunos dudosos títulos competenciales que no permitían ir más allá de la creación de servicios sociales de mediación familiar[6].

2. LA AMPLIACIÓN DEL MARCO COMPETENCIAL LEGISLATIVO AUTONÓMICO DE LA MEDIACIÓN

Respecto al título competencial de las Comunidades autónomas para legislar sobre mediación, el Dictamen del Consejo de Estado al Anteproyecto de Ley de mediación estatal (2222/2010, de 17 de febrero de 2011) señala: «No obstante, no hay que desconocer que algunas de las Comunidades Autónomas han extendido su pretensión

---

[6]   Cabe citar el trabajo de Marín Hita, L. J. (2015). ¿Para qué una nueva Ley autonómica de mediación familiar?, *Diario La Ley*, n° 8503

más allá del ámbito familiar de la mediación. Y, así, la Ley del Parlamento de Cataluña 15/2009, de 22 de julio, de mediación en el ámbito del derecho privado, supone, como señala la Memoria del análisis del impacto normativo, un punto de inflexión en relación con la normativa anterior, ya que extiende las competencias autonómicas desde la mediación familiar hasta la mediación en el ámbito del Derecho privado. La Comunidad Autónoma de Cataluña aplica en esta Ley las competencias que le permite asumir el nuevo Estatuto de Autonomía aprobado por Ley Orgánica 6/2006, de 19 de julio (artículo 106.2): "La Generalitat puede establecer los instrumentos y procedimientos de mediación y conciliación en la resolución de conflictos en las materias de su competencia"-, en relación con los artículos 129 y 130). Con respeto hacia las competencias exclusivas que el artículo 149.1.8.ª de la Constitución atribuye al Estado, la propia Ley 15/2009 prevé la aprobación de una futura ley general de mediación que proceda a transponer la Directiva 2008/52/CE, asumiendo mientras tanto la Generalidad la aplicación de la regulación existente[7]. En esta misma línea, aunque sin haber llegado a aprobar una ley similar en materia de mediación, el Estatuto de Autonomía de Andalucía también contempla expresamente que "la Junta de Andalucía puede establecer los instrumentos y procedimientos de mediación y conciliación en la resolución de conflictos en las materias de su competencia" (artículo 150.2 del Estatuto de Autonomía aprobado por la Ley Orgánica 2/2007, de 19 de marzo)»[8].

---

[7]   La Ley catalana 15/2009 sigue derivando la regulación y ampliación de ámbitos de mediación en su competencia autonómica material en derecho civil (art. 129 Estatuto de Autonomía) y en las normas procesales que deriven del derecho sustantivo de Cataluña (art. 130 EA), por lo que no abarca el ámbito mercantil, reservado al Estado, que sólo pude ser regulado en una ley estatal.

[8]   Añade el Informe del Consejo de Estado de 17 de febrero de 2011, en relación con el anteproyecto de ley estatal de mediación: «En suma, los títulos competenciales en que se amparan una y otras normas (la estatal que se proyecta y las autonómicas) son diferentes (como lo declaran la mayoría de los preámbulos de las normas autonómicas) y, por tanto, para que la mediación tenga los efectos procesales proyectados (en especial cosa juzgada y título suficiente para poder instar la ejecución forzosa), lo cual requiere la debida adaptación de la Ley de Enjuiciamiento civil, tal y como se prevé en la disposición final tercera del Anteproyecto) las normas autonómicas habrán de adaptar sus normas sobre mediación de conformidad con la Ley estatal en virtud de las competencias exclusivas del Estado conferidas por el artículo 149.1.6.ª y 8.ª de la Constitución. Por tanto, tratándose de títulos competenciales distintos, como ya se ha argumentado, con-

El informe jurídico al anteproyecto de ley de mediación de la Comunidad Valenciana de la Abogacía General de la Generalitat, de 29 de junio de 2017[9], reconoce, tras la mención de la normativa vigente comunitaria, estatal, y autonómica, que «a tenor de lo contemplado en el preámbulo de la Ley 5/2012 y dado que en algunos Estatutos de Autonomía, -no solo el catalán, sino también el andaluz- se ha reconocido expresamente la competencia en materia de mediación, es que la polémica sobre las posibilidades de que las Comunidades Autónomas puedan legislar sobre esta materia está hoy superada, centrándose ahora la controversia en los límites a los que debe sujetarse dicha regulación»; pero se muestra crítico con la regulación proyectada al entender que el Estatuto de autonomía valenciano no contempla competencias sobre mediación, y que el amparo en artículo 49.1.36. del Estatuto relativo a la «Administración de Justicia, sin perjuicio de lo dispuesto en la legislación de desarrollo del artículo 149.1.5ª» confunde las competencias estatales y autonómicas sobre Administración de Justicia, ya que la doctrina del Tribunal Constitucional (especialmente la STC 97/2001, de 5 de abril) distingue un concepto estricto o nuclear de Administración de Justicia, correspondiente al ejercicio de la función jurisdiccional y a lo atinente al gobierno del Poder judicial, y un concepto más amplio en el que se incluye lo relativo a los medios que «sirven de sustento material o personal» al ejercicio de esa función jurisdiccional, y las competencias sobre estos medios personales y materiales, en cuanto no esenciales a la función jurisdiccional y al autogobierno del Poder Judicial, pueden ser asumidas por las Comunidades Autónomas, y además es una competencia que conlleva facultades de naturaleza reglamentaria o ejecutiva pero no legislativa.

El Consejo Jurídico Consultivo de la Comunidad Valenciana, en su dictamen de 17 de enero de 2018[10], considera las posibilidades que se

---

vendría eliminar del preámbulo del Anteproyecto que se articula como "marco mínimo" pues la norma que se proyecta se circunscribe a un ámbito de competencias exclusivas del Estado»

[9]   CI/6888/2017-CJARL/73/2017 MBB. Enlace:
——http://www.justicia.gva.es/documents/19317797/164889174/16a+Informe+abo
gac%C3%ADa/6c9ef580-e1e3-4ba2-b400-a5474664a313;jsessionid=7C6B497
4C4CD7762E621886287A7818F

[10]   Consell Jurídic Consultiu de la Comunitat Valenciana. Dictamen 2018/0023. Expediente 753/2017. Aprobado por el Pleno el 17/01/2018. Enlace: http://turia.

plantean a las Comunidades Autónomas sobre desarrollo de la legislación en mediación, que incluyen: aprobar una iniciativa legislativa para realizar una labor de promoción y fomento del instituto en el estricto marco de la Ley 5/2012; o bien abstenerse de legislar y plantear las propuestas complementarias a la legislación estatal vigente al Ministerio de Justicia para que pueda estudiar las posibles reformas en la legislación estatal; o, incluso, abstenerse absolutamente de tomar iniciativas legislativas a la espera de que sea la normativa del Estado la que efectúe la regulación básica de dichos aspectos.

Finalmente considera que nada impide que la Comunidad Autónoma efectúe una regulación integral de la mediación, ya que, por el contrario, el título competencial autonómico proviene de la propia redacción de la Disposición adicional segunda de la Ley 5/2012 («Impulso a la mediación»), que reclama de las Administraciones Públicas competentes en materia de medios materiales al servicio de la Administración de Justicia dicho impulso, y su equiparación a la asistencia jurídica gratuita.

Para el Consejo Consultivo valenciano tal disposición permite situar la habilitación competencial en materia de mediación en las competencias asumidas en materia de medios personales y materiales al servicio de la Administración de Justicia, dada la naturaleza de la mediación como mecanismo alternativo de resolución de conflictos y de reducción de la litigiosidad; pero también opina dicho Consejo Consultivo, que la opción de política legislativa podría haber sido «perfectamente y con remisión al texto de la Ley 5/2012, y una adaptación a las peculiaridades organizativas de la Generalitat, el anteproyecto de ley podría haberse conformado como un texto organizativo y de promoción y fomento de la mediación, sin necesidad de una regulación de aparente competencia autonómica, cuando a la postre la regulación sustantiva en materia procesal resulta ser estatal.»

Finalmente, el informe del Consejo General del Poder Judicial al proyecto de ley, de la Generalitat, de mediación de la Comunitat

---

gva.es/hdfi_access/cjc/bd.html
Todo el expediente del anteproyecto de ley de mediación de la Comunitat Valenciana puede consultarse en:http://www.justicia.gva.es/es/anteproyectos-de-ley-o-proyectos-de-decreto-legislativo/-/documentos/S7VyxWtQgpmC/folder/164889174?p_auth=q7UgIvjJ

Valenciana, de 26 de octubre de 2017, es más matizado y valora positivamente que se adopte la forma de Ley, «rango normativo que se considera
adecuado dado el objeto que pretende la norma, es decir, la regulación
integral de la mediación en el ámbito de esa Comunidad autónoma»
(20), pero indica, al igual que para la ley cántabra, que Valencia carece
de competencias en la práctica totalidad de las materias que pueden ser
objeto de mediación en cualquiera de los cuatro ámbitos (civil, penal,
administrativo y laboral). Sin embargo, al igual que en el informe de la
ley cántabra, expone que el Proyecto no pretende trazar una regulación
sustantiva de tales materias; y al pretender una regulación integral, puede
entenderse que la ley respondería al deseo de regular de forma congruen-
te y sistemática la institución, contribuyendo con ello al fomento de la
mediación (22), aunque no convencen al CGPJ los fundamentos competenciales para elaborar tal regulación autonómica[11].

---

[11]　«28. Recapitulando, diríamos que la justificación competencial del Proyecto se
resiente en todo lo que tiene que ver con el procedimiento de mediación, para el
cual no se aprecia título competencial que habilite a la Comunidad Autónoma
Valenciana a dotarse de una ley sobre esta materia. La competencia en materia
de ejercicio de profesiones tituladas permitiría a lo sumo avalar la intervención
normativa proyectada en todo lo tocante al estatuto de las personas mediadoras,
los requisitos para ejercer como tal, el Centro de Mediación, el Registro de Personas Mediadoras, el Consejo Consultivo de Mediación, la calidad de la mediación, o las instituciones y organismos que pueden prestar servicios de mediación.
La competencia en materia de asistencia y bienestar social ofrece cobertura a la
regulación del papel de las Administraciones públicas en el fomento de la mediación, o a la posibilidad de otorgar el beneficio de gratuidad de la mediación en
el caso de personas con escasa capacidad económica. La competencia en materia
de especialidades de procedimiento administrativo dudosamente permite normar
lo relativo a la mediación en el ámbito administrativo, y de hecho se constata
que el Proyecto carece de un auténtico tratamiento de esa clase de mediación.
A lo anterior se añade que la pretensión de extender el objeto de la mediación a
los conflictos suscitados en los ámbitos penal y social, queda huérfana de la más
mínima justificación competencial en la propia Exposición de Motivos, cuestión
que tampoco plantea mayores problemas pues no existe ninguna regulación al
respecto».
Un desarrollo más extenso en Argudo Périz, J. L. (2019). Las competencias legislativas en mediación de las Comunidades Autónomas según el Consejo General
del Poder Judicial, en *Mediación y tutela judicial efectiva. La Justicia del siglo
XXI* (Dir. Argudo Périz, J. L.; coords: González Campo, F. de A. y Júlvez León,
M. A.). Madrid: Ed. Reus, pp. 267-292.

3. CONCLUSIONES: LÍMITES Y ZONAS DE FRICCIÓN COMPETENCIAL ENTRE EL ESTADO Y LAS COMUNIDADES AUTÓNOMAS

No originaron litigiosidad constitucional las primeras leyes autonómicas de mediación familiar, a pesar de lo laxos que eran los títulos competenciales argumentados para desarrollar la legislación autonómica, al no existir legislación estatal sustantiva y procesal sobre mediación, pero comienzan los reparos competenciales y constitucionales en el año 2011, cuando el Estado llegó a plantearse la interposición de recursos de inconstitucionalidad contra determinadas leyes autonómicas, reflejados en los correspondientes informes del Consejo de Estado de 22 de junio de 2011 sobre el recurso de inconstitucionalidad contra la Ley de mediación familiar de Aragón[12]; o de 17 de noviembre de 2011 sobre el recurso de inconstitucionalidad contra determinados artículos de la Ley de Cantabria de 2011[13]. Cabe destacar que, pese al informe favorable a plantear los correspondientes recursos de inconstitucionalidad respecto a los preceptos examinados de ambas leyes, tales recursos no llegaron a plantearse.

Es relevante que la cuestión de fondo que planteaba la Ley Cántabra de 2011, es decir la competencia para regular la mediación con carácter integral por una Comunidad Autónoma, haya quedado finalmente postergada y sin resolver por el Tribunal Constitucional, que podría haber indicado el camino del desarrollo legislativo autonómico. La reforma de la ley de mediación de Cantabria de 2017[14] no modifica sus fundamentos competenciales, tras la entrada en vigor de la Ley estatal 5/2012, a pesar de sus limitaciones competenciales, basando su competencia en el endeble paraguas de sus competencias en corporaciones profesionales y ejercicio de profesiones tituladas. Pero esta es una competencia limitada, como mostró el dictamen del Consejo de Estado al constatar la posible inconstitucionalidad de los preceptos que limitaban el acceso al registro autonómico de personas mediadoras a determinadas titulaciones o establecían requisitos aña-

---

[12]   Dictamen del Consejo de Estado nº 973/2011, aprobado el 22/06/2011.
[13]   Dictamen del Consejo de Estado nº 1826/2011, aprobado el 17/11/2011.
[14]   Ley 4/2017, de 19 de abril, por la que se modifica la Ley 1/2011, de 28 de marzo, de Mediación de Cantabria (BOE nº 113, de 12 de mayo de 2017).

didos de homologación a los mediadores inscritos en otros registros públicos.

La Ley de Mediación Estatal marca un punto de inflexión para la legislación autonómica, ya que, junto con la reforma de la Ley de Enjuiciamiento Civil, establece los límites entre el procedimiento de mediación y la legislación procesal que, necesariamente, tienen zonas de contacto con fricciones competenciales, o el estatuto mínimo común del mediador. Pero no cabe negar la competencia del legislador autonómico para regular la mediación en su territorio tras la puerta abierta por la ley cántabra, necesitando sin duda una interpretación muy extensiva para aceptar que se desarrolla en el «ejercicio de sus competencias»; y todavía no se han marcado claramente los límites de esta nueva legislación autonómica, salvo en los aspectos procesales, que los informes del Consejo General del Poder Judicial no observa con disgusto, pero de la que destaca especialmente como positivos los aspectos de fomento y promoción de la mediación, y no tanto la regulación de otros aspectos que cuentan con preceptos paralelos en la legislación estatal.

Esta casi calculada zona de ambigüedad competencial, teniendo en cuenta la previa legislación autonómica en mediación familiar, ha conducido a explorar tras la Ley 5/2012 títulos competenciales que sirviesen de cobijo legal a una regulación integral de la mediación, como el caso de la competencia en colegios profesionales y profesiones tituladas en Cantabria, o competencias en Administración de Justicia -reducidas en la concreción normativa y jurisprudencial a los medios personales y materiales al servicio de dicha Administración-, que parecía avalada por la disposición adicional segunda, sobre impulso a la mediación, de la Ley 5/2012.

PARTICIPACIÓN CIUDADANA Y MEDIACIÓN

JUAN JOSÉ GARCÍA ESCRIBANO
Profesor Titular de Sociología de la Universidad de Murcia

ESTHER CLAVERO MIRA
Profesora Asociada de la Universidad de Murcia

RESUMEN

Se reflexiona sobre la relación tan estrecha que existe entre Mediación Comunitaria y Participación Ciudadana. Es necesario buscar la complicidad de los distintos colectivos que forman la comunidad para alcanzar soluciones conjuntas a sus propios problemas. Esto permitirá promover transformaciones e interiorizar comportamientos favorables y no impuestos. Por tanto, para que la mediación comunitaria triunfe es imprescindible la participación ciudadana. Ambas son transcendentales para afianzar una democracia deliberativa que se puede desarrollar mediante distintas técnicas. En este capítulo se analiza una experiencia que surgió en 2011. Se trata del G1000 (una forma de minipúblicos deliberativos); se propone adaptar esta técnica de participación que facilita el diálogo entre los ciudadanos en un lugar físico concreto a una realidad local.

PALABRAS CLAVE: mediación comunitaria, participación ciudadana, G1000, minipúblicos deliberativos.

1. INTRODUCCIÓN

En los países más avanzados se viene produciendo una transición desde modelos verticales, normativos y jerarquizados a otros que se caracterizan por ser horizontales, relacionales e interactivos, y que conducen a una ineludible implicación de la ciudadanía en su formulación y confección (Llena y Úcar, 2006).

En las sociedades actuales es preciso conciliar la democracia representativa con nuevas formas de democracia participativa, es decir, con alternativas que proporcionen voz a la ciudadanía y den oportunidad a sus propuestas. Una nueva forma de proceder que imagine a los ciudadanos con atributos y capacidades y que implemente procesos de empoderamiento, para que sean los propios ciudadanos los que participen en la responsabilidad de los asuntos públicos.

Uno de los principales desafíos de las ciudades contemporáneas es la edificación de la convivencia, un desafío en el que para su consecución hay que superar la clásica atomización y confeccionar redes sociales en las cuales la participación, que permite la satisfacción de los actores y la legitimación de las actuaciones, ha de ser un elemento esencial, aunque no exclusivo. Esta participación debe acompañarse de conocimientos, prácticas y metodologías de la mediación para que la misma alcance su máximo potencial.

La participación, como señalan diferentes autores (Cunill, 1991, 1997; Maiz, 2000; Held, 2001; Warren, 2001; Montero, Font y Torcal, 2006; Bloundiaux, 2008; Pares, 2009, Pastor, 2015 y García Escribano, 2015), aporta verdaderas ventajas a la dinámica organizacional y comunitaria al facilitar una gradual adecuación del funcionamiento de las instituciones, romper la apatía y desconfianza ciudadana, ofrecer a los representantes herramientas para evaluar y mejorar la gestión de los asuntos públicos, permitir a la ciudadanía reconquistar y recuperar el espacio público, generar capital social, potenciar sentimientos comunitarios; permitir que la "política se socialice" y reforzar las decisiones a adoptar o, incluso, adoptadas.

El nivel local es un entorno ideal para desarrollar procesos participativos y un ámbito experimental para probar nuevos procedimientos de cooperación, así como formas innovadoras de articular liderazgo político y participación social. "La sociedad del conocimiento aporta una nueva noción de ciudadanía que fusiona hermenéuticamente los diversos horizontes de significatividad; logra una comprensión empática que afirma la originalidad, autenticidad y peculiaridad social y preserva la identidad individual" (Aguirre, 2009, p. 235).

Para que triunfe, a nivel general, la mediación comunitaria es imprescindible la participación ciudadana, puesto que es necesario el concurso de los vecinos para que pueda desarrollarse. Es ineludible buscar la complicidad de los distintos colectivos que conforman la comunidad en la búsqueda de soluciones a sus propios problemas, como estrategia eficaz para promover transformaciones e interiorizar comportamientos favorables y no impuestos. Cualquier servicio de mediación comunitaria pretende primordialmente dos objetivos: promover la convivencia y la participación de los ciudadanos. Por otro lado, la participación ciudadana y la mediación comunitaria son transcendentales para afianzar una democracia deliberativa que se puede desarrollar mediante distintas técnicas. Algunos proponen crear un Servicio de Mediación Comunitaria y Social Municipal, como la propuesta presentada por José Palazón y Ángel Monreal a la Federación de Municipios de la Región de Murcia, con el objetivo de "la resolución de los conflictos de la ciudadanía, desarrollando a la vez entre la población una idea nueva en valores y cuya creencia, comportamientos y actitudes sean, la participación directa en procesos de diálogo y con escucha, respeto y con un enfoque hacia una cultura de paz". Pero el objetivo va a ser analizar otra experiencia que surgió en 2011: el G1000 (una forma de minipúblicos deliberativos), y adaptar esta técnica de participación que facilita el diálogo entre los ciudadanos en un lugar físico concreto a una realidad local.

Un proceso de participación necesita la creación de espacios de encuentro, porque es muy importante que exista un espacio de conexión para los participantes, de tal manera que los conocimientos y experiencias mutuas puedan compartirse y valorarse sin necesidad de esforzarse para conseguir un consenso o una mayoría de votos. De esta forma, no hay ponentes u oponentes a los distintos argumentos, sino que se trata de buscar el "terreno común", un "nosotros".

Aunque hay distintas formas de minipúblicos deliberativos y, por tanto, de definiciones, algunas características comunes (Smith, 2009, p.76), permitirán identificarlos. Estas características son: 1) Se trata de un grupo de personas, normalmente seleccionado mediante muestreo aleatorio, ampliamente inclusivo y representativo de la población afectada (Bohman, 2007; Fishkin, Luskin y Jowell, 2000); 2) Se sigue un procedimiento que consiste en dividir el grupo en una serie de grupos más pequeños; 3) La organización ha de ser independiente, con el objetivo de garantizar la neutralidad y equidad de los procedimientos (Steiner 2012) y 4) La información y el asesoramiento han de ser proporcionadas por expertos (Luskin, Fishkin y Jowell, 2002). Ejemplos de minipúblicos pueden ser: las asambleas o foros de ciudadanos, los jurados ciudadanos y las conferencias de consenso ciudadano.

Los minipúblicos contrastan con otras formas de participación porque asocian la aleatoriedad, como fundamento para la elección de los participantes, con la deliberación, como base para la toma de decisiones. La aleatoriedad implica que cada integrante de la comunidad tiene las mismas oportunidades de ser elegido. Por su parte, la deliberación comporta que lo fundamental es el poder de las ideas y argumentaciones, descansando todo el proceso en la aquiescencia de los participantes para dejarse persuadir por los otros (Dryzek, 2000; Steiner, 2012). Esta asociación puede ayudar tanto al desarrollo como a la profundización de la democracia, en el sentido de que se incrementa el número de temas que pueden quedar subordinados al control colectivo y, además, también se agranda el número efectivo de participantes que pueden ejercer influencia, y, por último, el grado en el que el control es sustantivo más que simbólico (Dryzek, 1996).

La combinación de aleatoriedad y deliberación subsana dos problemas que distinguen a una parte importante de la toma de decisiones públicas en la actualidad Primero, la aleatoriedad, máxime si se establece algún tipo de cuotas que permita reflejar la diversidad de la población e incluir a todos los subgrupos relevantes, aumentaría la representatividad de los participantes si comparamos con la autoselección, que muy frecuentemente está sesgada hacia los ciudadanos con mayores niveles educativos o ingresos o con más tiempo libre (Fishkin, Luskin y Jowell, 2000). Expresado de otra forma, un minipúblico sería más inclusivo o diverso que el de otras formas de participación ciudadana. Segundo, la deliberación estimularía la persecución del consenso y el acuerdo, en vez de concentrarse, incluso amplificándolas, en las discrepancias que acontecen con asiduidad en los procesos de negociación y votación (Steiner, 2012; Dryzek, 2000).

2. UN POCO DE HISTORIA DEL G1000

La idea del G1000, como una forma de minipúblico, surgió en Bélgica durante un impasse institucional. En junio de 2011, un año después de haber votado en las elecciones federales, los belgas esperaban todavía la formación de un nuevo gobierno. El sistema parecía paralizado y fue entonces cuando David Van Reybrouck hizo una propuesta para "desarrollar nuevas herramientas para la deliberación". Partiendo de los límites de la democracia representativa tradicional, que organiza la participación de los ciudadanos a través de las elecciones, propuso revitalizar la democracia a través de escuchar la voz de los propios ciudadanos. Con un grupo de voluntarios imaginó el G1000, una denominación inspirada en las cumbres de los Jefes de Estado G7 o G20, que pretendía canalizar la voz de los ciudadanos en tres etapas. En primer lugar, una amplia consulta on-line para conocer los principales temas de preocupación y establecer la agenda. En segundo lugar, una cumbre que reuniera a 1000 ciudadanos seleccionados aleatoriamente y, finalmente, una reunión de un pequeño grupo que definiera y delimitara las propuestas concretas.

El 11 de noviembre de 2012, después de un proceso que duró más de un año, el G1000 entregó su informe al Parlamento. En este informe se señala que el método había "demostrado el valor y la fuerza de la democracia deliberativa". Formulas parecidas comenzaron a aplicarse en distintos países: así en los Países Bajos se organizan encuentros en quince regiones y ciudades, incluida Ámsterdam. Este último proceso se inició en 2015, después de una baja participación en las elecciones municipales de 2014.

"Deseábamos entender este síndrome de fatiga democrática e intentar remediarlo" decía el informe final de esta experiencia de Ámsterdam.

El 4 de marzo de 2017 el Ayuntamiento de Madrid organizó una experiencia similar en la que aproximadamente 300 personas se reunieron en el G1000 de Madrid y desarrollaron un proceso de deliberación en torno a dos bloques: el primer bloque fue una toma de contacto abierto donde se discutía sobre posibles propuestas para los Presupuestos Participativos y se redactaban enunciados sobre cuestiones abiertas relacionadas con movilidad, con la limpieza... sin límite de propuestas y solo con una moderación que facilitaba la comunicación, pero que no influía en la deliberación. En la segunda fase se categorizaron las ideas de cada persona por colores que correspondían a áreas temáticas y se agruparon las personas con enunciados parecidos; en esta segunda fase prosiguió la deliberación y se trataba de consensuar propuestas para cada ámbito temático. Finalmente se eligió un portavoz por mesa encargado de redactar la propuesta y subirla a la plataforma "Decide Madrid" (Navarro, 2017).

El 1 de julio de 2017 se llevó a cabo el G1000 de Rotterdam, que pretendía responder a la pregunta "¿cómo preservamos la paz en la ciudad?". El 11 de octubre de 2017, se presentaron los resultados del G1000 Rotterdam en el Bibliotheektheater.

3. UNA PROPUESTA DE G-1000

El G1000 pretende ser una iniciativa capaz de innovar los procesos democráticos, un proyecto que no intenta, en ningún caso, desmantelar el sistema representativo, sino complementarlo y darle nueva vida.

El G1000 que se propone se articula en tres fases distintas, utilizando cada una un método distinto:

Fase 1: Consulta pública.

Fase 2: Encuentro-Deliberación ciudadana.

Fase 3: Preparación de propuestas políticas.

Fase 1: Consulta pública

La primera fase consiste en un proceso muy abierto de establecimiento de la agenda. A través de Internet se recaba de los ciudadanos los temas problemas-preguntas que deberían ser tratados en el encuentro de ciudadanos G1000. Es fundamental que la agenda no se elabore desde arriba, porque, como señala Jesús Ibáñez (1997, p.54) "el que se limita a decidir -a elegir una de las alternativas propuestas- está dominado por el que trazó estas alternativas".

La consulta pública, a través de Internet, debe proporcionar los recursos necesarios para establecer una agenda, ya que los datos deben ser sometidos a la consideración de expertos para su "filtrado técnico" antes de ser trabajados por los ciudadanos. En este primer momento, como requisito para poder votar por las ideas de los demás, se requiere haber realizado previamente una propuesta.

Las ideas, una vez filtradas, se agrupan en un número razonable de temas que serán publicados y sometidos a votación de todo el que desee participar a través de Internet.

Con esta votación se establece la agenda final de la Fase 2.

Fase 2: Encuentro-Deliberación ciudadana

Partiendo del principio de que cada ciudadano mayor de 16 años pueda tener la misma posibilidad de ser seleccionado, se recluta a los participantes a través de una combinación de selección aleatoria y dirigida, mediante la que se invita a participar a un número amplio de ciudadanos en un evento deliberativo.

Los 1000, 500 o 100 ciudadanos, reunidos en un lugar apropiado, se reparten, durante el tiempo que se estime oportuno, en grupos de 10 (100 mesas) para reflexionar, debatir, discutir sus posiciones sobre los temas seleccionados. Cada una de las mesas recibirá los materiales informativos necesarios y estará asistida por uno o dos voluntariosfacilitadores que hayan recibido la formación adecuada en las semanas previas al evento. La forma de trabajo de estas mesas podría utilizar la Técnica de Grupo Nominal (TGN). Se sugiere limitar el número de propuestas a discutir a un máximo por determinar para evitar eternos monólogos y penosas discusiones.

Es fundamental estar atentos a las nuevas ideas que han salido como resultado de la interactividad del grupo y que no han sido contemplados inicialmente. Cada una de las mesas debatirá y llegará a sus propuestas.

Para terminar, en cada una de las mesas se seleccionará, mediante el azar, a entre 2 y 5 personas. El conjunto de las personas seleccionadas por cada mesa formará el G500, el G250, etc., que se dividirá en grupos de 50, 20 o 10 personas, para debatir las propuestas de los Grupos de procedencia de esas personas y tratar de analizar y sintetizar las mismas.

El G500, G250, etc. trabajará, en principio bajo "listas de propuestas cerradas" generadas en el G1000, G500 o G100, reservándose el derecho a incluir justificadamente aquellas que sean oportunas como resultado de un consenso entre los nuevos componentes.

De cada uno de los grupos compuestos se seleccionará, nuevamente mediante el azar, a 5 personas, que formarán parte del G50, G25 o G10.

Fase 3: Preparación de propuestas políticas

El Grupo de personas que forma el G50, G25 o G10 elaborará las ideas básicas y las propuestas concretas de políticas públicas, tomando la forma de Conferencia de Consenso, donde los propios ciudadanos precisan la forma de trabajar y abordar los temas para llegar a posiciones consensuadas que se puedan trasladar a la ciudadanía y a las instituciones públicas.

4. PRINCIPALES PROBLEMAS

El proyecto diseñado pretende respaldar nuevas formas de democracia que aumenten la participación ciudadana y den a los ciudadanos una mayor participación en la toma de decisiones, mejorando así la conexión entre política y ciudadanos. Los minipúblicos son un ejemplo de este desarrollo, basado en: 1) dar a un grupo diverso de personas una voz (a través a través de un proceso de selección aleatorio), y2) crear las bases para una mejor argumentación, más racional de las decisiones (a través de la deliberación).

Los minipúblicos tienen que superar una serie de problemas. Algunos de ellos son típicos del diseño de este tipo particular herramienta y podrían resolverse mediante la introducción de características del diseño. Por ejemplo, de las experiencias desarrolladas hasta ahora se desprende que, si no hay una compensación, es difícil conseguir la asistencia de un número importante de las personas seleccionadas. Por otro lado, no es conveniente proponer agendas muy abiertas, porque se complica mucho centrar el debate y la deliberación de muchos temas a la vez.

Pero quizás el problema más importante viene de tratar de asegurar de antemano el compromiso de actores políticos ante el resultado de la deliberación, en línea con lo que Johnson y Gastil (2015) han denominado "deliberación formalmente facultada". El desafío de conectarse con la esfera política sigue siendo el problema más difícil de solventar. Una posible solución sería idear un procedimiento de toma de decisiones en el que los resultados de la deliberación tengan que debatirse públicamente y ser votados en un referéndum. Alternativamente, el procedimiento podría incluir un debate y una votación sobre los resultados en el parlamento o consejo.

HACIA UN MARCO NORMATIVO QUE GARANTICE LA CONSOLIDACIÓN DE LA MEDIACIÓN

Reflexiones para un eficaz impulso normativo de la mediación

J. PASCUAL ORTUÑO

Magistrado–Presidente de la sección XII AP de Barcelona

RESUMEN

Se pretende ofrecer una visión del acceso a la justicia, basado en textos jurídicos, por otro sistema que vaya más allá de la mediación, con unas características comunes que involucren a los distintos operadores y profesionales del sector jurídico (mediadores incluidos) y a sus colegios profesionales. Las propuestas incluyen: la potenciación de sistemas de negociación o mediación previa obligatoria como requisito de procedibilidad, en una serie de determinada de litigios, implantar el intento de conciliación privada con intervención de los abogados de las partes, ante un tercer profesional (tanto del ámbito privado como del público), introducir las características y eficacia de la opinión confidencial de experto (perito) independiente, la "mediación exprés" realizada en el ámbito de colegios profesionales, servicios sociales, etc, o también la introducción de un conciliador en fase judicial (después de judicializado el conflicto) encargado de emitir una evaluación no vinculante

PALABRAS CLAVE: Derecho, Normativas, Mediación, Propuestas de impulso.

La diferencia entre el derecho consuetudinario anglosajón que tiene su fuente principal en la práctica y la emisión de precedentes por los tribunales, la generalidad de los países europeos de tradición romanista concibió la producción del derecho en base a textos legales, y recopiló los principios jurídicos en fuentes escritas de diversa índole. Como fruto de una elaboración histórica centenaria, las vías de acceso a la justicia también han adoptado una serie de formalidades burocráticas que, tras el impulso codificador de la Ilustración se plasmó en un conjunto de reglas formales de procedimientos sumamente rígidos. Con este sistema se ha procurado la mayor garantía para los ciudadanos de su derecho a comparecer y demandar justicia ante los tribunales.

Este condicionamiento histórico ha supuesto uno de los mayores obstáculos para la implantación de los métodos alternativos y, especialmente, de la mediación. Mientras en los países del área anglosajona se han ido generando protocolos de actuación informales adaptados a las peculiaridades de cada territorio y de cada ámbito conflictual, bien cuando se trata de núcleos rurales o grandes ciudades, o de litigios comerciales, empresariales, familiares, comunitarios, penales o vecinales, en otros países, como es la realidad española, es sumamente difícil avanzar sin que desde el poder legislativo se emita previamente una ley regulatoria.

En España se complica todavía más el problema por cuanto las fuentes normativas proceden tanto de la Unión Europea (Reglamentos y Directivas), como del Parlamento Estatal, como de los parlamentos de las Comunidades Autónomas. E incluso dentro de éstas, de los departamentos, ministerios o consejerías que son competentes en cada esfera de la actividad pública. En resumen: una verdadera "Torre de Babel".

Basta observar la normativa sobre la formación teórica en estas materias: diferentes en cada autonomía e incluso en cada universidad o centro docente. Con registros de mediadores dispares e inoperantes. Y otro tanto ocurre con la política de subvenciones a la actividad mediadora, a las medidas sobre retribuciones profesionales o al régimen deontológico. Pero cuando estos métodos de actuación se gestionan desde el ámbito judicial, podemos encontrarnos con directrices del Ministerio, de las Consejerías de Justicia, del Consejo General del Poder Judicial, de los Tribunales Superiores de Justicia, de Las Audiencias Provinciales o de los decanatos de cada ciudad, cuando no de las exigencias o modos de actuar que exige cada juez o letrado de la administración de justicia.

Mientras tanto nos encontramos que muchos profesionales que se han formado en las técnicas ADR están desorientados y decepcionados al ver que el progreso es muy lento y que los obstáculos son insalvables. De ahí surge un movimiento que reclama como solución la promulgación de una ley que establezca la obligatoriedad. Personalmente tengo mis reservas con esta reivindicación. Es seguir fomentando que el "papá-estado" nos facilite el camino, sin reparar que a la mediación tiene que ir los ciudadanos plenamente convencidos de sus ventajas. Esto depende mucho de las experiencias que se van desarrollando poco a poco y con la calidad necesaria. Cuando el índice de satisfacción de los usuarios es alto, la proyección propagandística es el mejor impulso al sistema.

La experiencia desarrollada en España nos ha demostrado que la introducción de nuevas metodologías en la gestión de los conflictos no se puede realizar con la promulgación de leyes y reglamentos, porque lo esencial es que, al igual que los ciudadanos, los operadores sociales y jurídicos perciban la utilidad y eficacia de estos sistemas. Y se debe partir de un hecho que no se puede soslayar: los abogados son los profesionales a los que habitualmente acuden los ciudadanos en busca de orientación y consejo. No se puede avanzar sin antes afrontar la tarea de convencer a la abogacía para que conozcan cómo funcionan estos sistemas y qué papel van a tener ellos en el proceso mediacional. Esta es la clave.

No obstante, un marco normativo que clarifique el panorama, especialmente en lo que respecta a las instituciones de mediación y a la garantía de la calidad de los mediadores, que no se pierda en laberintos legales que el ciudadano medio no comprende, e introduzca incentivos para los operadores jurídicos tradicionales puede ser un elemento esencial para la implantación de la mediación. De la misma forma, unas opciones legislativas deficientes o inspiradas en intereses de lobbies profesionales que únicamente busquen una carga obligatoria para la ciudadanía, sin que se muestren sus ventajas, pueden ser nefastas para que las innovaciones que se pretende se instalen adecuadamente en la sociedad.

La breve historia de la mediación ha evidenciado esta realidad. Las leyes de mediación familiar que se elaboraron por algunas de las comunidades autónomas de forma poco meditada han servido para muy poco. Incluso, algunas de ellas han servido para crear estructuras burocráticas y para introducir requisitos absurdos que han producido el efecto contrario del que se pretendía. La propia Ley 5/2012 cumplió deficientemente el mandato de la Directiva Europea pero no aportó una base legal eficaz para el desarrollo del sistema. Examinando las estadísticas, podemos hablar incluso de un fracaso evidente de los objetivos marcados desde las instancias internacionales. La abogacía ha dado la espalda de forma mayoritaria a la mediación como método de trabajo, y con honrosas excepciones y experiencias piloto que han demostrado que sí que se pueden poner en marcha proyectos importantes y eficaces.

Con la iniciativa legislativa del anteproyecto de la denominada "Ley de impulso" nacida en la última etapa del gobierno de partido popular y que el nuevo gobierno volvió a poner marcha en el 2019, renacieron las esperanzas de mejora del marco normativo, aun cuando los primeros pasos que se dieron con la inserción de la fórmula extraña de la "obligatoriedad mitigada" ya fueron objeto de fuertes críticas, fundamentalmente desde el sector judicial y de la abogacía, por lo que quedó congelada más de lo que estaba, puesto que la previsión era la de prolongar la *vacatio legis* durante tres años. Pero se está a tiempo de enmendar este anteproyecto que, de momento, lo único que ha hecho es generar mayores desconfianzas que motivos de optimismo. ¿Qué alternativas podrían ser eficaces?

Las medidas pueden adoptarse en el momento actual, si se pretende legislar con carácter estatal para la introducción de la mediación, no es necesario que se inventen a modo experimental, basta que se adapten las experiencias internacionales de ADR (mecanismos alternos o complementarios de resolución de conflictos). Estas medidas, que van más allá de la mediación, han de tener unas características comunes, puesto que pueden ser de implantación inmediata. Han de tender a involucrar a los distintos operadores y profesionales del sector jurídico (mediadores incluidos) y a sus colegios profesionales.

La primera sería la potenciación de sistemas de negociación o mediación previa obligatoria como requisito de procedibilidad, en una serie de determinada de litigios. Es decir, que no se admitirían a trámite las demandas por los juzgados sin acreditar que se han intentado seriamente en una relación de asuntos inicial (que podría ser ampliada posteriormente como se ha hecho en Francia, Portugal e Italia).

Debe asegurarse en todo momento que una intervención relevante de los abogados en garantía del equilibrio entre las partes y la protección de personas o colectivos con menor poder adquisitivo.

La segunda es implantar el intento de conciliación privada con intervención de los abogados de las partes, ante un tercer profesional (tanto del ámbito privado como del público). En el caso de que se logre el acuerdo se le dará forma la forma contractual que corresponda. En caso de que requiera homologación judicial, se solicitará la misma del Juzgado sin perjuicio del cumplimiento inmediato de lo que procediera. Si la otra parte rehúsa intervenir o termina sin acuerdo, dicho profesional deberá expedir la correspondiente certificación de que ha presidido la o las sesiones negociadoras, sin que haya sido posible el acuerdo. El profesional interviniente como conciliador deberá ser miembro de un colegio profesional (abogados, procuradores o notarios) o mediador habilitado. Los Colegios Profesionales podrán proveer servicios de conciliación, elaborando un listado de personas que se inscriban al mismo con unos requisitos que acrediten su prestigio y solvencia.

La tercera vía es introducir las características y eficacia de la opinión confidencial de experto (perito) independiente. En estos casos el experto ha de ser elegido de común acuerdo por las partes, con el doble compromiso de confidencialidad y voluntariedad en cuanto a la aceptación de la eficacia del dictamen (cuyas conclusiones podrán ser rechazadas por cualquiera de las partes si no le convencen). El dictamen, en caso de no aceptación por alguna de las partes, no podrá ser utilizado en juicio, pero el perito expedirá una certificación en el único sentido de que se ha intentado alcanzar una solución consensuada sin haberse conseguido.

La cuarta es la "mediación exprés". No se trata de un proceso de mediación propiamente dicho, sino de la denominada en el derecho anglosajón "*track mediation*", que en algunas ciudades se llevan a cabo en sede de las asociaciones de abogados (colegios), instituciones de mediación consolidadas, o en los servicios sociales de los ayuntamientos. Por este medio se puede absorber un número importante de conflictos menores, con un índice alto de acuerdos que eviten el incremento de la judicialización.

La quinta, sería la evaluación no vinculante en vía judicial. Consiste en la intervención, por solicitud de cualquiera de las partes o a propuesta del juez de primera instancia o del magistrado ponente en la apelación, de un conciliador en fase judicial (después de judicializado el conflicto) encargado de emitir una evaluación no vinculante de prosperabilidad de las respectivas pretensiones de las partes. Tras dicha evaluación, el procedimiento continuará por sus trámites ordinarios, salvo indicación en sentido contrario de las partes. En el caso de que la sentencia que posteriormente se dicte en el proceso contencioso sea coincidente sustancialmente con la oferta rechazada, a valoración del juez o tribunal sentenciador, éstos podrían incrementar la condena en costas con la declaración de temeridad si no se aportaran razones suficientes que justificaran el mantenimiento del litigio en la vía judicial.

Las anteriores medidas generan una conciencia entre los ciudadanos, jueces y abogados de la conveniencia y utilidad de la utilización de los medios alternativos, y resultaría mucho más fácil promover el uso de la mediación, tanto prejudicial como la derivada desde los tribunales.

Pero, como conclusión final: para que el sistema progrese no basta con remover conciencias ni con promulgar leyes. Lo esencial es que en los presupuestos públicos se prevean las partidas correspondientes a sufragar la actividad de los profesionales. A buen seguro, será dinero bien empleado que implicará un considerable ahorro no solo para la "Administración de Justicia", sino también para los ciudadanos y para la economía del país. Y también para la salud mental de muchas personas.

2ª PARTE:
LA DISCIPLINA DE LA MEDIACION

LA ELECCIÓN DE MODELOS EN EL PROCESO MEDIADOR

RAQUEL IRENE RODRÍGUEZ RODRÍGUEZ
Psicóloga. Máster en Mediación Familiar y Socio-comunitaria

HERIBERTO RODRÍGUEZ-MATEO
Universidad de Las Palmas de Gran Canaria

ISABEL LUJÁN HENRÍQUEZ
Universidad de Las Palmas de Gran Canaria

RESUMEN

Entre los profesionales de la mediación surge el debate sobre si es preferible ceñirse a un único modelo debido a su experiencia en su uso o combinar varios modelos durante los procesos de mediación (Suares, 2002; Romero, 2003; Luján, 2015). El hecho de que no exista un modelo único que se considere "ideal" para la resolución de conflictos en situaciones de actuación mediadora nos impulsó a investigar cuáles son las preferencias de uso de modelos de mediación por parte de profesionales de la mediación familiar y de la mediación educativa.

Para ello, y partiendo de las aportaciones de cuatro modelos surgidos de los paradigmas teóricos: el modelo tradicional-lineal de la escuela Harvard (Fisher, Ury y Patton, 1989), el Modelo Transformativo (Bush y Folger, 1996), el Modelo Circular-Narrativo (Cobb, 1996; 2016a) y el Modelo Interactivo Integrador de Mediación, MIIM (Luján, 2015), se construye el cuestionario *PREAMEDIA* (Luján, Rodríguez-Rodríguez y Rodríguez-Mateo, 2017). Dicho cuestionario recoge ítems referidos a la preferencia de modelos por parte de profesionales de la mediación en su actuación mediadora. Se contemplan además ítems referidos a un "No-Modelo" que sirve como control. A través del método de comparación de pares ideado por Thurstone (Vila, Holgado y Barbero, 2015) se puede identificar el orden de preferencia.

El cuestionario consiste en 20 situaciones susceptibles de mediación que se utilizan como reactivos, con tres posibles alternativas de respuesta tras las cuales subyace las cinco variables a estudiar (las correspondientes a los cuatro paradigmas teóricos y al "No-Modelo").

La muestra está constituida por 72 profesionales de la mediación educativa y familiar, con formación en estos ámbitos. No se encontró de manera significativa ningún sesgo por edad, sexo o tiempo de experiencia, cuya media es de 4 años.

Los resultados indican que existe variabilidad en la tendencia del uso de modelos, con diferencias significativas en el orden jerárquico de preferencia y que en dicho orden el primer modelo elegido es el modelo MIIM, seguido del Circular-Narrativo, del Transformativo y del Harvard. Por otro lado, la comparación entre los grupos educativo y familiar indica que no existen diferencias significativas en la preferencia de uso de modelos, salvo en la del modelo circular que no es utilizada por el grupo educativo.

PALABRAS CLAVE: Tendencia de uso, modelos de mediación, modelo MIIM, modelo Harvard, modelo Transformativo, modelo Circular-Narrativo.

1. INTRODUCCIÓN

Para el logro eficaz de la práctica profesional en mediación es necesario un proceso metodológico. La guía para dicho proceso metodológico lo ofrecen de forma teórica los modelos de mediación (Munera, 2007; citado en Luján, 2015). Existe un debate sobre si las personas mediadoras deben posicionarse en un modelo concreto en función de su preferencia o, por el contrario, deben nutrirse de todos ellos (Suares, 2002). Esto es, no existe realmente una convergencia ni unificación de criterios en la actuación en mediación. Tras informarse sobre las distintas escuelas, desde su formación se anima a los futuros profesionales a elegir un modelo e ir aprendiendo sobre él a partir de la práctica (Romero, 2003). Por ello, consideramos importante conocer qué modelos son los preferidos para utilizarse en el proceso de mediación y explorar, intuitivamente, los criterios que motivan ese uso, si está generalizado a distintas situaciones, y si esa tendencia, si existiera, fuera común y en distintos ámbitos de la mediación.

Si bien es cierto que existen muchos modelos, como el "Grupal Narrativo" de Liliana Perrone (2003) o el "Interdisciplinar, o AIEEF" de Daniel Bustelo (2009) este trabajo se centra en los modelos Harvard, Transformativo, Circular Narrativo y MIIM (Luján, 2015).

El Modelo Tradicional-Lineal (Fisher, Ury y Patton, 1989), también llamado modelo Harvard por crearse en la llamada Escuela de Harvard es el modelo más antiguo de mediación, y, aunque fue diseñado inicialmente para trabajar la negociación, también se utiliza en mediación (Hernández-Ramos, 2014). El objetivo principal es que las partes enfrentadas consigan llegar a un acuerdo dejando a un lado sus diferencias, y centrándose en los aspectos comunes que puedan llegar a tener, empleando la resolución cooperativa. Para ello, durante la mediación, trata de eliminar las percepciones de errores del pasado que impiden la comprensión del presente y un acuerdo sobre el futuro (Luján, 2015). Este modelo se conceptualiza como un patrón de respuestas donde la prioridad consiste en la consecución de acuerdos por el acercamiento de posturas de las partes. El conflicto es causado por el desacuerdo, por lo cual se da énfasis a los puntos de acuerdo. Es importante la satisfacción mutua de los intereses de las partes implicadas.

Por otra parte, el Modelo Transformativo (Bush y Folger, 1996) tiene como objetivo el desarrollo de las potencialidades de las personas mediadas, para que puedan descubrir por sí mismas sus habilidades para resolver el conflicto. Como Folger explica (1996), el acuerdo llegará como consecuencia del cambio que se produzca en las partes mediadas. El modelo transformativo intenta introducir una comunicación relacional de causalidad circular (Hernández-Ramos, 2014). El éxito desde el modelo transformativo llega cuando ambas partes mejoran personalmente y se interioriza el aprendizaje de las dimensiones "revalorización" y "reconocimiento". Un inconveniente que presenta este modelo es que puede desdibujar los límites entre mediación, una herramienta de solución del conflicto con la consecución de acuerdos, y la terapia. Este modelo se caracteriza por el cambio en la relación de las personas mediadas para mejorar la comunicación, y consecuentemente, llegar a un acuerdo. Se centra más en la comunicación y en las relaciones que en el acuerdo. Se focaliza hacia las relaciones humanas. La transformación de las relaciones es previa a la resolución del conflicto.

En otra instancia, el modelo Circular-Narrativo (Cobb et al., 1996) nace de los modelos sistémicos y de la teoría de comunicaciones, en especial la teoría narrativa crítica. La realidad puede ser construida a través de las narrativas que se usen. Bruner (1991, citado en Cobb 2016a) plantea que el uso de la mente está guiado por un lenguaje que lo habilite. Cobb (2016a), afirma que los conflictos son una función de las historias que se relatan, y que crean discordia: *nosotros* contra *ellos*, *víctima* versus *maltratador*. Por tanto, para la modificación del conflicto, habrá que conocer y saber modificar las historias que las personas mediadas narran. El proceso de este modelo trata de cambiar las narrativas individuales en una nueva historia alternativa, construyendo un nuevo relato y modificando su percepción sobre la realidad. La transformación narrativa provendrá de la desestabilización de los relatos anteriores, y, por ejemplo, en el caso de las narrativas radicalizadas proviene de un juicio reflexivo en profundidad donde se explore las consecuencias de los actos tanto en las víctimas como en los criminales. Una desventaja que presenta es que requiere de amplia habilidad y conocimiento del modelo para su aplicación. Según Cobb (2016b), el modelo Circular-Narrativo se identifica conceptualmente como un formato de respuesta relacionado con el paradigma de la construcción social del conocimiento y en concreto, de la influencia del tipo de narración usada en la función comunicativa sobre la interacción social. En el que la persona responsable del proceso mediador debe escuchar activamente el relato de cada parte, atendiendo a los patrones de relato para ubicar en qué momento del conflicto están, y a partir de ahí ir generando una situación que permita a las partes la creación de una historia alternativa para el acuerdo común.

Por último, el Modelo Interactivo-Integrador de Mediación, o MIIM (Luján, 2015) plantea que la persona responsable del proceso mediador es quien integra todos los elementos objetivos, subjetivos y contextuales que conforman el conflicto. Por ello, incorpora a la persona mediadora, a los modelos de mediación, no únicamente como una figura que existe facilitando la comunicación entre las partes, sino como una parte integrada del proceso. Más que la consecución del acuerdo, el objetivo de este modelo es que las partes cambien en el proceso, tomando consciencia de sus fortalezas y debilidades, asuman sus responsabilidades, y adquieran el control sobre sus propias vidas (Luján, 2015). Esto conseguirá que las personas puedan solucionar sus problemas a largo plazo, ya que los acuerdos no se suelen poder mantener indefinidamente. El modelo MIIM integra distintas variables, reconociéndolas e identificándolas donde antes se intuían. En este modelo la persona responsable del proceso mediador recibe retroalimentación y tiene sus propias variables (Luján, Rodríguez-Mateo y Rodríguez-Trueba, 2015), incluyéndolo activamente dentro del proceso. Este modelo se caracteriza conceptualmente, según su autora (Luján, 2015), como un patrón de respuesta en donde las partes en conflicto deben primero evaluar la situación para asumir sus responsabilidades, expresar emocionalidad, y así llegar a un intercambio de ideas que resulte fructífero para la consecución del acuerdo.

Rondón (2011) hace una revisión de las tres grandes escuelas que mencionan Viana (2011) y De Diego y Guillén (2012). En el trabajo que realiza Martín-Ramírez (2016), se utiliza un cuestionario con una muestra piloto para la investigación de la eficacia mediadora comparando los modelos Harvard, Circular-Narrativo, Transformativo, MIIM y No-Modelo. Sus resultados indican que el modelo MIIM fue el más identificado como eficaz por la muestra control de no-expertos.

2. MÉTODO

En base a una investigación de tipo cuantitativa, hipotético-deductiva, se ha usado una metodología descriptiva y comparativo-causal.

Diseño

El diseño seguido en esta investigación es doble: uno, inicial, descriptivo, donde a nivel general se recogen las preferencias de elección de una muestra de mediadores/as que se reflejan mediante los porcentajes de elección; y un segundo, cuasi-experimental, donde se analiza la preferencia de elección y se comparan los datos cuantitativos a través de la división de una medida cualitativa (que se refiere al tipo de mediador: escolar o familiar) que no es posible manipular experimentalmente, pero sí se puede seleccionar ad hoc.

Muestra

La muestra que conforma este trabajo está formada por setenta y dos sujetos (n=72), profesionales de la mediación y que han recibido formación previa en ese ámbito. De los 72 sujetos, 16 son hombres y 56 mujeres. El rango de edad de los participantes comprende desde los 20 años hasta más de 50 años. La media de tiempo de experiencia es de 4 años. De los 72 participantes, 48 personas son profesionales de la mediación familiar y los 24 restantes actúan como mediadores escolares. El análisis correspondiente se hará en base a dicha comparativa, para evaluar si existen diferencias entre ambos grupos.

Para comprobar que la muestra no presenta sesgos ni por sexo ni por edad o tiempo de experiencia, se ha usado la prueba T-test de diferencia de medias y ANOVA de un factor de igual manera, en las que se confirman que no existen dichos sesgos.

Variables e Instrumento

Las variables a considerar corresponden con los modelos de mediación, conformándose en estas cinco variables:

– Modelo Harvard

Este modelo se conceptualiza como un patrón de respuestas donde la prioridad consiste en la consecución de acuerdos por el acercamiento de posturas de las partes.

– Modelo Transformativo

Se centra más en la comunicación y en las relaciones que en el acuerdo.

– Modelo Circular-Narrativo

La persona responsable del proceso mediador debe escuchar activamente el relato de cada parte, atendiendo a los patrones de relato

– Modelo MIIM

Patrón de respuesta en donde las partes deben primero evaluar la situación para asumir sus responsabilidades, expresar emocionalidad, y así llegar a un intercambio de ideas.

– No Modelo

No son específicamente fruto de ningún marco teórico ni de ningún principio.

Estas cinco variables fueron operativizadas a través de un cuestionario construido para esta investigación. Es un cuestionario que permite identificar las tendencias de elección de modelos de mediación ante situaciones susceptibles de ser mediadas, el cuestionario PREAMEDIA – Preferencia en la Actuación Mediadora, de Luján, Rodríguez-Rodríguez y Rodríguez –Mateo (2017), reestructurado y rediseñado desde el cuestionario sobre el perfil del mediador y la eficacia mediadora, prueba piloto de Luján, Martín-Ramírez y Rodríguez-Mateo (2016).

El cuestionario PREAMEDIA consiste en 20 reactivos, 20 posibles situaciones para ser mediadas. Los reactivos son diversos y hacen referencia a distintos ámbitos de la mediación: familiar, escolar o sociocomunitaria. La pregunta que se hace en cada uno de los reactivos plantea cómo ordenaría la persona responsable del proceso mediador, cada una de las 3 posibles contestaciones de respuesta en función de su adecuación (Más Adecuada, Algo Adecuada, Poco o Nada Adecuada). Es decir, que ordene de mayor a menor su preferencia en cuanto a los patrones prototípicos de respuesta. En total hay 20 reactivos con 3 posibles respuestas, basadas en 5 variables de modelos, ya mencionadas en el apartado de variables. En el cuestionario no se explicita que cada posible respuesta corresponde a un modelo.

Para la consecución de la ordenación de las variables, se ha utilizado la escala de preferencias siguiendo la técnica de Thurstone, donde se miden preferencias o actitudes ordenando los valores estimulares (Barbero, Vila & Holgado, 2015).

Para la construcción de la escala, se ha elegido una lista de estímulos – en este caso, los cinco modelos propuestos – para ser presentados por tríadas. Este método está basado en que cada estímulo haya sido comparado con todos los demás en numerosas ocasiones. El número de estímulos que resultan para ser comparados es igual a n (n-1)/2 siendo n el número de modelos propuestos (en este caso, cinco).

Estos modelos propuestos son comparados en todas las combinaciones posibles entre ellos (son diez tríadas posibles donde cada modelo se presenta seis veces). Para contrabalancear la presentación de cada tríada se repetirá una vez más, cambiando la posición de cada modelo dentro de la tríada.

Otra característica del cuestionario es que presenta equilibradamente el mismo número de modelos en lugar de posición en cada una de las situaciones, encontrando los modelos hasta cuatro veces en cada columna. El número total de presentaciones de cada modelo, por tanto, es de doce veces en total. Se enfrentan todos los modelos entre ellos en diez combinaciones posibles, repitiéndose en orden inverso una segunda vez.

Para la construcción en el formato electrónico o en línea se plantea la elección forzada, de tal manera que se deba seleccionar en cada una de las situaciones una respuesta por columna. Con ello, se obliga a elegir ante el mismo estímulo, distintos valores en un orden determinado.

Procedimiento

Se procede a reunir a un grupo de expertos donde se analizan todas las situaciones, las respuestas y el protocolo. Tras el volcado de respuestas, se procede al reajuste del cuestionario hasta en 13 ocasiones distintas para conseguir un resultado satisfactorio.

Con los profesionales de la mediación familiar se contactó gracias a la base del Registro de Mediadores Familiares del registro de la Consejería de Justicia de Canarias y para los mediadores educativos se enviaron correos a las direcciones electrónicas de los 1044 centros de educación obligatoria en Canarias.

Se realizaron los análisis estadísticos a través de diversas técnicas psicométricas (análisis de fiabilidad a través del Alfa de Cronbach, Análisis de porcentajes a través de Tablas cruzadas con la prueba de bondad de ajuste Chi-cuadrado, Prueba de diferencia de medias T-Test).

3. RESULTADOS

Para observar si las preferencias de la elección del modelo de mediación es hacia un único modelo o hacia varios de ellos, se comprueba la media de suma de las puntuaciones que se obtienen para cada uno de los modelos en cada sujeto. En la tabla 1, se puede ver el descriptivo de cada modelo por la media de la suma total, donde se valora que, entre menor puntuación, mayor elección del modelo.

Tabla 1. Descriptivo de las medias de las sumas totales para cada modelo.
Estadísticos descriptivos

	N	Mínimo	Máximo	Media	Desviac. típica.
TRANSFORMATIVO	72	14,00	32,00	22,5556	3,15286
CIRCULAR	72	15,00	29,00	20,9444	3,00183
MIIM	72	12,00	26,00	15,9861	3,07875
NO-MODELO	72	28,00	36,00	34,2222	2,05709
HARVARD	72	19,00	31,00	26,2917	2,98559

Como se puede comprobar por la tabla 1, el modelo con menor media entre los cinco (el más elegido) es el modelo MIIM ($\overline{X}$=15,98); y en orden de más a menos elegido, el Circular-Narrativo ($\overline{X}$=20,94), el Transformativo ($\overline{X}$=22.55), el Harvard ($\overline{X}$=26,29) y el No-Modelo ($\overline{X}$=34,22).

Con la prueba T-test de muestras relacionadas se comprueba que todas las medias de comparaciones entre los modelos aparecen como significativas.

Con respecto a la identificación de aquel modelo de mediación que es preferido en cada una de las situaciones-reactivos, se realiza una tabla de frecuencias de los tres resultados posibles para cada uno de los modelos presentados en cada una de las situaciones. En total son 60 frecuencias obtenidas.

De las 20 situaciones posibles, el modelo MIIM ha sido el elegido, de manera significativa, en 11 de las 12 presentaciones disponibles. Los modelos Transformativo y Circular-Narrativo han sido escogidos cada uno en 4 de sus 12 presentaciones posibles. El modelo Harvard fue escogido en una sola situación de sus 12 posibles elecciones. El No-Modelo no ha sido preferido en ninguna de sus situaciones de presentación. En la tabla 2 se observa el porcentaje de adecuación de cada modelo.

Tabla 2. Totales de porcentajes de cada modelo en función de su adecuación

	M.A.	A.	P.A.
MIIM	71,59%	23,35%	5,04%
CIRCULAR	41,43%	44,71%	16,19%
TRANSFORMATIVO	32,98%	42,13%	14,20%
HARVARD	16,90%	46,50%	36,50%
NO-MODELO	3,40%	8,09%	88,49%

Nota: M.A.= Muy Adecuado; A.=Adecuado; P.A.= Poco Adecuado

Para conocer la prelación en la elección de modelos se convierten los porcentajes en probabilidades de ocurrencia y se transforman en puntuaciones Z, estimando una distribución normal en la preferencia de los modelos. En las figuras 1 y 2 se puede observar la representación gráfica que aparece por la distribución de preferencias.

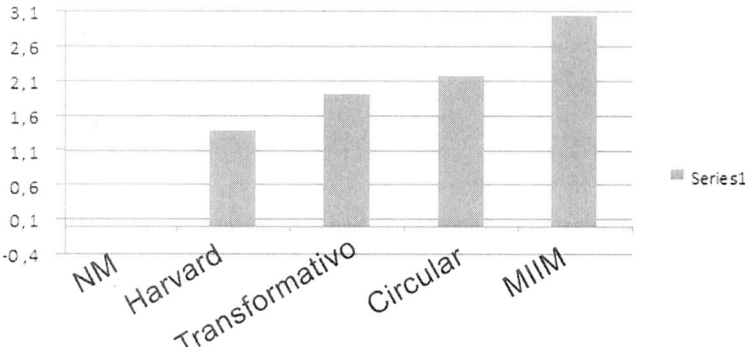

Figura 1. Gráfico de barras de la elección de modelos en la muestra seleccionada

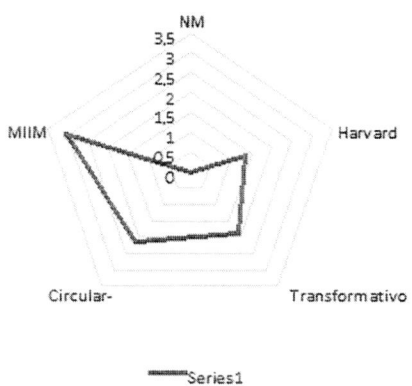

Figura 2. Gráfico radial de la distribución de preferencias de modelos en la muestra seleccionada.

Para confirmar si el cuestionario permite evaluar con fiabilidad (consistencia interna) las tendencias de elección, es necesario comprobar los resultados obtenidos del alfa de Cronbach, el coeficiente que permite medir la fiabilidad de una escala de medida en cada uno de los modelos o variables propuestas. En la tabla 3, se observa el alfa de Cronbach obtenido para cada uno de los modelos.

Tabla 3. Alfa de Cronbach para cada uno de los modelos.

Modelo	Alfa de Cronbach
MIIM	,713
Transformativo	,701
Circular	,668
Harvard	,693
No Modelo	,686

Para ratificar la confirmación de la consistencia interna, se comparan los resultados de las dos partes del cuestionario que son equivalentes, ya que se crearon dos formas iguales de comparación, 10 reactivos con una forma paralela adicional (en total, 20 situaciones-reactivo). La significatividad de las diferencias se obtuvo con el análisis de tablas cruzadas con la prueba de bondad de ajuste de Chi-cuadrado. Se comprueba que el 77% de comparaciones no son significativas. En general, se puede afirmar que existe cierta consistencia en las elecciones de los modelos independientemente de las situaciones.

Para demostrar si existen diferencias significativas en la elección de los modelos para cada situación entre mediadores familiares y mediadores escolares, se realiza la prueba T-test de diferencias de medias entre las dos sub-muestras (independientes) de mediadores. En la Tabla 4, se observan los descriptivos para cada una de las submuestras en cada uno de los modelos.

Tabla 4. Descriptivo de las medias para cada modelo en las submuestras.

		N	Media	Desviación estándar	Media de error estándar
TRANSFORMA-TIVO	Grupo a	48	22,8542	3,36433	,48560
	Grupo b	24	21,9583	2,64541	,53999
CIRCULAR	Grupo a	48	20,3125	2,67499	,38610
	Grupo b	24	22,2083	3,27014	,66752
MIIM	Grupo a	48	15,9792	3,15884	,45594
	Grupo b	24	16,0000	2,97818	,60792
NO-MODELO	Grupo a	48	34,3125	2,01226	,29045
	Grupo b	24	34,0417	2,17654	,44428
HARVARD	Grupo a	48	26,5417	3,03846	,43856
	Grupo b	24	25,7917	2,87386	,58662

Nota: El grupo a= mediadores familiares; grupo b= mediadores escolares.

Se observa que existen diferencias significativas entre ambas submuestras en el uso del modelo Circular-Narrativo. En el resto de modelos, no aparecen diferencias significativas.

4. DISCUSIÓN Y CONCLUSIONES

Con respecto a la comprobación de si las preferencias de la elección del modelo de mediación es hacia un único modelo o hacia varios de ellos, se observa la repetición del mismo patrón de respuesta (MIIM, Circular-Narrativo, Transformativo, Harvard, No-Modelo) que se obtiene en la prueba piloto de Luján, Martín-Ramírez y Rodríguez-Mateo (2016).

Este cuestionario permite obtener para cada sujeto un perfil de preferencias de modelos de mediación, obteniéndose así una variabilidad tanto intrasujeto como intersujeto. Esto confirma que, a pesar de que los modelos de mediación responden a líneas de pensamiento diverso (Martínez & Álvarez, 2002; Dueñas, Hernández, Negro, Redondo, Serrano, 2013), son utilizados la mayoría de ellos en la totalidad de las personas mediadoras. Se puede inferir por tanto, que quizá más que hablar de 3 grandes escuelas de mediación o de líneas de pensamiento, se debería hablar de una única metodología de afrontamiento en conflictos (la mediación) con distintas estrategias metodológicas para abordar distintas situaciones.

Con respecto a la identificación de aquel modelo de mediación que es preferido en cada una de las situaciones como reactivos, el modelo MIIM ha sido, significativamente, el más elegido en once de sus doce presentaciones posibles; seguido por los modelos Circular-Narrativo, Transformativo, el Lineal o Harvard, y finalmente el No-Modelo que no ha sido elegido ninguna vez.

Los resultados indican de forma clara y significativa que las personas responsables de la mediación no usan un único método a la hora de enfrentarse a las situaciones de mediación. Si bien existe una jerarquía de preferencia en la inclinación de uso a nivel general, las personas mediadoras utilizan diversos modelos en las distintas situaciones de mediación. Se corresponden estos resultados con la reflexión de Suares (2002) en la contextualización de la diversidad de uso de modelos en situaciones susceptibles de mediación y también, en la línea de Luján (2015) en que hay que inclinarse, pero no estar determinado, por el uso preferencial de una línea de pensamiento.

Estos resultados pueden estar condicionados por el ámbito de los profesionales encuestados (familiar y educativo) y, a su vez, por el ámbito al que se refiere en cada una de las situaciones reactivo.

A su vez, la no elección del No-Modelo es un claro indicador de que la muestra que ha cumplimentado el cuestionario son profesionales de la mediación que conocen las competencias pertinentes y disciernen cuáles son modelos de cuáles no, lo que a su vez indica que las contestaciones han sido sinceras, y no se responde de manera aleatoria. Esto confirma la validez de constructo al ser una variable de control. Sin embargo, una debilidad es que hay un déficit de una muestra control que no tenga formación en mediación.

En cuanto a la prelación en la elección de modelos de mediación, cabría preguntarse si este orden de preferencia (MIIM, Circular-Narrativo, Transformativo, Harvard) se mantendría en otra investigación que recogiera otras situaciones-reactivo con distintos ámbitos y otras escuelas de pensamiento.

Otra de las preguntas que se pueden realizar es por qué el modelo MIIM ha sido el más elegido con diferencia. Señalamos que ninguno de los profesionales de esta muestra han sido formados específicamente en la línea de pensamiento que plantea este modelo, y que ninguno de los participantes en este estudio conocía la conexión entre las respuestas prácticas y el modelo teórico implícito subyacente.

Con respecto a la comprobación de si el cuestionario permite evaluar con fiabilidad (consistencia interna) las tendencias de elección, las puntuaciones de alfa de Cronbach obtenidas para cada uno de los modelos y las tablas cruzadas para las dos partes del cuestionario confirman la existencia de una buena consistencia interna en las elecciones de los modelos, independientemente de las situaciones reactivo.

Los coeficientes de fiabilidad adquiridos por a través alfa de Cronbach (,703; ,701; ,668; ,693; ,686) según el criterio general de George y Mallery (2003, citado en Frías-Navarro, 2014) son evaluables como aceptables (>.7) o cuestionables (>.6). Sin embargo, otros autores (Nunnally 1967; 1978 y Huh, Delorme & Reid, 2006, citados en Frías-Navarro, 2014) consideran que dentro de un análisis investigativo y exploratorio estándar un valor aproximado a 0,7 es adecuado, y que en las primeras fases de investigación valores de 0.6 o 0.5 son suficientes. Por tanto, de acuerdo a estos autores, la fiabilidad del cuestionario en su primera fase de investigación (exploratoria) es lo suficientemente adecuado y aceptable para poder aceptar los resultados.

Tanto la fiabilidad adquirida por el alfa de Cronbach como la consistencia interna obtenida por las tablas cruzadas de las dos mitades reflejan una suficiente fiabilidad y consistencia para ratificar los resultados obtenidos, y sirve de referencia sólida para una mayor construcción y desarrollo psicométrico del cuestionario.

Para demostrar si existen diferencias significativas en la elección de los modelos para cada situación entre mediadores familiares y mediadores escolares, la prueba T-test para muestras independientes indica que no existen diferencias significativas, excepto para la tendencia de uso del modelo Circular-Narrativo.

Se puede hipotetizar que la preferencia de elección del modelo Circular-Narrativo para los mediadores escolares es menor, y que pueda deberse o bien a diferencias en la formación específica de los modelos de mediación o que, debido al ámbito escolar, esa diferencia se enmascare por una predilección al modelo Transformativo, más sencillo en su aplicación.

En general, los resultados de este cuestionario ratifican lo que plantea Viana (2011), o De Diego y Guillén (2012) cuando identifican tres grandes escuelas de mediación, a la que se le debe de añadir de manera significativa el modelo MIIM por su importancia en los resultados de este estudio.

Aún así, cabe recalcar que en este estudio se ha buscado la elección de uso de los profesionales de la mediación y que, no obstante, esta elección no tiene por qué indicar que sea necesariamente lo más adecuado o lo más eficaz, al menos objetivamente. Para realizar esta comprobación se necesitan otro tipo de indicadores que comprueben empíricamente el grado de eficacia correspondiente con la complejidad que conlleva tal evaluación.

Es por tanto, conclusión para los investigadores de este estudio, que quizás la terminología empleada hasta el momento no sea la más correcta. Se puede hablar de un único método (de resolución de conflictos), llamado mediación; y distintas metodologías (las distintas escuelas) con distintas preferencias de uso entre ellas. El orden de prelación quizás tenga su explicación en la complejidad y variables que manejan cada uno de estos modelos, en la misma línea que propone Martín-Ramírez (2016).

Otra explicación posible para esta jerarquía puede devenir de las ideas ya señaladas de Bruner (1991 citado en Cobb, 2016a), donde plantea que la mente está subordinada al uso de un lenguaje y quizás la estructura lingüística de los reactivos (y no su conceptualización subyacente) marque las diferencias. Se necesitan estudios posteriores para refutar o no esta idea.

En definitiva, se comprueba que existe diversidad en el uso de modelos y que existen diferencias en las tendencias de elección de modelos.

EL GRADO DE MEDIACIÓN EN EL MARCO DE DESARROLLO LEGISLATIVO ACTUAL

PILAR MUNUERA GÓMEZ
Universidad Complutense de Madrid
FRANCISCO JOSÉ FERNÁNDEZ SÁNCHEZ
Diputación de Sevilla
MANUEL MORENO HUESCA
Diputación de Sevilla

RESUMEN

El Anteproyecto de Ley de Impulso de la Mediación, ha dado paso al Anteproyecto de Ley de Medidas de Eficiencia Procesal del Servicio Público de Justicia, aprobado el 15 de diciembre de 2020 por el Consejo de Ministros de España. Este Anteproyecto forma parte de la reforma de justicia iniciada denominada "Estrategia de Justicia 2030", que está enmarcada y conectada con el "Plan de Recuperación, Transformación y Resiliencia" y el "Plan de la Unión Europea Next Generation".

El Anteproyecto de Ley de Medidas de Eficiencia Procesal del Servicio Público de Justicia abre una gran posibilidad en el desarrollo de la utilización de la mediación extrajudicial e intrajudicial (*en la mayoría de los juzgados*) y un aumento de la responsabilidad profesional y procesal de los mediadores. Este hecho viene determinado por el establecimiento de la pauta de tener una sesión informativa y una sesión exploratoria en el tratamiento de los casos que lleguen a los juzgados y puedan ser tratados al amparo de la legislación sobre mediación y en los catorce supuestos de obligatoriedad mitigada que prevé el anteproyecto ante determinados conflictos familiares, civiles y mercantiles, amén de los voluntarios en esas materias y en materia de consumo.

Estos hechos puede traer como consecuencia que la ciudadanía deba, o elija, resolver en su caso, sus conflictos a través de la mediación y/o que los operadores judiciales recomienden o promuevan su uso. Estas circunstancias van a favorecer la existencia de unos mediadores que estén, o colaboren, con los juzgados en la realización de las sesiones informativas y exploratorias y/o en las mediaciones posteriores. Las circunstancias inmediatas de la implantación de este proceso se han visto como difíciles de llevar a cabo sin la ayuda de la administración. Por ello, y debiendo contar con la implicación de las administraciones públicas competentes, se ha retrasado la entrada en vigor de la ley que desarrolla esta medida. El periodo de implementación se ha considerado necesario para dar la máxima difusión así como la introducción de todas las reformas necesarias para su implantación. En este punto la ley resalta la necesidad de que haya mediadores en todos los partidos judiciales y establece un *vacatio legis* de tres años para su implantación. Este periodo de tres años debe ser aprovechado para consolidar la formación de futuros profesionales y la construcción de espacios e instituciones que afiancen la mediación en España,. Entre las instituciones profesionales se considera importante la existencia de un fututo colegio de mediadores profesionales, que consolide los intereses de esta profesión y una a los mediadores.

Por todo ello, es necesario reflexionar en estos momentos y buscar el "mayor bien posible" para el crecimiento de la mediación. El actual momento jurídico, social y económico determinan la necesidad de tomar decisiones tras una reflexión en profundidad con el fin de establecer las estrategias adecuadas para el desarrollo de la mediación como profesión. En nuestra propuesta se ha utilizado la estrategia de análisis DAFO o FODA, con la finalidad de visualizar las ventajas de la puesta en marcha de un Grado universitario en mediación que ayude a consolidar el perfil profesional, elimine las controversias y competencias existentes entre profesionales de diversas disciplinas, unifique criterios profesionales de intervención, permita la formación equilibrada como disciplina científica integrando los conocimientos y saberes necesarios y otros afines. Todo ello potenciaría el crecimiento de la mediación en España (Silva y Munuera, 2020). Este análisis se realiza estableciendo las fortalezas, debilidades, oportunidades y amenazas que la puesta en marcha de un Grado de Mediación en la universidad conllevaría para el desarrollo de la mediación.

PALABRAS CLAVE: Grado, formación universitaria, competencias, anteproyecto de ley, análisis DAFO.

1. INTRODUCCIÓN

En el II Congreso Internacional de Mediación celebrado en Portugal el 15 mayo de 1997, con el lema "Formación Continua y Supervisión: tendencias y desafíos en el desarrollo de la mediación familiar" se analizó las posibilidades de desarrollo de la mediación como disciplina. En esta ocasión y con el objeto de reflexionar sobre las oportunidades de su desarrollo se pretende sistematizar las propuestas que se han realizado desde diferentes foros. Se busca el reconocimiento de la labor de aquellos y aquellas que se han dedicado al impulso de la mediación en España entre los que se encuentran Daniel Bustelo, J. Pascual Ortuño, Trinidad Bernal, Aleix Ripoll[1], Leticia García, Ignacio Bolaños, Mª Paz García-Longoria, L. Miguel Rondón y especialmente

---

[1]   En su libro Familia, trabajo social y mediación nos dice que: El primer servicio de mediación familiar del que tenemos noticias es el "Servicio de Mediación a la Familia" de Donosti, actualmente cerrado. Fue creado en el año 1988 por Ana Ruiz Celorio, trabajadora social, a partir de su participación en la 22 Conferencia de Bienestar Social que tuvo lugar en Montreal el año 1984 y en el cual se presentó el servicio de ayuda a la familia dependiente del Tribunal Supremo de Montreal (Ripoll- Millet, 2001: 82).
En el año 1990 empezaron en España, casi de forma simultánea, cuatro servicios de mediación familiar.

a aquellos y aquellas que, en su momento, plantearon la posibilidad o necesidad de una titulación universitaria de grado específica en mediación y luchan en la actualidad por el desarrollo de la misma. Esta propuesta ha sido planteada con anterioridad en diversas circunstancias, momentos y lugares. La tesis titulada: El nacimiento de la mediación familiar en España: propuesta de un programa sistematizado de formación en mediación, de Dª Margarita García Tome (2010), propone un programa sistematizado de formación en mediación. Esta autora realiza una propuesta adaptada a las exigencias de Bolonia, mediante el cual se proporcionaba al mediador una formación cualificada y de calidad, para intervenir de manera eficiente y eficaz en la solución de temas tan transcendentales como son los conflictos familiares, en cualquier ámbito donde deba desempeñar su cometido (Rondón y Munuera, 2009).

En el I Congreso Internacional de Mediación y Conflictología. Cambios sociales y perspectivas para el siglo XXI, organizado en la sede de la UNIA, en Baeza de 2011, a iniciativa de D. Luis M. Rondón, fue posible el debate sobre este tema a través de la ponencia de D. Fermín Romero, con el tema: "Hacia el estatuto científico de la mediación. Una propuesta de áreas temáticas que articulan un proyecto docente de formación universitaria en mediación familiar". Romero planteaba :

> *la consideración de la mediación como una disciplina científica autónoma, lo que sin duda tendría consecuencias múltiples, pudiendo ser una de ellas el tratamiento que se le diera a la formación que se imparte para acreditar la habilitación de los profesionales de la mediación* (Romero, 2011: 14).

Esta afirmación coincide con la afirmación de Lisa Parkinson:

> *La mediación se acepta cada vez más como una disciplina por derecho propio, con su propio cuerpo teórico y práctico, con sus principios y reglas básicas. Como otras ramas de la ciencia, la mediación ha acumulado un conjunto de conocimientos basado en el estudio y clasificación de los casos y en los análisis resultados* (Parkinson 2005: 76).

Esta afirmación de Lisa Parkinson[2] señaló en su momento, la necesidad de fortalecer la mediación como disciplina académica, lo que conlleva una formación universitaria y un área de conocimiento para su crecimiento.

Helena Nadal, nos muestra las limitaciones y peligros de que la mediación sea considerada, incluso por los propios mediadores, exclusivamente un método de resolución de conflictos con unas cuantas herramientas y estrategias, *porque «cualquiera» puede hacer de mediador ante una disputa, dejado, incluso en manos de niños como jamás se concebiría con otras prácticas profesionales consolidadas* (Nadal, 2016: 25). En la reseña que Santiago Madrid, hace del libro de Nadal en el volumen 10 de la Revista de Mediación[3] añade que: "«cualquiera» con un curso online y sin un mero acercamiento a la práctica puede ejercer como mediador (Madrid, 2017). La consideración de la mediación como una «herramienta» fácil y simple conlleva una baja exigencia a los profesionales que la emplean y conduce a prácticas poco elaboradas que dejan insatisfechos a sus usuarios" (Madrid, 2017), reivindicando, en consonancia con Nadal, que la mediación es una disciplina.

---

[2]   Parkinson, estuvo invitada por el International Social Service (Servicio Social Internacional) (ISS), en Ginebra en el año 2005 junto a otros instructores de mediación, para la elaboración de una definición de mediación, sus principios y un programa de capacitación, según consta en el acta de la 7ª European Conference on Family Law "Internacional Family mediation del Council of Europe, en la ciudad de Strasboug a 16 de marzo de 2009.
*Helena Nadal Sánchez. Mediadora. Profesora asociada y profesora de Máster y Postgrado en diversas universidades. Doctora por la Universidad de Burgos (Departamento de Derecho Público). Premio Extraordinario de Doctorado con una tesis dedicada al análisis de los fundamentos de la mediación. Master en *Gestión integral de Conflictos y Promoción de la Convivencia* (UAB). Postgrado en *Cultura de la Paz, Cohesión Social y Diálogo Intercultural* (UB). Especialista Universitario en *Mediación Familiar*

[3]   Santiago Madrid Liras: Presidente, Psicólogo-Psicoterapeuta, Mediador y Formador en **INSTITUTO MOTIVACIONAL ESTRATÉGICO (IMOTIVA)** (desde 2013). Affiliate Scholar en el Center for Narrative and Conflict Resolution de la **George Mason University** (Virginia, USA) (2015-2016). Director y fundador de "Revista de Mediación" (desde 2007). **Mediador Penal** en la Agencia de la Comunidad de Madrid para la Reeducación y Reinserción del Menor Infractor (desde 1998) (actualmente en excedencia).

El hecho de ser ésta una disciplina que se transmite sobre parámetros prácticos no quiere decir que éstos constituyen su esencia sino que más bien, la continua referencia a su aplicación encubre magnitud de sus cimientos teóricos, de la tradición que arrastra tras de sí y de la incansable investigación que se desarrolla dentro de ella. La evolución y el perfeccionamiento de la mediación dependen de este corazón teórico que es el enfoque (Nadal, 2016: 95-96).

2. OPORTUNIDADES DEL ANTEPROYECTO DE LEY DE MEDIDAS DE EFICIENCIA PROCESAL DEL SERVICIO PÚBLICO DE JUSTICIA

El Anteproyecto de Ley de Impulso de la Mediación, se ha visto desbordado por el Anteproyecto de Ley de Medidas de Eficiencia Procesal del Servicio Público de Justicia, donde se pretende avanzar en el desarrollo de la mediación a pesar de determinado articulado que impulsa otros mecanismos de resolución de conflictos. A estas medidas se suman los anteproyectos de Ley sobre Enjuiciamiento Criminal y Código Procesal Penal, que vienen a regular, desde el principio de oportunidad y a través de la fiscalía, la mediación penal y comunitaria de adultos. Lo que viene a complementar y regular lo expresado en la Ley 4/2015, de 27 de abril, del Estatuto de la víctima del delito y la última reforma del Código Penal, realizada por la Ley Orgánica 1/2015, de 30 de marzo. La mediación se regirá en lo dispuesto en la Ley 5/2012, de 6 de julio, de mediación en asuntos civiles y mercantiles, y, en su caso, por la legislación autonómica que resulte de aplicación.

Estas disposiciones abren nuevas perspectivas de puestos de trabajo para profesionales de la mediación y su fortalecimiento como profesionales de la resolución de conflictos en un contexto institucional público. Este proceso permitirá la accesibilidad a este servicio para toda la ciudadanía. Al mismo tiempo que consolidará la mediación para resolver sus conflictos evitando un proceso judicial, largo y costoso, convirtiendo a la justicia en más accesible para la ciudadanía. Estas circunstancias facilitarán que la mediación se convierta en un servicio público para la ciudadanía. Este Anteproyecto de Ley, marca nuevas directrices ya que se orienta a las partes a resolver sus conflictos a través de la mediación, según se establece en su exposición de motivos donde consta que:

> *Las modificaciones propuestas responden al deseo de impulsar el uso de la mediación para la resolución de los conflictos, de manera que se opta por superar el vigente modelo de mediación basado en el carácter exclusivamente voluntario de la misma, por otro comúnmente denominado de "obligatoriedad mitigada", que configura como obligación de las partes un intento de mediación previa a la interposición de determinadas demandas (las materias concretas donde se establece esta obligación se recogen en la Ley 5/2012, de 6 de julio), o bien cuando el tribunal en el seno de un proceso considere conveniente que las partes acudan a esta figura. En ambos casos la finalidad es la de lograr una solución más ágil y efectiva.*

A la anterior propuesta de ley hay que tener en cuenta que en la Exposición de Motivos del borrador del Anteproyecto de Código Procesal Penal se subraya que "*la instauración de la mediación penal era una necesidad no solo impuesta por obligaciones internacionales, sino también sentida y reclamada por la práctica, en la que se habían llevado a cabo ya experiencias alentadoras y fructíferas*". El Anteproyecto de Ley de Enjuiciamiento criminal dedica el capítulo XXVI al principio de oportunidad y la mediación, otorgando a esta última unos niveles de responsabilidad sin precedentes, expresando entre otros que:

> *La mediación ha de concebirse como un instrumento al servicio de la decisión expresa del Estado de renunciar a la imposición de la pena cuando ésta no es necesaria a los fines públicos de prevención y pueden resultar adecuadamente satisfechos los intereses particulares de la víctima.*
>
> *Aparece, así, la mediación como un mecanismo al servicio del principio de oportunidad. En algunos casos, el resultado de la mediación podrá ser la falta de composición y la continuación del procedimiento penal en curso con todas sus consecuencias. En otros, esta institución podrá conducir a la finalización de las actuaciones con un archivo condicionado al cumplimiento de lo pactado o con una sentencia condenatoria en el marco de una conformidad premiada.*

Por otra parte los modelos cooperativos de resolución de conflictos, tanto los no adversariales, (mediación, negociación o conciliación) como los de autocomposición en los que se designa un tercero como facilitador, mediador o conciliador, que no ostenta poder de decisión, vienen añadiendo y actualizando nuevos mecanismos y nuevas técnicas que no hacen sino mejorar el conjunto de soluciones a los conflictos, delimitando todo un cuerpo disciplinar específico y fomentado la cultura del diálogo y la convivencia pacífica de la ciudadanía. Sirvan como ejemplos la facilitación, el "fact finding", la evaluación neutral preventiva, el diálogo apreciativo o la ODR (Online Dispute Resolution) como adaptación de los métodos de resolución de conflictos a las disputas on line, entre otros muchos.

Han pasado casi 10 años desde el congreso de Baeza, los profesionales mediadores, los cursos de especialización, experto y master en mediación, han aumentado, pero la mediación no ha creado su propio espacio. Es necesario consolidarla como disciplina científica, fortalecer sus contenidos y técnicas, teniendo en cuenta las aportaciones realizadas por Romero y otros autores, en diversas publicaciones, donde se establece que su objeto de estudio es el conflicto y/o el acuerdo. Esta determinación sobre el objeto o sistema de objetos es lo primero a determinar en una profesión. Es importante saber ¿el qué?, ¿él para qué?, y ¿él cómo?, supone algo imprescindible para la mediación. Es decir, el fin al que se tiende, ya que según sea la conceptualización del objeto de trabajo (tanto por los profesionales como por el resto de la sociedad) será de una forma u otra la intervención profesional, así como la relación con las demás profesiones. El consenso existente en la determinación del objeto, no está tan consensuado como el concepto o definición de mediación que tiene múltiples consideraciones, que han dado lugar a movimientos de entidades liderado por Michèle Guillaume-Hofnung que trabajan en Europa por conseguir una definición de mediación consensuado. Definirla a escala universal permitiría ofrecer a los responsables una herramienta eficaz que responda a los desafíos contemporáneos que son la renovación del vínculo social y la cuestión del lugar de las sociedades civiles en las relaciones internacionales. Por lo tanto, es conveniente tratar el concepto de mediación con seriedad y rigor, resaltando las condiciones de su eficacia (Guillaume-Hofnung, 2021).

Aunque como cualquier disciplina puede verse en procesos encadenados de transformación de los objetos de conocimiento ya que pasan por diferentes etapas constantemente. Según Politzer, la primera ley de la dialéctica enfoca este aspecto y propone el estudio de conocimiento" desde el punto de vista del pasado y del porvenir". Por otro lado, con la Ley de Acción Recíproca, todo proceso implica vinculación e influencia sobre otros procesos, formándose un encadenamiento de procesos de influencia mutua. Ello implica, sobre todo la relación de lo particular con lo general y viceversa, la relación de lo general con lo particular, y entonces de las partes con la totalidad. Y esta relación esencial no la hace el pensamiento humano, sino el autodinamismo social.

Los 30 años transcurridos desde las primeras experiencias en mediación en España configuran una trayectoria suficiente para reflexionar y tomar decisiones sobre el fortaleciendo de su marco teórico/práctico que favorezcan su consolidación como disciplina y como titulación universitaria de Grado (Munuera y Silva, 2020). El enfoque teórico de mediación es el corpus ideológico sobre el cual se asientan los modelos de mediación (Nadal, 2016: 107).

La realidad presentada nos lleva a plantearnos los siguientes objetivos para el desarrollo de esta propuesta:

1. Analizar las posibilidades de la titulación de Grado en Mediación

2. Aportar nuevas estrategias de trabajo colaborativo en el marco del Espacio Europeo de Educación Superior, con la finalidad de promover el Grado en Mediación.

3. Generar sinergias que apuesten por su logro.

4. Considerar las modificaciones reglamentarias y legislativas necesarias para la inclusión del grado universitario de mediación en la universidad, como requisito para la existencia de la consideración de disciplina, con los periodos de implantación necesarios y de reciclaje y habilitación de los profesionales existentes.

3. ANÁLISIS DAFO

Se ha realizado un análisis sobre la matriz DAFO, consideramos por un lado el hecho de que las debilidades se encuentran en lo que el sistema implica como modalidad de cambio en el momento actual, en la dinamización de la propuesta de la titulación del Grado en Mediación. Para ello se ha elaborado la siguiente tabla 1:

	Fortalezas	Debilidades
Análisis interno	Qué capacidades tiene la mediación?	Qué debería mejorar?
	Qué hace a la mediación como disciplina (a diferencia de otras disciplinas?)	Qué puntos dan más problemas?
	Qué ventajas tiene su utilización ¿	Qué factores internos dificultan su evolución?
	Qué consideran otros profesionales que son sus fortalezas?	Que consideran otros que son sus debilidades?
	Oportunidades	Amenazas
Análisis Externo	Qué circunstancias externas favorecen su desarrollo?	Qué obstáculos externos pueden interponerse en su desarrollo?
	Qué necesidades tiene el sector	Qué ofrecen sus competidores?
	Qué acciones pueden favorecer la adaptación al entorno de la mediación especializada (sanitaria, mediación en dependencia, etc.	Qué amenazas pueden impedir su adaptación...?
	Qué proyectos puede desarrollar ?	Qué obstáculos se van a encontrar?

Tabla 1. DAFO oportunidades del Grado de mediación. Elaboración propia

El aprendizaje por competencias que actualmente determinan las directrices de los planes de estudio del Espacio Europeo de Educación Superior, es visto como una oportunidad porque se las vincula a un modelo educativo que se basa en la adquisición de competencias y habilidades. Esta formación en competencias se une como elemento esencial al aprendizaje de las futuras generaciones de mediadores/as. La enseñanza de las competencias y habilidades está vinculada a una formación integral, en la cual no sólo es necesario constatar los aspectos cognitivos en el alumnado, sino aquellos que hacen a las cuestiones actitudinales, como la capacidad de empatía, gestión positiva de conflictos, gestión positiva de las emociones, gestión de acuerdos, etc..

4. ANÁLISIS Y DISCUSIÓN: RESULTADOS:

Como resultado de la matriz DAFO se plantean varias ideas que responden a:

4.1. Las fortalezas, que se sitúan en:

1. Reconocimiento en legislaciones autonómicas, y a nivel estatal, la Ley 15/2005, de 8 de julio, por la que se modifica el Código civil y la Ley de Enjuiciamiento Civil, en materia de separación y divorcio, como el actual El Anteproyecto de Ley de Impulso de la Mediación⊠. Los anteproyectos de Ley de enjuiciamiento criminal y del Código Penal Procesal. Ley 7/2017 relativa a la resolución alternativa de litigios en materia de consumo.

2. La mayoría de la leyes autonómicas de mediación definen la mediación familiar "como intervención de los profesionales especializados" en su articulado, no obstante en la explicación de la ley consideran que es un procedimiento extrajudicial.

3. Algunas comunidades autónomas como Andalucía, Aragón, Cantabria, Canarias, Cataluña, Valencia, Galicia y Baleares han elaborado sendos Reglamentos de desarrollo de sus respectivas leyes autonómicas de mediación familiar donde se específica las características, contenidos, horas de formación y medios de acreditación para ejercer como mediadores.

4. La existencia de cursos de formación especializada en mediación, especialistas, expertos y masters, de diferentes Universidades, Colegios profesionales y instituciones.

5. Existencia de un Doctorado en Intervención Social y Mediación desarrollado por la Universidad de Murcia gracias al tesón de su dirección y apoyo de su profesorado.

6. La lógica de la intervención mediadora, las teorías de referencia, un diseño metodológico y una práctica profesional con técnicas, estrategias, y habilidades, han permitido un espacio profesional. La existencia de modelos originales construidos por los diferentes autores en los inicios de la mediación han fundamentando la teoría y la práctica de la misma a lo largo de su crecimiento.

7. La interdisciplinariedad, como una de las características más singulares que puede definir a la mediación como disciplina científica especial. La interdisciplinariedad permite construir y formular las especificidades teórico-conceptuales, metodológicas y técnicas de tal disciplina, dando así lugar a la adecuada fundamentación epistemológica (Romero, 2011).

8. Diferentes universidades han creado Institutos de investigación en mediación o resolución de conflictos como la Universidad de Castilla la Mancha, Estudios sobre conflictos, Instituto de la paz y los conflictos de la Universidad de Granada, el Instituto Catalán Internacional por la Paz y/o el desaparecido Instituto Universitario Complutense de Mediación y gestión de conflictos (IMEDIA) que se configuro como un Instituto Universitario de Investigación propio de la Universidad Complutense de Madrid.

9. Proyectos de investigación realizados sobre la eficacia de la utilización de la mediación, subvencionados por diferentes entidades a nivel nacional e internacional como proyecto Eramus+LIMEdiat- Licence Européenne en Médiation pour l'Inclusion Sociale[4] (Grado Europeo de Mediación para la Inclusión Social), donde participan: la Universidad do Minho (Portugal), la Universidad de Murcia (España) y la Universitat degli Studi di Cagliari (Italia), entre otras.

10. Existencia de diferentes tesis sobre el estudio y desarrollo de la mediación en diferentes universidades españolas.

11. Artículos científicos respecto a diferentes contenidos y revistas especializadas en mediación como la Revista Mediación del Instituto IMOTIVA, etc.

12. Aumento de nuevos contextos de aplicación de la mediación que necesitan una formación especializada, profesionalizante.

---

[4] Referencia: 2020-1-FR01-KA203-079934 (2020-2023)

4.2. Entre las debilidades se encuentran:

1. La integración armónica de varias disciplinas afines (Psicología, Sociología, Derecho, Antropología Cultural, Trabajo Social, Pedagogía, etc.) y diferentes teorías (Teoría de los Sistemas, Conflictología, Métodos y Técnicas de negociación y de resolución de conflictos, Métodos y Técnicas de Investigación, y otras afines (Romero, 2011).

2. Se siguen generando nuevas definiciones de mediación sin llegar a un consenso entre los diferentes organismos, leyes, decretos, recomendaciones, asociaciones, institutos incluso profesionales mediadores (Ripoll, 2005), esta situación dificulta su divulgación y comprensión por lo que se hace necesario un espacio de formación básico común.

3. Intereses estructurales por mantener el actual status quo de las entidades formativas y su dificultad de impartir una formación continua o especializada

4.3. Entre las oportunidades:

1. El grado de mediación favorecerá el diseño desde el Espacio Europeo de Educación Superior (EEES), planteado en Bolonia desde la perspectiva del estudiante, para facilitar el desarrollo de sus capacidades generales, cualidades personales y profesionales (Benito y Cruz, 2005).

2. La formación en estrategias y en competencias determinará, la capacidad de los profesionales en dar respuesta a los desafíos actuales desde el EEES.

3. El grado de Mediación puede involucrar y coordinar esfuerzos de universidades, facultades, docentes, profesionales y estudiantes, hacía la meta del aprender a aprender. Este modelo servirá para preparar profesionales capaces de: *Aplicar los conocimientos aprendidos; utilizar sus capacidades de manera responsable y seguir aprendiendo trascendiendo el periodo universitario, es decir a lo largo de toda la vida* (Juanas y Fernández, 2008: 219).

4. En estos momentos los conocimientos se caracterizan por su pertinencia y funcionalidad, abriéndose la tipología de los contenidos a adquirir: además de los conceptuales, contenidos de tipo procedimental (saber hacer) y actitudinales («aprender a vivir» y «aprender a ser», en términos del Informe de la UNESCO (Delors en 1996).

4.4. Entre las amenazas:

1. La falta de identidad, falta de unión profesional
2. La falta de respuesta a los obstáculos que se plantean en su desarrollo
3. La ausencia de organizaciones colegiadas que defiendan los intereses profesionales.

El único órgano colegiado de asesoramiento en mediación familiar reconocido oficialmente, es el Consejo Asesor de la Mediación Familiar de la comunidad autónoma del País Vasco en el decreto 84/2009, de 21 de abril, (Boletín Oficial del País Vasco-BOPV nº 83 de 6 mayo), existen diferentes asociaciones e instituciones de profesionales en torno a la mediación familiar, pero no existe de momento ninguna institución que aglutine los intereses de todos los mediadores a nivel nacional, realidad que ayudaría a unificar criterios, a pesar de la propuesta de la mayoría de las instituciones de una Ley Nacional de Mediación Familiar que unifique los aspectos esenciales de la misma (García Villaluenga, 2005a: 323-324). En el Reino Unido las actuaciones del Colegio de Mediadores Familiares del Reino Unido (UK College of Family Mediators en Londres) ha conseguido los siguientes avances: el Código de Ejercicio Profesional del mediador, los estándares de formación a destacar entre los logros de esta institución, (Parkinson, 2000). En EEUU existe la Association of Family and Conciliation Courts que en la mayoría de sus estados fijan los estándares de formación y actuación en mediación, sin olvidar a Francia con sus dos asociaciones profesionales que regulan el ejercicio profesional. El desarrollo de la mediación en España, marcará la necesidad de una institución o asociación para unificar y defender los intereses de los profesionales que ejercen la mediación tal como ha sucedido en otros países, tal vez a través de la Plataforma para la colaboración en la legislación estatal de mediación creada en el 2010.

En el Reino Unido existen unos estándares nacionales para la formación y la práctica de la mediación familiar marcadas por el Colegio de Mediadores Familiares (U.K. College of Family Mediators) el cual ha establecido unas normas de acreditación y un código deontológico. La formación en mediación es admitida por este colegio de mediadores siempre que se realice en las organizaciones de formación reconocidas nacionalmente por él. Esta entidad realiza una evaluación de los mediadores formados al final de su curso de formación, las habilidades adquiridas necesitan ser demostradas a un nivel satisfactorio en role-playing y los contenidos a través otros ejercicios (prueba final escrita). Después de esta evaluación sea satisfactoria, el mediador es admitido como miembro asociado del U.K. College of Family Mediators, y a partir de ahí entrega una carpeta con una documentación que justifica sus conocimientos y habilidades. El mediador es reconocido por el colegio y su nombre se publica en el directorio de profesionales registrados. Pero el proceso no queda ahí, pues se incluye consultas y supervisiones con un supervisor reconocido el colegio, con un número mínimo de horas anuales de supervisión. (Parkinson, 2000)

4. Miedo al cambio, este cambio supone a su vez una posible aparición de competitividad entre las diferentes universidades para garantizar la permanencia de una titulación dentro de cada universidad. ¿Cómo se logra entonces que sobre un escenario de competitividad surjan dinámicas de cooperación interuniversitaria?

5. CONCLUSIONES

Se debe empezar a construir la posibilidad y desarrollo del "Grado en Mediación" en la universidad, compartiendo soluciones y problemáticas frente a las distintas cuestiones que puedan surgir.

Uno de los aspectos que más se valora es la posibilidad de entablar un diálogo académico interdisciplinario, lo que permite aportar el punto de vista de cada formación al tratamiento de los temas (Senge, 2005). Se ha podido constatar la formulación de nuevas reflexiones, que han permitido y permiten enriquecer los diálogos y que a la vez amplían las dimensiones del debate.

En diferentes eventos científicos y académicos se ha debatido sobre la oportunidad de la existencia de una titulación universitaria de grado en mediación que aglutine y fortalezca la identidad de la mediación.

La mediación en su breve historia, como técnica y profesión, puede diferenciarse de experiencias o practicas naturales de resolución de conflictos en las sociedades que nos han precedido. La saturación de los juzgados, el aumento de conflictos, la consolidación de la mediación a nivel internacional y nacional está favoreciendo su consolidación.

La mediación está diversificando sus campos de actuación, por lo que se hace necesario una formación más especializada y una formación universitaria de Grado que genere profesionales competentes en el ejercicio diario de su profesión, con garantías para los usuarios y no mediatizados por su formación o estudios anteriores.

El ámbito pionero en su aplicación fue la mediación familiar, en los procesos derivados de rupturas matrimoniales, labor iniciada en la comunidad autónoma de Cataluña por el magistrado Pascual Ortuño, y su equipo técnico. Actualmente se ha ampliado a otras problemáticas familiares, como los conflictos intergeneracionales, multiculturales, con personas con discapacidad y dependientes, familias multiculturales, adopciones, etc. pues siguen siendo conflictos que se ofrecen en la familia. Su eficacia, satisfacción en las partes y bajo coste ha favorecido su extensión a otros ámbitos. En estos momentos, no es posible predecir que nuevos ámbitos podrán surgir, ya que todos los conflictos pueden ir a mediación cuando la voluntad de la partes así lo deciden.

CALIDAD DE LA JUSTICIA RESTAURATIVA EN EUSKADI: APORTES DE LA SUPERVISIÓN

ALBERTO JOSÉ OLALDE ALTAREJOS
Universidad del País Vasco/Euskal Herriko Unibertsitatea
AINHOA BERASALUZE CORREA
Universidad del País Vasco

RESUMEN

Se reflexiona sobre la importancia del desarrollo de la supervisión en servicios y programas de justicia restaurativa en el contexto intrajudicial. Se expone una experiencia de formación, asesoramiento y supervisión, llevada a cabo en el Servicio de Justicia Restaurativa de Euskadi durante el año 2019.

PALABRAS CLAVE: supervisión, justicia restaurativa.

1. INTRODUCCIÓN

En este capítulo pretendemos reflexionar sobre la importancia del desarrollo de la supervisión en servicios y programas de justicia restaurativa en el contexto intrajudicial en aras a mantener estándares de calidad en su práctica. Comenzaremos introduciendo nuestra visión de la intervención psicosocial restaurativa y sus estándares de calidad, introduciremos el concepto teórico de supervisión desde nuestra visión de trabajo social, contextualizaremos la experiencia de formación, asesoramiento y supervisión llevada a cabo en el Servicio de Justicia Restaurativa de Euskadi durante el año 2019, y aportaremos los resultados de la acción de meta supervisión[1] realizada en el contexto de la formación para la implementación de círculos y conferencias en dicho servicio.

---

[1] Como proceso de supervisar la supervisión (Berasaluze et al., 2020)

2. LA INTERVENCIÓN PSICOSOCIAL RESTAURATIVA

Hacer justicia restaurativa es una práctica de intervención psicosocial que se nutre de diferentes disciplinas (trabajo social, psicología, filosofía, derecho, criminología, victimología, conflictología, resolución alternativa de conflictos y mediación) (Olalde, 2017). La justicia restaurativa es un enfoque que ofrece a las personas ofensoras, a las víctimas y a la comunidad un camino alternativo de justicia. Promueve la participación segura de las víctimas en la resolución de la situación y ofrece a las personas que aceptan la responsabilidad del daño causado por sus acciones una oportunidad para hacerse responsables ante aquellas personas a quienes han dañado. Se basa en el reconocimiento de que la conducta criminal no solo viola la ley, sino que también daña a las víctimas y a la comunidad (Consejo de Europa, 2018; ONU, 2020; Zehr, 1990; Zehr, 2002).

Los procesos de justicia restaurativa pueden tomar varias formas, incluyendo[2]:

- Comunicación directa entre la víctima y la persona que ha causado el daño, preparada y apoyada por una persona facilitadora entrenada. Esta comunicación puede ser cara a cara – habitualmente llamada mediación o encuentro restaurativo – o más de carácter grupal (círculo o conferencia). También puede llevarse por medios digitales y de videoconferencia cuando no es posible o recomendable la presencia cara a cara.

- Comunicación indirecta, a través de procesos indirectos, escritos, mensajes videograbados, etc.

Los procesos de justicia restaurativa comparten principios de honestidad, consentimiento informado, voluntariedad, seguridad, respeto, accesibilidad, procesos apropiados con las necesidades humanas, confidencialidad, sin actitudes enjuiciadoras, proporcionalidad, empoderadores y facilitadores de la comunicación y que miran tanto al presente como al pasado (Scottish Government, 2017).

---

[2]   Sin perjuicio de otros procesos restaurativos más simbólicos vinculados con la posibilidad de que el arte actúe como un proceso dialógico sobre el daño causado (Varona, 2020)

La justicia restaurativa tiende a ser vista de forma múltiple: como un nuevo movimiento social, un enfoque alternativo para resolver los conflictos y responder a la criminalidad, una tradición basada en un conjunto de valores y principios, una serie de programas complementarios al sistema de justicia penal, o una teoría de vanguardia social en la justicia penal (Zinsstag, Teunkens, y Pali, 2011).

Los programas de justicia restaurativa comparten características de la llamada "democracia deliberativa y pueden contribuir al desarrollo del capital humano" (Varona, 2009:301).

Nuestra mirada a la práctica de la justicia restaurativa se vincula con el trabajo social con víctimas y personas victimarias, buceando en sus vinculaciones y conexiones, siempre desde una mirada multidisciplinar. Esta mirada nos invita a buscar las conexiones que existen entre los valores del trabajo social y los contenidos teóricos que conceptualizan los procesos restaurativos. Veámoslo en el siguiente cuadro:

Cuadro 1. Valores del trabajo social y contenidos definitorios de los procesos restaurativos.

VALORES DEL TRABAJO SOCIAL	CONTENIDOS DEFINITORIOS DE LOS PROCESOS RESTAURATIVOS
Justicia social	Las personas participantes en los procesos restaurativos tienen la oportunidad de poner sobre la mesa y dialogar sobre sus intereses y necesidades, alcanzando objetivos de justicia, en el sentido de dar a cada persona lo suyo, como dar a cada una lo merecido y como dar a cada una lo debido (Bilbeny, 2015).
Servicio	Acción profesional dirigida a ofrecer acompañamiento, cuidado y experiencia en la atención de las necesidades humanas de víctimas y personas ofensoras.
Dignidad y valor de las personas	La dignidad de la víctima y la persona ofensora es irrenunciable, desde el momento que se mantiene la confidencialidad y se ofrece a las personas participantes por separado hablar y ser escuchadas en compañía de sus personas de apoyo personal o legal.
Importancia de las relaciones humanas	Las personas ofensoras tienen la oportunidad de sentirse reintegradas en su comunidad. Se busca, si es deseo de las personas participantes, fortalecer las relaciones deterioradas por la victimización.
Integridad y confianza	Relación de una alianza restaurativa desde la confianza mutua. En las conferencias de grupo familiar se busca un abordaje íntegro de la unidad familiar para abordar su proceso de victimización. Se da la oportunidad a que las personas se muestren íntegras, en lugar de construirse una imagen frente al juzgado.
Competencia	Los y las trabajadoras sociales a través de su entrenamiento en aspectos sociales de la conducta humana y de su trabajo con víctimas y personas ofensoras han conocido tradicionalmente las trágicas consecuencias de las ofensas. Mirada crítica hacia su propio trabajo como persona facilitadora.

FUENTE: ELABORACIÓN PROPIA A PARTIR DE VAN WORMER (2003)

Históricamente numerosos autores y autoras han subrayado que la justicia restaurativa representa un área emergente de la práctica del trabajo social (Baldry, 1998; Wright, 1998; Severson y Bankston, 1995; Umbreit, 1999; Van Wormer, 2003; Wong y Lo, 2011). Esta compatibilidad puede resumirse en las siguientes razones (Bradt, 2009; Galaway, 1988):

1. Quienes hacen daño o lo sufren, personas victimarias y víctimas, acompañadas cuando lo desean de su comunidad de referencia y apoyo social, además de otras personas afectadas a nivel comunitario, son participantes activas y directas en los

asuntos que les afectan y en la búsqueda de soluciones y reparaciones a sus problemas.

2. Los procesos restaurativos rescatan la tradicional visión empoderadora del trabajo social, mirando a las soluciones y fortalezas de las personas implicadas.

3. Los procesos restaurativos contribuyen al abordaje y, en ocasiones, a contrarrestar estereotipos mutuos entre víctimas y victimarios. Las habituales dinámicas de neutralización y negación de la responsabilidad sobre el daño en los contextos judiciales se diluye ante procesos de diálogo cara a cara con quienes han sufrido el daño.

4. Los procesos restaurativos ponen el énfasis en la satisfacción de necesidades humanas y sociales, tan vinculado al trabajo social. Las víctimas pueden hablar del alcance de su daño, concretar reparaciones y poner sobre la mesa la satisfacción de necesidades directamente vinculadas a su victimización.

La justicia restaurativa y los procesos restaurativos grupales (conferencias y círculos) no son nuevos. Están basados en antiguos valores y prácticas indígenas. Las filosofías y creencias de poblaciones nativas de América y las Primeras Naciones de Canadá están presentes cuando aparecen conductas que causan daño a la comunidad. Cuando alguien en estas comunidades ha causado un daño, todos y todas hemos fallado, depende de todos y todas nosotras hacer las cosas bien.

Para estas culturas estamos hechos para amar, ser amados- amadas, y pertenecer.

La experiencia internacional nos va mostrando que hay países que optan por comunidades de apoyo o micro-comunidades referenciales para las personas participantes, otras buscan representantes de la comunidad, con mayor o menor suerte de diversidad

Una mirada más amplia desde un punto de vista social nos puede hacer pensar en invitar a miembros de la comunidad que tengan incluso alguna responsabilidad en lo ocurrido, siempre desde una perspectiva crítica, flexible y creativa.

Las conferencias y los círculos nacieron de la sobrerrepresentación de poblaciones aborígenes en el sistema penal (maorís, Primeras Naciones de Canadá), y de la queja de estas poblaciones por un exceso de individualismo y por la necesidad de abordajes más comunitarios

La conferencia comunitaria es una reunión grupal de la comunidad de personas afectadas por la conducta que ha causado un daño grave. La conferencia proporciona un fórum donde la persona ofensora, las víctimas y sus respectivas personas de apoyo pueden buscar modos de reparar el daño causado por el incidente y minimizar daños futuros (Moore y McDonald, 1998).

Las Conferencias de Grupo Familiar (CGF) nacieron en Nueva Zelanda como una manera de hacer frente a los fracasos de la justicia juvenil tradicional, e incorporar valores indígenas maorís que enfatizan el papel de la familia y la comunidad para hacer frente a la conducta infractora. Las Conferencias de Grupo Familiar son la fuente de inspiración de las Conferencias Comunitarias.

La Conferencia de Grupo Familiar (CGF) pone a la familia a cargo de la toma de sus decisiones. El proceso fortalece a la familia y reafirma la experiencia única de cada una. Las CGF funcionan de manera muy diferente a los mecanismos de toma de decisiones existentes que tienden a ser dominados por los sistemas profesionales, desalentando la participación de la familia y la comunidad.

Los círculos, inicialmente también llamados sentencias circulares, fueron diseñados para desarrollar un amplio consenso entre miembros de la comunidad afectada por los hechos delictivos, las víctimas, defensores-as de estas, las personas ofensoras, jueces y juezas, miembros de la Fiscalía, Consejos de Defensa, Policía y trabajadores y trabajadoras de la Administración de Justicia (Bazemore y Umbreit, 1999).

Su origen se sitúa en los círculos pacificadores o de pacificación, puestos en marcha en Canadá, en la década de los ochenta, para afrontar el problema de la sobre representación en el sistema penal de personas pertenecientes a las Primeras Nacionales, y ofrecerles respuestas más acordes a sus tradiciones culturales y cosmovisiones (Weitekamp, 2013)

2.1. La práctica de la justicia restaurativa

Los procesos de justicia restaurativa son facilitados por una tercera persona imparcial y ajena al asunto, llamada persona facilitadora o mediadora. Esta profesional se coloca en posición de liderazgo técnico acompañando a aquellas que desean contribuir con su presencia y diálogo a afrontar las consecuencias de una victimización, en la díada de reparación y responsabilización. La facilitación puede ser llevada también a cabo por dos personas generando así una dinámica de cofacilitación, muchas veces buscando la presencia mixta de hombre y mujer.

La persona facilitadora es aquella que se dispone a asistir con su arte y pericia la intervención restaurativa al encuentro dialogado (ya sea directo o indirecto) entre la víctima, la persona ofensora, y en su caso otros miembros de la comunidad, afectadas por la infracción penal. Se constituye como tercera parte, catalizadora de una nueva relación y comunicación, ostentando una responsabilidad técnica donde prima la empatía y el respeto a la dignidad humana de cada persona.

> El mediador es un hacedor de la paz, un profesional de la acción que maneja la interacción del proceso comunicacional a través de un poder interrelacional que genera en las partes la confianza en el mismo como facilitador y gestor del proceso de mediación. Inevitablemente hay un reclamo de autoridad e implícitamente de deferencia cuando el mediador se presenta en sus introducciones e intermitentemente a lo largo del proceso de mediación, cuando interactúa en el proceso con la introducción de las técnicas propias (Gordillo, 2007:219).

La persona facilitadora en justicia restaurativa puede llevar a cabo su tarea según diferentes niveles: dirección, supervisión y técnico.

Los procesos de justicia restaurativa conllevan el contacto con realidades sociales complejas y entornos de dolor y sufrimiento. Detrás de las infracciones penales hay muchas veces personas que sufren, injusticias sociales crónicas, situaciones de desprotección y procesos complejos de victimización grave (Olalde, 2020a). Este hecho nos obliga a pensar sobre el cansancio, desgaste y necesidad de espacios de reflexión que contribuyan a sostener una buena práctica y su mejora. Estos espacios de reflexión no son habituales en la intervención social, como nos subrayan Berasaluze y Ariño (2020,30): "el hecho de que los trabajadores y las trabajadoras sociales no cuenten con espacios de reflexión y construcción de conocimiento compartido para

pensar, analizar y repensar las dificultades en los procesos de atención, hace que su praxis cotidiana se complique aún más, dificultando
procesos de mejora y cambio".

El peso y protagonismo técnico que conlleva el rol de facilitador
o facilitadora supone en ocasiones procesos de desgaste, cansancio,
fatiga emocional, etc. En el contexto intrajudicial además debemos
añadir las presiones sistémicas del propio Juzgado, que con sus requerimientos y exigencias en el cumplimiento de plazos o la imposición
de normas concretas introduce presión a la tarea facilitadora (Olalde,
2019). Es por todo esto que proponemos la incorporación estructural
de la supervisión para la consecución de estándares de buena práctica
en justicia restaurativa.

La persona facilitadora cultiva valores personales como la pacien-
cia, la sinceridad, el ingenio y la resistencia, la sabiduría, el silencio
interior y la meditación y, por último, un profundo sentido ético en
su humor, lleno de sensibilidad, cercanía y respeto (Olalde, 2020b).

Creemos que la supervisión se configura como un instrumento
esencial a través del cual la persona supervisora, designada por la
organización o servicio, ayuda a las personas facilitadoras, de forma
individual o en grupo, y asegura la consecución de estándares de buena práctica (Brown y Bourne, 1996).

2.2. Buenas prácticas en la justicia restaurativa

El esfuerzo por la investigación, las buenas prácticas y la ética se
vio plasmado en 2006, a través del documento *Recomendaciones para la formación de mediadores en asuntos penales*, que recoge una
serie de declaraciones para el desarrollo de principios éticos, de formación y buena práctica entre los que destacamos (European Forum
for Restorative Justice, 2006):

- Necesidad de transparencia de los programas de formación.
- Desarrollo simultáneo de la formación en el ámbito del conocimiento, habilidades y cualidades personales.
- Diversificación de los modelos de formación, evitando relaciones jerárquicas y promoviendo la relación compleja entre la
  persona facilitadora, la víctima, la persona ofensora y el sistema penal.

- Garantías de formación certificada y continua.

- La formación debe ser llevada a cabo por personas facilitadoras experimentadas, con profundos conocimientos y experiencia en el proceso restaurativo, siempre con la perspectiva multidisciplinar.

Desde una mirada más técnica, al estilo con que la persona facilitadora puede desempeñar su tarea, la perspectiva transformadora en mediación ha señalado las siguientes características de una buena práctica (Folger, 2005):

- Describe su rol y objetivo en términos de empoderamiento y reconocimiento.

- No se siente responsable del resultado del proceso.

- Conscientemente no utiliza la acción enjuiciadora hacia los puntos de vista y decisiones de las partes.

- Toma un punto de vista optimista en torno a las competencias y motivos de las personas participantes.

- Permite y es permisiva hacia la expresión de emociones de las personas participantes.

- Permite y explora la ambigüedad de las personas participantes.

- Permanece enfocado en el aquí y ahora de la interacción del conflicto.

- Comprende su intervención como un punto en una larga secuencia de intervención sobre el conflicto.

- Se siente exitosa cuando ha ocurrido el auto fortalecimiento y el reconocimiento, incluso a pequeña escala.

Entendemos por buena práctica en justicia restaurativa, en el contexto intrajudicial y en la jurisdicción de personas adultas, "aquella práctica que se vincula con una conducta profesional estructurada sobre normas de comportamiento, habilidades, ideas, recursos y tradiciones y que exhiben con éxito los principios, valores, objetivos y procedimientos de la justicia restaurativa. Conlleva la explicación de pautas aconsejables que se adecuan a la normativa internacional, parámetros consensuados, así como a la propia experiencia que arroja resultados positivos, demostrando su eficacia y utilidad en la facilitación de procesos restaurativos" (Olalde, 2017:384).

La práctica está conectada íntimamente con los valores tradicionales asociados a la práctica de la justicia restaurativa: justicia, solidaridad y responsabilidad, respeto por la dignidad humana y verdad (European Forum, 2018). El servicio o programa, conectado con la comunidad en la que se ofrece, está formado por equipos multidisciplinares mixtos, abierto a la participación de personas voluntarias pertenecientes a la comunidad y desde principios de respeto a la legalidad vigente y flexibilidad. La tarea de intervención psico-social restaurativa está conectada con el sistema de salud y de servicios sociales.

Como buena práctica consideramos aquella intervención construida desde modelos epistemológicos humanistas (Umbreit, 1997) y transformadores (Baruch Bush y Folger, 1996).

3. SUPERVISAR LA INTERVENCIÓN PSICO-SOCIAL RESTAURATIVA

Es habitual asociar la acción de supervisar con la de control. Nada más lejos de nuestra intención. Supervisar se hace desde una posición sin planteamientos de superioridad jerárquica, administrativa o moral. Hablamos de una acción con enfoque social que constituye una herramienta básica de formación vivencial y de prevención para aquellas personas que trabajan en contextos profesionales complejos y duros (Campos, 2011). La supervisión ayuda a las personas supervisadas a mirar y mirarse, principalmente, los asuntos que les afectan en el contexto de una práctica de intervención psico-social.

La supervisión nos brinda oportunidades para descargar y aliviarnos emocionalmente, aumentando la satisfacción laboral en los equipos donde trabajamos, para el desarrollo de los recursos humanos de la organización, y así promover una mayor eficiencia del trabajo. Su carácter autorreflexivo y orientado al aprendizaje, permite un crecimiento de la persona profesional (Ajdukovic et al. 2014).

La supervisión profesional es "la revisión de la práctica con la finalidad de conseguir un mejor y mayor progreso profesional" (De

Vicente, 2012:195), se estructura en un espacio continuo generado por la persona supervisora(s) y la(s) supervisada(s), sin carácter unidireccional y donde visibilizar y socializar las prácticas restaurativas que se están llevando a cabo.

Genera un espacio de reflexividad, como proceso cognitivo y metacognitivo, donde se da cabida también a la gestión de emociones y que permite conectar con la práctica restaurativa y generar nuevos aprendizajes (Schön, 1998). Un espacio imprescindible para hacer crecer la práctica de la justicia restaurativa, tan joven en nuestra realidad socio-jurídica, y que permita su sistematización. Supone una reflexión que pone la mirada sobre algo que nos ha causado duda, sorpresa, asombro, confusión (Sánchez, 2013).

La supervisión que aquí proponemos conecta con cuatro perspectivas: la persona, el rol profesional, la organización y las personas usuarias del servicio; y debe ser distinguida de la psicoterapia, del trabajo social de casos, y de la consultoría organizacional.

> *La función del supervisor no será otra que la de observar y presentar, ofrecer sus observaciones a las observaciones y consideraciones de los demás miembros del equipo o grupo de trabajo, y ofrecer diversos puntos de mira a fin de ampliar la capacidad de observar, diferenciar, connotar, significar lo que ocurre, sucede, acontece dentro del sistema, de modo que el equipo pueda decidir, aumentar, ampliar, cambiar y transformar sus sistemas de comunicación a fin de que sean más adecuados a los objetivos o fines que justifican la vida del sistema"* (Hernández Aristu, 2002:233).

Desde la supervisión se propone estructurar la reflexión sobre seis ejes de análisis (Berasaluze y Ariño, 2014): epistemológico, contextual-organizacional, ético-ideológico, intrapersonal, interpersonal, y técnico-metodológico. Cada eje, a modo de lente, nos permite desarrollar una reflexión centrada en unidades de observación en torno a lo siguiente:

1. Lente epistemológica, de construcción y reconstrucción de los conocimientos teóricos sobre el paradigma de la justicia restaurativa y las bases conceptuales para su práctica.

2. Lente contextual – organizacional: referida por un lado al conflicto penal y por otro al propio sistema de justicia penal con sus estructuras comunicativas, relacionales, de poder, etc. que

afectan a nuestra práctica restaurativa, teniendo en cuenta la dimensión histórica y cultural.

3. Lente ética-ideológica, de posicionamiento sobre una práctica de carácter ético y de los valores que la sustentan. Aborda los principios éticos subyacentes y los aspectos de nuestra ideología que requieren ser comprendidos.

4. Lente intrapersonal, referida a la(s) persona(s) que facilita(n) el proceso restaurativo, sus diferentes saberes y el trabajo personal que debe hacer consigo misma para una buena práctica restaurativa.

5. Lente interpersonal, referida a la diversidad de opiniones y puntos de vista sobre las estrategias para la facilitación restaurativa, así como a las variables relacionadas con el trabajo en equipo.

6. Lente técnica-metodológica, referida principalmente a la cuestión del método y las técnicas básicas para la práctica restaurativa.

Se conocen tradicionalmente tres funciones básicas en la supervisión: la administrativa, la educativa y la de apoyo (Kadushin y Harkness, 2002; Puig, 2009). La supervisión que en nuestro caso hemos facilitado ha sido la de apoyo. Si ponemos la atención en su estructura, esta puede desarrollarse en la modalidad individual y grupal/equipo de trabajo.

La supervisión de apoyo y de equipo llevada a cabo en nuestro caso tiene los siguientes objetivos abiertos:

- Prevenir al profesional sobre los factores generadores de tensión.

- Ayudar a desplazar al o la profesional de los motivos de la tensión.

- Ayudar a reducir el impacto de los factores generadores de tensión.

- Colaborar con la persona supervisada para que se adapte a los factores que normalmente son generadores de tensión.

La supervisión individual, estructurada en la relación persona supervisora-supervisada, utiliza la entrevista como herramienta básica. Se busca la mejora de la actuación profesional, la reflexión y comprensión del trabajo y su entorno, promoviendo el cuidado personal. Es una intervención más personalizada (contexto de confianza y confidencialidad), permite ofrecer una mayor dedicación a la persona supervisada y su espacio personal de reflexión.

La modalidad de supervisión grupal se desarrolla en el contexto de un número amplio de personas, en torno a la docena, donde además de la entrevista, se ponen en marcha procesos vinculados a la dinámica de grupos y la facilitación. Esta modalidad facilita el nivel horizontal de relaciones y potencia la multiplicidad de opiniones, saberes y experiencias profesionales. Kadushin y Harkness (2002) han destacado la circularidad e intercambio de experiencias y perspectivas, el incremento de perspectivas más objetivas, una mayor actitud a la reflexión y la autocrítica y la (auto) observación de las relaciones grupales.

Las dos modalidades pueden cruzarse con diferentes objetivos, según nos señala Puig (2009):

• Reflexión y mejora de la tarea.

• Nos juntamos para reflexionar y mejorar aquellos aspectos profesionales necesitados de claridad y mejora.

• Resolución de conflictos.

• Se detectan conflictos individuales o grupales que afectan al desempeño, planteando cambios y generando ideas de abordaje.

• Promoción del cuidado profesional.
  Se promueven mecanismos de auto cuidado de las personas profesionales, para enfrentarse a los encargos institucionales que pueden llegar a ser de difícil ejecución.

4. LA INSTITUCIONALIZACIÓN DE LA JUSTICIA RESTAURATIVA EN EUSKADI

Euskadi ha sido una Comunidad Autónoma puntera en la promoción de servicios públicos de justicia restaurativa en todos sus partidos judiciales, destacando la inversión económica en recursos humanos y materiales. Tras una experiencia pionera, pero interrumpida por falta de voluntad política en Vitoria-Gasteiz en el año 1998 a través del Servicio de Atención a la Víctima y el Servicio de Orientación al detenido, no es hasta el año 2007, que la entonces Dirección de Ejecución Penal del Departamento de Justicia retomó la idea, poniendo en marcha un servicio de mediación penal en los partidos judiciales de Barakaldo y Vitoria-Gasteiz.

Tras diferentes periodos de gestión y bajo la modalidad de convenio con entidades del tercer sector (Asociaciones Geuz, Adosten e Irse-Araba), el año 2017 marca un antes y después con la convocatoria del concurso público para la ejecución de las prestaciones correspondientes al nuevo servicio de justicia restaurativa. El presupuesto para los años 2018 a 2020 es de 715.000 euros anuales[3].

El servicio funciona con protocolos de coordinación interinstitucional en el ámbito de la jurisdicción penal[4] y la jurisdicción de familia consensuados con Fiscalía y Juzgados.

Es el primer servicio que se denomina de justicia restaurativa, superando la idea de mediación como método y apostando por la defensa del nuevo paradigma de justicia que permite el desarrollo de diferentes procesos restaurativos, mas allá de la mediación, como puede ser los círculos y las conferencias (comunitarias, de grupo familiar).

En el contexto de la puesta en marcha de este servicio el autor ha entrenado a todo el personal profesional en la facilitación de círculos y conferencias. Para la evaluación de la puesta en marcha de dichos procesos restaurativos, se ha optado por una metodología de supervisión de equipo, lo cual ha permitido no sólo reflexionar sobre estos nuevos procesos, sino ampliar la mirada a la propia práctica y pericia restaurativa desde los seis ejes señalados anteriormente.

---

3   El Servicio de Justicia Restaurativa (SJR), junto con el Servicio Vasco de Gestión de Penas (SVGP) y el Servicio de Atención a la Víctima (SAV), integran los Servicios de Cooperación con la Justicia, dependientes de la Dirección de Justicia del Departamento de Trabajo y Justicia del Gobierno Vasco. (Fuente: Pliego de prescripciones técnicas del contrato de Servicios de ejecución de las prestaciones correspondientes al servicio de justicia restaurativa. Gobierno Vasco).

4   Véase el documento en la web de la Administración de Justicia Vasca: https://www.justizia.eus

5. EVALUACIÓN/VALIDACIÓN DE LA SUPERVISIÓN COMO HERRAMIENTA DE CALIDAD EN LA PRÁCTICA DE LA JUSTICIA RESTAURATIVA

5.1. Contextualización

El Servicio de Justicia Restaurativa (SJR) de Euskadi, con titularidad del Departamento de Trabajo y Justicia del Gobierno Vasco y gestión del IRSE-EBI, ofrece un proceso restaurativo complementario a la vía judicial para la resolución de los conflictos que llegan a los juzgados y tribunales en la jurisdicción penal y civil-familiar.

El equipo profesional del servicio está formado por técnicos facilitadores y facilitadoras cuya labor principal es, precisamente, facilitar dichos procesos restaurativos (mediaciones, conferencias y círculos). El equipo se divide territorialmente en Araba, Gipuzkoa y Bizkaia.

En el marco de la formación continua y con el objetivo de profundizar en la metodología propia de las conferencias y círculos restaurativos, entre diciembre de 2018 y enero de 2019 se realiza una formación específica en esta materia con una duración de 35 horas distribuidas en 5 sesiones de trabajo, impartida por el profesor Alberto José Olalde y en la que participa todo el equipo profesional (14 técnicos y técnicas facilitadoras)[5].

Posteriormente, y con el objetivo de orientar, asesorar y fundamentalmente acompañar a los técnicos facilitadores y facilitadoras en la implementación de los nuevos conocimientos adquiridos durante la formación en los procesos restaurativos que se realizan en el servicio, se desarrolla un proceso de supervisión de equipo[6]. Concretamente, se realizan tres supervisiones de equipo (Araba, 3 profesionales; Gipuzkoa, 4 profesionales y Bizkaia, 7 profesionales), durante los meses de marzo, abril y mayo de 2019, de 9 horas de duración distribuidas en 3 sesiones, con la conducción de las supervisiones del profesor Alberto José Olalde. Se observa que los obstáculos legales y contextuales para implementar conferencias y círculos es un hándicap para el aprendizaje.

---

5   Financiada por la Dirección de Justicia del Gobierno Vasco
6   Véase en Anexo el contrato de supervisión de equipo

Dado que es la primera vez que se utiliza la metodología de la supervisión como herramienta de seguimiento para la implementación de nuevos conocimientos, se acuerda finalizar el proceso con una evaluación de idoneidad bajo la dirección de la profesora-supervisora Ainhoa Berasaluze.

5.2. El proceso de meta-supervisión

Para evaluar la idoneidad de la supervisión en este contexto, se activa un proceso de meta-supervisión, con la participación de la triada implicada directa e indirectamente: supervisados-as, supervisor interno (implicado directamente en el proceso de supervisión) y supervisora externa (implicada indirectamente en el proceso concreto).

Este proceso de desarrolla a través de cuatro hitos:

- Autorreflexión individual post-sesiones de supervisión, realizada por los y las profesionales supervisados-as, como unidad de análisis básica.

- Sistematización de las aportaciones a través de las categorías analíticas de la supervisión (contextual-organizacional, técnico-metodológica, intrapersonal, interpersonal, epistemológica y ético-ideológica), realizada por la supervisora externa, como técnica de investigación cualitativa para la construcción de hipótesis de trabajo.

- Sesión de trabajo de reflexión compartido que se realiza el 22 de noviembre de 2019, con una duración de 2 horas, y en la que participan además del supervisor interno y la supervisora externa, 7 técnicos y técnicas, como espacio para confrontar las hipótesis que orientaran la evaluación. La distancia en el tiempo con respecto al proceso de supervisión dificulta la recogida de la vivencia.

- Informe de meta-supervisión, realizado por la supervisora externa, a modo de reconstrucción y evaluación de idoneidad.

5.3. Evaluación de idoneidad

La supervisión profesional debe entenderse como una herramienta más de formación continua, que mediante un proceso teórico-metodológico vivencial y reflexivo centrado en la praxis profesional, ofrece a los y las profesionales la oportunidad de mejorar el desempeño, promocionar el cuidado profesional y reconducir conflictos.

La sistematización de las autorreflexiones individuales post-sesiones de supervisión y la posterior confrontación en la sesión de meta-supervisión, han permitido identificar dos ejes sobre los que principalmente se ha trabajo en las sesiones de supervisión y que paralelamente están vinculados con dos de los objetivos de esta.

Por un lado, encontramos un gran número de aportaciones relacionadas con el eje de análisis *intrapersonal*, que remite directamente al objetivo de promoción del cuidado profesional. Esta área de trabajo está muy presente en aquellas profesiones en las que la persona-profesional es el principal recurso para desarrollar la actividad y, además, cuando el objeto de la acción es sujeto, es decir, se trata también de una persona. Ambas características están presentes en este equipo, de ahí la necesidad de reparar en el "yo profesional" para poder atender "al otro-a", evitando procesos de desgaste, malestar y síndrome burnout.

Por otro lado, también se identifican numerosas aportaciones que pertenecen al eje *técnico-metodológico*, imprescindible para poder seguir avanzando en la mejora del ejercicio profesional. La experiencia profesional es una gran fuente de aprendizaje, siempre y cuando pensemos sobre ella. Pensar y reflexionar sobre la actividad profesional, sobre las técnicas, dificultades, etc. con el fin de mejorarla. Además, cuando la supervisión es de equipos, la reflexión sobre el quehacer cotidiano permite ir construyendo criterios de actuación comunes y compartidos que ayudan en la cohesión del equipo y en la unificación de la actividad.

Así, podemos concluir que la supervisión, aunque no es ni puede ser la única, sí es una de las herramientas de formación continua útiles para acompañar en este contexto profesional, en la medida en que ha contribuido en el desarrollo de la imbricación de la persona-profesional y en la mejora de la práctica profesional cotidiana. Probablemente procesos de supervisión con más sesiones (se aconseja procesos de no menos de seis sesiones) y de periodicidad mensual, permitirían ahondar en estas áreas y abordar otras nuevas.

6. A MODO DE CIERRE

Hemos de ser conscientes que la práctica de la justicia restaurativa en el contexto intrajudicial es todavía como un infante que está empezando a andar, y todavía se cae continuamente. El desarrollo de esta en nuestro contexto español a nivel cuantitativo es todavía insuficiente para alcanzar cotas de seguridad y sistematización. Reconozcámoslo, estamos facilitando procesos y aprendiendo a la vez, siempre con una actitud ética positiva encomiable en quienes deciden dedicarse profesionalmente a la justicia restaurativa. No en vano en una investigación previa detectamos que lo que más valoran las personas participantes en un proceso restaurativo es a la persona facilitadora (Igartua et al.,2015).

Por ello, la supervisión como mecanismo de mejora de la praxis y proceso de generación de conocimiento es una oportunidad inigualable para construir una práctica de calidad. Es habitual que los gobiernos, y más ahora en época de pandemia con la Covid-19, piensen en ajustar sus inversiones económicas en temas que suponen una contracorriente en el ámbito de la justicia penal, pero igualmente resulta vital que, a la hora de estructurar dichos presupuestos, la supervisión y evaluación de la práctica restaurativa sea un elemento imprescindible.

Por último, queremos acabar este capítulo dando voz y espacio a algunas de las reflexiones y testimonios textuales que las personas supervisadas en los equipos del SJR nos han aportado[7]:

Sobre el proceso de supervisión:

- *La metodología de la supervisión tiene más beneficios de los que creía: la reflexión que hacen mis compañeros me ayuda en mis reflexiones, me acerca a ellos; Se comparten dudas/dilemas/ dificultades de diferente índole; Se fomenta la cohesión de gru-*

---

[7]   Las personas supervisadas, inmediatamente después de cada una de las sesiones enviaban un mensaje escrito al supervisor respondiendo a la pregunta ¿Qué ha supuesto para ti la sesión de supervisión?

po; Ayuda a revisar la prácticas de trabajo, identificar dificulta-des y buscar mejoras, lo que contribuye a ofrecer un servicio de mayor calidad; Ayuda a parar, reflexionar, algo muy necesario en la rutina de trabajo, para tomar conciencia de todo lo que se hace y cómo se hace.

- *Del encuentro de ayer me he llevado el avanzar un poco más en la reflexión metodológica que planteaba sobre la posibilidad de realizar círculos y conferencias dentro o fuera del juzgado, pero sobre todo me ha interesado esta metodología de la su-pervisión, ya que permite centrarse mucho en la persona y la cuestión que plantea, desechando otros niveles de comunica-ción que aportan menos a la reflexión y pueden hacer perder tiempo(dar opiniones, juzgar, hablar para confirmar las hipóte-sis de uno mismo…).*

Desde una mirada más intrapersonal e interpersonal:

- *Un espacio seguro para reflexionar y crecer como profesional y como persona.*
- *La oportunidad de ver y conocer   nuestros miedos e inseguri-dades y nuestra capacidad para buscar la solución*
- *Para mí, una supervisión es una forma de adentrarte dentro de ti y de buscar la conexión de tus debilidades y conexiones con los casos que atendemos y que, por alguna razón, conecta de forma personal con algo tuyo, en general, sin resolver.*
- *Tomar conciencia del impacto que tienen determinados conflic-to en mi persona y desde esa conciencia, evitar que exista un contagio entre mi yo personal y mi yo facilitadora.*
- *A nivel personal me ha supuesto la posibilidad de exponer, en un ambiente de confianza, temas más personales como las inseguri-dades o falta de autoconfianza. Es una gozada hacerlo en confianzas, entre compañeros a los que aprecias y valoras personal y profesio-nalmente porque me ayuda a crecer en estos dos aspectos.*
- *Para mí, una supervisión es una forma de adentrarte dentro de ti y de buscar la conexión de tus debilidades y conexiones con los casos que atendemos y que, por alguna razón, conecta de forma personal con algo tuyo, en general, sin resolver.*

- *Para quien es supervisado consiste en un gran proceso de reflexión, de búsqueda de respuestas en uno mismo, acompañado por compañeros que, a través de la escucha y las preguntas, nos acompañan en ese camino.*

- *Para quienes escuchan a quien supervisa caso, supone un aprendizaje importante de aprender a centrarnos en el otro, sin juicios, sin opiniones, sin preguntas que satisfagan inquietudes o curiosidades personales, porque el único objetivo es ayudar al otro a que encuentre en sí mismo lo que necesita encontrar.*

- *La supervisión permite a través del planteamiento de un tema ser consciente de las debilidades y fortalezas de un@ y ayuda a generar herramientas propias para superar debilidades.*

Desde una mirada triple a lo intrapersonal, metodológico y ético: *Me he llevado importantes aprendizajes. Entre ellos:*

- *La libertad y seguridad que se siente al hablar cuando se es escuchada de forma auténtica, sin juicios y sin necesidad de recibir una devolución a cambio.*

- *El poder de las preguntas. Hace tiempo que pienso que hacer buenas preguntas es como un "arte" y ahora, si cabe, lo pienso más. He sido consciente de cómo las preguntas facilitan y guían los procesos de pensamiento.*

- *Me ha parecido una herramienta muy valiosa para favorecer la introspección tanto a nivel personal como en lo relativo a la labor profesional y con la introspección como base, optar a mejorar, en ambos ámbitos.*

- *Anima y refuerza saber que tenemos capacidad de gestionar y resolver, con la ayuda de uno o varios terceros, las dudas o inseguridades que nos pueden abordar en un momento o circunstancia concreta.*

- *Me ha recordado la importancia y necesidad de la reflexión en el ámbito laboral. La conveniencia de dedicar tiempo a pensar sobre los objetivos y cómo conseguirlos y no actuar sin algo, aunque sea "mínimamente" pensado.*

- *El proceso me ha servido, además, para tomar conciencia de las emociones que me había provocado el caso trabajado, valorar cómo las había gestionado y pensar un plan de acción para la siguiente sesión.*

- *Tras la experiencia, solo puedo expresar mi agradecimiento por la oportunidad y que me encantaría que fuera algo en lo que pudiéramos participar de forma continua*

A través de la lente metodológica:

- *Ayuda a generar herramientas propias para superar debilidades.*
- *Me ha recordado la importancia y necesidad de la reflexión en el ámbito laboral. La conveniencia de dedicar tiempo a pensar sobre los objetivos y cómo conseguirlos y no actuar sin algo, aunque sea "mínimamente" pensado.*

Mirando a través de lente ética y metodológica:

- *El análisis sobre las cuestiones que presentamos....círculo o conferencia, me permitió volver a centrarme en los principios que rigen estos procesos (voluntariedad, confidencialidad, imparcialidad, respeto, autenticidad...) para poder profundizar en ellos y dejar que sean ellos mismos los que te guíen como facilitador, ya que hay veces que ante la complejidad de una situación dada puedes tomar direcciones o adoptar decisiones que se alejan de esos principios: por ejemplo tener ideas preconcebidas y querer adaptar a las personas o a la situación al molde preconcebido que te viene bien a ti como facilitador para diseñar lo que tenías pensado, olvidando que tienes que trabajar con lo que las personas te van dando. En este sentido estas supervisiones, guiadas por alguien con experiencia, te permiten hacer este ejercicio y dejar que las soluciones vayan surgiendo por si mismas al permitirte una visión más clara.*

Desde la lente ética:

- *Los facilitadores tenemos hambre de acuerdo, hambre de solución y a veces la pena y la avidez nos puede suponer ayuno.*

LAS TIC'S COMO SOPORTE EN LOS PROCESOS DE MEDIACIÓN. CASO DE ESTUDIO: CENTRO DE ANÁLISIS Y RESOLUCIÓN DE CONFLICTOS (ECUADOR)

EYLIN DOLORES CALDERÓN CARRIÓN
Estudiante de la Carrera de Derecho (VIII Ciclo) – UTPL
CARMEN GEORGINA PUCHAICELA HUACA
Docente investigadora, Sec. Deptal. Nuevas Tendencias del Derecho – UTPL
DIANA VALERIA VEINTIMILLA SANCHEZ
Coordinadora del Centro de Análisis y Resolución de Conflictos CENARC – UTPL

RESUMEN

El ser humano como ente activo de una sociedad, atraviesa diversos tipos de socialización, directa o indirecta, según el contexto social al que pertenezca. Los diversos escenarios que incitan una interacción con otros seres humanos cumplen un rol fundamental y, fruto del intercambio comunicativo permanente, surgen algunas problemáticas que se intensifican en contextos familiares, laborales y sociales. El tratar dichos conflictos a través de un conjunto de estrategias idóneas, proporciona ambientes favorables que conllevan a una convivencia armónica entre las partes involucradas, estrategias que en el nuevo milenio pueden ser potenciadas por las tecnologías de la información y la comunicación (TIC's) para obtener resultados más inmediatos y consistentes. En el Ecuador, se cuenta con 90 Centros de mediación, y la ciudad de Loja particularmente, cuenta con una oficina y un centro de mediación, denominado Centro de Análisis y Resolución de Conflictos (CENARC), cuya premisa básica promueve una cultura de paz. En virtud de ésta realidad, los objetivos del presente trabajo son: implementar a un costo reducido las TIC's en los procesos mediación que se realizan en el CENARC, para aprovechar sus potencialidades en innovación, eficiencia y agilidad en: gestión documental, de usuarios, de agenda y estadística; así como para fomentar la transmisión, colaboración, estandarización y reutilización del conocimiento de forma efectiva; visualizar de forma gráfica a los participantes, los puntos de unión y desacuerdo que se presenten en una sesión de mediación y potenciar los canales de comunicación que permitan impulsar y difundir la cultura de paz. Para la presente investigación se utiliza una metodología cualitativa, establecida en PMBOK (Project Management Body of Knowledge) y desarrollada por el Project Management Institute, que provee los lineamientos para la gestión de este proyecto, enmarcado en 4 fases: inicio del proyecto, organización y preparación, ejecución del trabajo y finalización del proyecto. Conjuntamente, se pretende organizar y describir experiencias de aprendizaje adquiridas con la integración de herramientas de Microsoft Office 365, redes sociales y equipamiento tecnológico, soportes básicos para llevar adelante los procesos de mediación con tecnología accesible. Las conclusiones revelan una evidente modernización en cada uno de los procesos ejecutados en el CENARC, reflejados en la eficacia y eficiencia en la difusión, gestión, tramitación, almacenamiento y reportería de los procesos de mediación.

PALABRAS CLAVE: Conflicto social, mediación, gestión, innovación, TIC.

1. INTRODUCCIÓN

La transformación tecnológica con el paso del tiempo viene ganado un espacio acelerado en diversas áreas de la ciencia y los procesos de Mediación no podrían quedarse excluidos, es por esta razón que en el presente artículo mostraremos cómo las TICS con un costo mínimo pueden dar soporte a los procesos de Mediación; razón por la cual a continuación se exponen los objetivos de este trabajo.

– Utilizar el estándar para la Dirección de Proyectos propuesto por el PMI a través del PMBOOK, para mediante la aplicación de herramientas, técnicas, ciclos de vida, lograr el éxito en el desarrollo de este proyecto.

– Implementar las TICS a bajo costo en el campo de la mediación del CENARC, generando valor y beneficios para los usuarios internos y externos.

– Configurar las aplicaciones de Microsoft Office365 para que ayuden al CENTRO DE ANÁLISIS Y RESOLUCIÓN DE CONFLICTOS en lo concerniente a: gestión documental, gestión de usuarios, gestión de agenda, gestión estadística de una forma innovadora, eficiente y ágil evitando emplear tiempo en actividades que pueden ser informatizadas y generando una fidelización de los empleados y usuarios con el servicio.

Utilizar la herramienta LucidChart, para la elaboración y visualización de forma gráfica a los participantes a través de mapas mentales, los argumentos atribuidos por cada uno de los participantes en una sesión de mediación, para que visualmente se pueda identificar de una mejor forma los puntos de unión y desacuerdo.

– Fomentar la transmisión, colaboración, estandarización y reutilización del conocimiento de forma efectiva lo cual permita unificar criterios en corto tiempo y responder rápidamente a los requerimientos de los usuarios.

– A través del uso de la red social Facebook impulsar y dar a conocer la cultura de paz, así como también los servicios ofrecidos en el CENARC.

2. METODOLOGÍA

Previo a introducirnos en la descripción de la metodología empleada en este caso de estudio, es pertinente poner a su consideración algunos antecedentes de la mediación, así como también describir brevemente los cuerpos jurídicos del Ecuador que hacen relación a la materia.

Desde la creación de la humanidad siempre han existido conflictos entre las personas, por lo que siempre ha permanecido la figura de una persona que cumple con el rol de mediador para tratar de lograr la resolución de la discrepancia, por lo que no es nada extraño que la mediación, sea reconocida por muchos autores como la segunda profesión más antigua del mundo.

La Real Academia de la Lengua Española, define a la mediación como un *"Procedimiento extrajudicial de resolución de conflictos en el que interviene un mediador para tratar de aproximar los puntos de vista de las partes en conflicto de modo que les permita alcanzar un acuerdo"*.

Los medios alternativos para la resolución de conflictos, como un medio de solución contrario a la vía judicial ordinaria ha tenido una gran acogida, por su agilidad y rapidez, razón por la cual varios país, en mayor de grado de América Latina, entre estos Ecuador, se haya realizado la inclusión de estos medios dentro de la Norma del Ordenamiento Jurídico Superior.

En el año 2008, la Constitución de la República del Ecuador reconoce a la mediación como una alternativa en la resolución de conflictos de manera extrajudicial y como una forma de descongestionar el sistema judicial ecuatoriano que se encontraba sobresaturado, es así que en la sección octava, Art. 190 manifiesta que: "Se reconoce el arbitraje, la mediación y otros procedimientos alternativos para la solución de conflictos. Estos procedimientos se aplicarán con sujeción a la ley, en materias en las que por su naturaleza se pueda transigir"

De la misma forma con el ánimo de regular la mediación se establece la Ley de Arbitraje y Mediación, en el Titulo II, Art. 43 define a la mediación como: *"Procedimiento de solución de conflictos por el cual las partes asistidas por un tercero neutral llamado mediador, procuran un acuerdo voluntario, que verse sobre materia transigible, de carácter extrajudicial y definitivo, que ponga fin al conflicto."*

Con lo dicho, podemos afirmar que, en Ecuador, la mediación no es simplemente un mecanismo de tipo jurídico, sino también de tipo constitucional (Guaraca Duchi, 2015)

Haciendo un breve paréntesis, es necesario también revisar otras normas del ordenamiento jurídico ecuatoriano. Con la entrada en vigencia en el año 2016 del Código Orgánico General de Procesos (en adelante COGEP) se da una importante transformación de justicia en el Ecuador, en donde pasa de llevar un procedimiento escrito y tardío a un procedimiento donde predomina la oralidad procesal y la celeridad en el despacho de las causas procesales. Este cambio también se viene dado en la materia de sustanciación de las audiencias las cuales pueden realizarse con el uso de la tecnología, tal como se lo establece en el Art. 4 del COGEP *"Proceso oral por audiencias. La sustanciación de los procesos en todas las instancias, fases y diligencias se desarrollarán mediante el sistema oral, salvo los actos procesales que deban realizarse por escrito. Las audiencias podrán realizarse por videoconferencia u otros medios de comunicación de similar tecnología, cuando la comparecencia personal no sea posible."*

Así mismo en el año 2012, la Función Judicial del estado ecuatoriano, a través del Consejo de la Judicatura, pone a disposición de los servidores judiciales, abogados en libre ejercicio y ciudadanía el Sistema Automático de Trámite Judicial Ecuatoriano (en adelante SATJE), con la finalidad de a más de contar con un respaldo físico del proceso judicial, poder llevar un registro electrónico en la tramitación de los procesos judiciales, esto es ingreso de causas/escritos, despacho de providencias, emisión de notificaciones electrónicas, etc., con la finalidad de que los interesados puedan visualizar el estado de sus procesos sin necesidad de recurrir a la revisión física del expediente.

Retornando al ámbito de la mediación conforme lo estable el Art. 44 de la Ley de Arbitraje y Mediación, "*La mediación podrá solicitarse a los centros de mediación o a mediadores independientes debidamente autorizados.*"

Conforme los datos proporcionados por el Consejo de la Judicatura, el Ecuador cuenta con 94 Centros de Mediación y Arbitraje (con corte al 17 de septiembre), y con 139 oficinas pertenecientes al Centro de Mediación de la Función Judicial. La provincia de Loja cuenta con cinco oficinas y dos Centros de Mediación y Arbitraje, uno de ellos denominado Centro de Análisis y Resolución de Conflictos (CENARC), perteneciente a la Universidad Técnica Particular de Loja, cuya premisa básica es promover una cultura de paz.

Las modernizaciones en el ámbito de la justicia con la incorporación de las tecnologías de la información y comunicación y encaminados en un proceso de transformación digital se desarrolla el presente caso con la finalidad de establecer a las Tecnologías de la Información y Comunicación como un soporte fundamental en los procesos de Mediación desarrollados en el CENARC.

La transformación digital pretende que las empresas, negocios, oficinas, etc., reorganicen o redefinan sus procesos y estrategias para que a través de la implementación de la tecnología se puedan obtener nuevos y/o mejores beneficios. En los últimos años se ha visto como la tecnología ha iniciado a marcar un cambio en el ámbito jurídico, y es por esta razón que el CENARC decide iniciar este reto dando los primeros pasos en este camino de transformación digital, en donde una de las condicionantes era el uso de un presupuesto cero pero que permita, basándose en los ordenamientos jurídicos, reorganizar y optimizar las procesos antes durante y después de las sesiones de mediación.

Es interesante analizar los comportamientos de los profesionales de la ingeniería en sistemas con los profesionales en derecho. Los ingenieros en sistemas son profesionales formados con cualidades para diseñar, conformar, estructurar, definir e implementar soluciones tecnológicas que faciliten o mejoren la ejecución de las actividades. Estas cualidades son muy semejantes en las profesiones técnicas. Por otro lado tenemos a abogados, quienes están formados en poder describir minuciosa y detalladamente los asuntos siempre buscando argumentar sus fundamentos filosóficos, principios y teorías generales del derecho. Estas cualidades se ven reflejadas en las carreras del ámbito social.

El tipo de formación de estos últimos y la amplitud del campo jurídico hace que en muchas ocasiones resulte un grado de dificultad mayor el proceso de levantar los requerimientos de necesidades tecnológicas y en muchas ocasiones el resultado final puede no cumplir con las necesidades de profesional del derecho, ya sea porque las funcionalidades del producto no realizan lo que deberían o en su defecto porque son tan complejas en su funcionamiento que antes que facilitar las actividades las entorpecen.

Por las razones expuestas, hemos comprobado con este caso de estudio que en el campo jurídico cuando se inicia un proceso de transformación tecnológica es conveniente arrancar con herramientas de bajo costo, a fin de que podamos a través del uso de las mismas determinar si verdaderamente existe una necesidad de contar con un software especializado y/o desarrollado a medida, o en su defecto, utilizar herramientas existentes que cuenten con funcionalidades de tipo estándar, que nos permitan ejecutar nuestras actividades. Esta decisión dependerá de entre otros, de los siguientes factores:

Fuente: Elaboración propia.

Con este precedente y considerando el despliegue tecnológico que posee la Universidad Técnica Particular de Loja, se resuelve el establecer grupos de procesos de trabajo para la implementación de estos, en las herramientas que posee OFFICE 365. Como veremos más adelante, cuando una empresa está dando sus primeros pasos en la transformación digital es de vital importancia poder estructurar los procesos a lo que determina la normativa jurídica con respecto a la mediación (que llegado el momento podría adaptarse a cualquier ámbito legal) de tal forma que puedan ser adaptables a tecnologías ya existentes con lo cual ahorraremos cuantificables sumas de dinero, la cuales podrán invertirse en un futuro cuando el talento humano de la empresa se encuentre más adaptado al cambio de los procesos manuales a digitales y con una mejor curva de aprendizaje en el uso de tecnologías.

Esta implementación no hubiera sido posible sin un adecuado estándar para la ejecución de proyectos, para la cual nos hemos basado en lo que establece el PMI a través del PMBOOK, en la cual se establece el ciclo de vida del proyecto. El ciclo de vida no es más que una serie de fases que atraviesa un proyecto desde su inicio hasta su fin. El ciclo de vida está compuesto por las fases de Inicio, Organización y preparación, ejecución de trabajo, y finalización del proyecto. Cada una de estas fases posee entradas, herramientas y técnicas y salidas.

A continuación se presenta la ejecución del presente caso de estudio conforme al estándar de dirección de proyectos seleccionado.

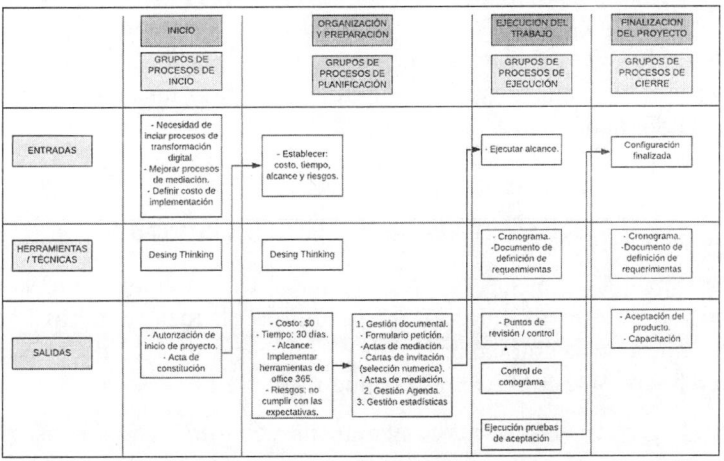

Fuente: Elaboración propia.

Como se puede observar en los grupos de procesos de planificación hacemos referencia al alcance del proyecto en cuanto a la configuración de las herramientas de Microsoft Office 365, en lo que se refiere a:

- Gestión documental: Con la finalidad de poder realizar toda la gestión de los procesos que generan, formularios, cartas, numeración, etc. se utiliza las aplicaciones de one drive, forms, one note.
- Gestión de agenda: Con la finalidad de poder realizar un adecuado agendamiento de las audiencias de mediación se utiliza la aplicación de calendario
- Gestión estadística: Con la finalidad de poder visualizar la información estadística de los ingresos de solicitudes de mediación se utiliza la aplicación forms.

Se ha seleccionado la herramienta LucidChart para la elaboración y visualización de forma gráfica de mapas mentales, en donde los participantes pueden observar los argumentos atribuidos por cada uno de los participantes en una sesión de mediación, para que visualmente se pueda identificar de una mejor forma los puntos de unión y desacuerdo. Hemos elegido esta herramienta por la facilidad de uso, licencia de tipo educativa con ningún costo para las instituciones de tipo académico.

3. RESULTADOS Y CONCLUSIONES

Los primeros pasos de transformación tecnológica que hemos mostrado en este artículo nos ha permitido alcanzar algunos logros, es así que con la implementación de las herramientas de Microsoft Office 365, conseguimos realizar una mejora notoria en:

Logro 1: Gestión documental, por cuanto hemos conseguido fomentar la estandarización, colaboración de todos los documentos generados por cada uno de los procesos de mediación.

Logro 2. Hemos conseguido disminuir el tiempo en la búsqueda de los expedientes de mediación, pasando de 10 minutos (expediente físico) a 3 minutos (expediente electrónico).

Logro 3. La gestión de los usuarios también se ha logrado mejorar notablemente, por cuanto se logra poder acceder a los datos de forma casi inmediata. El próximo reto que se ha propuesto el CENARC es permitir a los usuarios que puedan solicitar un proceso de mediación desde sus hogares u oficinas a través del uso de un formulario electrónico.

Logro 4. Con la gestión de agenda ha permitido al equipo de trabajo que conforma el CENARC, poder estar al tanto de cada una de las audiencias de mediación, así mismo gestionar adecuadamente las audiencias de los usuarios, evitando que las mismas puedan cruzarse entre sí, y finalmente poder tener una imagen global de los agendamientos para poder informar más fácilmente al usuario sobre la disponibilidad de fechas.

Logro 5. Contar con estadísticas actualizadas a todo momento, ha ayudado para cumplir eficaz y eficientemente con reportes a las entidades de control y regulación, así como también para que las autoridades de la Universidad puedan tomar decisiones.

Logro 6. Se potenció las publicaciones a través del uso de la red social Facebook desde la cual se promueve y se da a conocer la cultura de paz, así como también los servicios ofrecidos en el CENARC.

Finalmente podemos concluir que:

– Los procesos de transformación tecnológica cada vez ganan espacio y las empresas deben tomar la decisión de iniciar con estos cambios, por cuanto esto los podría dejar fuera de un escenario competitivo antes empresas semejantes.

– Los procesos de transformación tecnológica hechos a medida tienen costos que seguramente no todas las empresas están en la capacidad de realizarlos, por lo que la propuesta de utilización de software como Microsoft Office 365 podría permitirnos cubrir con las primeras necesidades en el mundo de la tecnología.

– La herramienta Lucidchart no ha tenido la recepción esperada por los usuarios, ya que la mayoría de ellos se ha logrado identificar que no comprenden el sentido de la graficas mostradas.

EVALUACIÓN DE PROGRAMAS Y PRÁCTICA DE LA MEDIACIÓN: IMPACTO REAL EN LOS USUARIOS

IMMACULADA ARMADANS TREMOLOSA

Directora del Master Oficial Universitario de Mediación de conflictos
Universidad de Barcelona (UB)

RESUMEN

El trabajo aporta reflexiones e ideas acerca de la utilidad que la "evaluación de programas" o los "servicios" pueden significar para la consolidación legal, institucional y social de la mediación. La idea es que todo programa debe ser evaluado porque es imprescindible conocer en qué medida se cumplen los objetivos planteados, en el tiempo establecido y con los recursos previstos. Además, se requiere conocer si se han cumplido las expectativas de los usuarios, a través de los principales componentes que forman parte de un programa (el/la mediador/a, la intervención, la transformación de la comunidad o de la ciudadanía, etc.). Se parte de la consideración que la mediación debe orientarse a generar un proceso de conocimiento y de mejora continua, acerca del impacto real que está generando en determinados contextos o nuevos ámbitos y en los usuarios que deciden utilizar la metodología para transformar el conflicto o crecer profesionalmente. Todo ello supone encontrar la coherencia interna y externa desde el inicio del diseño del programa en la formulación de objetivos y en la implementación de sus actividades, en lo que significa la evaluación de proceso, en el conocimiento de los verdaderos resultados, en el impacto real en los usuarios. En definitiva, se deben contestar preguntas clave acerca de ¿Por qué debemos evaluar? ¿Qué se debe avaluar exactamente? ¿En qué momento? ¿Cómo? ¿Cuándo? ¿Quién debe evaluar? ¿Con que recursos?

PALABRAS CLAVE: Evaluación Programas. Mediación.

1. INTRODUCCIÓN

La situación actual de la mediación necesita incrementar mayores apoyos e impulsos, a través de las políticas públicas y en la implementación de programas y servicios de calidad, para que pueda dar una respuesta efectiva a las expectativas que tienen los usuarios y ciudadanos de una sociedad Así, las políticas, los programas y los servicios de mediación, los cuáles son importantes en sí mismos, deben poder realimentarse y generar la información que necesitan para establecer los principales valores de la mediación, el impacto real en los usuarios, y su sostenibilidad en el tiempo.

La mediación de conflictos entendida como una metodología alternativa o un complemento al sistema judicial aportan muchos beneficios a sus usuarios, ya sea por la intervención o el servicio que realiza en la transformación del conflicto o por el cumplimiento de los acuerdos logrados. Por ello, debería ser evaluada en su práctica, así como conocer su impacto y el proceso que sigue para el logro de los objetivos. Pero para ello, se requiere incorporar un conocimiento científico de lo que supone *evaluar* y *valorar* los beneficios que esto podría suponer para el avance y consolidación legal, institucional y social de la mediación.

En un estudio que se realizó en la Universidad de Murcia se constató que la mediación tiene todavía poco desarrollo, no dispone de estadísticas y evaluaciones suficientes a pesar del crecimiento de los profesionales formados. También, se indicó en este estudio que actualmente, la mediación como sistema de resolución alternativa o complementaria al sistema judicial, todavía es poco conocida y no goza de suficiente confianza su utilización. El hecho es que no se aprecia una desjudicialización de los conflictos ni un aumento de la demanda de la mediación. Todo ello, refleja que ni las leyes de mediación ni las políticas públicas se muestran suficientes, que se necesitaría mayor divulgación y aplicación en otros ámbitos y un mayor reconocimiento de la profesionalidad del papel que hacen los mediadores. Por ello, se comprende que se reclamé más política y apoyo como puede observarse en https://confilegal.com/20180530-reclaman-una-politica-publica-de-apoyo-a-la-mediacion-para-solucionar-conflictos/

Sin embargo, la mediación como solución a muchos tipos de conflictos cada vez está siendo mejorada, por lo que no se corresponde con el deficiente status laboral que la mayoría de mediadores obtiene, los cuales algunos trabajan como voluntariado o en condiciones inferiores a otros profesionales (abogados, médicos, psicólogos, etc.).

Por todo ello, la mediación como recurso público al servicio del ciudadano, debería poder contar con un marco de políticas públicas eficaces para consolidarse como un recurso de calidad, que afronte algunos de los principales retos que tenemos actualmente en la sociedad, tales como la desigualdad y las necesidades de convivencia en diferentes ámbitos y contextos. Para ello, es claro que las políticas y servicios de mediación deberían poder retroalimentarse y evaluarse para generar información acerca del impacto real que se consigue en los usuarios, además de poder avanzar en todos los sentidos.

Algunos de los retos generales y básicos que la mediación actualmente tiene planteados se pueden resumir en:

1. Promocionar la cultura de la mediación (para incidir en la convivencia y en el uso de los métodos pacíficos entre la ciudadanía, cómo el dialogo) y su uso y extensión en la mayoría de espacios que necesitan mediación.

2. Calidad y eficacia (cumplimiento de objetivos tanto cuantitativos como cualitativos) en la mediación (la calidad de la prestación de los servicios a la ciudadanía y la calidad de los mediadores profesionales)

Por ello, en esta aportación me he propuesto aportar reflexiones e ideas acerca de la utilidad que la "evaluación de programas" o los "servicios" podría significar para la consolidación legal, institucional y social de la mediación.

En este sentido, primero vamos a preguntarnos acerca de la pertinencia de la evaluación, empezando por el concepto de lo que significa la *evaluación de programas* preguntarnos porque debiéramos evaluar los programas de mediación, así como cuáles serian los tipos de evaluación que deberíamos considerar, para finalmente presentar *como debería ser una buena evaluación* para que pudiera ser adecuada para afrontar los retos que la mediación tiene planteados.

2. ¿QUÉ ES EXACTAMENTE LA EVALUACIÓN DE PROGRAMAS?

La evaluación de programas *es una forma de investigación social aplicada, sistemática, planificada y dirigida, encaminada a identificar, obtener y proporcionar información de manera válida y fiable, datos e información suficiente y relevante, en qué apoyar un juicio acerca del mérito y del valor de los diferentes componentes de un programa (tanto en la fase de diagnóstico, programación y ejecución), o de un conjunto de actividades específicas que se realizan, han realizado o se realizarán, con el propósito de producir efectos o resultados con-*

cretos, comprobando la extensión y el grado en que dichos logros se han dado, o de forma tal, que sirva de base o guía para una toma de decisiones racional e inteligente entre cursos de acción, o para solucionar problemas y promover el conocimiento y la comprensión de los factores asociados al éxito o al fracaso de sus resultados. (Argilaga, M.T, Chacón y Blanco, A., 2018)

La idea fundamental es que todo programa debe ser evaluado porque es imprescindible conocer en qué medida se cumplen los objetivos planteados, en el tiempo establecido y con los recursos previstos. Además, se requiere conocer si se han cumplido las expectativas de los usuarios, a través de los principales componentes que forman parte de un programa como en el caso de la mediación (el/la mediador/a, la intervención, la transformación de la comunidad o de la ciudadanía, etc.).

Se parte de la consideración que la mediación debe orientarse en la generación de un proceso de conocimiento y de mejora continua, acerca del impacto real que está generando en determinados contextos o nuevos ámbitos y en los usuarios que deciden utilizar la metodología para transformar el conflicto o crecer profesionalmente.

3. ¿POR QUÉ DEBEMOS EVALUAR LOS PROGRAMAS O LOS SERVICIOS DE MEDIACIÓN?

Si evaluar es atribuir cierto valor al objeto de evaluación. Esta, debería poder contribuir a obtener información fiable, factible y válida acerca del cumplimiento de los principales objetivos básicos y otros que se plantean habitualmente en las políticas públicas de mediación, tales como "mejorar la convivencia o la calidad de vida comunitaria", "fomentar el diálogo y la cohesión social" o "prevenir la escalada de los conflictos" entre otros (ver Diputació de Barcelona (s/d). *Guia per a la creació de Serveis de Mediació Ciutadana*. Barcelona: Servei de Polítiques d'Acció Comunitària i Participació Ciutadana, Gerència d'Igualtat i Ciutadania, Àrea d'Atenció a les Persones, Diputació de Barcelona.). Sin embargo, existen preguntas "clave" que se deberán responder para seguir un procedimiento sistemático, científico y válido.

4. ¿QUÉ DEBEMOS EVALUAR?

Se pueden evaluar políticas pero también los programas o servicios de mediación entendidos, como la articulación de acciones que se proponen y ofrecen finalmente al servicio de los usuarios, el cual se va a considerar objeto científico de evaluación o valoración en la que lógicamente se deberán ir detallando aspectos específicos del objeto, en cuanto a su funcionamiento, el diseño, la planificación y la implementación. Concretamente, se trataría de poder extraer el mérito o el juicio con respecto al programa, la intención, las acciones previstas junto con los resultados.

No obstante, hay que preguntarse también el *¿Por qué evaluar?* Entonces, por lo que respecta a la mediación de conflictos se trataría de conocer de manera objetiva cuáles son los efectos reales, el impacto de las acciones de la práctica de la mediación, en los usuarios, las cuales se han previsto realizar gracias al apoyo de las políticas públicas de mediación, en un determinado periodo y momento del tiempo. Para saber en definitiva si se ha obtenido la eficacia deseada. Y llegados a este punto es pertinente también preguntarse el ¿Para qué? Pues sería deseable que los objetivos y las expectativas que nos hemos propuesto conseguir a través de los programas de mediación de conflictos, pudiéramos conocer hasta qué punto se han podido resolver los problemas para los cuales han sido diseñados, planificados y finalmente implementados.

También, otras preguntas inevitables nos vamos a tener que formular cómo es la de ¿Cómo se evalúa? y la respuesta va a consistir en desarrollar un determinado diseño, así como la utilización de técnicas para la recogida de la información, en la que se irán encadenando preguntas, tales como ¿Cuándo evaluar? ¿Dónde evaluar? ¿Quién evalúa? ¿Con qué recursos? etc. Implicando una planificación y un diseño de los momentos de tiempo, de espacios, de recursos a utilizar, de selección de agentes evaluadores, justificado por los motivos y/o los objetivos del tipo de información que se vayan necesitando, sin olvidar que el *feed-back* de los usuarios va a ser muy significativo para evaluar específicamente la calidad de los servicios y de las políticas.

Por ejemplo, si evaluamos la calidad en los programas de formación de la mediación universitaria, ello debe ser una pieza clave para la valoración y el reconocimiento desde las políticas educativas y legislativas, encargadas de promocionar una cultura de la evaluación de calidad de la disciplina. Debería formar parte de un sistema para detectar necesidades de mejora en la formación, que fomentara la innovación, la selección de profesionales, el seguimiento y valoración de manera continuada de la calidad de los docentes, de los procesos de aprendizaje y de los resultados aportados al ámbito de la mediación.

En definitiva, supone encontrar la coherencia interna y externa desde el inicio del diseño del programa en la formulación de objetivos y en la implementación de sus actividades, en lo que significa la evaluación del proceso de la mediación, en el conocimiento de los verdaderos resultados, en el impacto real en los usuarios.

5. ¿QUÉ TIPOS DE EVALUACIÓN PODEMOS PLANTEAR?

En primer lugar, nos deberemos plantear si el tipo de evaluación que queremos utilizar va a ser de impacto o de proceso y diferenciar entre lo que supone una evaluación y una valoración.

Así, si lo que queremos es evaluar el impacto en lo que respecta a la evaluación esto supone *"constatar los resultados obtenidos"* para que luego desde la valoración se puedan emitir aquellos juicios de valor que ha supuesto la implementación. En este sentido, evaluar siempre va a implicar el establecer un *"estudio científico previo"* con lo que significa de establecer una lógica de investigación en la formulación de objetivos que se correspondan con los que los fines que se persigan en la evaluación, se van a poder extraer las consecuencias y establecer un juicio de naturaleza subjetiva apoyada en datos científicos, pero referida a un momento específico del tiempo a diferencia de la que se obtendría si optamos por una *evaluación de proceso*.

Por lo que se refiere a evaluar el proceso, ello estrictamente ya implica en sí mismo establecer una medida en diferentes momentos del tiempo (inicio, intermedio, final...etc.) para lograr capturar diferente tipo de información relevante para ser posteriormente analizada, de los procesos seguidos en la mejora continua en el programa, lo cual supondrá la utilización de instrumentos que permitan el control de la calidad de los datos. Este procedimiento permitirá además establecer una valoración de la toma de decisiones a lo largo del proceso.

La diferencia en una evaluación de impacto y de proceso tiene una importancia fundamental, aunque se pueden combinar de la siguiente manera (Argilaga y otros, 2018)

-Evaluamos el impacto para conocer la situación inicial y final del programa

-Evaluamos el proceso obteniendo información a lo largo del proceso del programa y esta nos permitirá constatar las mejoras, estancamientos o empeoramiento del servicio-programa.

En relación a la evaluación de impacto se necesitará pensar estratégicamente cuando es más necesario hacerla (antes-durante, después...). Se tendrá que tener muy presente que los resultados pueden ser versátiles, y ser diferentes según el momento o periodo evaluado.

En relación a la evaluación de proceso será una cuestión imprescindible que forme parte del mismo "diseño de proyecto" (servicios de mediación) para que permita conocer los avances o procesos de mejora continua logrados. Al utilizar diferente tipo de información de manera progresiva, en un determinado periodo de tiempo, comportará la combinación de diferentes tipos de análisis y de gestión de los datos y las informaciones.

6. CONCLUSIONES Y REFLEXIONES FINALES

Hasta aquí, hemos tratado de aportar algunos aspectos básicos, especialmente metodológicos, de lo que se debería considerar en la evaluación de programas, para contribuir a los retos que la mediación tiene planteados. Sería deseable además que la evaluación de programas pudiera realizarse conjuntamente con las Universidades. Estas son las que en definitiva cuentan con instrumentos esenciales para las investigaciones aplicadas y las metodologías de evaluación más innovadoras, como es por ejemplo las realizadas a través de los *mixed-methods*, en la que se combinan datos cuantitativos y cualitativos (Anguera, Blanco-Villaseñor, Losada, Sánchez-Algarra, & Onwuegbuzie, 2018). En la mayoría de estas investigaciones deberían poderse crear instrumentos ad-hoc, adaptados y validados para los diferentes contextos y validados para las diferentes necesidades de los proyectos.

De hecho, las principales pautas y recomendaciones a considerar serian,

1. Trabajar desde una estrategia global de cultura de gestión de la calidad o plan de calidad y/o marco común.

2. Establecer pautas homogéneas de instrumentos dirigidos a medir la satisfacción de los usuarios con el servicio de mediación.

3. Considerar de los mecanismos de evaluación o instrumentos su transversalidad.

4. Considerar la existencia de instrumentos generalizados y validados por parte del ámbito científico o el mundo universitario.

5. Considerar las recomendaciones o evaluaciones en que los servicios de mediación han de estar en contacto.

6. Avanzar hacia modelos de excelencia en calidad y buenas prácticas.

Por todo ello, en este último apartado vamos a tratar de responder a la siguiente cuestión,

¿Cómo debería ser una buena evaluación de programas en mediación?

1. Útil. Es obvio que el programa debería ser útil para sus destinatarios, y a este respecto, se debería apreciar una clara relación entre las necesidades de los diferentes implicados y/o destinatarios del programa. Por ejemplo, satisface las necesidades de atención en materia de resolución de conflictos, se presta el servicio en tiempos de espera suficientes, se obtiene satisfacción con el trato que se recibe por parte de los mediadores, entre otros.

2. Factible y viable. Ha de ser posible realmente llevarse a cabo el proyecto y su evaluación por tal como está diseñado, se implementa y se evalúa. Existe además posibilidades de transferencia en otros espacios de mediación. En este sentido es importante que el diseño de la evaluación forme parte de la Cultura de calidad o del mismo diseño del proyecto como un marco común imprescindible. Además de poder responder aquellas preguntas clave que se han señalado anteriormente.

3. Realista. Ver hasta qué punto se puede evaluar el programa de una manera realista sin necesitar grandes recursos y tratando de adecuar los existentes.

4. Prudencia y moderación. En este sentido se destacaría la idea de considerar que las ventajas que va a aportar los resultados de la evaluación, deben superar a los posibles inconvenientes que pudiera comportar la misma evaluación del programa.

5. Diplomacia. El respeto y la actitud constructiva en esta temática es fundamental.

6. Eficiencia. Un perfecto equilibrio entre los recursos que se necesitan y los resultados que se han pretendido obtener.

7. Ética. La intervención y la evaluación debe estar basada en la cooperación y en garantizar los derechos de las distintas partes, proporcionando aquello información que se requiera en todo momento.

LA CALIDAD DE LA FORMACIÓN EN MEDIACIÓN: UNA PROPUESTA BASADA EN COMPETENCIAS

MANUEL ROSALES ÁLAMO
Universidad de La Laguna
LETICIA GARCÍA VILLALUENGA
Universidad Complutense de Madrid

RESUMEN

El trabajo que se presenta responde a la necesidad de la calidad en la formación en Mediación. Después de resumir brevemente la evolución y situación de la formación en Mediación en España, y de situar los ejes sobre los que deben descansar los programas formativos, se exponen las competencias que den ser incluidas en el aprendizaje de este perfil. Se incluyen competencias relacionadas con el conocimiento y el análisis de conflictos, con el conocimiento psicológico y psicosocial de las personas implicadas en los conflictos, con la naturaleza y contextos de los conflictos. para el aprendizaje de teorías y metodologías de la mediación, para la adquisición de habilidades, de procedimientos y estrategias, para sensibilizar al uso de buenas prácticas asi como competencias relacionadas al aprendizaje de metodologías y procedimientos de la investigación.

PALABRAS CLAVE: Formación Calidad. Mediación. Competencias

1. INTRODUCCIÓN

Podemos decir que en el *mundo* de la mediación, al menos en España, el foco principal de atención y preocupación ha estado en la implementación y desarrollo normativo de la mediación en el contexto judicial. Sin embargo, la formación y su calidad se han percibido como un tema complementario o subsidiario y, en general, ha habido poca reflexión al respecto.

Ciertamente, el valor social y las expectativas sociales de una profesión vienen determinadas, básicamente, por las utilidades (resolución de problemas), prestaciones y servicios eficaces que ofrece. Asimismo, la percepción social de eficiencia en una actividad profesional viene condicionada, en gran parte, por la calidad de la formación de sus profesionales. De esta manera, las personas mediadoras tienen, en buena medida, en sus manos el éxito o el fracaso de la implantación jurídica, social y cultural de la mediación. La formación no es un tema menor, en realidad, creemos que es fundamental y el eje para el impulso y la implementación social de la institución mediadora.

La formación de la mediación en España, presenta algunas dificultades relevantes que pasamos a detallar:

El desarrollo de la mediación en España se ha producido, podríamos decir, con cierto desorden. La iniciativa normativa, sobre todo en mediación familiar, la llevaron, desde el comienzo del siglo XXI, las comunidades autónomas, conformando una legislación diversa que presenta criterios distintos para la formación de las personas mediadoras. Posteriormente y de manera tardía se publica la Ley 5/2012, de 6 de julio, de mediación para asuntos civiles y mercantiles, que traspone la Directiva 52/2008, de mediación en Asuntos civiles y mercantiles. La formación de los mediadores, que se contempla en el Reglamento Real Decreto 980/2013, de 13 de diciembre, por el que se desarrollan determinados aspectos de la Ley 5/2012 mencionada, no resuelve algunas cuestiones que afectan a la calidad de los programas formativos, dejando lagunas respecto a la necesidad del control de calidad por la Administración pública (García Villaluenga, 2012)

Desde diferentes ámbitos y encuentros científicos se ha sustanciado que el número de horas establecido (100 horas) es manifiestamente insuficiente para garantizar mínimamente una formación adecuada y técnicamente necesaria para una persona mediadora. Éste es un tema recurrente ante el que se ha encontrado cierta resistencia para reflexionar sobre un cambio. Llama la atención que respecto de otras actividades profesionales que pudieran servir de marco comparativo, la situación es completamente diferente. Por ejemplo, la regulación para adquirir una titulación en dirección de seguridad señala en su artículo 12 de la Orden INT/318/2011, de 1 de febrero, sobre personal de seguridad privada, que deberá realizar un curso que estará programado e impartido por centros universitarios, públicos o privados, reconocidos oficialmente, y las materias que los compongan deberán alcanzar un mínimo de cuatrocientas horas. Creemos que podemos estar de acuerdo que la mediación es un ejercicio profesional, al menos, tan complejo como la de dirección de seguridad.

Es evidente que cualquier programa de formación en mediación deberá apoyarse en el conocimiento científico y académico de las disciplinas que la conforman, fundamentalmente, el derecho y la psicología. Se hace necesario por tanto establecer estos contenidos, considerando que la misma identidad de la mediación, al contrario de lo que pudiera parecer, no tiene una definición, una metodología, unos procedimientos unitarios. Las diferentes corrientes de la mediación priorizan diferentes objetivos del proceso mediador y la misma perspectiva del conflicto es diferente. Hay que indicar que muchos programas de formación presentan un sesgo evidente hacia algunas de estas metodologías y concepciones de la mediación. Incluso algunos programas presentan contenidos que pueden ser discutibles desde una perspectiva académica y de la evidencia científica. Creemos que los programas deberían ofrecer, indefectiblemente, un contenido curricular de mínimos basado en evidencias científicas.

Las entidades formadoras son muy diversas (universidades, asociaciones, academias varias, editoriales, colegios profesionales, cámaras de comercio etc.) y los programas de formación que se ofertan son muy distintos y dispares con diferencias sustanciales. Rosales y García Villaluenga, (2020) señalan *"Son muchas, en efecto, las diferencias que presentan los programas en cuanto que las al reparto de la carga formativa entre enseñanzas de carácter teórico y práctico, incluso en los modelos de formación práctica y también teórica de carácter presencial, semipresencial u online, con o sin el debido rigor científico como diversa es, en el mejor de los casos, su estructura"*. Tómese en consideración que los programas no tienen ningún tipo de control, acreditación, certificación o evaluación externa, a excepción de los programas formativos universitarios. La calidad de la formación requeriría un sistema de evaluación externa.

El panorama, en general, en el ámbito de la formación en mediación, educativa y pedagógicamente, es más propio de los años 70 del pasado siglo. Todo el sistema educativo y formativo reglado en España se estructura alrededor de la noción de competencias. Sin embargo, una buena parte de los programas de formación en mediación carecen de competencias en su diseño académico. Un programa de formación no es sólo la suma de contenidos, debe ser un proyecto con objetivos concretos para que el alumnado adquiera las competencias necesarias

para realizar un desempeño eficiente de la mediación (García Villaluenga, 2014, pag 149).

2. DESARROLLO

La distribución de los diferentes tipos de contenidos en los programas es realmente preocupante, apreciándose sesgos evidentes. En
un estudio donde se analizaron más de 130 programas formativos
en mediación, se encontró que los porcentajes de tipos de contenidos
de la mediación variaban de manera muy relevante, constatándose,
por ejemplo, que hay programas en que los contenidos psicológicos
representan un 20-25% y en otros programas casi ni aparecen (Castañeda y Rosales, 2017). También se pone en evidencia la dificultad
de algunos programas formativos para dar una auténtica formación
interdisciplinar, observándose diferencias importantes, y esto es grave,
en cuanto a la formación relativa a las técnicas y a las metodologías
de la mediación. El resultado de esta situación, un tanto caótica, es
que los profesionales de la mediación presentan formaciones diversas,
distintas y dispares.

Establecer parámetros y criterios para la formación de calidad en
la mediación es un tema más complejo de lo que a veces se ha dejado
entrever y de la atención que se le ha prestado normativamente. Los
motivos de la complejidad son los relacionados, en primer lugar, con
el hecho de que las áreas de conocimiento que confluyen en la mediación son diferentes en sus metodologías científicas y de investigación
y, por tanto, se hace necesario organizar un programa auténticamente
interdisciplinar que no multidisciplinar. En segundo lugar, como ya
mencionamos, la mediación tiene diferentes concepciones y perspectivas en aspectos críticos tales como la metodología, los procedimientos
de trabajo, el objetivo de la mediación, las funciones de la persona
mediadora y el análisis que se hace del conflicto. Finalmente, otro
tema controvertido ha sido la de determinar los campos de aplicación
de la mediación y las especificidades formativas necesarias. Se hace
necesaria una definición integral del perfil profesional del ejercicio
de la mediación y acordar un catálogo sobre las especialidades de la
mediación y la formación que requieren. Rosales y García Villaluenga

(2020, página 32) proponen la siguiente definición del perfil profesional:

El perfil del profesional de la mediación es el de alguien que realiza su labor en el ámbito público o privado y, recomendablemente, en equipos interdisciplinares, ofreciendo un proceso alternativo de resolución de conflictos. Asiste a personas en conflicto para que desarrollen por sí mismas una comunicación más eficaz y procesos de búsqueda de soluciones basadas en la cooperación, a la vez, promociona perspectivas alternativas y empáticas considerando a la otra persona en conflicto, y favorece, hasta donde sea posible, la preservación y reparación de las relaciones. Considera los objetivos de su labor mediadora en consonancia con las necesidades de los mediados y los contextos del conflicto, estableciendo las metodologías y técnicas más adecuadas para cada caso. Este profesional no solo realiza mediación, puede utilizar otras metodologías y estrategias de resolución de conflictos, debiendo para ello tener una formación altamente especializada, interdisciplinar, teórica y práctica, de carácter jurídico, psicológico y de gestión de conflictos que deberá contener el desarrollo de las competencias académicas

Las personas y colectivos preocupados por la cuestión de la formación se han movido en un debate, poco visibilizado y, desde luego, no resuelto, que se sustenta en los siguientes ejes:

- *Simplicidad-Complejidad.*

En este eje se debate el nivel de profundidad y complejidad de la formación. Usando una analogía del ámbito de la restauración, la cuestión planteada es ¿qué debemos formar? chefs, cocineros o ayudantes de cocina. En un lado, están los que entienden que la formación de la mediación debe ser concreta, tienen una visión de la mediación como un procedimiento de "plantilla" que se aplica a diferentes situaciones y un análisis básico del conflicto centrado en los intereses de los participantes del proceso. En el otro lado de este eje, se mueven los que defienden una formación amplia, profunda e interdisciplinar, pues tienen una perspectiva de la mediación como un ejercicio profesional de toma de decisiones sobre el procedimiento o modalidad y donde entienden que el análisis del conflicto debe ser más complejo y multidimensional.

• *Negociación-Transformación.*

En este caso, la controversia es sobre un aspecto fundamental pues se debate sobre la misma definición y objetivo del proceso mediador. En una parte se manifiestan los que defienden que la mediación es un proceso de negociación asistida por un tercero neutral y, en la otra parte, los que entienden que el proceso mediador debe orientarse metodológicamente hacia la promoción, en las personas, de un cambio, de una transformación en la interpretación y en la significación del conflicto y del otro/a.

Es posible que algunos lectores piensen que en realidad ambas perspectivas no son incompatibles y entiendan que un profesional de la mediación puede trabajar ambas metodologías según la situación, contexto y casuística, pero también es cierto que eso requeriría de una formación completa y compleja para poder tomar las decisiones metodológicas necesarias y realizar la correcta ejecución de los diferentes procedimientos, a tenor del caso y circunstancias en que se haya de intervenir.

• *Logocéntrico- Psicocéntrico.*

En este eje se revelan dos enfoques de la formación y del aprendizaje. Uno de los enfoques es el que podría denominarse *tradicional* basado en la información, en el contenido teórico y en una práctica de "plantilla"; esto es, se aplica una única metodología simplificada sin utilizar procedimientos más complejos e integrales de toma de decisiones y contextualización. En definitiva, se toma como referencia *lo que debe saber* el futuro mediador/a. El otro enfoque formativo, se basa en los procesos de aprendizaje de las personas y en las competencias para la formación de las personas mediadoras y responde, según señalan Rosales y García Villaluenga (2020), siguiendo a Marielli (2000), a distintos niveles de aprendizaje: cómo saber (conceptos, conocimientos), saber hacer (habilidades, destrezas, procedimientos), saber ser (actitudes y valores) y saber estar (relacionadas con la comunicación interpersonal y el trabajo cooperativo). Boyatzis (1982), define una competencia como la capacidad de mostrar una secuencia, observable, de desempeños para alcanzar una meta. Estos desempeños deberán poder desarrollarse en diferentes contextos y complejidades y manifestar la integración de conocimientos, habilidades, destrezas, actitudes y valores.

- *Unitario-Complementario.*

En esta diatriba se confrontan la visión de la mediación como un conocimiento que, aunque sus contenidos derivan de diferentes ciencias, se configura como una disciplina unitaria, con sus propias características procedimentales, de evaluación y de valores, en el ejercicio profesional. En la otra perspectiva, se interpreta la mediación como un saber y un ejercicio profesional complementario, de ahí que la formación se perciba como una habilidad adicional de la propia formación de referencia y, por tanto, el tiempo e intensidad de formación necesaria no debería ser ni prolongado ni complejo. Esta situación genera distorsiones y resistencia a la formación compleja que implique romper esquemas y atavismos de la formación de base. En nuestra opinión, la formación de origen no garantiza la aplicación de los conocimientos dentro de la práctica de la mediación. Más bien, la práctica profesional de origen puede dificultar, en ocasiones, , la adquisición de competencias para una nueva intervención profesional, manifestándose, vicios y formas erróneas de asumir el conflicto en el contexto mediador.

Es fundamental entender que la mediación implica un cambio de tratamiento en el abordaje del conflicto, configurándose como una profesión diferenciada de la pura práctica vinculada a otras profesiones. El aprendizaje no se sustenta en el vacío, sino en un modelo mental apoyado en los organizadores cognitivos previos (Ausubel, 2002), de ahí, la dificultad para realizar una formación con una propuesta de disciplina unitaria y, por tanto, con un modelo de compresión del fenómeno del conflicto totalmente distinto.

3. LAS COMPETENCIAS

Todo esto nos compromete a tener que responder a un interrogante esencial sobre cuáles deberán ser las competencias formativas que han de poseer los profesionales de la mediación y, desde las Universidades, hemos asumido ese reto.

En efecto, en 2012, un grupo de Universidades españolas, que llevábamos décadas comprometidas con la capacitación de las personas mediadoras, quisimos aunar esfuerzos para generar sinergias en el conocimiento de la materia objeto de estudio, desde el rigor científico propio de la academia, haciendo propuestas y así nació la CUEMYC (Conferencia Internacional Universitaria para el Estudio de la Mediación y el Conflicto) (García Villaluenga, 2014, pag149). Una de las cuestiones medulares para esta organización, en el compromiso de dar respuesta a una sociedad en continuo cambio, en el que la innovación ha de tener un lugar primordial, a través de formación, investigación y servicio (Rosales Álamo y García Villaluenga, 2019), fue trabajar en la identificación de las competencias necesarias para la formación de la persona mediadora. Así, con varias universidades participantes (Universidad de Barcelona, Universidad de Vigo, Universidad de Islas Baleares, Universidad Complutense de Madrid, Universidad de La Laguna, Universidad de Cantabria, Universidad de Murcia, Universidad de Castilla la Mancha y Universidad de Alicante) se diseñó y organizó un estudio que se fundamentaba en un trabajo llevado a cabo por Campos, F., Cardona, J. Cuartero. M. E., y Riera, J.A. (2016). En el trabajo referido de 2016 se elaboró, inicialmente, un catálogo exhaustivo de programas de formación en mediación, clasificando los planes de estudios en dos grandes categorías: a) con competencias (incluyen Másteres Oficiales y algunos Títulos Propios); b) sin competencias definidas. Así, se identificaron las competencias de los planes formativos y se clasificaron en siete categorías:

- Competencias relacionadas con el conocimiento y el análisis de conflictos.

- Competencias relacionadas con el conocimiento psicológico y psicosocial de las personas implicadas en los conflictos.

- Competencias vinculadas a la naturaleza y contextos de los conflictos.

- Competencias para el aprendizaje de teorías y metodologías de la mediación.

- Competencias para la adquisición de habilidades, de procedimientos y estrategias.

- Competencias para sensibilizar al uso de buenas prácticas.

- Competencias relacionadas al aprendizaje de metodologías y procedimientos de la investigación.

Posteriormente, se llevó a cabo un análisis crítico por un grupo formado por expertos académicos, profesionales de la mediación y un metodólogo con reconocida experiencia en la formulación de competencias, para determinar los vacíos, las carencias y el grado de desarrollo de cada una de estas categorías depurando y definiendo las diferentes competencias. Finalmente, esta propuesta fue, de nuevo, analizada y valorada por otros grupos de discusión formados por docentes expertos en formación en mediación y por profesionales de la mediación.

Los resultados de este trabajo concluyen en estructurar las competencias para la formación de personas mediadoras en cuatro grandes dimensiones: competencias autoimplicativas, competencias interactivas, competencias ejecutivas y competencias de especialización. Estas dimensiones se concretan en ocho bloques de competencias que integran un conjunto de competencias, con sus contenidos y resultados de aprendizaje.

La dimensión autoimplicativa acoge aquellas competencias relativas al aprendizaje de habilidades y actitudes intrapersonales de las personas mediadoras: el autoconocimiento, la autorregulación emocional, el autocuidado y el desarrollo profesional, además de la adquisición de las actitudes y destrezas para desarrollar la labor profesional desde las buenas prácticas. Esta dimensión se organiza en dos bloques:

Bloque 1: Competencias Autoimplicativas I. Autognosis y la regulación intrapersonal. Este bloque manifiesta las siguientes competencias:

- *Competencia número 1. Desarrollar habilidades en el manejo de las propias cogniciones, emociones y en el autoconocimiento personal.*
- *Competencia número 2. Administrar y ser responsable de su propio trabajo. Establecer, minimizar y gestionar el riesgo hacia uno mismo, asignando prioridades, cumpliendo con las obligaciones profesionales y evaluando la eficacia de sus actuaciones.*
- *Competencia número 3. Evaluar y reflexionar críticamente sobre las actuaciones y decisiones propias y utilizar la autosu-*

pervisión como espacio para responder a las necesidades de su desarrollo profesional.

<u>Bloque 2</u>: *Competencias Autoimplicativas II. Buenas prácticas. Este bloque recoge las siguientes competencias:*

- *Competencia número 4. Trabajar dentro de estándares de buenas prácticas acordados para el ejercicio de la mediación y la resolución de conflictos, considerando en las actuaciones profesionales los fundamentos y principios generales de igualdad y de la Cultura de la paz y los valores democráticos.*

- *Competencia número 5. Gestionar conflictos, dilemas y problemas éticos complejos identificando los mismos, diseñando estrategias de superación y reflexionando sobre sus resultados.*

- *Competencia número 6. Investigar, analizar, evaluar y utilizar el conocimiento actual de las buenas prácticas de la mediación y la resolución de conflictos para revisar y actualizar los propios conocimientos y habilidades sobre los marcos de trabajo.*

En la dimensión interactiva tiene un único bloque donde se integran las competencias relacionadas con las habilidades psicológicas de comunicación e interacción profesional.

En este <u>Bloque 3</u> se inscriben las competencias siguientes:

- *Competencia número 7. Desarrollar habilidades de comunicación interpersonal y de manejo de las emociones implicadas para una interacción efectiva con las personas (familias, grupos, organizaciones, etc.) y teniendo en cuenta los aspectos relativos al género y la diversidad cultural.*

- *Competencia número 8. Elaborar y redactar informes, documentos y acuerdos utilizando distintas técnicas, incluidas las derivadas de las tecnologías de la información y la comunicación.*

En la dimensión ejecutiva se desarrollan tres tipos de competencias. En primer lugar, aquellas vinculadas al conocimiento de los marcos jurídicos, administrativos y sociales de los conflictos. En segundo lugar, las competencias relativas a las habilidades y conocimientos necesarios para realizar análisis de los conflictos y, finalmente, las competencias que agrupan los conocimientos, habilidades y destrezas para realizar un proceso de mediación aplicando las técnicas y metodologías necesarias. Por tanto, en esta dimensión, nos encontramos con tres bloques:

Bloque 4: Competencias Ejecutivas I. Conocimiento jurídico, donde se señalan las siguientes competencias:

- *Competencia número 9. Conocer y comprender el marco jurídico y administrativo que regula las relaciones de las personas y las organizaciones, sus derechos, sus obligaciones en los procesos de Mediación y Resolución de Conflictos.*
- *Competencia número 10. Interpretar y aplicar la legislación y su desarrollo normativo en sus ámbitos correspondientes en procesos de mediación.*

Bloque 5: Competencias Ejecutivas II. Análisis del conflicto. En este bloque se definen las competencias siguientes:

- *Competencia número 11. Conocer y comprender los fundamentos sobre los que se construyen los conflictos interpersonales y grupales, los tipos, características y particularidades, procesos y efectos sobre el sujeto individual y colectivo.*
- *Competencia número 12. Realizar un análisis identificando los actores, elementos del conflicto y su dinámica al objeto de diseñar la estrategia de intervención mediadora más adecuada.*

Bloque 6: Competencias Ejecutivas III. Procedimientos y técnicas de mediación y de resolución de conflictos. En este bloque se desarrollan las competencias que siguen:

- *Competencia número 13. Conocer y distinguir las distintas formas de gestión de conflictos y sus contextos de aplicación.*
- *Competencia número 14. Conocer y aplicar las formas y procedimientos para implicar a las personas mediadas a incrementar sus recursos personales, sus capacidades y su poder de decisión, ayudándolas a tomar decisiones fundamentadas acerca de sus necesidades, circunstancias, riesgos, opciones preferentes y recursos.*

- *Competencia número 15. Conocer y manejar las proposiciones teóricas y metodológicas más significativas en el ámbito de la Mediación y Resolución de Conflictos y aplicar las diferentes metodologías, modelos, estrategias y técnicas según las necesidades y objetivos del proceso de Mediación y Resolución de Conflictos.*

La dimensión de especialización la componen dos bloques de competencias. Por un lado, las que hacen referencia al ámbito de especialización de la mediación y, por otro, de manera opcional, las competencias relativas a las habilidades y conocimiento para la realización de investigaciones en el marco de la mediación. Los dos bloques mencionados son los siguientes:

Bloque 7: Competencias de Especialización de Ámbito. Las competencias que se describen son las siguientes:

- *Competencia número 15. Comprender y analizar la naturaleza, la estructura y las relaciones que desarrollan los distintos actores de los conflictos en su dimensión psicológica, social y jurídica aplicándose a su campo de especialización: pareja, familia, el grupo, la comunidad y la organización.*

- *Competencia número 16. Comprender y analizar los contextos y los factores generadores de crisis, disputas, confrontaciones y conflictos en los ámbitos de especialización del programa de formación (familiares, grupales, societarios y judiciales: contextos conyugales y familiares, escolares, comunitarios, sanitarios, penales, empresariales y mercantiles, etc.).*

- *Competencia número 17. Comprender y saber aplicar las diferentes competencias al ámbito de especialización del programa.*

Bloque 8: Competencias de Especialización para la Investigación. Se concreta en la competencia 18.

- *Competencia número 18. Conocer las metodologías y los procesos de investigación y aplicarlas al campo de la mediación.*

Hemos presentado en este capítulo una propuesta de competencia para la formación de los profesionales de la mediación, no obstante, es necesario seguir avanzando en estudios y trabajos para actualizarla y mejorarla. La mediación no es una disciplina estática, su cercanía a la realidad de los diferentes conflictos la convierte en un conocimiento aplicado dinámico, un proceso de innovación social y cultural sobre una forma distinta de afrontar los conflictos humanos que requiere, por ello, una actualización constante de sus parámetros formativos.

3ª PARTE:
LA MEDIACION EN EL ÁMBITO DE LA FAMILIA

LA MEDIACIÓN: RESOLUCIÓN DE CONFLICTOS EN LAS NUEVAS FORMAS FAMILIARES

ANTONIA MARCELINA SÁNCHEZ URIOS

Universidad de Murcia

RESUMEN

La variedad y complejidad de las situaciones conflictivas generadas como consecuencia de las nuevas formas familiares ha ocasionado la utilización de la mediación, como una estrategia privilegiada de la intervención en dicho ámbito. En este trabajo se ha realizado el análisis de la variedad de situaciones problema que se pueden encontrar en las nuevas formas familiares, destacando los conflictos susceptibles de utilizar la mediación, tales como en los procesos de ruptura de la pareja, la familia monoparental, homoparental y reconstituida, o bien las familias biculturales y multiculturales.

PALABRAS CLAVE: Nuevas Formas Familiares. Conflicto familiar. Mediación familiar

1. INTRODUCCIÓN

La familia en España ha sido objeto de grandes transformaciones y cambios en el curso de sólo tres décadas; uno de los cambios más significativo se refiere a la morfología y estructura de las "familias", de esta forma se puede destacar que de la familia nuclear predominante en apenas tres décadas hemos pasado a la pluralidad de formas que encontramos en su seno: la familia monoparental, las familias reconstituidas y compuestas, las familias homoparentales, las parejas de hecho o la cohabitación. Un 20% de los menores no vive en España en un hogar tradicional.

Al tiempo que se han diversificado las formas familiares, se han hecho más difíciles y complejas sus dinámicas de funcionamiento, las tareas que deben realizar sus miembros. El proceso de cambio rápido de valores y de organización del grupo familiar afecta a todas las familias, sin distinción de contexto o clase social. Todas las familias necesitan en algún momento del ciclo vital ayuda, asesoramiento, apoyo profesional. (Ripol Millet, 2011).

Por otra parte, conviene destacar la relevancia que ha adquirido la Mediación en España, en concordancia con el marco normativo europeo que ha venido señalando un conjunto de responsabilidades que han de cumplir los Estados Miembros, la regulación legal en nuestro país, aunque con cierto retraso al conjunto de los países europeos, ha ratificado la Ley 5/2012 de 6 de Julio de mediación en asuntos civiles y mercantiles y el RD 980/2013 de 27 de Diciembre de 2013, referido a la formación que debe tener el mediador; así mismo se señala su proyección científica y académica, es objeto de estudio de congresos y jornadas científicas, artículos y publicaciones, cursos de formación, master y doctorado.

2. ÁMBITOS DE ACTUACIÓN DE LA MEDIACIÓN FAMILIAR: CONFLICTOS FAMILIARES SUSCEPTIBLES DE "MEDIACIÓN"

La variedad y complejidad de situaciones problemáticas y conflictivas generadas en el ámbito de la familia ha ocasionado la utilización de la mediación como una estrategia privilegiada de intervención en dicho ámbito. Cuando utilizamos el término "mediación" lo hacemos tanto en sentido amplio como acción profesional específica, es decir como "proceso"; así cómo técnica integrada en la intervención social para la resolución de conflictos interpersonales.

Se ha realizado el análisis de las situaciones problema que se pueden encontrar en las nuevas familiares, así mismo se destacan aquellos conflictos que son susceptibles de aplicar la mediación: en el proceso de ruptura de la pareja, sobre todo se destaca en las situaciones de la custodia compartida, familia monoparental, homoparental, reconstituida; o bien las familias biculturales o trasnacionales.

Otro aspecto importante lo constituyen las familias que integran diferentes colectivos generadores de situaciones-problemas, donde es muy conveniente la utilización de la mediación en las siguientes situaciones familiares: con personas mayores dependientes, procesos de acogimiento, hijos adolescentes, origen inmigrante o minorías étnicas y culturales, miembros discapacitados y enfermos crónicos.

Así mismo se incluyen otras situaciones familiares donde es posible la aplicación de la mediación, como son las relaciones familiares asimétricas, tales como: los conflictos en las relaciones de violencia, la drogodependencia, la enfermedad mental.

2.1. Conflictos familiares como consecuencia de la ruptura de la pareja

En el año 1974 en Estados Unidos se inician los primeros trabajos sobre mediación, intentando poner solución a las secuelas producidas por el divorcio, el cual se había convertido en regla y no la excepción frente a los conflictos matrimoniales (Gorvein, 1995:75).

En el año 2017 el número total en España de nulidades, separaciones y divorcios ascendió a 102.341 casos, lo que representa una tasa de 2,2 por cada 1000 habitantes. Por el tipo de proceso los divorcios representaron 95,7% del total, las separaciones 4,3% y las nulidades 0,1% (INE, 2018).

Del total de los divorcios en este mismo año el 77,6% fue de mutuo acuerdo y el 22,4 % de contenciosas.

En el caso de la custodia de los menores fue otorgada a la madre en el 65,0% (cifra inferior a la del año anterior 66,2%% de los casos), el 4,4 % la obtuvo el padre (frente al 5,0 % del año anterior); en el 30,2% fue compartida (28,3% del año anterior) y en el 0,4% se otorgó a las instituciones o familiares (INE, 2018).

Estos datos se relacionan con la aprobación de la Ley 15/2005 de 8 de Julio por la que se modifica el Código Civil y la Ley de Enjuiciamiento Civil en materia de Separación y Divorcio. El objetivo principal de la reforma de la ley del divorcio es básicamente la agilización de los procesos de ruptura al suprimir la exigencia de separación previa, la eliminación del requisito de demostrar que se ha producido una violación reiterada o grave por parte de uno de los cónyuges (requisito de culpabilidad), así como reforzar la libertad de decisión de los padres respecto del ejercicio de la patria potestad.

Un tema que puede tratar la mediación en estas situaciones se refiere a la custodia compartida o la "coparentalidad", la ley 15/2005 de Julio que modifica el Código Civil en materia de separación y divorcio resalta en la exposición de motivos la importancia de la custodia compartida, de acuerdo con dos principios: el ejercicio de la corresponsabilidad en el ejercicio de la patria potestad de los padres y en el de la mejor realización del beneficio e interés del menor. Las estadísticas en España nos demuestran que es un fenómeno en aumento en el año 2017 la custodia compartida supuso el 30,2% frente al 28,3% del año anterior (INE, 2008)

El principio de que los hijos puedan tener dos casas iguales y dividir su tiempo entre ambos progenitores es un tema controvertido La mayor parte de los países avanzados consideran que la custodia compartida debería ser la elección prioritaria por parte de los jueces, y han legislado en este sentido.

Existe una serie de ventajas para los hijos de una custodia compartida (Romero Navarro, 2009):

- Convivencia igualitaria con cada uno de los padres, superación de la figura del "padre periférico"

- Mayor y más continuada comunicación, parecida dinámica de elaciones entre los padres y un mejor conocimiento y seguimiento de las etapas evolutivas de los hijos.

- Disminución o desaparición del problema del "conflicto de lealtades".

- Trasmisión a los hijos de un buen modelo de roles parentales, los niños aprenden a: ser solidarios, a compartir, resolver problemas mediante diálogo, la flexibilidad, el consenso, el acurdo, etc.

Entre las desventajas para los hijos se puede destacar (Romero Navarro, 2009, la adaptación a dos casas, donde cada una de ellas tiene sus hábitos, reglas y sus horarios.

Los mediadores pueden facilitar que los padres tomen en consideración la viabilidad de sus propuestas y sus potenciales beneficios y las dificultades para sus hijos. Los jueces podrían exigir un plan de atención a los hijos (Ripol- Millet, 2011). Se puede utilizar las sesiones de mediación en la elaboración del "plan parental", que contemple los acuerdos más adecuados a las necesidades de cada familia. (Romero Navarro, 2009).

El plan parental debe contemplar (Parkinson, 2005.):

- La casa. compartida, o dos, distancia del Centro.

- El cuidado de la salud: revisiones médicas y dentales, y la atención en caso de enfermedad.
- Educación: elección del colegio, materias, deberes, reuniones con los profesores, eventos escolares, educación religiosa.
- Periodos de vacaciones; celebraciones y cumpleaños: regalos y fiestas.
- Deporte y actividades de ocio, excursiones.
- Comunicación: cómo trasmitirse la información sobre los niños; revisión y cambio sobre los acuerdos adoptados.
- Relaciones que los hijos deben mantener con la familia extensa,
- Relaciones con la nueva pareja.
- Criterios educativos: reglas y límites, respetando los impuestos por otro progenitor; acuerdos sobre la responsabilidad de otras personas en esta materia.
- Responsabilidad sobre el desarrollo de los niños: educación sexual, sobre drogas.
- Emergencias: Cómo avisar al otro.

2.2. Conflictos en las familias monoparentales

Una de las características más destacables de la familia monoparental es la heterogeneidad de situaciones que alberga en su seno. Los problemas relativos a las madres solteras y las relaciones de éstas con las familias de origen difieren de las conflictos en torno a la ruptura del vínculo matrimonial que se plantea a las mujeres separadas o divorciadas, los cuales distan bastante de lo que supone la viudedad, así como de otras situaciones familiares en las que, generalmente el padre, se encuentra ausente de forma continua en el tiempo o en períodos intermitentes, por enjuiciamientos, escancias en prisión, tratamientos de desintoxicación, u otras enfermedades; asimismo son, también, muchas las situaciones en las que la figura paterna suele estar ausente tanto física como psicológicamente, fundamentado en la creencia ancestral que la educación y cuidado de los hijos no es cosa de hombres. (Sánchez Urios, 2001).

En cualquier caso lo que nos interesa destacar es que la educación y el cuidado de los hijos en una sola persona, generalmente la mujer como destacan las estadísticas, la convierte en más vulnerable a nivel emocional, laboral y económicamente- Son frecuentes la aparición de enfermedades psicosociales y un incremento de los servicios de salud en el miembro adulto que permanece sólo, al tener que asumir nuevos y variados papeles, lo que puede suponer una sobrecarga de roles, lo que origina un estrés añadido, que no se encuentra en las familias biparentales. Ello es debido, a que tanto la estructura familiar está organizada sobre la base de una pareja como también la organización social se construye sobre la biparentalidad en el reparto de tareas y funciones. Con esto no se está aludiendo a la diferenciación de los roles sexuales: hombre-esfera pública, mujer-esfera-privada. En la actualidad los roles familiares, madre-padre, se fundamentan: por una parte, en la simetría, la igualdad; y por otra, en la complementariedad de manera que los dos asumen, o al menos deberían hacerlo, de forma complementaria los roles instrumentales, afectivos y educativos.

La sobrecarga en el cuidado de los hijos y unas relaciones dificultosas con exparejas son frecuentemente causa importante de conflictos, que conducen a situaciones de: estrés, ansiedad, depresión, etc. Estas dificultades emocionales interactúan con otras áreas problemáticas (Gorrell Barnes, 1992). Esto plantea la posibilidad de análisis del origen de las causas de la monoparentalidad, centrando la atención en las circunstancias de la viudedad, o de la maternidad no compartida, o bien de la separación o divorcio; en estos casos, es necesario ayudar a la madre/padre, que permanece a cargo del hogar, de los sentimientos de culpabilidad que puede tener en los casos de la ruptura de la pareja, así mismo en estas situaciones deberían tratarse las relaciones de la expareja y el desempeño de las funciones parentales, así como las relaciones del progenitor no custodio y los hijos (Gorrell, 1992).

Otra área de situaciones conflictivas frecuentes con las familias monoparentales se refiere a las relaciones entre el progenitor a cargo del hogar y sus hijos. Una situación frecuente se caracteriza por la permeabilidad de los límites entre el subsistema parental y filial que pueden ser, en ocasiones, muy permeables, encontrándose sobreimplicados ambos subsistemas. Este hecho constituye un obstáculo muy frecuente, ya que las madres se hacen muy dependientes de sus hijos porque son, con frecuencia, son los únicos compañeros con los que cuentan, asumiendo éstos papeles impropios para su edad, sobre todo el hijo mayor que asume roles de padre de sus hermanos, lo que se denomina "hijo parentalizado". (Gorrell Barnes, 1992).

Otro tipo de conflictos de la interacción madre- hijo, que puede ser objeto de mediación en las familias monoparentales es la falta de control y autoridad de ésta sobre el hijo. Las luchas por el poder pueden ocurrir, es el caso del hijo con frecuencia adolescente se ha hecho con todo el poder, lo que se denomina inversión jerárquica (Tolson, Reid et Garvin, 1994). Un marco contextual muy común en estas familias implica la fabricación de unas reglas. Desde la perspectiva de mediación familiar es importante un proceso de renegociación de reglas en el grupo familiar.

2.3. Conflictos generados en las familias compuestas

Las familias reconstituidas o compuestas son las formadas a partir de al menos un núcleo familiar anterior, en las que existe sólo un núcleo anterior se denominan familias simples y en las que existe unión de dos núcleos anteriores se denominan compuestas dobles (Ruiz Becerril, 2004). Existe un amplio abanico de combinaciones para la formación de dichas familias: personas solteras con divorciadas y/o viudas, o entre divorciadas, o entre viudas, o viudas con divorciadas.

Una cuestión importante en relación con las familias compuestas lo constituye lo que se refiere al parentesco y las redes sociales, pues una amplia red social herencia del pasado y creada por la nueva situación puede ser tanto una ventaja como un inconveniente. Un aspecto positivo hace referencia la posibilidad de recursos que aporten ayuda y soporte tanto psicológico, económico o social, lo que garantiza las bases de seguridad de la nueva familia. Por el contrario, la existencia de parentescos cruzados y la existencia de personas más o menos alejadas del núcleo principal puede originar inestabilidad en la familia, y un impedimento para cohesionar el núcleo y mantenerlo independiente en sus procesos internos (Ruiz Becerril, 2004t.).

Como consecuencia de su estructura compleja este tipo de familia, existen, dos áreas específicas de conflictos: los conflictos emocionales y los relacionales. Los conflictos emocionales que pueden darse en las familias compuestas son (Boyd, 2000):

- Los conflictos no resueltos con las parejas anteriores.
- Los celos y la rabia que el excónyuge siente hacia el/la nuevo "padre/madre".
- El sentimiento de culpa que experimentan el padre no custodio hacia los niños, que sienten que han abandonado.
- La rivalidad entre los "nuevos padres" y los hijos para captar la atención de la nueva pareja o del padre o de la madre.
- El duelo inadecuado tras la muerte de la pareja o de uno de los padres.
- La rivalidad que puede surgir entre los hermanos.

Otra área de conflictos se relaciona con el ejercicio de la "parentalidad" en estas familias, debido a la no diferenciación existente en nuestra sociedad entre "parentesco", el status de padres (padre y madre) reconocido por el Código Civil, y la parentalidad el ejercicio de las tareas relacionadas con la crianza, cuidados y la educación que se corresponden al status de padres, pero que pueden ser compartirlos con otros sin dejar por ello de perder su status de padre. En el ejercicio de la parentalidad se han detectado varias situaciones (Rivas, 2012):

- Las estrategias de sustitución en las que el progenitor no custodio renuncia en la práctica a ejercer las funciones parentales que son asumidas por el "nuevo-padre" y la "nueva. -madre" conviviente.
- Las estrategias de evitación en aquellos casos en los que el padre y la madre biológicos desempeñan las funciones parentales, evitando que lo haga el "nuevo padre" y la "nueva madre", a pesar de que debe asumir alguna función por el hecho de la convivencia cotidiana con los "nuevos hijos".
- Las estrategias de duplicación en aquellos casos en los que el padre y la madre biológicos, el "nuevo padre" y la "nueva madre" se da una duplicación de las funciones familiares de forma descoordinada y, a veces, contrapuesta por la incomunicación entre los padres, lo que puede dar lugar a contradicciones en los estilos educativos de unos y otros.

Con la excepción de las familias que adoptan la estrategia de sustitución, en los otras dos casos pueden generarse conflictos en el ejercicio de la parentalidad, la consecuente reasignación de los roles familiares que se deriva de la reconstitución familiar implica la asunción de responsabilidades parentales por parte de las nuevas parejas de los progenitores, lo que implica el ejercicio de la "pluriparentalidad", el reparto de los papeles de manera colaborativa y de mutuo acuerdo entre diferentes personas, sin por ello deshacer o disminuir el status de padres (Rivas, 2012.

2.4. Conflictos en las familias homoparentales

Las familias homoparentales son aquellas formadas por progenitores de orientación sexual homosexual. No se trata de un fenómeno nuevo en España, pero si recibe una aceleración, a partir del reconocimiento legal entre personas del mismo sexo, como fue la aprobación de la ley 13/2005, de 30 de Julio, por el que se modificó el art. 44 del Código Civil, que permite el matrimonio entre personas del mismo sexo y como consecuencia, otros derechos como la adopción. Las parejas del mismo sexo se han multiplicado por cinco en los dos últimos 10 años y se sitúan en 54.920, siendo las del mismo sexo masculino más del doble (37.853) que las formadas por mujeres. (INE, 2018.).

Son pocas las investigaciones en nuestro país sobre las relaciones sobre las familias homoparentales en el ámbito de las Ciencias Sociales; no obstante, podemos encontrar el realizado por González y Sánchez (2003) que destaca no existen diferencias significativas en el ejercicio de la parentalidad entre padres y madres homosexuales y heterosexuales, y que el desarrollo psicológico de los niños y niñas es totalmente equiparable al de los criados en una familia heteroparental. Destaca además que existen diferencias positivas, en relación a la flexibilidad, tolerancia en los hijos de familias homoparentales.

Otros estudios como los de Ceballos (2009, 2012-a) se preocupan por conocer las modalidades de educación que ponen en práctica las familias homoparentales y los posibles desajustes con las acciones emprendidas en los centros escolares, la familia homoparental sigue siendo invisible en el sistema educativo español. El sistema educativo aún no ha asumido plenamente que no todos los padres y madres del alumnado son heterosexuales. Pese a las transformaciones que ha vivido esta institución, la familia nuclear heterosexual se sigue presentando como el único modelo en las aulas, ya sea en los libros de texto, en el material didáctico, en los discursos del profesorado o en las actividades que se plantean. (Picardo, 2011).

Otra investigación interesante es la que destaca el reparto de las responsabilidades domésticas en las familias homoparentales. La concepción de que las ocupaciones domésticas corresponden y son trabajo de todos, deriva en importantes implicaciones a nivel social y educativo sobre la forma de comprender el trabajo doméstico. Por una parte, entraña respetar el principio de corresponsabilidad familiar para con sus respectivas parejas e hijos e hijas, alentando la participación de los menores en la realización de las tareas domésticas con total independencia de su consideración tradicional como masculinas o femeninas. Por otra parte, supone interpretar el trabajo doméstico en términos de colaboración compartida pero no de ayuda, pues es un quehacer que incumbe al grupo familiar (Ceballos, 2012-b). Lo que supondría un aspecto positivo en comparación con las familias heterosexuales, en los que persisten desigualdades importantes en el reparto de las tareas del hogar y el cuidado de los hijos entre hombres y mujeres (Iglesias de Ussel y Mari-Klose, 2011).

La familia homoparental presenta dificultades añadidas en el ejercicio de la parentalidad, el posible rechazo y las hostilidades de los menores en el ámbito educativo, el hecho de que los niños sientan que forman parte de una familia minoritaria, el hecho de que los menores se perciban diferentes al resto de los compañeros, las actitudes homofóbicas, las presiones sociales (Ceballos, 2012-a).

Un área de conflictos de las familias homoparentales se refiere a las relaciones con las familias de origen, los espacios rituales como las celebraciones familiares se convierten en lugares de confrontación y negociación del status familiar de las relaciones formadas por gays, lesbianas. Navidades, comuniones, bodas, bautizos, entierros y hospitalizaciones, se convierten en espacios de crisis y tensión, pues en estos momentos se escenifica quién es familia y quien no (Pichardo, 2009). Observamos como el modelo familiar tradicional está presente en la construcción de las prácticas sociales que conforman el fenómeno de la familia homoparental.

2.5. Conflictos en las familias biculturales o multiculturales

Están formadas por aquellos matrimonios o parejas mixtas, en las cuales el origen étnico o la primera nacionalidad de uno de sus miembros no es española. En este caso, los dos miembros procedentes de distintas culturas o de origen cultural diferenciado, a la cultura dominante o mayoritaria en el país de asentamiento; en ambos casos (multiculturales) o en uno de ellos (biculturales).

El campo de actuación de la mediación familiar en conflictos culturales se puede encontrar un marco de referencia en otras situaciones (Ripol Millet, 2001.):

- Parejas mixtas. En las parejas formadas por personas de contextos diferentes, no sólo puede haber diferencias culturales sino también puede darse regímenes legales diferentes en relación con a las herencias, repudios, etc. El mediador deberá conocer dichos temas y trabajar con las familias mixtas reduciendo los conflictos que surgen en su seno.

- Familias inmigrantes con hijos adolescentes. Estas familias suelen tener dificultades en los procesos de socialización y culturización de los hijos, la segunda generación o la generación de 1,5, los cuales suelen vivir entre dos ámbitos: el familiar y el escolar o el barrio. Surgen conflictos tales como la lengua a hablar en casa, las pautas alimenticias y de vestido, la salud, la práctica religiosa, la asistencia a la escuela, etc.

- Familias de minorías étnicas autóctonas -familias gitanas-. Con estas familias el mediador debe tratar sobre temas tales como: ejercer la disciplina doméstica, el papel de las instituciones sociales, la ruptura familiar, el rol de las mujeres, y de los adolescentes.

EXPERIENCIAS EN MEDIACIÓN INTRAJUDICIAL EN TEMAS DE FAMILIA Y BUSQUEDAS DE DIFERENCIAS CON LA MEDIACIÓN EXTRAJUDICIAL. TÉCNICAS MÁS DESTACADAS EMPLEADAS

DELIA FERNANDEZ-DELGADO REVERTE
GUSTAVO TERRER MOTA
UMIM/ IMICAMUR/ SPATIUM SOLUCIONA

RESUMEN

El trabajo recoge la experiencia de los autores en a Unidad de Mediación Intrajudicial de la Región de Murcia. Partiendo de la tipología de conflictos tratados en el plazo de dos años, se establecen diferencias entre la mediación intra y extrajudicial, en donde la modificación de medidas judiciales sobresalen en el ámbito de la mediación intrajudicial y el divorcio y ruptura de pareja de hecho en el ámbito extrajudicial. Otros elementos diferenciadores hacen referencia al número de participantes, la flexibilidad del proceso o la efectividad psicológica de los acuerdos de mediación. Un ejemplo ilustrará las aportaciones realizadas

Palabras clave: Unidad de Mediación Intrajudicial, Mediación Intrajudicial. Mediación Extrajudicial

1. TIPOS DE CONFLICTO

1.1. *Diferencia de tipologías de asuntos que acuden a mediación tanto intrajudicial como extrajudicial*

Para tener una visión realista tras nuestra experiencia en la Unidad de Mediación Intrajudicial de Murcia, vamos a tomar como ejemplo dos cuadros de los procedimientos que hemos mediado. Tomamos como ejemplo, un cuadro con todas las derivaciones de 2016 y otro de solo del último trimestre del 2018.

Tipologías de los procedimientos remitidos año 2016

TIPOLOGIA	PORCENTAJE
Separación	0,53
Divorcio	21,43
Ruptura pareja de hecho	2,65
Modificación de medidas	67,99
Ejecución de sentencia	2,12
Liquidación Sociedad Gananciales	4,23
Jurisdicción Voluntaria	0,53
Otros	0,53

Tipologías de los procedimientos remitidos año 2018

TIPOLOGIA	PORCENTAJE
Separación	0,33
Divorcio	11,40
Ruptura pareja de hecho	1,95
Modificación de medidas	67,75
Ejecución de sentencia	0,98
Liquidación Sociedad Gananciales	6,51
Jurisdicción Voluntaria	5,21
Otros	5,86

Tipologías de los procedimientos extrajudiciales (en 5 años)

TIPOLOGIA	PORCENTAJE
Separación	
Divorcio	37,50
Ruptura pareja de hecho	37,50
Modificación de medidas	
Liquidación Sociedad Gananciales	12,50
Relación abuelos/nietos	12,50

2. ANÁLISIS DE MOTIVOS

Tras ver las diferencia de procedimientos por los cuales se acude a mediación intrajudicial y extrajudicial, nos gustaría hacer un análisis de cuales creemos que son los motivos, de que se elija una manera u otra para llegar un acuerdo, sobre asuntos extremadamente personales, como son los conflictos familiares.

2.1. *Tipología de asuntos que acuden intrajudiciales:*

Como observamos el mayor numero de asuntos que acuden por este medio son:

- Modificación de medidas. La mayoría de las parejas vienen de anteriores procedimientos, como divorcio o unas mediadas provisionales, muchas de ellas tienen otros procedimientos abiertos, normalmente demandas por incumplimientos de visitas o por por impago de pensiones.

La mayoría solicitan:

- Extinción de pensión de alimentos
- Mayor tiempo de estancia con los hijos
- Solicitud de suspensión de pensión compensatoria.

- Divorcio. En la mayoría de los casos las personas que acuden por este medio, normalmente no han hablado antes de encontrarse en la mediación. Casi todos estos asuntos vienen acompañados de otro procedimiento como *liquidación de gananciales*, aunque normalmente a mediación solamente llega uno de los asuntos. Pero en la Unidad de Mediación Intrajudicial podemos solicitar la unión de los dos y por tanto en una misma mediación tratar de conseguir un acuerdo de ambos temas.
- Separación parejas de hecho. El tiempo de convivencia normalmente ha sido menor, por lo que el vinculo entre ellos y su entorno también lo es, las familias no ocupan un lugar tan importante o mejor dicho influyente que en otro tipo de separaciones de más tiempo de convivencia, donde éstas en muchos casos son partes no presentes en la mediación pero a las que hay que

tener en cuenta, pues su opinión será importante a la hora de tomar decisiones.

Podemos destacar que, en la actualidad, nos encontramos con parejas de mismo sexo, no habiendo hijos. Los conflictos no están tan enquistados, aunque aparecen otros factores que con matrimonios de igual sexo no aparecen (quizás mayor sensibilidad por ambas partes, no predomina el tema económico, relaciones más pasionales). Como hemos dicho la mayoría no tienen hijos pero sí, en algunos, casos animales de compañía, los cuales también se tienen que incluir en la mediación tratando los tiempos de estancia y pago de necesidades, veterinario, comida etc.

2.2. Tipología de asuntos que acuden extrajudiciales:

Aunque la cantidad de casos es mucho menor los que acuden a mediación extrajudicial, ya que la mediación por desgracia es todavía una gran desconocida en España, podemos decir que cada vez son más las parejas que solicitan nuestros servicios.

Los casos más comunes son:

– Divorcios y separaciones: La mayoría de las veces con hijos, por lo cual en esa misma mediación pretenden recoger, tanto los tiempos de estancia de los hijos, uso de la vivienda familiar, así como, van a contribuir en la alimentación de ellos. Estas parejas llegan recién tomada la decisión de su separación, por lo que no ha dado tiempo a que los conflictos se enquisten. Podemos destacar que son personas normalmente con un nivel cultural medio alto, que creen firmemente que son ellos los que tienen que dar solución a sus problemas y que no debe ser un tercero el que ponga orden en su nueva forma de vivir. Normalmente vienen estando ambas partes de acuerdo a comenzar con el proceso por lo que el nivel de compromiso también es mayor. Por el contrario tienen muy claro cada uno lo que quiere.

3. METODOLOGÍA PARA LA DERIVACIÓN DE LOS ASUNTOS TANTO JUDICIALES COMO EXTRAJUDICIALES

3.1. Derivación intrajudicial

Las parejas que acuden a mediación intrajudicial, han sido derivadas a una sesión informativa, bien por la secretaria judicial, o ya directamente por el juez, en menor medida, pero cada vez en aumento, por los propios abogados o al menos uno de ellos. Como la sesión informativa es voluntaria y por tanto el empezar una mediación también, podemos apreciar, que la mayoría de los que comienzan la mediación han sido los que han asistido a la sesión informativa acompañados por sus abogados.

También podemos destacar que muchos de los casos que han comenzado la mediación los abogados son de oficio, siendo estos los más partidarios en utilizar este sistema de resolución de conflicto (porque llevan solamente uno de los pleitos, por ejemplo el divorcio, y luego es otro el que lleva los siguientes, por ejemplo, modificación de medidas). También destacamos que cada vez es mayor el número de abogados que creen en la mediación y colaboran con nosotros, tanto en la preparación de sus clientes, como en su asesoramiento durante todo el proceso.

La edad de los usuarios, mayoritariamente, es de personas mayores de los 35 años, ya que han pasado por distintos procedimientos anteriores.

Para que los usuarios decidan empezar una mediación es muy importante que se trate con exquisitez la sesión informativa, donde se les va a explicar los beneficios de la mediación y la posibilidad de utilizarla sin paralizar el procedimiento, teniendo en cuenta los tiempos de espera hasta la fecha de señalamiento de vista a juicio.

3.2. Derivación extrajudicial

Normalmente ellos conocen la mediación, o alguien muy cercano, y acuden por su propia iniciativa o son sus abogados los que les han hablado de este procedimiento, asesorándoles que comiencen por este procedimiento, dejándole las puertas abiertas a una posterior demanda si no llegaran a un acuerdo.

Se contacta que las personas que acuden a mediación familiar extrajudicial, son matrimonios muy jóvenes con un hijo, o como mucho dos, asesorados por abogados jóvenes. La Sesión Informativa, si bien también es importante, no tiene un peso tan fuerte como en la Intrajudicial.

4. GRANDES DIFERENCIAS ENTRE MEDIACIONES INTRAJUDICIALES Y EXTRAJUDICIALES

Aunque alguna de estas diferencias ya las hemos nombrado vamos a volver a ellas para dejar muy claro cuáles son las más significativas:

4.1. Intrajudicial

- Siempre tienen el asesoramiento de su abogados, hemos podido detectar que las que ya han tenido otros procedimientos anteriores, también han cambiado de abogado con asiduidad y en la mayoría de los casos aprovechando la gratuidad por ser abogados de Oficio.

- La comunicación está rota, o se distorsiona en el camino.

- Acostumbrados a la judicialización, por lo que no se encuentran en un lugar hostil, aunque como todo el mundo sabe, la mediación intrajudicial, aunque se hace en el juzgado, se hace en unas salas preparadas para ello, donde uno entra en un lugar, con música, habitaciones con plantas, sillones, mesas pequeñas con caramelos, etc. Y donde el lenguaje les hace salir de ese mundo judicial, donde no se habla de custodias, sino de tiempos de estancia de" Javier" con Papa y con Mama, no se habla de pensiones de alimentos sino, de las necesidades de "Javier" y de cómo se va a contribuir a que estas se satisfagan.

- Necesidad de tratamientos por especialistas distintos a los mediadores (psicólogos…). Nos encontramos en mediación intrajudicial que el mediador debe mucho medir, hasta donde llegar, pues las mediaciones, a veces, tocan la línea de la terapia, por lo que el mediador, debe muy bien discernir, hasta donde llega su trabajo, y cuando debe asesorar, el acudir a otro especialista, Por ser casos tan enquistados, los usuarios que acuden a mediación intrajudicial, tienen una serie de necesidades que en la mayoría de los casos, tendría que ser solucionadas por especialistas, como psicólogos, psiquiatras, coordinadores parentales, al igual que sus hijos.

- Utilización del estudio psicosocial en beneficio propio de una de las partes. Aunque en apariencia tienen miedo a pasar por este tipo de estudio, donde se van a tener que enfrentar sus hijos a un psicólogo, metiéndolos de lleno en el conflicto, también creen que este les va a ser favorable, por lo que lo tienen como un factor a su favor, y lo utilizan en muchos casos como una amenaza hacia el que más protege a los niños, pues le hace culpable de que tengan que pasar por este trance.

4.2. *Extrajudicial*

- Vienen sin abogado. Aunque en la mayoría de los casos hay uno detrás que es el que los ha derivado y que posteriormente les redactara el acuerdo. Pero los usuarios no quieren que participen en sus decisiones.
- Saben lo que quieren y quieren ser dueños de sus decisiones Se consideran capacitados para llegar a acuerdos.
- Comunicación adecuada, Son capaces de escucharse, también a veces se distorsiona pero por lo general es más respetuosa y no viene tan deteriorada.
- Buena voluntad.

5. ACTUACIÓN DEL MEDIADOR

El primer punto que ha de tenerse en cuenta en una Mediación es el número de partes al que nos enfrentamos. En una Mediación familiar *"tipo"*, la mayor parte de las veces se trata de una pareja, por tanto dos partes.

Aquí ya podemos encontrar una primera diferencia de importancia entre la Mediación Intrajudicial y la Extrajudicial: el número de intervinientes en dicha Mediación.

Cuando nos referimos al número de intervinientes no estamos pensando, aunque también es un factor a tener muy en cuenta, a los "*terceros*" que no participan directa o activamente en la Mediación, pero que sí están, de alguna manera, presentes en la misma (familia, amigos, nuevas parejas... de los mediados), sino que, ahora, nos estamos refiriendo a los abogados y el roll que los mismos tienen, de vital importancia, en toda Mediación pero muy especialmente en las familiares y, de manera muy concreta y específica en las Intrajudiciales.

Hay que tener muy en cuenta que los abogados en la Intrajudicial acompañan a los mediados, habitualmente en la PSI, pero también a la firma del Acuerdo, antes de la misma cuando lo revisan, etc., en definitiva, dentro de las muchas mediaciones que hay dentro de una Mediación familiar, una de ellas suele, con mucha frecuencia, ser la que se hace con los propios abogados.

Aquí podemos poner ejemplos de todo tipo: desde el abogado muy participativo que le gusta ser protagonista, hasta el que está muy encima del procedimiento y tiene una participación muy activa en el mismo, lo cual en ocasiones es muy de agradecer, pero en otras puede entorpecer su desarrollo.

La labor de los abogados debe limitarse a asesorar y acompañar durante todo el proceso de mediación, pero sin intervenir de forma directa en él salvo casos que sea necesario y previa solicitud por el mediador.

Este rol tan marcado de la intervención y la interacción de los abogados de los mediados con los mediadores no es tan acentuada en la Mediación extrajudicial, donde en muchas ocasiones incluso las partes acuden a la Mediación incluso antes de haber consultado con un profesional del derecho.

Por tanto el abogado en la Mediación Intrajudicial puede ser un factor que a veces es positivo y otras puede ser negativo en el desarrollo de la misma. Es muy importante la relación de los mediadores con los abogados y la comunicación con ellos, lo cual puede hacer invertir tiempo fuera de la mediación estricta (ejemplo: llamadas de teléfono, reuniones...), cosa no tan habitual en la Mediación extrajudicial.

6. FLEXIBILIDAD VS RIGIDEZ

En una Mediación Extrajudicial, por norma general, el mediador puede tomarse una serie de licencias, no ser tan rígido, o dicho de otro modo, no estar tan sujeto al procedimiento como en una Mediación Intrajudicial. No estamos diciendo, evidentemente, que no haya que seguir en ambas todas las fases de la Mediación, una por una y dedicándoles el tiempo necesario, pero sí es cierto que la Intrajudicial, al estar enmarcada en un procedimiento que se dirime en un Juzgado, hay una mayor observancia de formalismos, peticiones de las partes y exigencias del propio procedimiento que limitan, en cierta manera, la actuación del mediador.

No obstante, nosotros abogamos por, en la medida de lo posible, actuar dejando los formalismos a un lado y siendo creativos, pero ciertamente hay muchas más licencias que podemos tomar al actuar fuera del Juzgado.

7. INCIDENCIA DE LA "EDUCACIÓN AFECTIVA, EMOCIONAL"

En nuestra experiencia, existe en las partes que vienen a una Mediación fuera del Juzgado una serie de elementos educacionales, pero más relacionados con la educación en gestión y expresión de emociones, que precisamente juegan a favor de que esos usuarios se decanten por resolver su conflicto a través de una Mediación y no acudiendo al Juzgado.

Este extremo es menos frecuente, por razones obvias, en la Intrajudicial, donde, desde luego como Mediadores, agradecemos cuando encontramos a mediados con esa sensibilidad.

Este punto es de vital importancia pues nos hace emplear en la Intrajudicial, sobre todo en las fases iniciales de la Mediación, gran cantidad de tiempo y recursos para que de alguna manera las partes tomen algo de "conciencia" sobre estos extremos, cosa que en la Extrajudicial la gestión es más rápida y sencilla porque las partes vienen, en cierta forma, entrenados de casa.

Una de las herramientas que en este sentido más utilizamos, repetimos en la Intrajudicial, sobre todo en las fases iniciales, es el

EMPODERAMIENTO de las partes, para precisamente conseguir ese equilibrio imprescindible para poder avanzar hacia el acuerdo.

Igualmente se trabaja en la comunicación: restablecer o mejorar, pero sobre todo mucho más se trabaja este aspecto en la Intrajudicial que en la Extra.

8. LA MEDIACIÓN COMO UN PROCESO SIEMPRE BENEFICIOSO (O NO)

En este punto queremos destacar que termine como termine la Mediación (con acuerdo o sin él), es un proceso siempre beneficioso. Esta afirmación, sin embargo, es mucho más rotunda en Mediación Extrajudicial que en la Intrajudicial.

En la primera, las partes encuentran siempre algo positivo y de valor por el mero hecho de acudir a Mediación. En muchas ocasiones esto viene marcado por una mejora de las relaciones previas y conservar y/o preservar una buena comunicación.

En caso de no llegar a un acuerdo, los mediados ven la Mediación como algo que no empeora la situación, al contrario la mejora y muchas veces deja la puerta abierta a un acuerdo posterior (a veces en temas de familia, a un Convenio de mutuo acuerdo).

En la Medicación Intrajudicial en cambio, es habitual que haya una agenda oculta (intentar remover la situación, obtener información, reprochar comportamientos al contrario…) que hace que acepten iniciar la Mediación pero sin tener ninguna intención de llegar a un acuerdo, solo con el fin de buscar supuestos beneficios ocultos para esa parte.

Es labor del mediador que actúa en este tipo de intervenciones detectarlo a la mayor celeridad para no hacer perder tiempo a los mediados (y a la propia Unidad), y derivarlos directamente a juicio.

En este tipo de asuntos la Mediación no sirve a las partes más que para emporar la situación reprocharse cosas del pasado, empeorar la situación en cuanto sentimientos y emociones…

9. TIPO DE PREGUNTAS QUE SE UTILIZAN

En la Mediación Extrajudicial usamos preguntas más concretas desde el inicio, puesto que vienen más concienciados de lo que quieren resolver; los mediados son más claros y directos. De alguna manera podemos ir de forma más inmediata al fondo de la cuestión.

En Mediación Intrajudicial, por el contrario, debemos usar preguntas más abiertas en las fases iniciales, lo que nos permite explorar para buscar alternativas, y llegar a opciones que les satisfagan. Siendo ya casi al final cuando podemos concretar, pero solo cuando tenemos al alcance de la mano la posibilidad de redactar un acuerdo. En ocasiones tenemos que ser el "abogado del diablo" y hacerles preguntas que les hagan entender qué sucedería si finalmente acaban por tener que ir a juicio. Esto lo hacemos casi siempre en caucus pero también en sesiones conjuntas donde queremos una reflexión de ambos.

10. DIFERENCIA DE TIEMPOS EMPLEADOS

Es muy habitual en Mediación Intrajudicial que las partes tengan prisa por terminar, a pesar de que por lo general se dispone de bastante tiempo desde que se inicia la mediación hasta la fecha de señalamiento para trabajar con ellos. Si bien venimos detectando un número importante de casos en los que pese a que no se llega a cuerdo en Mediación, habiendo hecho un buen trabajo con ellos, el acuerdo se alcanza en la misma puerta antes de juicio, donde generalmente se acuerda lo que se había hablado previamente en la Medicación.

Cuando los mediados manifiestan esa necesidad de acabar pronto esto se debe, por un lado, a la necesidad de pasar por un proceso al que las partes no quieren asistir, pero temen que de no hacerlo pueda tener consecuencias negativas en el pleito, y, por otro lado, al cansancio de venir de procedimientos muy largo y con mucha carga negativa (demanda, contestación, etc.).

Por otra parte, encontramos casos en los que tienen la vista cerca y ven como una luz al final del túnel, a veces porque el juzgado señala con poco plazo y hay que hacer mediación demasiado corta (existe la disyuntiva de que no se empiece a mediar por no poder hacer el trabajo con el tiempo que se precisa, sin embargo no se quiere cerrar la puerta a la Mediación que puede ser la última oportunidad de llegar a una solución amistosa antes de ir necesariamente a juicio).

Por el contrario, en la Mediación Extrajudicial es muy habitual que una de las preguntas que surge siempre en la Sesión Informativa sea el tiempo (de hecho se suele incidir mucho por las partes en la rapidez de este sistema frente al Juzgado), pero a la hora de trabajar con ellos no escatiman en emplear las sesiones que sean necesarias en busca de ese acuerdo.

Este empleo y gestión del tiempo, tiene su importancia en la Intrajudicial donde precisamente se necesita mucho más tiempo, en muchas de las ocasiones, precisamente para trabajar con las partes en que se logren las condiciones idóneas entre ellas -gestión de emociones, restablecimiento de la comunicación, búsqueda de intereses comunes y compartidos, etc.-, antes de poder abordar la consecución de un acuerdo definitivo.

11. INTERESES EN JUEGO

Los intereses en liza en una Mediación frente a la otra también son diferentes. Posiblemente la causa de ello venga dada precisamente por la mala gestión realizada ante la situación por los mediados y su entorno, que da lugar a la judicialización del asunto.

Ello, como es evidente, no se da tanto en la extrajudicial, donde precisamente en la mayoría de veces vienen convencidos de mejorar o al menos no empeorar la situación desde el inicio.

En cuanto a los intereses que, en nuestra experiencia, vemos más veces en juego en la Mediación Intrajudicial, son:

– Emociones. En general suelen ser dolor, odio…

– Presencia de rencor y uso de la Mediación para ajustar cuentas pendientes.

– Obtención de información que pueda ser utilizada en juicio (evidentemente cuando ello se detecta se da por terminada la Mediación por los mediadores).

– Y el tema estrella, bien de las dos partes, bien de al menos una de ella: dinero.

En cuanto a los intereses que, en nuestra experiencia, vemos más veces en juego en la Mediación Extrajudicial, son:

- Hijos
- Mantener la relación
- Sentirse dueño de sus propias decisiones (tener en control de ellas)
- El dinero, no juega un papel tan preponderante o aparece de manera más secundaria.

12. ILUSTRACIÓN CON UN EJEMPLO

Debido a la escasez de centros de encuentro familiar y al tiempo de espera, se deriva a la Unidad de Mediación un caso excepcional para la misma.

- Motivos de la mediación: llegar a un acuerdo de visitas tuteladas de un menor con su padre, donde, tiempo y quien las va a tutelar pues lleva un año solicitándolas y no hay centro de encuentro disponible.
- Diferencias con una mediación normal: es obligatoria para ambos progenitores, con posibilidad de multa de no acudir.
- Partes: en este caso no sólo vienen ambos progenitores, los cuales lo hacen por separado, sino que también lo hacen los a abuelos paternos y el niño.

  • El padre tuvo un episodio psicótico con un intento de suicidio delante del niño.

  • La madre, mujer insegura quien acude a todas las señores acompañada de su madre.

  • Los padres del padre, un matrimonio unido, con miedo al compromiso de supervisar las visitas y de dejar sus viajes del Inserso y asumir el compromiso de estar en todas las visitas. La asistencia de los abuelos es necesaria puesto que ellos van a ser los que se comprometan a estar presentes en todas las visitas que el padre haga al niño.

- Acuerdo:

Viendo, entre todos, que el mejor sitio para que se produzcan esos encuentros, serán los fines de semana a la hora de la comida en la casa de campo de los abuelos, puesto que también van los tíos y primos. Para ello el abuelo se compromete a ser él quien lo recoja en casa de la madre y lo devuelva al mismo sitio. Se recogen horas, sitio, y quien y como se recoge.

Tras largas charlas con ambos padres, se decide que como el niño no ha visto al padre desde hace cinco años, y el último encuentro fue en un intento de suicidio. Las visitas se tendrán que hacer muy progresivamente, ya que el niño tiene cierto miedo al padre. Nos encontramos que la primera visita va a ser directamente SIN antes haber hablado padre e hijo. Por lo que con autorización de la madre y tras consultar al niño, acordamos que antes de la firma del acuerdo el niño se vea con su padre en la Unidad de Mediación.

Preparamos dicho encuentro con mucho cuidado, para que el niño en ningún momento pueda sentirse inseguro. Por lo que tenemos a cada padre en una sala y en una central entramos con él. Mantenemos una conversación relajada, preguntándole cosas del colegio. Y le preguntamos cómo quiere ver a su padre. Si sólo, o con sus abuelos, nos explica sus miedos, pero también las ganas de ver a sus primos, cree que con su padre no va a tener mucho que hablar, pero si le gustaría verlo. Decide que quiere que esa primera reunión sea solos. Por lo que hacemos pasar al padre, estamos con ellos diez minutos y es el padre el que abraza al hijo y le cuenta el año que lleva intentando conseguir verlo. Le cuenta cómo van a ser sus encuentros, y la tranquilidad de que van a ser muy progresivas y siempre en presencia de sus abuelos. Termina la mediación con un acuerdo muy detallado en el que ambas familias, y el propio niño, salen muy satisfechos.

ANÁLISIS DE LA PRÁCTICA PROFESIONAL COMO COORDINADORA PARENTAL EN COLABORACIÓN CON LOS JUZGADOS DE BARCELONA: DIVORCIOS CONFLICTIVOS, MENORES EN RIESGO

IMMACULADA ARMADANS TREMOLOSA
Directora del Master Oficial Universitario de Mediación de conflictos
Universidad de Barcelona (UB)

GLORIA TERRATS RUIZ
Coordinadora del grupo de trabajo de Coordinación Parental del COPC

RESUMEN

La figura del Coordinador parental surge en Norteamérica en los años 90, cuando profesionales principalmente del ámbito judicial y de la salud mental, alertan sobre el aumento de expedientes de separaciones y divorcios de larga duración y analizan las posibles consecuencias en menores expuestos a situaciones altamente vulnerables y el riesgo que supone para un desarrollo psicológico y emocional normalizado. La Association of Family and Conciliation Courts (AFCC) desarrolló entre 2003 y 2005 los estatutos sobre la figura del Coordinador Parental (actualizadas en julio del presente año), obteniendo un reconocimiento universal como marco de referencia para esta figura.

En nuestro país a partir de la Ley del divorcio 30/1981 se crean los Juzgados de familia que históricamente se han ido dotando de procedimientos estructurados, para actuar desde la evaluación pericial o el seguimiento de las sentencias desde los equipos psicosociales, o en la ayuda en la búsqueda de acuerdos parentales a través de la mediación familiar, o en ofrecer puntos de encuentro desde 1994, que buscan facilitar relaciones entre los progenitores cuando el conflicto las bloquea.

La Audiencia Provincial de Barcelona gracias al Magistrado Pascual Ortuño en su sentencia 301/14, abrió el camino a la intervención del Coordinador de parentalidad con el objetivo (en aquel caso), de que se reanudaran las relaciones paternas filiales concretándose las fases de las mismas hasta su normalización.

Aun así queda por resolver un porcentaje de situaciones (estimado entre 10/15%), en el que las parejas buscan resolver sus derechos e intereses familiares dentro de espacios procesales en donde queda reflejado que la ausencia de acuerdo, se debe a que no han podido superar la ruptura emocional derivada de la separación o divorcio y que canalizan a través de frustraciones por el hecho de ver rotas sus expectativas, lo que les impide ejercer una parentalidad positiva y garantizar la seguridad y el bienestar de los menores.

El objetivo de este trabajo fue analizar el nivel de conflicto inicial cuando los padres llegan a la coordinación hasta que finalizan llegando a acuerdos o no, así como el nivel de rechazo de los hijos y su posible re -vinculación.

El análisis se basó en la Teoría del Conflicto de Bill Eddy y la de Comunicación de Palo Alto, la Guideline for the Practice of Parenting Coordination (APA) y la Guideline developed by the Association of Family and Conciliation Courts (AFCC) task Force on Parenting Coordination (2005).

La metodología consistió en analizar desde la propia práctica profesional, utilizando diferentes instrumentos de intervención (entrevistas semiestructuradas, sesiones indivi- dualizadas, grupales, observaciones de campo, coordinación con otros profesionales y el coaching familiar), una muestra de siete expedientes derivados desde los Juzgados de Barcelona y provincia más uno derivado desde la Audiencia Provincial de Tarragona.

La Coordinación Parental (como propuesta alternativa a la resolución de conflictos), viene siendo un recurso cada vez más utilizado por los Juzgados de Familia en casos en que los procesos de divorcios contenciosos van de la mano de una alta conflictividad entre progenitores y donde los menores quedan desprotegidos del conflicto relacional que presentan.

Palabras clave: coordinación parental; divorcios conflictivos; menores en riesgo; juzga- dos de Familia Barcelona.

1. INTRODUCCIÓN

En España, La Ley del divorcio 30/1981[1] supuso la creación de los Juzgados de familia que junto a los equipos psicosociales (EATAF ci- vil y penal), se han venido ocupado (entre otras cosas) del seguimiento de las sentencias en procesos de divorcio.

A su vez la Mediación familiar ha sido el instrumento a través del que progenitores en litigio, han podido llegar a legalizar acuerdos en las rupturas de pareja. También los Puntos de Encuentro (desde su aparición en 1994), han colaborado en la mejora de las relaciones entre progenitores y sus hijos en circunstancias de dificultad.

A los anteriores recursos, se ha añadido recientemente la figura del Coordinador Parental (en adelante CP), que cada vez cuenta con mayor presencia en los procedimientos judiciales de familia cuando el régimen de visitas se incumple a causa de las interferencias parenta-

---

[1]   https://www.boe.es/buscar/doc.php?id=BOE-A-1981-16216

les, que impiden que los progenitores puedan ejercer su rol desde una coparentalidad positiva.

A diferencia de los países anglosajones (donde históricamente las Instituciones han venido desarrollando programas de protección a las familias en situaciones de divorcios conflictivos), la figura del CP se ha ido incorporando de manera progresiva en los Tribunales Europeos de Familia como instrumento de apoyo. España, Francia e Italia están siendo muy activos en dicha incorporación, así como Israel, Sud África y algunos países del continente asiático donde se constata una continuada expansión.

En nuestro país el CP inició su actividad en 2015 con la implementación de un programa piloto de Coordinación Parental a instancia del Departamento de Justicia de la Generalitat de Cataluña. Mas tarde, en octubre 2018, el Ministerio de Justicia instó a las Comunidades Autónomas competentes en Justicia, a poner en marcha programas piloto de coordinación de parentalidad, dirigidos a la protección de los menores inmersos en situaciones de conflicto post divorcio a consecuencia de la mala relación entre progenitores que dificulta el cumplimiento de la sentencia en un procedimiento legal.

La intervención del CP está dirigida a las familias que las estadísticas señalan como casos que quedan pendientes de resolver una vez agotados los apoyos psicosociales previstos, debido a que las parejas buscan solucionar sus derechos e intereses familiares dentro de espacios procesales en donde se evidencia que la ausencia de acuerdo, se debe a que no han podido superar la ruptura emocional derivada de la separación o divorcio que canalizan a través de la confrontación en los juzgados, lo que les impide ejercer una parentalidad positiva y garantizar la seguridad y el bienestar de los menores.

En un estudio realizado desde los Juzgados de Familia de Cataluña, se concluyó que en más del 70% de los casos analizados se incumplía el régimen de visitas (Cartié et al., 2005).

La intervención del CP tiene como objetivos principales: (Boyan y Termini 2005)

- Educar a los padres en una comunicación efectiva y en el manejo de enfado.

- Proteger a los menores del conflicto parental, del conflicto de lealtades y del estrés innecesario.
- Monitorizar conductas parentales e informar al juzgado si fuera necesario.
- Asegurar la ejecución de las órdenes judiciales y establecer acuerdos.
- Crear un plan de parentalidad específico.
- Colaborar con todos los profesionales involucrados con la familia.
- Determinar servicios adicionales de intervención (asistencia terapéutica, escuela de padres, etc.)
- Incorporar sesiones de seguimiento de 3 a 6 y 12 meses para tratar necesidades futuras.

La figura del Coordinador Parental comienza a tener presencia en USA a principios de los años 90, cuando profesionales de salud mental y abogados de familia entendieron que era conveniente poder incorporar un nuevo rol en los procesos de divorcio conflictivos, con la finalidad de poder ayudar a los progenitores en la toma de decisiones a la hora de facilitar el cumplimiento de los compromisos asumidos en el Plan de Parentalidad y recogidos en Sentencia.

Las directrices de la Asociation of Family and Conciliation Court (AFCC: 2001; 2003/2005/2006 y la última publicada recientemente en Julio 2019), han sido universalmente reconocidas y aceptados sus estándares conformando los protocolos a seguir cuando se inicia un proceso de Coordinación de Parentalidad.

En relación con el alcance de la intervención del CP, García Herrera (2018) señala que: "las funciones relativas a la ejecución de la sentencia son indelegables para el juez. Es, por lo tanto, el propio juzgado el que deberá delimitar las facultades específicas del CP ya que su actividad no es únicamente la de realizar informes sobre la supervisión del plan de parentalidad, sino que se considera dinámica en la ejecución de la propia sentencia. De ahí que se le puedan atribuir al CP facultades para mantener entrevistas con los progenitores, con los menores, con los miembros de la familia extensa, con los profesores y con los médicos psiquiatras o psicólogos que atiendan a los padres o a los hijos. Es importante que la resolución judicial (o el contrato sobre la coordinación de parentalidad que se establece entre CP y progenitores) contemple los parámetros a los que deberá ajustarse la intervención y la temporalidad en que se desarrollará la misma".

Las diferencias que se establecen entre el CP y otras intervenciones (Mediación o Terapia familiar), pueden consultarse en la web del Colegio de Psicólogos de Cataluña (COPC 2015).

La bibliografía publicada respecto a la intervención del CP, recoge diferentes propuestas teóricas dirigidas a como intervenir en determinados aspectos, véase por ejemplo las propuestas del Multi-Modal Family Intervention (MMFI) o las de Fidler, Bala y Saini,en relación con la alienación y las de Eddy en relación al conflicto.

En este trabajo se han tenido en cuenta las aportaciones de los siguientes modelos:

- Teoría del conflicto de Bill Eddy.
- Modelo de Comunicación propuesto por la Escuela de Palo Alto (MRI.
- Guideline for the Practice of Parenting Coordination (APA 2010).
- Guideline developed by the Association of Family and Conciliation Courts (AFCC) task Force on Parenting Coordination (2006/2019).

La Teoría del Conflicto (Eddy 2014), tiene como características principales las siguientes:

La utilización de la pregunta "entonces, cuál es su propuesta", que se utiliza como hilo conductor a lo largo de la intervención con los progenitores. La intención del CP es la de:

- Orientarlos hacia el futuro,
- Que asuman sus responsabilidades
- Búsqueda de soluciones a los problemas que ellos mismos han creado.

Se trata de una pregunta diseñada literalmente para cortocircuitar el cerebro en situaciones estresantes, facilitando que se detenga la negatividad a la vez que se canaliza de forma sutil el pensamiento de "todo nada" en el que están posicionados los participantes para conducirlos hacia un pensamiento "flexible" que facilite la generación de opciones creativas.

El Modelo de Comunicación de Palo Alto es una alternativa a la propuesta del modelo lineal de comunicación, en donde comunicar es "transmitir" y descifrar una información a partir de un determinado código. A diferencia de éste, la Escuela de Palo Alto (M.R.I.) da prioridad a la "interacción" dentro del proceso de comunicación, incorporando la noción de proceso social permanente, lo que significa la integración de diferentes modos de comportamiento (palabra, gesto, mirada, espacio interindividual) conectados a diferentes niveles.

Paul Watzlawick (1967) plantea cinco AXIOMAS básicos a tener en cuenta en los procesos comunicativos:

- Es imposible no comunicar: todo comportamiento es una forma de comunicación.
- Toda Comunicación tiene un nivel de contenido y un nivel de relación
- La naturaleza de una relación depende de las formas de pautar las secuencias de comunicación que cada participante establece
- En toda comunicación existe un nivel digital: lo que se dice y un nivel analógico (como se dice).
- Todos los intercambios comunicativos son simétricos o complementarios según están basados en la igualdad o en la diferencia.

Rechazo y Conductas Parentales

De acuerdo con el modelo sistémico la conducta parental no es lineal, por el contrario, las expresiones de aceptación y rechazo de los padres hacia los hijos responde a un proceso de intercambios determinados por una influencia recíproca, bidireccional y circular (Espinal et al., 2004, citado en Clavijo, Mora y Villavicencio. 2018)

Hay que añadir a lo anterior que, en situaciones de conflicto, la interacción entre progenitores puede estar dominada por la presencia sostenida en el tiempo de cuatro comportamientos, conocidos bajo la etiqueta de "los Cuatro Jinetes del Apocalipsis" (Gottman 1999)

- Actitud crítica, normalmente dirigida a características globales de la otra persona
- Actitud defensiva que, de forma implícita, se traduce en una acusación a la otra persona
- Desprecio, que coloca a uno de los cónyuges en un nivel superior, suponiendo un juicio sobre la falta de valor del otro
- Actitud evasiva, cuando uno de ellos ignora al otro, creando "una muralla entre ambos"

Dichas características aparecen asociadas (en muchas ocasiones) a Trastorno de Personalidad en uno o ambos progenitores (Boyan y Termini 2005).

Se trata de progenitores cuyos perfiles conductuales suelen ser las siguientes:

- Siempre tienen razón
- Centrados en conductas del pasado
- Esperan que el CP castigue al otro por su comportamiento.
- Piensan que el otro les ha hecho daño y esperan que el tribunal resuelva en lugar de hacerlo ellos mismos.
- Si están desesperados mienten y no pasa nada.

Coparentalidad

Es importante que el CP pueda identificar los patrones de coparentalidad que rigen las relaciones de los progenitores, principalmente en las situaciones de divorcio conflictivo con la finalidad de poder adaptar los esquemas de intervención más adecuados en cada caso.

La Coparentalidad responde a tres patrones básicos:

Coparentalidad Cooperativa (no se da en procesos de Coordinación Parental)

- Nivel bajo de conflicto
- Valores y creencias similares
- Ambos protegen al menor del conflicto

Coparentalidad Paralela (la más frecuente en Coordinación Parental)

- Conflicto moderado
- Comunicación restringida
- Solo se comunican a través de e-mail, WA ...
- Normas diferentes en las casas
- No acuden juntos a reuniones
- Evitan contacto directo
- Se toman las decisiones por separado y se comunican cuando las tienen.
- No hay triangulación: cada progenitor se comunica con el menor y entre ellos lo hacen a través del CP.

Coparentalidad Distanciada

- Solo se comunican a través de abogados.

Conductas de Rechazo

Los menores responden a un conjunto de factores que (una vez producida la separación), les pueden dejan indefensos ante los nuevos escenarios que tienen que compartir, a veces con nuevas parejas que se incorporan al sistema, con el nacimiento de hermanos o actuando de intermediarios en las relaciones de los adultos. Aparecen nuevas normas que hacen que las relaciones se conviertan en más o menos conflictivas y que con frecuencia derivan en el rechazo hacia uno o ambos progenitores.

Dentro de un desarrollo normalizado, los menores suelen alternar sus preferencias hacia los progenitores en función de su evolución. En situaciones de divorcios conflictivos suele aparecer la resistencia al contacto con el progenitor no custodio (Bernet et al., 2010). La reacción hostil y expresión de ira ante los cambios vitales que supone el divorcio de sus padres hacen que un menor puede manifestarse con el rechazo a uno de ellos y el acercamiento al otro (Walker y Shapiro, 2010).

El Multi-Modal Family Intervention (MMFI) de Johnston, Walters y Friedlander (2001), es el que con mayor frecuencia se utiliza en los casos en donde los menores rechazan el contacto como consecuencia de las interferencias parentales.

En su implementación, es necesario el consentimiento de todas las partes implicadas o la adecuación a la orden emitida por el Tribunal de familia.

Fidler y Bala (2010) identifican en términos de rechazo o alienación tres factores a considerar:

• Representación interna distorsionada acerca de la imagen que el menor tiene sobre el padre rechazado.

• Sentimientos que el menor ha asociado con el padre que se rechazan.

• Conducta evitativa del menor.

Friedlander, Steven y Walters (2010), proponen que el "cambio" en la conducta evitativa se puede producir a partir de las siguientes intervenciones.

• La decisión del Tribunal cambiando la custodia.

• Intervención psicoterapéutica para tratar de cambiar las creencias y pensamientos acerca del padre que se rechaza.

En la primera opción puede ser que se cambie la conducta del menor pero no "los sentimientos" ideas y/o creencias acerca del padre rechazado, mientras que la Intervención psicoterapéutica para tratar de cambiar las creencias y pensamientos acerca del padre que se rechaza, suele ser una intervención que precisa de un periodo largo para lograr cambios sostenibles en el tiempo.

Otra de las opciones planteadas en la investigación consultada a la hora de reconducir el rechazo, es la aplicación de Técnicas de Coaching, como el refuerzo intermitente dirigidas al aprendizaje del progenitor rechazado, con el objetivo de que profundice en la comprensión de la resistencia del menor, evitando todo aquello que pueda reforzar la visión negativa. Friedlander and al. (2010).

En los casos de padres rechazados, hay que señalar que (la mayoría de las veces), su respuesta frente a las conductas de los hijos, no hace más que reforzar la imagen negativa que tienen de él, dando credibilidad a las creencias de los menores y agravando el rechazo.

Es frecuente que la autoridad y habilidades del padre rechazado se vean comprometidas cuando se estancan en ese tipo de situación. El padre rechazado queda "condicionado" debido a que no puede permitirse un "no" en términos de disciplina, sin correr el riesgo de aumentar el rechazo. Los esfuerzos del padre rechazado suelen percibirse como "agresiones" hacia el menor, hacia el progenitor preferido o hacia su círculo de referencia. Cualquier muestra de enfado del padre rechazado reforzará directamente la imagen que tiene el menor dando lugar a lo que Watzlavick denominó "profecía del auto- cumplimiento"

El objetivo de este trabajo se centra en la valoración del nivel de conflicto, nivel de comunicación entre progenitores y rechazo en los menores (si lo hubiere), en el momento en que se produce la derivación a Coordinación Parental, con la finalidad de contrastarlos y estudiar su evolución, una vez finalizada la misma.

Si bien es cierto que hay un número creciente de referencias publicadas sobre la Coordinación Parental, también lo es que (debido a lo reciente de la implementación), es prácticamente nula la investigación relacionada, siendo este un motivo más por el que nos gustaría trasladar a todos los profesionales con competencia en el ámbito de la Coordinación Parental, que cada vez sea mayor la publicación del resultados de sus intervenciones y contribuir de esta manera a la consolidación de la Investigación.

2. METODOLOGÍA

Población y muestra:

La muestra la conforman siete expedientes derivados desde los juzgados de Barcelona entre 2015 /2019

Los participantes están representados por parejas en situación de divorcio conflictivo y donde las interferencias parentales impiden la ejecución de las sentencias.

El acceso a los expedientes viene dado por la designación del Juzgado.

Tabla1.datos socio demográficos de los participantes padres (n=7); madres (n=7)

Situación conyugal			Nivel académico		
	padre	madre		padre	madre
Unión libre	1	1	Bajo	3	2
Casado	6	6	Medio	3	5
Divorciado/S	6	6	Superior	1	-
Edades (µ)					
	padre	madre			
	46	42			

Instrumentos utilizados en la recogida de datos:

Evaluación del Conflicto:

- Cuestionario adaptado para evaluación del Conflicto de Garrity i Baris (1997)

Evaluación de la Comunicación:

- Registro Intercambio e- mail
- Registro Acuerdos entre progenitores

Evaluación nivel de Rechazo:

- Registro del número de encuentros realizados con el progenitor no custodio
- Registro del número de pernoctas (no se registran cuando el régimen de visitas se cumple).

Las variables estudiadas y su evolución se han operativizado asignando valores (1-2-3)

Intervención. De acuerdo con Carter (2018)[2] hay tres modelos que se plantean en las intervenciones del CP:

- Mediación/Arbitraje en donde el rol del CP se concreta con toma de decisiones. (no hay psico-educación).
- Modelo Terapéutico (parecido a la terapia familiar): no está muy aceptado por el doble rol que significa

---

[2] Practicas avanzadas en coordinación de Parentalidad. Noviembre 2018 (COPC).

- Modelo Integrado: Modelo híbrido psico-legal es el que cuenta con más consenso y el único sobre el que se hace investigación (Carter 2018)

En este caso, la Intervención se ha realizado siguiendo el esquema propuesto por el Modelo Integrado que contempla las siguientes FASES.

FASE UNO:

- Programación de sesiones iniciales
- Establecer formas de comunicación
- Colaboraciones con el equipo de soporte (escuela, pediatra, profesionales de la salud ...)

La Fase DOS se implementa cuando:

- Los procesos de comunicación funcionan
- El equipo de colaboradores está establecido
- Cuando los niños están bien
- Se han identificado las disputas y priorizado su relevancia

FASE DOS (Núcleo del programa)

- Contener el conflicto
- Identificar tipo de coparentalidad
- Se exploran ideas alternativas
- Se consolidan acuerdos
- Establecimiento de Expectativas reales: se identifican los conflictos y se analizan cuáles pueden ser resueltos y cuales solo pueden contenerse

FASE 3 (Mantenimiento)

- Si aparece algún tema nuevo se interviene.
- El CP les ayuda a que funcionen por si solos
- Consolidación de los acuerdos alcanzados y seguimiento

En cuanto a las técnicas de Comunicación se han tenido en cuenta las propuestas por el Modelo de Palo Alto y en relación con el Conflicto las propuestas por Ellis para su desaceleración

Se parte del supuesto inicial de que los cambios positivos en los niveles de Comunicación entre progenitores unidos a una desaceleración del conflicto, podrían facilitar la Re -vinculación entre los menores y el progenitor rechazado. De ser así se daría cumplimiento al régimen de visitas y por lo tanto el cumplimiento de las sentencias.

3.RESULTADOS, LIMITACIONES Y CONCLUSIONES

3.1.Resultados

En todos los casos estudiados se ha podido observar la presencia inicial de un nivel Alto de conflicto unido a un nivel Bajo de comunicación.

El rechazo de los menores es una característica presente en seis de los siete casos estudiados (88%).

Las edades de los menores en los que se detectó rechazo oscilaban entre los 13/16 años. Las edades de los menores que presentaban resistencias puntuales hacia uno de los progenitores fueron de 5 y 6 años respectivamente.

Los acuerdos consensuados entre progenitores facilitaron que pudiera contenerse la escalada del conflicto y aumentara la comunicación entre progenitores (supervisada por el CP).

- En cinco de los siete expedientes se ha podido ejecutar la sentencia y dar por finalizado el procedimiento.
- En dos de ellos se ha elaborado un nuevo Plan de Parentalidad consensuado entre progenitores y con acuerdos firmados y en los tres restantes el régimen de visitas se ha suspendido cautelarmente al ser imposible su cumplimiento.

Expedientes abiertos:

- En uno de ellos se da por finalizada la Coordinación Parental a la espera de que se resuelva la causa penal pendiente, mientras que en el otro continua la Intervención del CP.

En los tres expedientes que se han dado por cerrados, se observa una tendencia a la disminución del Rechazo, a la vez que se incrementa la comunicación entre progenitores y se produce una desaceleración del conflicto.

3.2. Limitaciones.

Se trata de una muestra muy pequeña cuyos resultados no pueden ser objeto de generalización, aunque si entendemos que es posible abrir una reflexión en torno al trabajo que se deberá desarrollar en adelante desde la Coordinación Parental, poniendo énfasis en la necesidad de interactuar con los que equipos profesionales que intervienen con el fin de establecer una red de colaboración sólida y muy especialmente en aquellos casos en que el rechazo está presente.

3.3. Conclusiones

- Una mala adaptación de los menores a las situaciones de ruptura suele perjudicar las relaciones paternofiliales (De la Torre, 2005), al contrario de lo que sucede cuando hay Cooperación entre progenitores que suele traducirse en un mejor ajuste de los menores (Hetherington, 2003).

- Para algunos autores (Kuhn y Stahl 2003), el rechazo patológico de los menores (alienación), se relaciona directamente con las actitudes y comportamientos de las partes implicadas, es decir entre: el progenitor alienador, el progenitor rechazado y el menor. Otros, lo contemplan como un "problema sistémico" en el que deben tenerse en cuenta las familias extensas, amigos, nuevas parejas, y los sistemas judicial y psicosocial.

- Con frecuencia, los procesos de judicialización incrementan los efectos negativos de las rupturas que se traducen en acusaciones de malos tratos, acusaciones de abusos a los hijos, violencia doméstica etc... (Ruiz 2004), factores todos ellos que no hacen más que añadir complicaciones dando lugar a la intervención desde otros estamentos judiciales (procesos penales, violencia contra la mujer etc.).

- Pereira y Matos (2010), señalan que las interferencias parentales, es decir las acusaciones reiteradas por parte de uno o de ambos progenitores hacia el otro con el fin de ejercer una influencia negativa sobre los hijos en un intento de alterar, impedir o anular la normal relación, son en la actualidad una de las principales causas de denuncias.

- El menor es utilizado por el progenitor que obstaculiza la relación (gatekeeping), para salir vencedor en la batalla judicial a cualquier coste (Farkas 2011). Este tipo de conductas va acompañado con frecuencia de otras actuaciones, por ejemplo: amplios periodos en los que el progenitor rechazado deja de ver al menor/res, inmiscuirse en las conversaciones telefónicas, obstaculizar fiestas y reuniones familiares, prohibir fotografías, sabotear visitas etc.... (Vassilious 2005)

3.4. Reflexiones finales

El Coordinador Parental deberá analizar las particularidades de cada caso para poder diseñar intervenciones a medida de las necesidades de los progenitores, entendiendo que son personas que requieren de un acompañamiento profesional que les permita "transitar sus emociones" logrando diferenciar lo que fue su relación de pareja de lo que (a partir de la ruptura) son sus obligaciones parentales, para que en todo momento sean ellos los artífices del bienestar de los menores asegurándoles la protección ante cualquier situación conflictiva que pudiera plantearse entre ellos.

Consideramos que en este momento uno de los retos más importantes que se plantea a los profesionales que actúan en Coordinación Parental, es el de continuar profundizando en la investigación con el objetivo de poder identificar cuáles son los factores de protección y vulnerabilidad a los que están sometidos los menores involucrados en los conflictos de ruptura parental. (Cummings y Davies, 2010).

Es obligación de ambos progenitores involucrarse en la vida de sus hijos en lugar de que sean ellos los que tengan que enfrentarse al dilema de tener que decidir entre ambos y entendemos que es en este contexto, en el que la intervención del Coordinador Parental cobra todo el sentido como figura de acompañamiento de los progenitores a lo largo del proceso de divorcio, a efectos de poder garantizar en todo momento la seguridad de los menores.

La toma de decisiones es a nuestro entender una de las características que mejor define la intervención del CP y con la que regularmente se ve comprometido. En este sentido nos parece importante lo que Watzlavick señala a la hora de poder diferenciar entre lo que es un problema y lo que es una dificultad: "*Un problema es una situación que nos obstaculiza un logro, pero cuya situación depende de algo que nosotros podemos hacer, mientras que la dificultad nunca depende de nosotros*".

Para el CP será importante obtener un esquema claro sobre estas diferencias, tratando de evitar expectativas demasiado altas en todo aquello que no dependen directamente de su actuación y buscando el equilibrio para conseguir que los objetivos de los progenitores sean realizables.

MEDIACIÓN FAMILIAR: EL DERECHO DE LOS ABUELOS A MANTENER CONTACTO CON SUS NIETOS

ANTONIO LUIS MARTÍNEZ-MARTÍNEZ
PEDRO SÁNCHEZ VERA
MARCOS BOTE DÍAZ
JUAN ANTONIO CLEMENTE SOLER
Universidad de Murcia, Departamento de Sociología

RESUMEN

El trabajo centra su atención en las necesidades psicológicas y emocionales que caracterizan las relaciones entre abuelos y nietos como consecuencia de separación y divorcio de los progenitores. Las diversas legislaciones en España resaltan el papel de los abuelos en tales procesos. La mediación se ofrece como una alternativa para garantizar estos derechos.

PALABRAS CLAVE: Mediación Familiar, abuelos y nietos, derechos intrafamiliares de los sujetos.

1. EL ROL DE LOS ABUELOS EN SUPUESTOS DE SEPARACIÓN Y DIVORCIO

Actualmente estamos asistiendo a diferentes cambios en los sistemas familiares, y quizás una de las transformaciones más evidentes haya sido la notoriedad otorgada a los abuelos en la educación y crianza de los nietos. En efecto, tal y como señala García Ibáñez (2012) en los últimos tiempos los abuelos han adquirido una nueva posición en la familia. Permitiéndoles el poder establecer vínculos más estrechos con sus nietos, siendo muy beneficiosas las relaciones entre ambos. Al respecto las investigaciones de Rico, Serra y Viguer (2001) manifiestan que en el plano emocional las citadas relaciones se basan en una serie de elementos que definen la calidad de ese vínculo, siendo las siguientes:

- Los nietos entienden y conocen a sus abuelos
- El nieto percibe que su abuelo le entiende

- El nieto experimenta cercanía con su abuelo
- Los abuelos influyen muy positivamente en la vida de sus nietos

A tenor de lo expuesto, podemos afirmar que el nieto sale beneficiado de la cercanía emocional del abuelo (Rivas, 2015).

Pero en casos de separación o divorcio de los progenitores las relaciones entre los abuelos y nietos pueden verse sumamente alteradas, reduciendo significativamente los contactos. Porque en líneas generales el divorcio suele estar asociado a una reducción de los cuidados de los abuelos hacia sus nietos (Žilinčíkováa y Kreidl, 2018).

De hecho, la continuidad o por el contrario la ruptura de las comunicaciones, puede afectar visiblemente a la estabilidad psicológica y afectiva de ambos (Doyle, O'Dywer y Timonen, 2010). Siendo evidente que cuanto mayor grado de virulencia adquiera el enfrentamiento o la disputa en los supuestos de divorcio, más reacios se mostrarán los progenitores en facilitar los encuentros entre los abuelos y los nietos, incrementando el denominado gatekeeping, el cual, hace mención al intento de controlar el acceso a los niños por parte del progenitor no custodio, restando la comunicación con el resto de la familia extensa (Timonen, Doyle y O'Dwyer, 2009; Westphalet, Poortman y Van der Lippe, 2015).

Es evidente, que ante supuestos de separación como tendencia general las madres retornan al domicilio de los abuelos, implicándoles a estos mayores revivir tiempos pretéritos, tales como reportarles nuevamente ayuda económica a sus hijos, convivir sumándole además a los nietos, y proporcionar apoyo social al hijo/a divorciado/a. Otro aspecto a tener en cuenta es la sobreprotección, que puede llevar a que los hijos separados vuelvan a ser dependientes de sus padres y desligándose de sus hijos, responsabilizando a los abuelos del cuidado de sus nietos. En este caso, se invierten los roles, deberes y responsabilidades (Roizblatt, 2014).

Tras un supuesto de separación o divorcio de los progenitores, la estructura familiar queda evidentemente afectada, ya que implican de forma directa a los abuelos en estas nuevas dinámicas, y especialmente en dicha transición (Attar Schwartz y Fuller-Thomson, 2017).

De hecho, en las crisis acontecidas a posteriori del divorcio, el colectivo de los abuelos puede constituir un apoyo considerable para sus nietos (Hilton y Koperafrye, 2007). Porque en muchas ocasiones, la separación de los hijos implica para sus padres retomar fases pasadas de su vida, como aportar ayuda económica o volver a convivir de nuevo con su hijo y nietos, por lo que tendrán que dedicarle más tiempo a estos últimos, así como proporcionar apoyo social a su hijo/a divorciado/a.

En esta misma línea, la relación entre abuelos y nietos es más débil cuando se tienen en cuenta los abuelos paternos, mientras que los datos de estudios para los maternos son variados sobre todo cuando se trata de nietos adultos (Ehrenberg y Smith, 2003; Pillonel, Hummel y De Carlo, 2013).

2. MEDIACIÓN FAMILIAR EN CASOS DE SEPARACIÓN Y DIVORCIO

Para Castanedo (2009) son diversas causas las que pueden propiciar una situación conflictiva dentro de los sistemas familiares, atribuibles principalmente a características personales, tales como valores, recursos, mitos y creencias, tipología en las relaciones o vínculos, además que los conflictos también dependen sumamente de la naturaleza del asunto a tratar, ambiente o contexto, existencia de intereses contrapuestos y empleo de diferentes tácticas y estrategias para gestionar las desavenencias.

En los sistemas familiares al estar conformada por diferentes miembros de diferentes generaciones, pueden darse situaciones tensas o conflictivas, generadas principalmente por incompatibilidad de criterios, opinión y criterios, pero como tendencia general tales situaciones no suelen trascender. Sin embargo, existen otras situaciones, en las cuales, no se gestiona idóneamente el conflicto y puede producirse una escalada del mismo, e incluso teniendo repercusiones legales, siendo en muchos casos necesario acudir a los sistemas judiciales para poder solventarlos, hablamos obviamente de conflictos relacionales graves. A pesar del surgimiento de problemas relacionales entre progenitores y abuelos, es importante que estos últimos ejerzan su derecho a proseguir el contacto con sus nietos. Al respecto, el diariojuridico.com (2014), establece que disponen de la posibilidad de interponer una demanda para reclamar un régimen de visitas con los menores, pudiéndoles ser otorgado o denegado ante la existencia de causa justa.

En estos casos, es importante saber actuar ante los problemas, porque la inflexibilidad o la rigidez en la familia, conlleva que las reglas y los roles no estén definidos, volviéndose confusos. Tal y como señala Ramos (2012) los valores y objetivos pierden importancia, se ceden las expectativas y las prohibiciones.

En términos generales, los supuestos de separación y divorcio entre los progenitores constituyen circunstancias familiares que irremediablemente afectan emocionalmente a los miembros, pudiendo repercutir negativamente en el grado de relación mantenido entre abuelos y nietos.

Dada la repercusión otorgada a las relaciones intergeneracionales, y especialmente a los beneficios que aportan, se promulgó la Ley 42/2003, de 21 de noviembre, llevándose a cabo una modificación del Código Civil y la Ley de Enjuiciamiento Civil en materia de las relaciones familiares ente abuelos y nietos, en el cual, se reconocía que ante supuestos de separación o divorcio entre los progenitores, el colectivo de abuelos poseía derechos y obligaciones con sus nietos, no pudiéndoles negarles el contacto ni las relaciones con los niños, a pesar de la oposición de los padres, siempre que se demostrase que se actuaba en beneficio del menor (Balea, González y Alonso, 2020).

A tenor lo expuesto, las investigaciones de Pilar Montes (2014) recoge los derechos adquiridos por estos abuelos en la adquisición de su nuevo rol en los diferentes supuestos de separación o divorcio, que procedemos a enumerar a continuación:

El papel de los abuelos en la ruptura amistosa: el convenio regulador. Art. 90. B) y último párrafo del Código Civil

El artículo 90 del Código Civil, regula el contenido del convenio regulador en supuestos de ruptura amistosa, cuando se llevó a cabo la modificación de la ley 42/2003, se incluyó en el citado artículo un apartado referente al régimen de visitas y de comunicación entre abuelos y nietos, pero siempre velando por el interés de los menores. No obstante, el carácter de imperatividad que pretendía transmitir fue sustituido por la expresión "si se considera necesario", sucediendo de manera análoga con el epígrafe en referencia al consentimiento de los abuelos. De manera que el juez puede aprobar un régimen de visitas, si previamente las partes lo acuerdan, previa audiencia de los abuelos y prestando su consentimiento (De Verda, 2013).

El papel de los abuelos en la ruptura contenciosa

Por el contrario, el artículo 94 del Código Civil se encarga de regular los regímenes de visita en los supuestos de ruptura contenciosa. Al respecto se llevó a cabo una modificación, introduciéndose un nuevo párrafo en la citada ley 42/2003 en la cual dictaminaba lo siguiente *"Igualmente podrá determinar, previa audiencia de los padres y de los abuelos, que deberán prestar su consentimiento, el derecho de comunicación y visita de los nietos con los abuelos, conforme al art. 160 de este Código, teniendo siempre presente el interés del menor."*

El papel de los abuelos en las medidas provisionales del art. 103.1 del Código Civil

La citada Ley (42/2003), modifica los dos primeros párrafos del apartado 12 del artículo 103, en el cual quedan recogidas las dos principales medidas provisionales que el juez puede dictar una vez admitida la demanda de nulidad, separación o divorcio.

Una primera medida consiste en determinar cuál de los cónyuges ostenta la custodia de los hijos, siempre prevaleciendo el interés del menor, para poder establecer a posteriori un régimen de visitas. Pero en el párrafo segundo, se indica que los hijos de manera excepcional y atendido a las circunstancias familiares acaecidas, pueden ser encomendados a los abuelos, parientes, u otras personas, siempre que así lo consintieren, y en caso de no haberlos los menores deberían ser tutelados por una institución idónea. Pero cierto es, que para que los menores pasasen al amparo del estado deben producirse situaciones graves de abandono, suspensión, privación de la patria potestad de los padres, o el fallecimiento de los mismos.

Y para finalizar también señala De Verda (2020) que en doctrina jurisprudencial la mera existencia de conflictos entre progenitores y abuelos, no debe constituir un impedimento para que abuelos y nietos cesen en los contactos, debiendo analizar minuciosamente cada situación, atendido a las circunstancias familias como criterio para establecer un régimen de visitas de los abuelos, y siempre protegiendo los intereses del menor. Estimándose tal y como señala el defensor del pueblo (2014) superior a los demás intereses en juego.

A continuación, procedemos a señalar como aparece en la tabla habilitada a tal efecto, el número de supuestos de mediación familiar llevados a cabo durante el intervalo temporal de 2015 a 2019 por comunidades autónomas, reflejando los casos derivados y los finalizados, distinguiendo entre los que han obtenido acuerdo, y los supuestos los cuales se han concluido, pero no han obtenido avenencia.

Tabla 1. Supuestos de Mediación familiar derivados, y finalizados con y sin avenencia.

CCAA	2019			2018			2017			2016			2015		
	D	FCA	FSA	D	FCA	FSA	D	FCA	FSA	D	FCA	FSA	D	FCA	FSA
Andalucía	596	6	100	540	7	173	338	23	170	650	86	527	956	66	602
Aragón	35	3	14	55	10	29	79	15	31	143	12	72	220	29	152
Asturias	113	18	67	53	9	25	127	15	63	133	17	69	120	8	37
Islas Baleares	62	3	18	51	10	15	17	4	5	7	6	10	123	12	33
Canarias	268	25	126	196	34	102	154	19	63	208	33	89	253	30	94
Cantabria	250	24	225	170	17	109	57	3	34	0	0	0	0	0	0
Castilla y León	169	37	106	156	4	95	180	4	120	151	1	98	210	7	125
Castilla la Mancha	37	34	19	88	9	36	143	48	80	148	41	89	40	6	22
Cataluña	781	35	250	805	44	257	946	95	323	1.210	79	376	2.185	129	442
Comunidad Valenciana	699	128	450	1.218	241	766	1.271	36	979	1.523	292	854	1.563	217	684
Extremadura	62	1	59	50	1	49	57	0	47	48	0	49	107	5	97

Antonio Luis Martínez-Martínez - Pedro Sánchez Vera
Marcos Bote Díaz - Juan Antonio ClementeSoler

CCAA	2019			2018			2017			2016			2015		
	D	FCA	FSA	D	FCA	FSA	D	FCA	FSA	D	FCA	FSA	D	FCA	FSA
Galicia	574	64	434	617	55	388	766	97	431	571	65	201	327	62	140
Madrid	320	90	200	373	35	283	561	112	352	657	74	320	576	23	426
Murcia	354	19	325	298	21	274	294	23	261	378	28	345	303	23	240
Navarra	41	12	13	17	3	7	20	3	6	6	0	2	9	2	4
País Vasco	407	54	281	250	37	135	553	118	251	497	104	229	489	113	216
La Rioja	1	0	1	0	0	0	0	0	0	1	1	0	4	0	2
Total	4.769	553	2.688	4.937	537	2.743	5.563	615	3.216	6.331	839	3.330	7.485	732	3.316

Fuente: Elaboración propia, basado en CGPJ (2020)
D (Derivados), FCA (Finalizados con avenencia) y FSA (Finalizados sin Avenencia)

Durante el transcurso del 2015, observamos que se derivaron un total de 7.485 supuestos de mediación familiar, siendo las comunidades autónomas las que registran el mayor índice de casos las siguientes; Cataluña (2185), Comunidad Valenciana (1563), Andalucía (956) y Madrid (576), y las que obtienen menor volumen Navarra (9) y La Rioja (4). De un total de 732 casos finalizados con avenencia, los mayores registros en esta categoría corresponden a Comunidad Valenciana (217), Cataluña (129) y País vasco (113), y los que presentan los porcentajes más escasos equivalen a Castilla la Mancha (6), Extremadura (5) y Navarra (2). Y de los 3.316 supuestos de mediación en los cuales no se obtuvo avenencia, las mayores cifras pertenecen a Comunidad Valenciana (684), Andalucía (602) y Cataluña (442), y los datos más pequeños se obtienen en Castilla la Mancha (22), Navarra (4) y La Rioja (2).

En el año 2016 de un total de 6.331 casos derivados, los mayores índices corresponden a Comunidad Valenciana (1523), Cataluña (1210), Madrid (657) y Andalucía (650) por el contrario, quienes registran menor número de derivados son Baleares (7), Navarra (6) y Cantabria que no registra ningún caso, no solamente durante el 2016, sino tampoco en el año anterior.

De la totalidad de 839 casos finalizados con avenencia, las mayores cifras se producen en las siguientes comunidades autónomas: Comunidad Valenciana (292), País Vasco (104) y Andalucía (86), y las que menos en Islas Baleares (6), Castilla y León y la Rioja ambas con 1 supuesto.

Se registra un total de 3.330 supuestos de mediación familiar finalizados sin avenencia, y en esa categoría las comunidades que ostentan las mayores cifras son Comunidad Valenciana (854), Andalucía (527), Cataluña (376) y Murcia (345) por el contrario, los porcentajes más escasos se obtienen en Baleares (10) y Navarra 2.

Durante el transcurso del 2017 se derivaron una totalidad de 5.563 supuestos, y los mayores registros equivalen a Comunidad Valenciana (1271), Cataluña (946) y Galicia (766).

Los supuestos con avenencia de un total de 615 son especialmente elevados en las siguientes comunidades autónomas: País Vasco (118), Madrid (112) y Galicia (97), y en las cuales presentan un menor índice corresponden a Castilla y León y Baleares ambos con (4), Navarra y Cantabria ambos con 3. Por el contrario, el mayor número de casos de mediación familiar sin avenencia corresponden a Comunidad Valenciana (979), Galicia (431), Madrid (352) y Cataluña (323). Y los que menos en esta categoría Navarra (6) y Baleares (5), de un total de 3.216 supuestos.

En el año 2018 de un total de 4.937 casos derivados de mediación familiar, las comunidades autónomas que mayor volumen registraron en esta categoría corresponden a Comunidad Valenciana (1218), Cataluña (805) y Galicia (617), y las que menos Asturias (53), Islas Baleares (51), Extremadura (50) y Navarra (17).

Durante el transcurso de ese año, los supuestos finalizados con avenencia ascendieron a un total de 537. Por tanto, las comunidades autónomas que en esta categoría experimentaron mayores cifras equivalen a Comunidad Valenciana (241), Galicia (55) y Cataluña (44), y las que menos Navarra (3) y Extremadura (1).

De los 2.743 casos de mediación familiar sin avenencia, los mayores volúmenes son representados por Comunidad Valenciana (766), Galicia (388) y Madrid (283), y al respecto, las comunidades autónomas que ostentan las cifras más escasas corresponden a Asturias (25), Islas Baleares (15) y Navarra (7).

Y finalmente durante el transcurso del 2019, de un total de 4.769 casos derivados, las cifras más elevadas las ostentan Comunidad Valenciana (699), Andalucía (596), Galicia (574) y País Vasco (407). Por el contrario, las comunidades que menos casos derivaros presentan son La Rioja (1), Aragón (35) y Castilla la Mancha (37).

De un total de 553 casos finalizados con avenencia, los valores más elevados son para Comunidad Valenciana (128), Madrid (90), Galicia (64) y País Vasco (54), y por el contrario las cifras más escasas se dan principalmente en Andalucía (6), Aragón e islas Baleares ambas con 3, y Extremadura con 1. Y del total de 2.688 supuestos de mediación familiar concluidos, pero sin avenencia, los mayores índices lo ostentan Comunidad Valenciana (450), Galicia (434), País Vasco (281) y Murcia (325) y en esta misma categoría, las comunidades autónomas que representan las cifras más bajas son las Islas Baleares (18), Aragón (14) y Navarra (13).

3. LEGISLACIÓN Y JURISPRUDENCIA SOBRE MEDIACIÓN FAMILIAR

Actualmente la mediación familiar como alternativa de resolución de conflictos, está muy extendido, prueba de ello, es que todas las comunidades autónomas cuentan con una ley de mediación, que procedemos a enumerar a continuación:

- Andalucía: Ley 1/2009, de 27 de febrero, reguladora de la Mediación Familiar.
- Aragón: Ley 9/2011, de 24 de marzo, de Mediación Familiar de Aragón.
- Principado de Asturias: Ley 3/2007, de 23 de marzo, de Mediación Familiar.
- Islas Baleares: Ley 14/2010, de 9 de diciembre, de Mediación Familiar.
- Canarias: Ley 3/2005, de 23 de junio, para la modificación de la Ley 15/2003, de 8 de abril, de la Mediación Familiar.
- Castilla la Mancha: Ley 4/2005, de 24 de mayo, del Servicio Social Especializado de Mediación Familiar.
- Castilla y León: Ley 1/2006, de 6 de abril, de Mediación Familiar.
- Cataluña: Ley 15/2009, de 22 de julio, de Mediación en el ámbito del derecho privado.
- Galicia: Ley 4/2001, de 31 de mayo, reguladora de la Mediación Familiar.
- Madrid: Ley 1/2007, de 21 de febrero, de Mediación Familiar.
- País Vasco: Ley 1/2008, de 8 de febrero, de Mediación Familiar.
- Comunidad Valenciana: Ley 7/2001, de 26 de noviembre, reguladora de la Mediación Familiar.

En los últimos años, la jurisprudencia es clara y manifiesta, al señalar que los abuelos podrán solicitar y proceder a un régimen de visitas compartido con los padres y madres (STS 18/2018 de 15 de enero de 2018; STS 90/2015, de 20 de febrero; STS 723/2013 de 14 de noviembre; STS 576/2009, de 27 de junio; STS 632/2004, de 28 de junio).

En relación a los servicios de mediación familiar, como puede observase en la tabla 2, todas las provincias a excepción de Burgos, Zamora, Ávila, Segovia, Soria, Cuenca y Guadalajara cuentan con servicios de mediación, ofrecidos por los diferentes órganos judiciales, destacando principalmente los Juzgados de Primera Instancia, Juzgados de Primera Instancia e Instrucción, Juzgados de Violencia sobre la Mujer, Juzgados de menores, Audiencias Provinciales y determinados servicios comunes, tal y como señalamos a continuación:

Tabla 2. Órganos Judiciales que ofrecen Servicio de Mediación Familiar

Provincias	Órganos Judiciales que ofrecen Servicio de Mediación Familiar						
	1ª Instancia	1ª Instancia e Instruc- ción	Violencia sobre la Mujer	Menores	Audiencia Provincial	Secciones AP	Servicios Comunes
La Coruña	5	4					
Albacete	1						
Alicante	8	12					
Almería	1						
Álava	4	1					Procesal de Ejecución Sección Penal (Vitoria-Gasteiz)
Asturias	2						
Badajoz	1						
Barcelona	47	44	Nº 1 en 5 Muni- cipios		(Barcelona)	Nº 12 y 18 (Barcelona)	
Vizcaya	4	15					Psal de ENJ de Getxo y S.C. de NoT y Embargos
Cáceres		8					
Cádiz		3					
Cantabria	2				(Cantabria: Santander)		
Castellón	2	5				Nº 2 y 3 (Castellón de la Plana)	

Provincias	Órganos Judiciales que ofrecen Servicio de Mediación Familiar						
	1ª Instancia	1ª Instancia e Instrucción	Violencia sobre la Mujer	Menores	Audiencia Provincial	Secciones AP	Servicios Comunes
Ciudad Real		7					S. C. General (1)
Córdoba	1						
Guipúzcoa	2	17					
Girona	2	20			Girona		
Granada	3						
Huelva	2						
Huesca		9					
Islas Baleares	9	1					
Jaén	2						
La Rioja	1	4			Logroño		
Las Palmas de Gran Canaria	10	4					
León	1						
LLeida	1	3					
Lugo	5						
Madrid	26	19	Nº 1 en 2 Municipios		(Madrid)		
Málaga	10	2					
Melilla							
Murcia	3	6	Nº 2 (Murcia)		(Murcia)		S. C. de Ordnación del Prodmto y ENJ (2)

Provincias	Órganos Judiciales que ofrecen Servicio de Mediación Familiar						
	1ª Instancia	1ª Instancia e Instruc-ción	Violencia sobre la Mujer	Menores	Audiencia Provincial	Secciones AP	Servicios Comunes
Navarra	1	6	Pamplona:1				
Ourense	1	1					
Palencia		8					
Pontevedra	3	5					
Salamanca	1						
Santa Cruz de Tenerife	1						
Sevilla	4						
Tarragona	11	14	Nº 1 (El Vendrell)				
Teruel		3					
Toledo		7		Toledo:nº1			
Valencia	5	1					
Valladolid	3	1			(Valladolid)		
Zaragoza	4	1					

Fuente: Elaboración propia, basado en CGPJ (2020).

4. CONCLUSIONES

Queda recogido en el artículo 160 del Código Civil, el derecho que tienen los abuelos a mantener una relación con sus nietos, demostrándose los beneficios que para ambos les aportan el transcurrir tiempo juntos. Aunque pueden acaecer en los sistemas familiares, determinadas situaciones que generan una abundante fuente de conflictos, tales como supuestos de separación y divorcio de los progenitores, enfermedades, fallecimientos, o simplemente una falta de contacto o ruptura de comunicación entre abuelos y padres, repercutiendo significativamente en el grado de relación que los primeros mantienen con sus nietos.

Siendo evidente, que en el transcurso de los últimos años se ha producido desavenencias o problemáticas familiares, que han adquirido tal magnitud que ha sido necesario recurrir a procesos de mediación para poder solventarlas.

Prueba de ello, es la proliferación de los servicios que llevan a cabo la mediación familiar, ofrecidos por los diferentes órganos judiciales tales como los juzgados de primera instancia, juzgados de primera instancia e instrucción, y juzgados de violencia sobre la mujer principalmente. Se evidencia la presencia de los citados servicios prácticamente en todas las comunidades autónomas a excepción de unas pocas.

Por otra parte, también destacamos las modificaciones de la ley 42/2003 en las cuales, se incluye en primer término el derecho que tienen los abuelos a poder mantener contacto con sus nietos, y en segundo término, la posibilidad que tiene este colectivo de poder establecer un régimen de visitas compartido con los progenitores, en aquellos supuestos familiares que hayan ocasionado una pérdida significativa del contacto con sus nietos, especialmente ante casos de separación y divorcio de los padres, tal y como se evidencia en las siguientes sentencias (STS 18/2018 de 15 de enero de 2018; STS 90/2015, de 20 de febrero; STS 723/2013 de 14 de noviembre; STS 576/2009, de 27 de junio; STS 632/2004, de 28 de junio).

LA JUSTICIA RESTAURATIVA COMO PREVENCIÓN EN LA VIOLENCIA FAMILIAR: CASO NUEVO LEÓN

HILDA SANDRA SALDAÑA RAMÍREZ
Universidad Autónoma de Nuevo León (UANL)
Coordinadora de Atención a la Mujer
Fiscalía General de Justicia del Estado de Nuevo León

RESUMEN

Se analiza los efectos positivos y trascendentales de la justicia restaurativa en la violencia familiar, concretamente en hechos de pareja. La reincidencia e incremento de los casos de la violencia familiar en Nuevo León, nos invita a procurar y administrar justicia de una forma más humana; por lo que se aborda la necesidad de conocer y aplicar como una figura jurídica la justicia restaurativa en su modelo transformador, considerándola de suprema relevancia para la prevención de referido conflicto social.

PALABRAS CLAVE: justicia restaurativa, violencia familiar, prevención.

1. INTRODUCCIÓN

La familia es una institución cerrada, y cuyo espacio es propicio para las agresiones repetidas y prolongadas. Aquí las víctimas pueden sentirse incapaces de escabullirse del control de sus agresores al estar sujetas a ellos por la fuerza física, por la dependencia emocional, por el aislamiento social o por distintos tipos de vínculos, sean estos económicos, legales o sociales[1]. La violencia familiar (VF) en Nuevo León se ha incrementado en las dos últimas décadas, es por lo que, concibiendo los conceptos actuales de la violencia y la familia, se abordará la necesidad de atender institucionalmente la violencia en el entorno familiar, con un sentido más humano, procurando restaurar los lazos familiares dañados derivados de hechos violentos en la pareja; específicamente en el caso Nuevo León, México.

---

[1] Echeburúa E., De Corral Paz (2015). *Manual de violencia familiar.* Madrid: Ed. Siglo XX. P. 1.

2. JUSTICIA RESTAURATIVA

Los mecanismos alternativos de solución de controversias nacieron en la década de los años setenta en diversos países del mundo. En México, la mayoría de las entidades federativas comenzó a regularlos desde los años noventa en ámbitos privados, y en 2008 los incorporó en la Constitución Política como posibilidad de regulación en todas las materias del ordenamiento jurídico[2]; de igual forma, en 2014 creó la Ley Nacional de Mecanismos Alternativos de Solución de Controversias en Materia Penal (LNMASCMP) misma que establece el proceso restaurativo como alternativa en la justicia penal[3].

A. Concepto

Una de las definiciones más desarrolladas de justicia restaurativa (JA) es la establecida por la Organización de las Naciones Unidas (ONU) que al respecto dice: *"se entiende todo proceso en que la víctima y el ofensor y, cuando sea adecuado, cualesquiera otro individuo o miembro de la comunidad afectado por el delito, participan en conjunto de manera activa para la resolución de los asuntos derivados del delito, generalmente con la ayuda de un facilitador"*[4]. A la anterior definición, responde el legislador mexicano, cuando escribe en la LNMASCMP al procedimiento restaurativo en los siguientes términos: *"…es el mecanismo mediante el cual la víctima u ofendido, el imputado y, en su caso la comunidad afectada, en libre ejercicio de su autonomía, buscan, construyen y proponen opciones de solución a la controversia, con el objeto de lograr un acuerdo que atienda a las necesidades y responsabilidades individuales y colectivas, así como a la reintegración de la víctima u ofendido y del imputado a la comunidad y la recomposición del tejido social"*[5]. Por otro lado, el autor reconocido como Padre de la justicia restaurativa, Howard Zehr[6] afir-

---

[2]   Bardales L., E. (2017). *Medios alternos de solución de conflictos y justicia restaurativa"* México: Ed. Flores. P. 106.

[3]   Ley Nacional de Mecanismos Alternativos de Solución de Controversias en Materia Penal. Ed. Tirant Lo Blanch. México. 2014.

[4]   Organización de las Naciones Unidas, Oficina de las Naciones Unidas contra la Droga y el Delito, Nueva York. 2006. P. 07

[5]   Ídem LNMASCMP Art. 27

[6]   Zehr, H. (2007). *El pequeño libro de la justicia restaurativa*. Ed. Good Books, E. U. P. 28-31 y 45

ma que la justicia restaurativa es *"un proceso dirigido a involucrar, dentro lo posible, a todos los que tengan un interés en una ofensa particular, e identificar y atender colectivamente los daños, necesidades y obligaciones derivadas de dicha ofensa, con el propósito de sanar y enmendar los daños de la mejor manera posible"*; señalando que este tipo de justicia se centra en las necesidades y en las obligaciones que éstas conllevan.

B. Marco Regulatorio

Nuestra Carta Magna[7] establece que *"..., las autoridades deberán privilegiar la solución del conflicto sobre los formalismos procedimentales"*. Así mismo en el propio dispositivo jurídico concordando con la Constitución Local en su artículo 16 establece que... *"las leyes preverán mecanismos alternativos de solución de controversias, que en materia penal regularán su aplicación, asegurarán la reparación del daño y establecerán los casos en los que se requerirá supervisión judicial"*[8]. Por otra parte, en la LNMASCMP señala que los mecanismos alternativos son la Mediación, la Conciliación y la Junta Restaurativa[9].

El Código Nacional de Procedimientos Penales (CNPP) contempla los Acuerdos Reparatorios (AR), mismos que son derivados de una mediación, y lo refiere como *"aquellos celebrados entre la víctima u ofendido y el imputado que, una vez aprobado por el Ministerio Público o el Juez de Control, tiene como efecto la extinción de la acción penal"*[10].

La Ley Nacional del Sistema Integral de Justicia Penal para Adolescentes (LNSIJPA) establece que la justicia restaurativa es una respuesta al delito, restaurando a la víctima y al adolescente, con el fin de reparar el daño, comprender el origen del conflicto y sus consecuencias[11] .

C. Forma de operar

En Nuevo León, existen dos referencias prácticas de justicia restaurativa, una por medio de la FGJENL y la otra a través del Poder

---

[7]   Constitución Política de los Estados Unidos Mexicanos. Ed. DOF. México. 2019. Art. 17

[8]   Constitución Política del Estado Libre y Soberano de Nuevo León, Ed. POE. México. 2017. Art. 16

[9]   Ídem LNMASCMP Art. 3 F IX

[10]   Código Nacional de Procedimientos Penales. Ed. DOF. México. 2016. Art. 186

[11]

Judicial (PJENL); la primera, es decir, en la Fiscalía Estatal, se encuentra en la esfera de los adolescentes, en la que, por lo estipulado en la LNSIJPA, se crea, el 10 de diciembre de 2015 el procedimiento de justicia restaurativa, siendo su objetivo ofrecer una alternativa de diálogo, resarcimiento y reinserción en los involucrados de un delito, ayudándoles a resolver de manejar conjunta el manejo de las consecuencias del ilícito y sus efectos para el futuro; utilizando el modelo de la junta restaurativa. El resultado restaurativo tiene como presupuesto un acuerdo encaminado, a atender las necesidades y responsabilidades individuales y colectivas de las partes, reparar los daños causados, así como lograr la reintegración de la víctima y de la persona adolescente a la sociedad.

Por otro lado, la segunda presencia de la JR en Nuevo León es la del Poder Judicial, en el que a partir del 04 de julio del 2014 inicia operaciones el Tribunal de Justicia Familiar Restaurativa (TJFR), mismo que dentro de lo que nos ocupa, tiene entre otros, como objetivos la no reincidencia del agresor contra su pareja dentro del contexto familiar; lograr la unión familiar, y que sus integrantes tengan una vida libre de violencia. El TJFR es el espacio donde a través y durante el plazo que determine el Juez de Control para la salida alterna del proceso penal llamada Suspensión Condicional del Proceso (SCP), se otorgue un enfoque restaurativo al delito de VF. En este plazo para la SCP, el TJFR lleva a cabo un programa psicoterapéutico restaurativo, con apoyo y en coordinación con otras instituciones: la FGJENL, que es la el responsable de verificar sí el imputado cubre los requisitos de admisión al programa y garantiza los derechos de la víctima; el Instituto de Defensoría Pública (IDP), que representa y protege los intereses del imputado; el Centro de Atención Familiar (CAFAM[12]), el Centro de Formación para las Relaciones Humanas (CEFOREH[13]), y el Centro de Salud (CS[14]), son opciones para llevar a cabo la evaluación y atención psicológica tanto para la víctima como para el victimario; así como la Unidad de Medidas Cautelares (UMECA[15]), misma que

---

[12]   Oficina de Desarrollo Integral de la Familia (DIF), del Poder Ejecutivo del Estado de Nuevo León
[13]   Oficina de la Secretaría de Seguridad Pública del Estado de Nuevo León
[14]   Perteneciente a la Secretaría de Salud del Estado de Nuevo León
[15]   Ídem SSPENL

vigila el cumplimiento de las condiciones de la SCP decretadas por el Juez de Control. Asimismo, relevante mencionar que el programa TJFR, es desarrollado en cinco etapas:

a) Concientización.–Sensibiliza al victimario.

b) Desarrollo de habilidades. – Identifica debilidades en el agresor.

c) Fortalecimiento de habilidades.–Identifica las causas de conducta del agresor.

d) Mantenimiento. – Se corrobora que la forma de solucionar sus conflictos sea funcional.

e) Seguimiento y Vigilancia. – Se supervisa al agresor, a través de visitas domiciliarias[16].

3. LA VIOLENCIA FAMILIAR

En Nuevo León, desde una perspectiva civil, la VF es *"la conducta o el acto abusivo de poder u omisión intencional, dirigido a dominar, someter, controlar, o agredir de manera psicológica, física, sexual, patrimonial o económica, dentro o fuera del domicilio familiar, cuyo agresor o agresora tenga o haya tenido con la persona agredida relación de matrimonio o concubinato; de parentesco por consanguinidad en línea recta, ascendiente o descendiente sin limitación de grado"*17. Y desde la óptica penal, se refiere indicando que *"la ejerce quien habitando o no en el domicilio de la persona agredida, realice acción u omisión, y que ésta última sea grave y reiterada, que dañe la integridad psicológica, física, sexual, patrimonial o económica, de uno o varios miembros de su familia"*18. Ante diferentes manifestaciones de la VF, es oportuno mencionar lo señalado en los ordenamientos locales vigentes tanto en el Civil[19] como en el Penal[20] en los que en

---

16   http://www.pjenl.gob.mx/TJFR/, 2018.

17   Código Civil para el Estado de Nuevo León, Ed. POE. México. 2018. Art. 323 Bis

18   Código Penal para el Estado de Nuevo León, Ed. POE. México. 2018. Art. 287 Bi

19   Ídem Código Civil. Art. 323 Bis 1

20   Ídem Código Penal. Art. 287 Bis

ambos cuerpos jurídicos sustantivos coinciden en establecer los tipos de VF como los son: la psicológica, la física, la sexual, la patrimonial y la económica.

4. LA PREVENCIÓN DEL DELITO

La amenaza de ejercer violencia y su ejercicio en la familia es una conducta aprendida y reforzada por la violencia en los medios y en la sociedad y en la familia misma. Con frecuencia, aquellos que ejercen la violencia fueron víctimas u observadores de ella en sus familias de origen[21].

A. Concepto

La prevención de la violencia y el delito es un componente central en toda política de seguridad; su premisa básica es la que resulta más efectiva intervenir antes de que se infrinja la ley. Las estrategias de prevención buscan disminuir las amenazas, el riesgo y la probabilidad de que el delito y la violencia, identificando y eliminando los factores que permiten se desarrolle y fortalezca[22].

B. Marco jurídico de la prevención

Algunas leyes que se consideran relevantes para el tema abordado son la Ley General de Acceso a las Mujeres a una Vida Libre de Violencia (LGAMVLV), que contempla modelos de prevención para proteger a las víctimas de VF, como lo son entre otros, asesoría jurídica y tratamiento psicológico a víctimas, y reeducación en agresores[23].

Por otro lado, la Ley General para la Prevención Social de la Violencia y la Delincuencia (LGPSVD[24].), establece: *"la prevención social de la violencia y la delincuencia es el conjunto de políticas públicas, programas y acciones orientadas a reducir factores de riesgo que fa-*

---

[21]   Urías, J.L (2013). *Violencia familiar un enfoque restaurativo.* México: Ed. Ubijus. P. 230-231.

[22]   http://mexicoevalua.org/prevencion/conoce-el-proyecto/que-es-la-prevencion-del-delito-y-la-violencia/2018

[23]   Ley General de Acceso de las Mujeres a una Vida Libre de Violencia. DOF. México. 2017. Art. 9

[24]   Ley General para la Prevención Social de la Violencia y la Delincuencia. DOF. México. 2012. Art. 2, 6, 7 F III, 8 F I, 9 F V, 10 y 11 F I

vorezcan la generación de violencia, así como a combatir las distintas causas y factores que la generan". La prevención social de la violencia incluye cuatro ámbitos: social, comunitaria, situacional y psicosocial, propios que desde su espacio fomentan la solución pacífica de conflictos.

En el mismo sentido, la Ley de Prevención Social de la Violencia y la Delincuencia con Participación Ciudadana del Estado de Nuevo León (LPSVDPCENL), con relación a su homóloga federal, agrega la prevención del delito realizada por las Instituciones Policiales, la que tiene por objeto la detección de las oportunidades potenciales para cometer delitos y así poder impedirlos[25].

Se estima oportuno aludir la Declaratoria de Alerta de Violencia de Género contra las Mujeres en el Estado de Nuevo León[26], con fecha del 18 de noviembre de 2016, en la que la Secretaría de Gobernación (SEGOB) determinó coordinar acciones interinstitucionales para la prevención, atención, sanción y erradicación de la violencia contra las mujeres.

C. Medios de prevención

En Nuevo León, a través de la Secretaría de Seguridad Pública (SSPENL), está el CEFOREH, en donde se brinda atención a mujeres víctimas de violencia y a sus agresores[27]. En el mismo sentido, la Secretaría de Salud del Estado de Nuevo León (SSENL) brinda una atención integral a las víctimas de violencia, principalmente a los daños psicológicos y físicos, así como a las secuelas.[28] En relación con Organizaciones de la Sociedad Civil (OSC), están Alternativas Pacíficas (ALPAZ) y Vida con Calidad (VICCALI), en las que, dentro de otros ejes de acción, esta la prevención de la VF.

---

[25]   Ley de Prevención Social de la Violencia y la Delincuencia con Participación Ciudadana del Estado de Nuevo León. POE. México. 2016. Art. 13

[26]   Secretaría de Gobernación, Comisión Nacional para prevenir y erradicar la violencia contra las Mujeres, Declaratoria de Alerta de Violencia de Género contra las Mujeres en el Estado de Nuevo León, DOF, México, 2016.

[27]   http://www.nl.gob.mx/atencion-para-la-paz, 2018.

[28]   http://www.saludnl.gob.mx/drupal/violencia-familiar-y-de-género, 2018.

5. LA JUSTICIA RESTAURATIVA COMO PREVENCIÓN EN LA VIOLENCIA FAMILIAR

Para atender y solucionar el delito de la VF, es importante reconocer que los usos de los medios alternos son prioritarios, ya que tomando en cuenta los intereses y necesidades de los involucrados por medio de un efectivo y eficiente diálogo, los posibilita a generar una sana convivencia familiar. La prevención cobra relevancia a partir de los trabajos de Gerald Caplan[29] quien en 1964 propone una definición sistemática de la prevención, agrupando los esfuerzos preventivos en tres categorías ya clásicas:

a) La prevención primaria, reduce la tasa de incidencia de un problema social, atacando sus causas. En casos de VF consistiría en informar y concientizar a mujeres y hombres que viven en un contexto familiar sobre cuáles son las razones que detonan la violencia, misma que trastocan su sana convivencia.

b) La prevención secundaria, disminuye el número de casos del problema, aquí se identifica el problema y se interviene de forma rápida y eficaz, modificando la conducta de las personas con riesgos de desarrollar una trayectoria violenta[30]. En VF desde la perspectiva restaurativa oportuno referir el modelo transformativo de Lederach y de Folger & Bush.

c) La prevención terciaria, reduce los efectos del problema, llevando a cabo programas de rehabilitación[31]. En VF, brindar tratamiento psicológico a la víctima y agresor, con enfoques restaurativos contribuirá a sanar las secuelas del conflicto familiar.

Valorando lo anterior, contemplar programas y acciones con enfoques restaurativos en los tres niveles de prevención en la VF, garantizarían de cierto modo que no suceda la violencia en el contexto familiar. Oportuno mencionar los datos estadísticos de denuncias por VF y su equiparable presentadas en la Fiscalía Estatal:

---

[29]   Catedrático emérito de psiquiatría de la universidad de Harvard y de la Universidad de Jerusalén. Integrante del Hospital General de Massachussets. Entre otros, autor de "Principios de psiquiatría preventiva"

[30]   Ídem LPSVDPCENL Art. 7 F II

[31]   Ídem LPSVDPCENL Art. 7 F III

**Gráfica 2. Incidencias de violencia familiar y su equiparable
en el periodo 2010 – 2018**

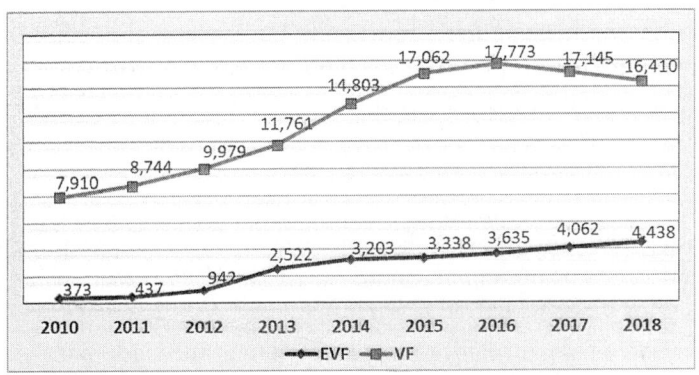

Fuente: Página oficial de la FGJENL. Elaboración propia.

Como podemos apreciar en la gráfica, es evidente el incremento de los casos de VF, y es por ello que existe la necesidad de formular una política global sobre este fenómeno social, en la que implique concientizar a la comunidad de su existencia, entendida como un problema de la sociedad; que proporcione modelos alternativos de funcionamiento familiar, más democráticos y menos autoritarios; crear programas de tratamiento y recuperación para las víctimas, y para sus perpetradores (lamentablemente su propia pareja); incrementando la autoestima y configurar vínculos más igualitarios y menos posesivos[32].

Consideramos que una de las formas para prevenir la VF, es a través de la aplicación de la JR, considerando las posturas de Lederach, de Bush y Folger, de Sara Cobb, así como la escuela de Harvard, todas y cada una de ellas abonarían de forma impactante en efectivas soluciones de los conflictos que se generan en las relaciones dentro del contexto familiar; lo relevante en este proceso restaurativo es la búsqueda de la verdad entre las partes, es decir, que la víctima y el agresor, comprendan que cada uno tiene una percepción diferente del conflicto, que las situaciones de uno y del otro son diversas, para que,

---

[32]   Echeburúa, E., De Corral, P. (2015). *Manual de violencia familiar*. Ed. Siglo XXI. España. P. 187-188

a partir del entendimiento se dé la oportunidad de coexistir en la relación, transformándola positivamente.

La postura de Lederach[33] aporta a la JR, al tratar el conflicto como una aproximación positiva, su resolución será transformadora tanto del hecho en sí como de la relación de las partes implicadas; es decir, tiene en cuenta todo lo que envuelve a los hechos, una observación global del conflicto.

Asimismo, con la contribución del modelo Harvard, se valorarían las posiciones e intereses, de la mujer víctima y de su pareja agresor, siguiendo su filosofía ganar/ganar. La JR pondera preservar las relaciones y los vínculos entre las partes[34].

El modelo transformador nos parece el más adecuado para un proceso de JR, pues las partes son convergentes en sus fines, ya que buscan encontrar en el conflicto una sanación, una paz y una verdadera metamorfosis. Los postulados se centran en transformar a las personas a partir del conflicto que han enfrentado y en el empoderamiento para que puedan ver lo sucedido como una oportunidad. La finalidad principal de la escuela transformativa es modificar la relación de las partes, lograr esa restauración. Para lograr el objetivo se programan reuniones privadas o conjuntas, procurando que cada parte potencie su protagonismo y pueda reconocer su cuota de responsabilidad en el desenvolvimiento de la controversia y la que le corresponde a su oponente; su éxito se alcanza cuando las partes cambian para mejorar[35].

Aunado a lo expuesto, para reforzar la prevalencia de la participación de los involucrados en la VF es pertinente referir la teoría de la Impetración de la Justicia, en la que menciona el reconocimiento por parte del Estado de las soluciones de conflictos por medio de los MASC, en el que implica que el sistema judicial y de procuración de justicia, se logre con la intervención de las personas y de la sociedad, resultando así la ciudadanización de la justicia, misma que es la base

---

[33] John Paul Lederach, sociólogo norteamericano, su premisa es la Transformación del Conflicto, la cual establece que es una forma de visualizar y responder a los conflictos como oportunidades para crear cambios constructivos en las relaciones humanas.

[34] Bardales L., E. (2017). *Medios alternos de solución de conflictos y justicia restaurativa*. México: Ed. Flores. P. 139 y 148

[35] Ídem P. 151

del desarrollo de toda sociedad y de imperante observación para una convivencia pacífica[36].

6. CONCLUSIONES

La prevención de la VF es un componente central en toda política de seguridad. Las altas estadísticas de la VF en el Estado de Nuevo León, nos invita a trabajar en su erradicación, y para esto creemos necesario elaborar y aplicar un proceso sensible, restaurador, pacífico, eficiente, transformativo y preventivo, por lo que consideramos oportuna, desde una perspectiva jurídica, la propuesta de implementar un programa de procesos restaurativos en referidos sucesos sociales, ya que al ser una justicia más humana y colaborativa, contribuye a la no reincidencia y disminución del conflicto familiar; siendo el modelo transformador el idóneo, al enfatizar en establecer una buena comunicación entre los integrantes de la familia, atendiendo intereses, necesidades y responsabilidades tanto de la víctima como del victimario, de tal modo que se mejore-restaure los lazos familiares dañados generados por la violencia. Trascendiendo así dos premisas de alto impacto: la reintegración familiar y la prevención del delito, de este modo, con ambas bondades derivadas de la aplicación de procesos restaurativos en la VF, se puede obtener un efectivo resultado preventivo en dicho fenómeno social.

Cómo lograrlo:

a) Implementando programas y elaborando políticas públicas de JR en las instituciones responsables de la prevención, procuración y administración de justicia.

b) Capacitando y sensibilizando al personal de instituciones públicas y privadas que tengan una relación directa o indirecta con este tipo de esquema.

---

[36] Gorjón G., F.J. (2015). Teoría de la Impetración de la Justicia. Por la necesaria ciudadanización de la justicia y la paz. *Comunitania, Revista Internacional de Trabajo Social y Ciencias Sociales*, 10. Julio. P. 116.

c) Realizando programas de difusión de la JR a la ciudadanía: conferencias académicas y empresariales y talleres comunitarios.

d) Elaborando una plataforma de JR clara, sencilla y práctica en los medios masivos de difusión (radio, televisión, prensa) para su comprensión.

e) Aprobando la iniciativa de reforma en los ordenamientos jurídicos pertinentes para la viabilidad de procesos restaurativos en procesos no judicializados en casos de VF.

CONFLICTOS FAMILIARES Y ROLES PARENTALES

NATALIA CARRERES CASANOVES
PEDRO MARÍN GIRÓN
Asociación Mediaccion

RESUMEN

El trabajo se basa en la experiencia de los autores como mediadores en conflicto de pareja con menores que guardan relación con los diversos roles asignados a hombres y mujeres en la sociedad occidental: Factores culturales, educativos, laborales, de conciliación y de crianza con apego. Se desarrolla un estudio empírico para comprobar si la desigualdad en el reparto de roles de género invaden el posicionamiento de las partes en la gestión de su ruptura.

PALABRAS CLAVE: Reparto de roles, factores de genero en la mediación familiar. Ruptura de pareja

1. INTRODUCCIÓN

Tras más de 15 años de experiencia en procesos de ruptura de pareja con hijos menores de edad, hemos podido compartir con más de 400 parejas las dificultades que han vivenciado, en este momento de cambio, en su dinámica familiar. Padres que han asumido la responsabilidad de elaborar por ellos mismos todos aquellos acuerdos necesarios para la gestión familiar tras la ruptura. En relación a esto y tras todos estos años de intervención, observamos que existe un hilo conductor o un patrón que se repite en la mayoría de las mediaciones trabajadas;

Este modelo o esquema viene determinado por el perfil familiar con el que trabajamos; esto es, una familia tradicional, formada por padres heterosexuales, fundamentalmente casados, con uno o dos hijos. En la misma se mantienen roles definidos en cuanto a la figura paterna como "cabeza de familia" proveedor fundamental y gestor de la economía familiar, y la materna en un rol de atención y cuidado a los hijos.

En base a esto, y como punto de partida de este estudio, analizamos brevemente algunos de los factores que afectan a la sociedad actual y que determinan los roles ejercidos por los hombres y las mujeres en la convivencia de pareja, entre otros muchos:

1. *Factores Culturales*, entendido como el papel social que se atribuye a ambos sexos y que equipara las diferencias biológicas a determinados roles sociales. En este sentido y asimilándolos al rol familiar, se encuentran socialmente predefinidos, asumidos y entendidos como propios de la condición de cada uno de los padres. Respetando siempre la autoconcepción individual de la mujer, en las que de forma libre y voluntaria asume la función del cuidado familiar por convicción, en otras muchas ocasiones las mujeres cumplen esta función de atención y cuidado familiar por una cuestión de herencia cultural o de arraigo social.

2. *Factores educativos*, centrándonos en los datos sobre educación universitaria, es cierto que la mujer ocupa mayores puestos en esta fase educativas intentando compensar la discriminación en el mundo laboral con un mayor esfuerzo en cuando a formación académica, siendo su presencia dominante en las carreras relacionadas con el cuidado, como son la educación, la salud y bienestar. En cambio el hombre se centra en carreras científicas con una mayor proyección profesional y que están más recompensadas económicamente.

3. *Factores laborales*, y en consecuencia económicos, que no favorecen la proyección profesional de la mujer ni garantizan la estabilidad en el empleo debido a la escasa perspectiva de género en las políticas de empleo existentes ya que:

- existe una importante menor tasa de contratación laboral y un mayor desempleo en las mujeres.

- Son claras la desigualdad en las condiciones laborales para unos y otras, por un lado, la mujer obtiene empleos en condiciones de mayor temporalidad y precariedad, al contrario que los hombres que logran contratos más estables y de mayor duración.

- Sigue presente la "brecha salarial" existente entre hombres y mujeres en la retribución económica asumida en trabajos en el mismo cargo.

– Hay una menor presencia de la mujer en cargos directivos.

Esta desigualdad laboral y económica provoca la decisión, en muchos casos, de promover las carreras profesionales de los hombres en pro de asegurar la economía familiar buscando estabilidad, lo que conlleva la asunción por parte de la mujer de trabajos temporales o de jornadas reducidas como modo de conciliación.

4. *Falta de conciliación familiar y laboral*, según la encuesta de Conciliación, trabajo y familia de 28 de junio de 2019 del Instituto Nacional de Estadística, relativa a personas ocupadas, cuidado de personas dependientes (niños o adultos enfermos, incapacitados o mayores) en su informe describe que " *las mujeres siguen asumiendo la mayor parte de las responsabilidades familiares y domésticas.*"

"*El impacto sobre la participación en el mercado de trabajo (cuando existen hijos o adultos que requieren cuidados) es muy diferente en hombres y mujeres, lo que es reflejo no sólo de un desigual reparto de responsabilidades familiares, sino también de la falta de servicios o servicios muy caros para el cuidado de niños y adultos, y la falta de oportunidades para conciliar trabajo y familia*" 1

5. *Asunción del rol de cuidadora*, ya que el Ministerio de Sanidad, Servicios Sociales e Igualdad, estima que de las aproximadamente 400.000 personas que asisten a personas dependientes en el ámbito familiar en España, el 89% son mujeres; de las excedencias solicitadas en 2016 para atender a un familiar, el 90,87% fueron pedidas por una mujer, según datos del Ministerio de Empleo.

6.*Crianza con apego*. Quisiéramos contemplar una situación que aparece cada vez con más frecuencia, siendo entendida como la filosofía impulsada por el pediatra William Sears que sigue las doctrinas de educación de la Teoría del Apego en la psicología del desarrollo. Según esta teoría, los lazos emocionales que surgen durante la infancia entre padres e hijos derivarán en relaciones empáticas cuando sean adultos y que se caracteriza por; el contacto directo con la madre en cualquier situación diaria para mantener la cercanía, lactancia mater-

---

1   INE Encuesta de Conciliación, trabajo y familia de 28 de junio de 2019 del Instituto Nacional de Estadística, relativa a personas ocupadas, cuidado de personas dependientes.

na a demanda, el colecho,... observándose en las mismas familias que se retrasa el tiempo de escolarización de los niños hasta la educación obligatoria a los 6 años, sin que esta circunstancia represente una característica de la crianza con apego se observa de forma paralela en las mediaciones realizadas. Todo ello, suma a la división de las funciones adquiridas por las mujeres que entienden que, no se favorece, protege y estimula el correcto desarrollo de los menores dentro de los métodos tradicionales de crianza, produciéndose, en consecuencia, que se alarguen los tiempos y se reduzcan las posibilidades de una proyección profesional.

2. OBJETO DE ANÁLISIS

Una vez expuesto el contexto, centramos la reflexión a través de las siguientes cuestiones como objeto de análisis;

¿Estos factores económicos, culturales, sociales afectan a los conflictos relacionados con la ruptura de pareja? ¿la desigualdad en el reparto de roles de género invaden el posicionamiento de las partes en la gestión de su ruptura?

Fruto de lo experimentado en las mediaciones realizadas en las rupturas de pareja, podríamos entender que estas circunstancias, entre otras, favorecen la división y reparto de funciones durante la convivencia familiar, radicalizando y enquistando las posiciones presentadas de partida en el momento de la separación.

Observamos que los conflictos presentados por las partes en estos modelos familiares vienen a significar la defensa de los roles ejercidos durante la convivencia, donde los pactos realizados libremente o impuestos por las circunstancias externas presentadas anteriormente, vienen a ser los conflictos en la ruptura.

3. DESARROLLO

Al objeto de verificar que esta reflexión no es producto de una interpretación subjetiva, sino que la misma ha sido madurada en toda nuestra carrera profesional, compartimos y analizamos los datos obtenidos de la experiencia profesional de los técnicos de la Asociación

Mediacción, y que corresponden al "Servicio de mediación familiar en ruptura de pareja", programa que se viene desarrollando desde el año 2004, y que corresponden al perfil del usuario residente en la Región de Murcia, inmerso en una ruptura de pareja con hijos menores, que inicia un proceso de mediación, ya sea con un procedimiento judicial en curso o bien solicitando la intervención sin haber iniciado trámite judicial alguno.

Centramos el análisis entre los expedientes incoados en este programa desde el 1 de enero de 2018 hasta los trabajados en el mes de agosto de 2019, comprendiendo un total de 46 expedientes familiares;

- El 100% de las mediaciones son realizadas entre parejas heterosexuales.

- Del los 46 expedientes familiares objeto de análisis encontramos que en 29 de ellos los padres están casados, lo que representa el 63,04% de los casos, otro lado encontramos 17 familias que no formalizaron legalmente su relación y estas se encuentran en mediación fruto de una relación estable de convivencia o esporádica.

- En relación a las edades de los participantes, nos encontramos con que la media de edad del hombre es de 43,43 años. La mujer usuaria acude con la edad media de 40,02 años. Y, respecto a los hijos, 24 familias tienen un hijo, 20 tienen dos hijos y en dos expedientes contabilizamos 3 hijos. La media de edad de los niños, que se contabilizan como beneficiarios del servicio y no participantes en la intervención, es de 8,5 años (en este conteo se ha exceptuado un expediente en el que el hijo en común discapacitado intelectual de 26 años y modifica la edad media real de los usuarios atendidos).

- En lo que se refiere a la situación laboral de las partes encontramos por un lado, que en cuanto al padre, se encuentra activo laboralmente en 42 de los 46 expedientes familiares analizados, lo que representa el 91,30% de los mismos, 1 expediente en el que el usuario es pensionista y 3 desempleados. Si entendemos que el pensionista también goza de una estabilidad económica podemos decir que el 93,47% de los usuarios hombres cuenta con recursos económicos, más o menos estables, y que el 6,52% se encuentra en situación desempleo.

Frente a estos datos, y en cuanto al perfil de la madre, vemos el contraste al comprobar que de los 46 expedientes incoados 17 de ellos las mujeres se encuentran en situación de desempleo, 8 son usuarias activas profesionalmente con empleos a media jornada o con contratos temporales, y en 21 expedientes las mujeres están trabajando a jornada completa. Si tenemos en cuenta a las madres que se encuentran desempleadas y las sumamos a las que tienen contratos temporales o a media jornada, éstas representan el 54,34% de las usuarias que acuden a mediación, siendo las que se encuentran con unos ingresos constantes, en el momento de participación del proceso, del 45,65%.

– En cuanto a la intervención familiar realizada quisiéramos mostrar los siguientes datos:

Por un lado, el modelo de convivencia con los hijos que cada uno de los progenitores presenta como posiciones en el momento de inicio de la intervención, ya sea porque así lo han solicitado en sus escritos judiciales, o debido a que en la fase inicial exponen este modelo de custodia como pretensión de partida;

1. En relación al modelo de guarda y custodia compartida entre ambos progenitores encontramos que el padre ha solicitado en un 56,52% (26 expedientes) este modelo frente al 8,69% (4 expedientes) de la madre.

2. Por lo que respecta a la solicitud de guarda y custodia exclusiva para uno de los progenitores encontramos con los siguientes porcentajes; el padre presenta la posición de ostentar la guarda y custodia exclusiva de los hijos en un 4,34% (2 expedientes) expedientes analizados frente al 86,95% (40 expedientes) de las madres que exponen inicialmente su pretensión de mantener la convivencia con sus hijos en una proporción superior al del padre en cuanto a la atención y cuidado de los niños.

3. En cuanto a la solicitud de guarda y custodia exclusiva para el otro progenitor, se observa como el padre presenta inicialmente su deseo de que los niños convivan habitualmente con la madre en un 39,13% (18 expedientes) frente al 4,34% (2 expedientes) de las madres que desean que los menores convivan de forma habitual con el padre por los motivos expuestos en el apartado anterior.

Por último, en relación al análisis cuantitativo de las mediaciones realizadas, y teniendo en cuenta como variable el resultado de la intervención, las partes han conseguido llegar a un acuerdo en 34 de los 46 expedientes familiares presentados, lo que representa el 73,9%. El análisis en este sentido lo realizamos contabilizando lo acordado finalmente esto es, el porcentaje de los modelos de convivencia que han acordado, libre y voluntariamente las partes, lo convenido tras el proceso, y trasladado al acuerdo de mediación. En este sentido podemos proporcionar los siguientes datos:

1. Teniendo en cuenta las custodias en las que el hombre o la mujer ha solicitado la custodia exclusiva para la madre encontramos que esta se ha acordado finalmente en un 47% de los casos.

2. En los casos en el que el resultado de la intervención es la custodia exclusiva para el padre representa un 5,88% del total de las mediaciones finalizadas con acuerdo. Teniendo en cuenta que en los dos expedientes que se contabilizan en éste sentido, el modelo de custodia exclusiva del padre es deseado de inicio por ambos progenitores.

3. Aquellas mediaciones en las que siendo el padre el demandante de guarda y custodia compartida y la madre se posiciona como custodia, finalmente se conviene la convivencia exclusiva para la madre representando un 17,64% del total.

4. En esta línea, se encuentran aquellas mediaciones que se acuerda una custodia exclusiva para la madre pero progresiva a compartida. Esto quiere decir que las partes asumen la necesidad de que los hijos convivan de forma habitual con la madre durante un espacio de tiempo, pasado el cual, los periodos de convivencia irán ampliándose, en uno o varios tramos temporales (dependiendo normalmente a el desarrollo evolutivo del menor), hasta que la convivencia sea equilibrada entre ambos padres pasando a ser finalmente un modelo de custodia compartida, representando un 8,82% de las mediaciones.

Si a este porcentaje se lo sumamos a las explicadas anteriormente por pactarse en el momento de firma del Acuerdo de Mediación convivencia exclusiva para la madre obtenemos un 26,47% de los expedientes finalizados con acuerdo.

5. En los procesos en los que el padre solicita la convivencia compartida y la madre la guarda y custodia exclusiva y que finalmente se pacte el equilibrio entre ambos progenitores lo encontramos en un 11,76% de los casos.

6. Por último, ambos padres inician la intervención con el planteamiento de consensuar una custodia compartida y alcanzando acuerdo en este sentido, representa el 8,82 de los procesos de mediación realizados.

Lo solicitado al inicio y acordado tras el proceso		
Ambos padres solicitan la custodia exclusiva de la madre		47%
Custodia exclusiva para el padre		5,88%
Padres solicita la custodia compartida Madre la custodia exclusiva	Custodia exclusiva madre	17,64%
Padre la compartida Madre exclusiva	Custodia progresiva	8,82%
Padre solicita la custodia compartida Madre la custodia	Custodia compartida	11,76%
Ambos padres custodia compartida		8,82%

En conclusión, y relativos a los datos que acabamos de presentar, podemos decir que de 34 mediaciones finalizadas con acuerdo. El 64,64% (22 de 34 expedientes) de los acuerdos alcanzados concluyen con una guarda y custodia exclusiva a la madre.

En relación a los expedientes finalizados con acuerdo en que se atribuye la guarda y custodia exclusiva para el padre representa un 5,88% (2 de 34 expedientes) de los procesos.

Así mismo, en el 8,82% (3 expedientes) concluyen con una guarda y custodia progresiva. Esto es, inicialmente el cuidado de los niños se determina que sea asumido por la madre, progresando a una convivencia compartida entre ambos padres.

Por último observamos como las partes convienen que la convivencia del/los menor/menores con sus padres sea repartida entre ambos padres acordando una guarda y custodia compartida en el 20,58% (7 de 34 expedientes).

Modelos de guarda y custodia

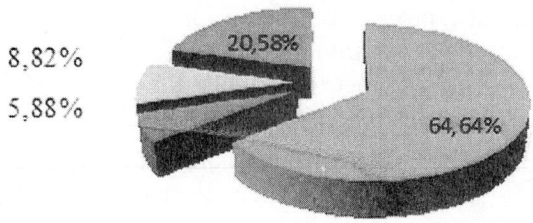

8,82%

5,88%

20,58%

64,64%

En conclusión podemos decir que el perfil medio de intervención relativo al conflicto de convivencia con los hijos es el que a continuación se describe:Parejas de mediana edad, en su mayoría casadas, que habiendo decidido finalizar su relación de convivencia convienen en iniciar un proceso de mediación con el propósito de llegar a un acuerdo. El padre se encuentra activo profesionalmente y la madre tiene prácticamente las mismas posibilidades de estar trabajando que de encontrarse desarrollando un empleo con jornada reducida o con contrato temporal u desempleada. Tienen uno o dos hijos en común con una edad de 8 años.

En relación a la convivencia, la madre ha solicitado la custodia exclusiva de los niños, exponiendo el padre su deseo de obtener una convivencia compartida. Como resultado del proceso de mediación ambas partes acuerdan una guarda y custodia exclusiva para la madre.

4. CONCLUSIONES

4.1. En cuanto a los modelos de Guarda y Custodia

¿Qué interpretación obtenemos de estos datos?

En relación a la posición mantenida inicialmente observamos que los modelos más solicitados por los padres son los siguientes.

En el caso de la madre la custodia exclusiva es el modelo de convivencia más solicitado:

• Debido a las funciones de crianza desempeñadas ha provocado como resultado los elevados porcentajes de solicitudes de custodia exclusiva tanto en la posición mantenida en el inicio del proceso como de los resultados obtenidos tras la intervención, siendo el peso de su papel como cuidadora el que fundamenta la defensa de sus pretensiones.

• Ya que presenta una dependencia económica y falta de proyección laboral (solicitud de pensión compensatoria).

• Necesidad de responsabilizar al padre de seguir manteniendo las necesidades económicas de los hijos.

• Solicitud del padre de la custodia compartida, partiendo de la visión simplista del gestor económico, derivado del rol cumplido durante la convivencia de sustento económico familiar. Al inicio de la intervención manifiesta;

• Su interés en poder compartir un mayor tiempo, o de mayor calidad, con los hijos, del que ha podido desarrollar durante la convivencia.

• La necesidad de un equilibrio económico, con el planteamiento erróneo de que una custodia compartida puede llevar aparejada una reducción del pago de la pensión de alimentos en comparación de una custodia exclusiva para la madre así como una preocupación por mantener una proporcionalidad en los gastos generados con la vivienda.

4.2. *En cuanto a la intervención:*

1. Aunque entendiendo que la mediación es una intervención enfocada al futuro no por ello podemos desatender la "historia familiar" ya que representa lo que son.

Ya que las partes necesitan retroceder a lo vivido en la gestión de su convivencia al objeto de hacer valer los roles parentales o funciones de gestión ejercidas durante la relación.

Las madres, en su rol de cuidadora justifica su postura en base a la dedicación y al tiempo destinado a la crianza, el vínculo generado con los hijos, la necesidad de no modificar las rutinas familiares de la convivencia ejercidas por ella, deberes, alimentación, actividades sociales y de ocio de los niños, la responsabilidad sobre las cuestiones escolares como los estudios, actividades extraescolares, temas médicos como enfermedades, visitas pediátricas, urgencias, atención en la enfermedad... En relación a su situación personal se encuentra en muchos casos, en desempleo o con una situación laboral y profesional en precario.

2. Los padres ha mantenido durante la convivencia la función de sustento económico con la renuncia a ejercer una parentalidad equilibrada en relación a tiempos y calidad. Al mismo tiempo tiene una situación laboral estable.

En estos casos, el papel fundamental del mediador será el de legitimar a las partes en sus diferentes funciones y la importancia del desarrollo de la asumida como propia, ya que cada uno de los padres no hubiera podido representar su papel sin la participación del otro.

Las partes manifiestan en las sesiones, su malestar y el reproche sobre la carencia respecto a los roles en los que no han podido realizarse

En la figura materna; la posibilidad de mantener una autonomía económica y una independencia inmediata debido a la falta de una proyección laboral y personal.

En relación a la figura paterna; Se trata de una figura presente en las actividades cotidianas de los niños y una mayor porcentaje de participación en sus rutinas.

El mediador en estos casos deberá trasformar el reproche realizando estrategias respecto a estos temas, cuentón que desarrollamos más adelante.

3. En relación a sus pretensiones, que son excluyentes, la petición de cada uno de ellos suprime al otro de la participación en la convivencia de sus hijos, es decir en la posición de la custodia exclusiva de la madre excluye al padre en el reparto de roles parentales, ocurriendo que en la custodia compartida solicitada por el padre no integra las necesidades de la mujer en su papel de madre, no pudiéndose sentir reconocida en este modelo.

4. Debido a lo señalado en el párrafo anterior,, las partes, tras la convivencia y su reparto de funciones, se sienten, ambos, en los papeles de víctima y culpable. Sin que podamos perder de vista que a este sentimiento se le suma que la respuesta judicial a esta situación es "custodia compartida vs custodia exclusiva" siendo escenarios contrarios y que posiciona a las partes en la casilla de salida. Por lo tanto, no es infrecuente que la contestación jurídica provoca en ambos padres una frustración generándose, en consecuencia, en las dos partes una nueva victimización de la víctima y una percepción ampliada del papel de culpable. El juzgado en estos casos facilita a los padres una decisión sobre lo pretendido judicialmente pero no aporta una solución a los padres, esto provoca el enquistamiento del conflicto y la judicialización de la familia.

5. Al objeto de flexibilizar posiciones, es necesario y trabajar las preocupaciones que existen respecto a la gestión de la coparentalidad en la estructura familiar futura.

Esto es, es importante compartir con ambos padres su expectativas esto es, las posibilidades de la madre, que no ha ejercido plenamente un rol profesional, pueda analizar sus opciones, así como el padre si no ha ejercido de forma constante y habilidosa ciertas funciones de crianza, y que por lo tanto genera el temor de si se va a gestionar de forma inadecuada en el futuro, pueda elaborar una estrategia para abordar las cuestiones de crianza. De esta manera, se pretende que los padres amplíen el visor y puedan contemplar escenarios diferentes y realistas que les ayude a realizar una trasferencia de competencias. De esta forma, a diferencia de lo obtenido con la decisión judicial, en donde el juez va a determinar "qué" es lo que tienen que hacer tanto a la parte demandada como a la demandante, tras un proceso de mediación, los padres consiguen obtener una solución que integre el "cómo" llevar a la práctica los acuerdos alcanzados respecto al modelo de familia que han elegido.

Esto es, debemos analizarlo no desde la perspectiva legal (guarda y custodia, régimen de visitas, pensión de alimentos, uso de vivienda familiar...) que limita las opciones existentes, sino desde su traducción a una dimensión práctica (convivencia, tiempos y relación con el padre con el que no viven habitualmente, atención a las necesidades económicas de los hijos...) integrando todos los elementos cotidianos que deban de ser considerados como variables necesarias. De esta forma, además de acordar el marco legal de la ruptura se abordarán todas las cuestiones necesarias para una correcta coparentalidad, generándose unas nuevas prácticas familiares que favorezca un protocolo de funcionamiento personalizado que potencie una dinámica familiar positiva.

En conclusión, entendemos que para poder modificar roles condicionantes asumidos por los padres en la ruptura, sería necesario la realización de cambios sociales y culturales significativos y que éstos puedan reflejarse en un impulso coherente y unido en favor de políticas género, que sean traducidos en medidas de conciliación e igualdad, para que pueda alcanzarse, como una opción al alcance de hombres y mujeres, el equilibrio entre la crianza y el desarrollo profesional.

Mientras esto no se consigue el mediador tiene la responsabilidad de ayudar a los padres en la legitimación de lo que han sido, reconducir lo que no han podido ser y analizar lo que quieren ser como familia.

4ª PARTE:
LA MEDIACIÓN EN EL CONTEXTO EDUCATIVO

LA MEDIACIÓN COMO HERRAMIENTA PARA LA GESTIÓN DEL CONFLICTO EN EL ÁMBITO ESCOLAR

INMACULADA CONCEPCIÓN SÁNCHEZ RUIZ
LAURA PAREDES GALIANA
Universidad de Murcia

RESUMEN

Uno de los temas que ha adquirido especial relevancia en la actualidad ha sido el análisis de conflictos en los centros educativos, debido a la repercusión que han alcanzado los fenómenos educativos y sociales.

La tarea socializadora de la escuela se ha centrado fundamentalmente en procurar la transmisión del conocimiento, orientado intelectualmente al alumnado. Son numerosos los intentos por lograr un clima de convivencia positivo en los centros educativos, por su importancia vital para el aprendizaje.

El presente trabajo tiene como objetivo proporcionar a la comunidad educativa, las herramientas necesarias que permitan visualizar el conflicto desde la perspectiva de la educación como eje de transformación y crecimiento personal e institucional. Asimismo, fomentar la capacidad de transformar el conflicto por medios pacíficos y valorar la mediación como modelo de gestión de conflictos alternativo en el ámbito de educativo. La finalidad, es que a través de la mediación se permita transformar el conflicto desde un proceso continuo, sistemático y permanente.

Esta investigación, recoge las diferentes características del conflicto, los estilos de afrontamiento al mismo, los procesos de resolución, y la mediación como sistema alternativo en la comunidad educativa. El estudio ha estado dirigido al alumnado y se ha optado por una metodología cuantitativa, teniendo en cuenta como técnica de investigación la encuesta.

Entre los principales resultados destaca que el 56,1% afirman que los métodos de resolución de conflictos actuales fracasan. Asimismo, el 78% refiere que los conflictos pueden solucionarse y un 68,3% destacan la resolución de los conflictos a través de la comunicación. Igualmente, muestran que la mediación reduce la violencia en el ámbito escolar y genera un vínculo a toda la comunidad educativa, favoreciendo un buen clima.

Con esta investigación, se ha podido confirmar que la mediación educativa es una herramienta efectiva y preventiva, para el abordaje de distintas situaciones de conflicto en el ámbito escolar.

PALABRAS CLAVE: comunidad educativa, mediación, conflicto, comunicación, clima de convivencia.

1. INTRODUCCIÓN

En el ámbito escolar se pueden distinguir diferentes tareas, una de ellas es la socializadora, que usualmente se ha centrado en procurar la transmisión del conocimiento, y orientar intelectualmente, pero esto ha ocasionado dejar de lado, otros componentes igualmente educativos. Uno de los temas que ha adquirido especial relevancia en la actualidad, ha sido el análisis de conflictos en los centros educativos, dada la repercusión que han alcanzado, los fenómenos educativos y sociales, que se asocian a estas manifestaciones.

El resultado más notable que se desprende ha sido el importante déficit emocional y de relación, que ha conllevado el desarrollo de muchos individuos a lo largo de numerosas generaciones. Estos son datos preocupantes, porque el bienestar emocional y de relaciones, incide directamente en las condiciones de aprendizaje académico, en el desarrollo cognitivo y viceversa.

Estudios sobre violencia en centros de enseñanza como Defensor del Pueblo 2000; Fundación Encuentro, 2013; García y Martínez, 2002, entre otros; muestran que los problemas más graves, son en realidad los más escasos. No obstante, estos han de ser atendidos adecuadamente, puesto que la seguridad es irrenunciable. Sin embargo, son los conflictos más cotidianos y frecuentes, los que más preocupan a los miembros de la comunidad educativa como agresiones verbales entre compañeros, el rechazo, la exclusión social, la disrupción, las faltas de respeto, etc.

En estos sucesos es necesario considerar la gestión de la convivencia desde otras perspectivas, y abrir hacia nuevos enfoques que superen las limitaciones de las fórmulas utilizadas hasta ahora. Como adoptar sistemas más avanzados de gestión, y propiciar que las ventajas que ya se están difundiendo en otros ámbitos, se expandan en la comunidad educativa.

Nuestra vida está marcada por las interacciones que realizamos con aquellos que nos rodean, en todas y cada una de las esferas de nuestra vida. Nos relacionamos con otras personas, que al igual que nosotros poseen unos valores, tienen unas necesidades, y poseen unos sentimientos, que en ocasiones podrían estar contrapuestos o enfrentados con los nuestros. Por lo tanto, toda persona se enfrenta a situaciones de conflicto y desacuerdo, pues nuestras acciones van a estar determinadas por nuestros sentimientos, y motivadas por nuestras emociones.

Existen numerosas definiciones respecto al término conflicto, una de las más empleadas es la de Redorta (2007), "el conflicto es el proceso cognitivo-emocional en el que dos individuos perciben metas incompatibles dentro de su relación de interdependencia y el deseo de resolver sus diferencias de poder" (2007, p.31).

El conflicto es un proceso que engloba fases diferentes, y en su desarrollo tiene también presente el sentido cíclico, por eso en todo conflicto se produce una dinámica de interacción de las partes, que progresa a medida que tienen conciencia de los conflictos e intereses. Asimismo, es un instrumento de funcionamiento continuo que lo componen tres fases: la escalada, el punto muerto, y la desescalada.

Una de las principales conductas que generan conflicto en el ámbito educativo, es la indisciplina o conducta antisocial, ya que lesiona dos de los derechos fundamentales recogidos en todo reglamento de régimen interno: el derecho de los alumnos a aprender, y el derecho de los profesores a enseñar. Del mismo modo, el proceso se relaciona con los distintos estilos educativos de las familias, en ocasiones llegando a entrar en oposición con el de la escuela (enfrentando el estilo dialogante al estilo autoritario; con ausencia de normas frente, a la necesidad de estas). Estos conflictos es lo que dificulta, en gran medida la consecución de los objetivos básicos y más importantes de la clase: leer, aprender, cooperar y divertirse.

El conflicto en la comunidad educativa presenta características propias, en la que representa un choque de intereses, ideas, y valores, que pueden derivar en la lesión de los intereses o derechos del alumnado y profesorado, y de todos los miembros de la comunidad educativa, dependiendo del modo de resolución. De esta manera, se convierte en la forma de trasgresión de normas, que posibilitan la convivencia y la consecución del bien, tanto particular como colectivo.

En el contexto escolar existen episodios de violencia entre iguales, fenómenos de victimización, vandalismo, y agresiones contra las propiedades del colegio y de los alumnos, e incluso violencia más o menos directa, contra el profesorado.

Un dato muy significativo, es que, la edad de los agresores es cada vez menor. Ante los datos que arrojan los diferentes estudios de campo, es ineludible una intervención escolar, ya que está comprobado que los programas preventivos dirigidos a los y las menores durante los primeros doce años, pueden estimular el desarrollo de la compasión, la tolerancia, el sentido de autocrítica y la empatía.

Ortega, Mínguez y Saura (2003), consideraban las consecuencias de los conflictos en la comunidad educativa señalando: "todo esto se refleja, en una percepción del conflicto como algo negativo, improductivo, por parte del profesorado, asimilándolo a la agresión o lesión y transgresión de las normas, identificando una conducta violenta, reduciendo el problema en las aulas a una cuestión de agresividad y violencia" (Ortega, Mínguez, y Saura, 2003, p.19).

Sin embargo, los conflictos se distinguen de la violencia en que son inevitables, forman parte de la vida, su ausencia supone a menudo un signo de disfunción de las relaciones, por lo que la comunidad educativa debe: plantearse la dimensión pedagógica del conflicto para un desarrollo social y personal, optando por una resolución pacífica, gestionando, desde vías de diálogo, entendimiento, negociación y resolución constructiva.

En la década de los setenta en Estados Unidos, se identifican los orígenes de la mediación escolar, desde donde se realizan movimientos comunitarios por la paz y el desarme. Desde ese momento, inician programas educativos que daban respuesta de una forma no violenta a los conflictos.

En 1984 se crea NAME (Name Association for Mediation in Educacion), en 1985 nace CREnet (Conflit Resoluction Education network), y comienzan a promoverse la colaboración de grupos comunitarios escolares, propiciando la creación del programa de resolución creativa de conflictos. Existen otras experiencias en diferentes países como: Argentina, Nueva Zelanda, Canadá, Francia, Suiza, Bélgica, Polonia, Alemania, entre otros.

En España, sus antecedentes y primeras experiencias se sitúan en: País Vasco, Cataluña, y Comunidad de Madrid. El pionero fue el País Vasco, en la aplicación de programas de mediación escolar, en el año 1993 implantando un programa en el Instituto Barrutialde de Gernika, dotando de una vía alternativa a la sancionadora. En 1997, le sigue Cataluña creando la ACMA (Asociación Catalana de Mediación y Arbitraje). Comenzaron a facilitar varios espacios de encuentro, y reflexión, sobre la mediación en los centros escolares, con la finalidad de crear una red de mediación escolar, y elaborar materiales para trabajar la mediación en los centros educativos. Consecutivo, Madrid en 1997 organiza el primer curso de formación del profesorado en el ámbito nacional.

En 2006, con la *Ley Orgánica 2/2006 de Educación* (BOE, n° 106, 2006, 4 de mayo, p. 17158-17207) se recoge los principios y fines de la educación, en el Capítulo I, Artículo 1, señalando:

> La participación de la comunidad educativa en la organización, gobierno y funcionamiento de los centros docentes.
>
> La educación para la prevención de conflictos y para la resolución pacífica de los mismos, así como la no violencia en todos los ámbitos de la vida personal, familiar y social (2006, p. 17164-17165)

Un programa de mediación escolar supone crear, y desarrollar, en el centro escolar un servicio de mediación para la resolución de conflictos de los diferentes colectivos de la comunidad educativa (alumnado, profesorado, padres y madres). Los programas de mediación entre compañeros o iguales son una herramienta al servicio de un modelo de convivencia pacífico basado en la participación, la colaboración, y el diálogo.

El objetivo específico de un programa de mediación escolar es atender una serie de conflictos entre los miembros de la comunidad escolar que por algún motivo no han podido ser solucionados por los propios protagonistas.

Todo proceso de mediación escolar debe estar orientado a los siguientes objetivos:

- Proporcionar a todo el alumnado, conocimientos esenciales del proceso de mediación formal.
- Ofrecer cada curso la posibilidad de convertirse en mediador/a.
- Enseñar las estrategias y habilidades necesarias para el desempeño de la función del mediador.
- Fomentar un clima socioafectivo entre la comunidad educativa
- Poner en funcionamiento y garantizar un Servicio de Mediación del centro educativo.

En definitiva, los problemas de convivencia son síntomas de que algo falla en los marcos educativos, y sociales que los generan. Por lo tanto, el tipo de respuesta que se dé a los conflictos puede orientarse de dos formas: por un lado, como un proceso educativo, en el cual se busca a través del dialogo el entendimiento mutuo, el consenso o el acuerdo, para la resolución del conflicto, teniendo la oportunidad de aclarar, comprenderse, y donde las necesidades de ambos sean atendidas; por otro lado, como un ocultamiento del conflicto con tendencia a quitarle la importancia que tiene, y no afrontarlo.

Tal y como defiende Boqué (2004), la mediación se incorpora al aula de la manera más natural, como una actividad más que se realiza en un momento específico, o formando parte de las diferentes áreas. También podemos dedicarle una franja horaria semanal o simplemente, impartir un taller de mediación. El proceso de mediación responde, en realidad, a un pequeño ritual que atendiendo a las edades de los niños y niñas puede simplificarse, aunque salvaguardando con el máximo rigor sus movimientos y características esenciales.

Se considera que la mediación en el contexto educativo supone una apuesta decidida por potenciar una cultura de respeto hacia uno mismo, y los otros. Que lucha por los valores de paz, justicia, solidaridad, de fomento de la participación, y la cohesión, frente a la disgregación o la marginación, de interacción positiva, de comunicación y aprendizaje de estrategias de resolución de conflictos.

Por todo ello, se opta por un proceso de resolución de los conflictos educativos, desde el cual, se tome conciencia generando un modelo educativo adecuado a las características del alumnado para la promoción y adquisición de determinadas actitudes, comportamientos, valores, normas de comunicación y participación. La resolución de conflictos en el aula suele ser una buena oportunidad donde el alumnado son los protagonistas del cambio, desde la responsabilidad, autonomía y participación. Así los conflictos dejan de estar enquistados, las relaciones se sanean, y la convivencia mejora. En este tipo de situaciones se utilizan diferentes intervenciones en un modelo integrado de regulación de la convivencia y tratamiento de conflictos, abordando la mediación como una estrategia de resolución en conflictos de la comunidad educativa.

2. METODOLOGÍA

El presente trabajo se desarrolla desde una modalidad de proyecto de investigación social. Es un diseño completo de una investigación empírica de carácter social en todas sus fases, que impulsa a ampliar los conocimientos en el ámbito del colectivo de la mediación escolar. Para ello, el eje de este trabajo se orienta desde la perspectiva del alumnado que forman parte de la comunidad educativa.

Para hacer operativa la investigación se han concretado los siguientes objetivos:

1. Conocer la opinión sobre los conflictos del alumnado de primaria. Para determinar, el concepto de conflicto del que partimos en este ámbito, y la tipología más manifestada.

2. Analizar la gestión de los conflictos en los centros educativos de Educación Primaria, para conocer la respuesta del modelo punitivo frente al modelo integrador de gestión de la convivencia.

3. Valorar el conocimiento sobre la Mediación como método de resolución de conflictos, tratando los supuestos que se podrían resolver mediante este procedimiento.

A través de la metodología diseñada, se buscó confirmar las hipótesis de trabajo planteadas en la investigación, que son las siguientes:

-H1 En el ámbito escolar, los conflictos son fruto de las relaciones de convivencia.

-H2 El fracaso en la forma de afrontar los conflictos promueve nuevas estrategias.

-H3 La percepción del conflicto influye en la forma de solucionarlo.

-H4 La mediación produce una vía eficaz de resolución de conflictos.

-H5 La mediación en los centros escolares entre iguales genera una herramienta de convivencia pacífica, basada en la participación, colaboración y diálogo.

La investigación que se presenta, está basada en un análisis explicativo, buscando encontrar las razones o las causas que ocasionan los principales conflictos que presentan el alumnado en los centros educativos, analizando la gestión de los mismos, y valorando el uso de la mediación como estrategia de intervención para la solución. Con la finalidad de obtener así nuevos y actuales datos sobre la gestión de los conflictos en centros.

El estudio, se ha realizado desde una investigación transeccional o transversal, su propósito ha sido describir variables y analizar su incidencia en el momento actual. Este procedimiento ha consistido en medir a un grupo de personas en diferentes situaciones, en el contexto escolar, y proporcionar su descripción.

La metodología ha sido realizada, con un enfoque cuantitativo, haciendo un uso generalizado del análisis estadístico, de los datos y objetivos numéricos. Se ha desarrollado desde un diseño no experimental, trabajando como técnica la encuesta para recoger los datos por medio de un cuestionario, siendo éste el documento que recoge en forma organizada los indicadores de las variables implicadas en el objetivo de la encuesta.

3. RESULTADOS Y CONCLUSIONES

Como principales resultados de la investigación desarrollada, se ha obtenido que:

– Los participantes en alguna ocasión se han visto involucrados en algún tipo de situación conflictiva como son las peleas, el hablar mal de los compañeros, los insultos, robos, faltas de respeto y discriminar a algunos compañeros.

– Siguiendo algunos métodos de resolución de conflictos que fracasan: como es huir de resolverlo, obtenemos un gran porcentaje que no está nada de acuerdo, un 56,1%. La negación a utilizar este tipo de métodos al resolver los conflictos, y pensar que los conflictos tienen solución como muestran el 78.0% hace que se promuevan otro tipo formas, como sería en este caso la comunicación, para poder ganar ambas partes. Un 68.3% afirma estar muy de acuerdo con resolver los conflictos mediante la comunicación y tan solo un 28.6% cree que no sería recomendable que ganen las dos partes.

– Los datos arrojan que tenemos una percepción clara de que en la vida siempre hay conflictos 43.90%, y que si existe relación existen los conflictos. Pero a pesar de ello seguimos percibiendo el conflicto como algo negativo, del cual no podemos obtener un aprendizaje, este pensamiento debemos contribuir a desmontarlo, y a mostrar que el conflicto es positivo, y de él aprendemos, y podemos conseguir beneficios.

– Nos encontramos con que el 48.78% de los casos está muy de acuerdo con el uso de la mediación como estrategia de resolución de conflictos, y el 31.71% de acuerdo, tan solo un 7.32 % de los participantes están nada de acuerdo. Por lo que es un indicio más que señala que debemos implantar la mediación en los centros escolares, ya que, sus propios alumnos la valoran como positiva.

– Podemos destacar que los participantes señalan como principales ventajas de la mediación que: aporta valores como la participación (61%), que ayuda a reconocer y valores los sentimientos (58.5%), te aporta capacidad para resolver los conflictos de forma no violenta (58.5%), disminuye el número de conflictos (63.4%) y reduce de sanciones y expulsiones (36.6%). Como vemos los alumnos valoran más un favorable clima de convivencia, para su estancia en los centros escolares.

A lo largo de la investigación hemos podido observar, que el modo por el que las comunidades educativas han optado para resolver un conflicto generalmente ha sido el castigo o sanción. Pero este no es el único proceso por el que podemos optar, la resolución de conflictos pacífica es una forma más, que la comunidad educativa tienen a su disposición, y que se debería valorar.

Teniendo en cuenta las hipótesis planteadas en la investigación, se puede confirmar a través de los datos obtenidos.

En primer lugar, los y las participantes señalan como principales situaciones conflictivas las peleas, hablar mal de los compañeros, los insultos y las faltas de respeto.

En segundo lugar, las medidas que actualmente se llevan a cabo no son lo suficientemente efectivas para contrarrestar los efectos de los problemas de convivencia escolar. Un aspecto para tener en cuenta es que dichos conflictos, no atañen únicamente a los alumnos/as, sino que su campo de acción es muy amplio. Estos hechos dejan en evidencia, la eficacia de nuestros marcos educativos, por lo que se hace necesaria una nueva normativa que establezca medidas correctoras y preventivas ante los conflictos escolares.

En la investigación se muestra una percepción clara de que en la vida siempre hay conflictos, ya que si existe relación existen conflictos. A pesar de esto, se sigue teniendo una percepción negativa del conflicto, pensando que del no podríamos obtener aprendizaje, lo que incita a seguir trabajando en estos aspectos para prevenir, informar y concienciar a la población educativa, sobre los conflictos y la herramienta de la mediación.

La mayoría de los participantes señalan que la mediación sería un buen método de resolución de conflictos. Optan por dar prioridad a otros métodos alternativos, antes que a la sanción.

Finalmente, valores como la participación, el reconocimiento de los sentimientos, la capacidad de resolución no violenta, hacen una aportación a disminuir los conflictos, y el número de sanciones y expulsiones. Estas herramientas responden a una necesidad de la comunidad educativa de disponer de estrategias de resolución pacífica de conflictos, con el fin de que tanto el alumnado, como el profesorado, y en general todos los agentes implicados en el proceso de enseñanza y aprendizaje, colaboren en la mejora de la ciudadanía utilizando los conflictos como generadores de aprendizaje.

Es de vital importancia resaltar la implicación, y colaboración, de toda la comunidad educativa en actividades de este tipo, pues son ellos el motor de estas experiencias que enriquecen al alumnado como personas, además de poder trabajar con ellas los contenidos curriculares de cada etapa. Lo importante de estas actividades, no es el momento puntual en el que se llevan a cabo, sino la longitudinalidad de las mismas, su desarrollo posterior a lo largo de las etapas.

Esta investigación ha sido usada como estudio piloto, como propuesta futura planteamos abarcar una población más amplia para poder generar una investigación de mayor magnitud que abarque todas las instituciones educativas posibles, y a todos los agentes de la comunidad. La finalidad ha sido aprender de esta investigación, generando conocimiento y con la intención de crear una investigación que se ajuste cada vez más a la realidad social que hoy día nos acontece.

MANEJO DE CONFLICTOS EN EL AULA: PROGRAMA DE ENTRENAMIENTO EN MEDIACIÓN Y REGULACIÓN EMOCIONAL PARA DOCENTES

PEDRO BONILLA
Universidad Estatal a Distancia, Costa Rica
IMMACULADA ARMADANS
University of Barcelona
MARÍA TERESA ANGUERA
University of Barcelona

RESUMEN

Actualmente, en el contexto educativo de Costa Rica, se necesita incidir en el manejo de las situaciones conflictivas que surgen en el aula, recayendo una importante responsabilidad en el docente. Por ello, la investigación que presentamos tenía como objetivos en una primera fase, realizar una búsqueda bibliográfica exhaustiva, que evidenciara las necesidades de atención al creciente número de casos de conflictos en el ámbito educativo, para posteriormente elaborar un Programa de Entrenamiento en Mediación y Regulación Emocional, dirigido a 90 docentes de seis instituciones educativas del circuito #03 del Ministerio de Educación Pública de Costa Rica. Este programa, que es pionero, por ser la primera vez en que se utilizan de manera conjunta ambos constructos, se fundamenta en elementos centrales de la teoría del conflicto de Johan Galtung, la teoría del conflicto de John P. Lederach, la teoría de las estrategias de afrontamiento de Robert Blake y Jane Mouton et. al., el modelo de regulación emocional de John J. Gross & Ross A. Thompson, y los principios y técnicas de la mediación transformativa (Bush y Folger, 1996) adaptada al ámbito educativo. El diseño lo conforman 4 módulos de trabajo teórico práctico, en dónde se desarrollan 4 habilidades necesarias para la gestión de los conflictos; habilidades emocionales para gestionar los conflictos, habilidades para negociar, habilidades para comunicarse y habilidades para actuar con empatía.

PALABRAS CLAVE: Conflictos, Mediación, Regulación Emocional, Docentes, Estrategias de Afrontamiento.

1. INTRODUCCIÓN

El acelerado aumento de conflictos y actos de violencia en el ámbito educativo, los profundos y duraderos daños que estos provocan en las víctimas, tanto en su desarrollo personal como académico, y la manera en que estas situaciones se deben manejar, se han convertido en temas de interés y atención en muchos países del mundo, donde un alto porcentaje del alumnado de secundaria (90%), manifiesta haber sido testigo de casos de agresiones (Filella, Ros-Morente, Oriol y March-Llanes, 2018).

Gardner propone que la educación debe consistir en activar una serie de potenciales que ayuden a las personas, ya sea a adaptarse a diferentes contextos, o a resolver distintas situaciones, implicando valores, pensamientos y toma de decisiones, para alcanzar un máximo desarrollo personal y profesional (Gardner, 1998).

Al respecto, el surgimiento de los conflictos y los actos de violencia en el aula, genera consecuencias negativas, que poco a poco se van extendiendo a la institución en general, provocando efectos contraproducentes, tanto en el campo académico como en el desarrollo personal de las víctimas, quienes paulatinamente comienzan a manifestar pensamientos, percepciones y conductas insanas hacia el centro educativo, los compañeros y los docentes, hasta el punto de ausentarse frecuentemente y aumentar las posibilidades de abandonar los cursos. Contrario a esto, cuando hay ambientes de enseñanza-aprendizaje adecuados y nutritivos, se evidencian mejoras en la participación y motivación de los estudiantes y de los docentes, generando una productiva interrelación, que permea todo el proceso educativo (Becker, Keller, Goetz, Frenzel y Taxer, 2015; Biddle y Goudas, 1997; Covington y Omelich, 1979; Filella, Ros-Morente, Oriol y March-Llanes, 2018; Frenzel y Götz, 2007; Frenzel et al., 2009b; Hargreaves, 2000; Zembylas, 2002).

El Programa de Entrenamiento en Mediación y Regulación Emocional para Docentes (EMRED) se diseñó en dos fases; en la primera fase de la investigación se plantearon dos objetivos. El primero consistió en realizar una revisión y análisis bibliográfico que vinculara características particulares de la mediación transformativa de conflictos, la regulación emocional y las estrategias de afrontamiento. El segundo objetivo estaba dirigido a, una vez obtenida esta información que vinculara características de los constructos seleccionados, crear un programa que logre dotar a los docentes de secundaria, de recursos cognitivos, emocionales y conductuales para dar atención a las situaciones conflictivas que surgen en el contexto del aula.

Para la segunda fase de la investigación se pretende la implementación y evaluación del programa, que consiste en 4 módulos que abarcan la realización de un estudio piloto dirigido a recabar información que sirva para realizar los ajustes al programa, de acuerdo a las particulares necesidades de cada institución educativa donde se implemente, el abordaje de los aspectos teórico-prácticos de los constructos seleccionados, mediación, regulación emocional y estrategias de afrontamiento, incluyendo grabaciones de las clases impartidas por los docentes participantes, la implementación de jornadas de discusión docente, donde da seguimiento y feedback al manejo que hacen los docentes de las situaciones conflictivas surgidas en el aula, y la evaluación del Programa, con el objetivo de analizar el impacto que el programa ha tenido en el desarrollo de las habilidades de los docentes para manejar los conflictos a través del tiempo.

Con la elaboración, implementación y evaluación del Programa EMRED, se busca dar respuesta a la problemática del vertiginoso crecimiento de los conflictos en el ámbito educativo, colocando a los docentes como protagonistas principales, aprovechando la experiencia y conocimientos que éstos poseen de las dinámicas de enseñanza-aprendizaje.

Elementos relacionales entre la mediación de conflictos, la regulación emocional y las estrategias de afrontamiento

La mediación de conflictos, supone la aplicación de principios y técnicas destinadas a resolver las diferencias surgidas entre partes, sin necesidad de aplicar medidas punitivas o sancionatorias, que han demostrado poca o ninguna efectividad (Sánchez Ruiz, 2016). Lograr que la relación entre las partes involucradas en un conflicto se pueda reestablecer, a través del fortalecimiento propio y el reconocimiento de los otros (Bush y Folger, 1996), requiere que las emociones surgidas de las diferencias puedan ser reguladas, iniciando con una reevaluación cognitiva; o sea, provocar un cambio a nivel cognitivo que active la atención, para valorar panoramas de respuestas multi-sistémicas (mental, fisiológica y comportamental), durante la transacción entre persona y situación. Esa transacción permite el proceso regulatorio (Mestre y Guil, 2012), destinado a modificar el impacto emocional generado por la información recibida durante el conflicto, posibilitando tres acciones, la modulación de la respuesta, mayor satisfacción con los resultados y acuerdos y, alcanzar unas sanas y nutritivas relaciones sociales (Gross y Thompson, 2007).

Estos dos procesos se vinculan directamente con la selección de la estrategia de afrontamiento que las personas realizan, para afrontar un conflicto; cada estrategia resulta de la interacción de motivaciones subyacentes, por tanto, las dimensiones que la conforman son inseparables (Blake y Mouton, 1981). Los resultados de la investigación realizada por Montes, Rodríguez y Serrano (2014) indicaron que, la selección de la estrategia de afrontamiento seleccionada por las personas, guarda relación directa con sus experiencias emocionales previas, confirmando hallazgos anteriores, obtenidos en el campo de la gestión de conflictos y la negociación (p.e., Allred et al., 1997; Baron, 1990; Baron et al., 1990; Carnevale e Isen, 1986; Desivilya y Yagil; 2005; Forgas, 1998, entre otros), por ejemplo, la selección de la estrategia "integrativa" se asocia a experiencias emocionales positivas previas, seleccionar la estrategia "dominación", está asociado a experiencias emocionales negativas previas.

2. METODOLOGÍA

La metodología que se propone para el estudio empírico, que corresponde a la implementación y evaluación del programa, será *multimethod*, al complementarse la metodología observacional (directa e indirecta) y la metodología selectiva (Figura 1), pero además se realizará desde un planteamiento *mixed methods*, al combinarse elementos cualitativos y cuantitativos (Anguera, Blanco-Villaseñor, Losada, Sánchez-Algarra, & Onwuegbuzie, 2018) en el seno de cada una de estas metodologías. El diseño observacional es *nomotético* (se aplica a varias instituciones educativas) / *de seguimiento* (a lo largo de un tiempo) / *multidimensional* (se implican conceptualmente diversas dimensiones o subdimensiones correspondientes a los dos constructos básicos de este estudio, mediación y regulación emocional). Para tomar la medida de la línea basal, y desde la metodología selectiva, se utilizará el test de habilidades para la gestión en la negociación de conflictos (Vicuña, Hernández, Paredes y Ríos, 2008).

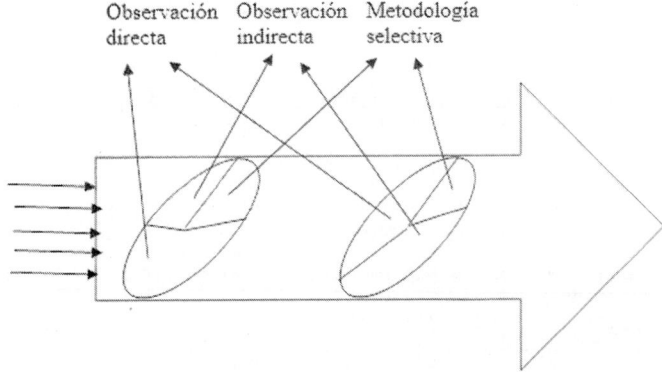

Figura 1. Esquema de la metodología *multimethod* propuesta

3. RESULTADOS Y CONCLUSIONES

De acuerdo a los resultados iniciales, podemos afirmar que los objetivos planteados para la primera fase de la investigación, consistentes en la detección de necesidades, documentación, y elaboración del programa, se han cumplido.

Dichas necesidades se evidencian a partir del creciente número de situaciones conflictivas en el ámbito de la educación secundaria en Costa Rica (Cerdas, 2018; Estado de la Nación 2017, entre otros). La elaboración del Programa de Entrenamiento en Mediación y Regulación Emocional (EMRED) se ha realizado especificando las acciones que comporta, el plan de acción y su cronograma en la tabla, a continuación.

Programa de Entrenamiento en Mediación y Regulación Emocional para Docentes
EMRED

Módulo #1: Sensibilización, conceptualización, preparación y ajuste
1. Presentación de cuadros comparativos: Sistemas Educativos
2. Focus Group
3. Aplicación de test de de habilidades para la gestión en la negociación de conflictos.
Duración del módulo: Dos sesiones de trabajo de 1.5 horas cada una
Módulo #2: Presentación del Programa con ajustes
1. Presentación del Programa EMRED con los ajustes hechos a partir de los datos recolectados en el Focus Group y el test de habilidades para la gestión en la negociación de conflictos.
Duración del módulo: Una sesión de 1 hora
Módulo #3: Implementación del Programa
1. Teoría del conflicto y teoría de las estrategias de afrontamiento
2. Modelo Modal de las emociones
3. Trabajo práctico sobre técnicas de regulación emocional
4. Técnicas principios de la mediación
5. Trabajo práctico sobre técnicas de mediación
6. Simulaciones para aplicación de técnicas de regulación emocional y de mediación
7. Feedback a los docentes sobre aplicación de las técnicas
Duración del módulo: 10 horas
Módulo #4: Seguimiento y monitorización del programa
1. Jornada de discusión docente
2. Jornada de discusión docente
3. Jornada de discusión docente
Duración: 1 hora cada jornada
Se graban las clases de los docentes participantes en el Programa EMRED, a partir de la ejecución del módulo #3, con el objetivo de registrar las conductas perceptibles de los docentes en sus funciones cotidianas.

El Programa EMRED fue avalado por el Ministerio de Educación Pública de Costa Rica a través del Departamento de Vida Estudiantil, después una minuciosa y exhaustiva revisión y una serie de ajustes que solicita la circular DVM-0024-06-2018DM-0024-06-2018, inciso (a): "Lineamientos para valorización de la labor docente" emitida por el MEP en el año 2018.

En este momento el Programa se encuentra en fase de realización del estudio piloto, para pasar inmediatamente a su implementación y evaluación, con el objetivo de conocer el impacto real que tiene sobre el manejo que hacen los docentes, de las situaciones conflictivas que surgen en el contexto del aula.

Al analizar las teorías y modelos seleccionados, y las características particulares de la mediación de conflictos para la elaboración del programa de EMRED, se han podido evidenciar elementos de ambos constructos que son complementarios y adaptables al campo educativo. Las emociones están implicadas de manera constante, en las relaciones interpersonales y de forma especial, en los procesos conflictivos que surgen entre las personas, esto representa por lo tanto, un punto central al momento de considerar cualquier formación que se pretenda dar en el campo de la resolución o de la regulación de los conflictos; la falta de conocimiento teórico-práctico, sobre factores emocionales que condicionan las conductas y de qué manera las condicionan, es una carencia que se manifiesta frecuentemente, pero representa a la vez, un punto de partida para el desarrollo de habilidades emocionales para la realización de diversas tareas.

Dado que las emociones subyacen, generalmente de manera inconsciente, a las conductas perceptibles de los seres humanos, pero que además, son elementos que pueden ser entrenados (Caycedo, Gutiérrez, Ascencio, & Delgado, 2005; Bisquerra, Martínez, Obiols & Pérez, 2006; Muñoz & Bisquerra, 2006, entre otros), se debe considerar la instrucción emocional dentro de los programas que incluyan la resolución de conflictos como uno de sus elementos centrales, no solamente para el proceso de mediación en sí, sino como un factor previo, que aumente las posibilidades de que el proceso sea más productivo y que se pueden lograr mejores resultados y el restablecimiento de las relaciones de las partes implicadas, teniendo la revalorización y el reconocimiento como elementos transversales en todo el proceso de mediación .

MANIFESTACIÓN DE LA VIOLENCIA ESCOLAR DE ALUMNADO DE EDUCACIÓN PRIMARIA EN UN CONTEXTO RURAL: LA MEDIACIÓN ESCOLAR COMO PROPUESTA DE GESTIÓN POSITIVA DE CONFLICTOS Y PREVENCIÓN DEL ACOSO ESCOLAR

JOSÉ LUIS GONZÁLEZ-SODIS
Universidad de Málaga
JUAN LORENZO BERMÚDEZ DÍAZ
Universidad de Murcia

RESUMEN

El presente trabajo pretende exponer algunos resultados de un estudio de investigación que se estamos desarrollando en Málaga sobre conflictos escolares en alumnado de primaria y de secundaria obligatoria tanto de centros públicos como privados, esta aportación en concreto se enmarca en un contexto de centro de educación infantil y primaria (CEIP). Los conflictos percibidos por ellos pueden ser clasificados a partir de un cuestionario de violencia escolar fiable y validado. Desde la perspectiva metodológica, la recogida de datos se ha llevado a cabo mediante la técnica de encuesta. Este un instrumento que permite analizar la frecuencia de aparición y percepción de diferentes tipos de violencia escolar, según el alumnado evaluado, protagonizada por los estudiantes o el profesorado de su clase, ha sido aplicado a unidades de 5º de Enseñanza Primaria y nos ha permitido obtener indicadores diagnósticos acerca de la convivencia escolar en el centro que por tratarse de un contexto rural la población de estudiantes no es elevada. Los factores analizados corresponden a los conflictos que se dan más habitualmente en los centros escolares: Disrupción, Violencia verbal, Exclusión social, Violencia, Violencia profesorado-alumnado, Violencia TIC. Consideramos como propuesta clave para la gestión pacífica y positiva de los conflictos del ámbito educacional la mediación escolar entre iguales como estrategia educativa especialmente desde el plano proactivo que debe ser incluida en los proyectos educativos de los centros escolares, será, un instrumento eficaz para la prevención del acoso escolar y la gestión positiva de los conflictos.

PALABRAS CLAVE: Violencia escolar. Conflictos escolares. Prevención. Acoso escolar.

1. INTRODUCCIÓN

La presente aportación es parte de un estudio de investigación que estamos llevando a cabo en la provincia de Málaga en centros educativos públicos y concertados. Surge en el contexto escolar rural y producto de las relaciones interpersonales que parten de la convivencia y comunicación. En el caso de la institución escolar, este tipo de relación está predefinida desde el momento en que hay una relación con un profesor y un estudiante. Ello implica la aceptación de los roles institucionales de docentes y estudiantes, respectivamente. La investigación está enmarcada dentro del paradigma interpretativo y positivista, lo que significa que la investigación en su totalidad está dentro de un contexto mixto (Monje, 2011).

La violencia se define como aquella conducta u omisión intencionada con la que se causa un daño o un perjuicio (Álvarez-García, D., Núñez, J.C., Álvarez, L., Dobarro, A., Rodríguez, C., y González-Castro, 2011).. Son variadas las posibles manifestaciones de la violencia escolar. Entre ellas, se destacan la violencia física, la violencia verbal, la exclusión social, la disrupción en el aula, la violencia profesor-alumno y la violencia a través TIC.

Así pues, se denomina violencia física a aquella en la que existe algún tipo de contacto material para producir el daño. Se puede distinguir una violencia física directa, en la que el contacto es directo sobre la víctima, de una violencia física indirecta, en la que se causa el daño actuando sobre las pertenencias o el material de trabajo de la víctima.

La violencia verbal, es aquella en la que el daño se causa mediante la palabra. En este caso, tal distinción se refiere al hecho de que la acción se realice a la cara (directa) o a las espaldas (indirecta). El lenguaje verbal según Jiménez, Román & Traverso, (2011) no se limita a ser una mera herramienta mediante la cual expresamos y comunicamos nuestros pensamientos, sino que además se piensa cuando se habla y, al mismo tiempo, representa y refleja la realidad conflictiva.

La exclusión social se refiere a actos de discriminación y de rechazo, por motivos que pueden ser diversos, nacionalidad, diferencias culturales o rendimiento académico (Pachter, Bernstein, Szalacha & Coll, 2010). Dichas situaciones de exclusión pueden darse tanto dentro del aula, durante, como fuera de ella, ignorando o excluyendo a compañeros de juegos o del grupo de amigos durante los recreos.

La disrupción se ha de considerar un tipo más de violencia escolar, son comportamientos muchas veces intencionados con los que el alumnado dificulta al profesor/a impartir su clase, y al resto de compañeros interesados seguirla con aprovechamiento (Hulac & Benson, 2010).

Por último, la violencia a través de las T.I.C incluye comportamientos violentos utilizando medios electrónicos, principalmente el teléfono móvil y tabletas a través de internet. Según Álvarez-García, Núñez, Álvarez, Dobarro, Rodríguez y González-Castro (2011) dichos comportamientos violentos pueden adoptar formas variadas (envío de mensajes dañinos a través del teléfono móvil o las redes sociales, no ser admitido en redes sociales o programas de mensajería instantánea, grabar a un compañero o a un profesor mientras está siendo agredido).

Tradicionalmente, el estudio de la violencia escolar se ha centrado en la violencia entre estudiantes. Resulta también importante considerar la relación entre los dos principales agentes implicados en el proceso de enseñanza aprendizaje: el alumnado y el profesorado. El alumnado puede desarrollar comportamientos de carácter violento dirigidos hacia el profesorado, del mismo modo, el alumnado puede interpretar que ciertas conductas del profesorado suponen mostrar preferencias, tener manía, insultar o burlarse de los alumnos y, por tanto, percibirlas como violentas. El análisis de estas conductas es fundamental para evaluar el clima de convivencia desarrollado en los centros y adoptar medidas preventivas.

2. OBJETIVOS DEL ESTUDIO

El objetivo general del estudio es medir la percepción del alumnado de EP sobre la frecuencia de aparición de diferentes tipos de violencia en el contexto educativo rural.

En este análisis se plantean los siguientes objetivos específicos:

– Analizar cómo los estudiantes informan acerca de su visión personal sobre las relaciones entre compañeros.

– Analizar cómo los estudiantes informan sobre las relaciones entre alumnado-profesorado y viceversa.

3. METODOLOGÍA

• *Participantes*

La selección de la muestra ha sido incidental y está compuesta por estudiantes N= 33 de 5º de EP de un centro rural en La Axarquía en un contexto sociocultural rural medio-bajo.

• *Instrumento*

La recogida de datos se llevó a cabo mediante la técnica de encuesta, a partir del instrumento validado. Se trata de un instrumento que permite analizar la frecuencia de aparición de diferentes tipos de violencia escolar y que nos ha permitido obtener indicadores diagnósticos acerca de la convivencia escolar en este contexto. Se ha aplicado individualmente a los estudiantes y nos informa acerca de su visión personal sobre las relaciones entre compañeros/as y del alumnado con el profesorado en su aula, que puede diferir de la del grupo al que pertenece. La discrepancia entre la puntuación individual y la puntuación grupal podría informar de problemas de ajuste del estudiante a su entorno escolar. El cuestionario adopta la forma de una escala tipo Likert compuesta por 34 ítems con 5 opciones de respuesta (desde 1 "Nunca" hasta 5 "Siempre"). Los análisis factoriales exploratorios y confirmatorios realizados mostraron que la estructura que mejor se ajusta a los datos es la compuesta por cinco factores de primer orden (Violencia Verbal de Alumnado hacia Alumnado, Violencia Verbal de Alumnado hacia Profesorado, Violencia Física Directa entre Alumnado, Violencia Física Indirecta por parte del Alumnado, Violencia de Profesorado hacia Alumnado) y un factor de segundo orden (Violencia Escolar). Para poder realizar este análisis se estudió la fiabilidad del cuestionario siendo coeficiente alfa para el conjunto de la prueba es de .939 lo que nos indica un nivel de fiabilidad de la prueba muy alto al igual que resulto muy satisfactoria la prueba KMO.

• *Procedimiento*

Los cuestionarios fueron aplicados en este centro concretamente en abril de 2018, diferenciando tres fases:

1) Selección de la muestra

2) Recogida de datos

3) Análisis datos

En la primera fase se ha de señalar que la selección de la muestra ha sido incidental, ya que uno de los investigadores impartió formación en mediación escolar a grupos de alumnos /as de dicho centro.

Para el estudio se ha recurrido a la versión de software reciente., dirigido a estudiantes de 5° y 6° de EP (edades entre 10 y 12 años).

Se ha aplicado colectivamente, pero la respuesta ha sido individual. El alumnado ha dispuesto en torno a los 15-20 minutos para responder al cuestionario. Aquel alumnado con dificultades en la lectura pudo disponer de más tiempo. Se motivó al alumnado a participar en la evaluación, explicando brevemente en qué consistía y cuál es su objetivo último -mejorar la convivencia en el centro-, con el fin de obtener el mayor número de respuestas sinceras.

Las variables para analizar tanto la percepción de las relaciones entre del alumnado como con el profesorado han sido: violencia física, violencia verbal, exclusión social, disrupción en el aula y la violencia a través de las tecnologías de la información y de la comunicación (TIC).

En la tercera fase de la investigación se ha procedido al análisis de los resultados. La corrección del cuestionario se realiza de forma informatizada, atendiendo el proceso que a continuación se describe:

1°) Introducción de las respuestas al cuestionario en el software de corrección.

2°) Elaboración de informes (en el apartado de resultados se recogen las imágenes de estos).

4. RESULTADOS-DISCUSIÓN

Presentamos los resultados cuantitativos del grupo de 5° de EP y los hacemos por limitaciones en la extensión de la comunicación y presentamos los ítems porcentuales y a continuación los percentiles alcanzados por el grupo 5° EP.

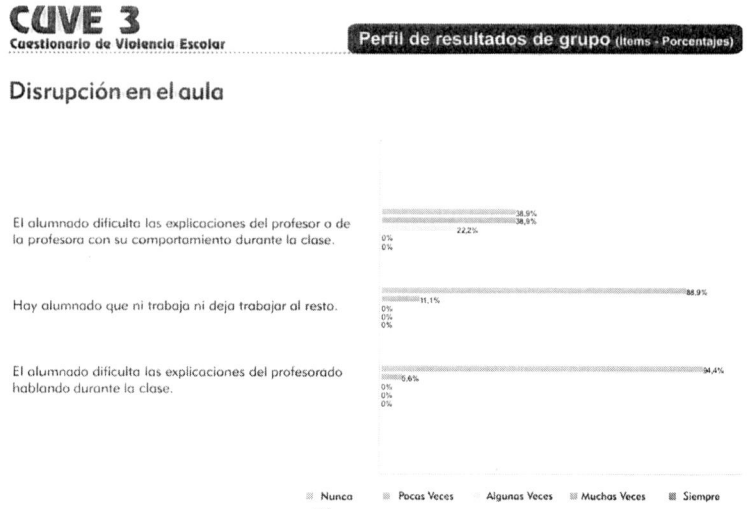

Figura 1. Disrupción en el aula de Grupo 5º EP.

Cuando hablamos de conductas disruptivas nos referimos a las conductas inapropiadas que perjudican el buen funcionamiento del aula, referidas a las tareas, relaciones con los compañeros, al cumplimiento de las normas de clase o a la falta de respeto al profesor.

En cuanto a la disrupción en el aula este grupo de 5º de EP no presenta dato cuantitativo que nos pueda indicar que los alumnos perciben un ambiente disruptivo. Es lógico pensar que al ser una unidad con 18 alumnos el grupo sea muy fácil de controlar y no interrumpan las clases como podría ser en un grupo más elevado.

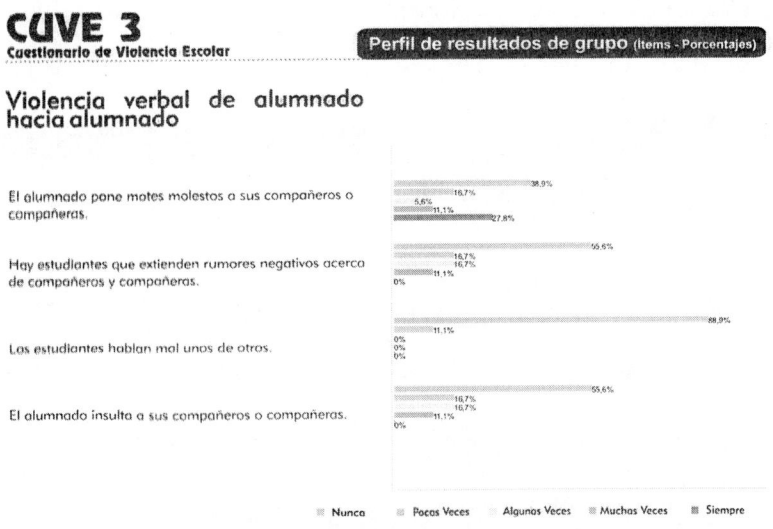

Figura 2. Violencia verbal entre alumnos. Grupo 5º EP

La violencia verbal es una forma de agresión que muchas veces pasa desapercibida, pues no deja huellas a la vista; sin embargo, las lesiones causadas por este tipo de maltrato son tan dolorosas como las que dejan la violencia física, incluso a veces son más difíciles de sanar. La violencia verbal puede ser confundida con un simple conflicto de relación; sin embargo, es complejo que esto pues es una violación a la integridad de la persona afectada, no es un simple juego de palabras, pues pone en riesgo la salud mental de la víctima. Proferir palabras groseras y ofensivas, es la forma más obvia de violencia verbal, pero no la única manifestación de esta. Si el realizar todos estos actos violentos de forma verbal, como el poner motes, ofender entre otras de forma reiterada hacia un mismo alumno o alumna ya se enmarcaría en lo que se conoce como acoso escolar (Olweus, 1998). En la imagen 2 del grupo 5º EP, se puede apreciar que los resultados en ítems por porcentajes destacamos en lo referente a violencia verbal según la percepción de los alumnos un alto porcentaje, un 27,8%, refiriéndose a poner motes a sus compañeros y compañeras siempre. Es muy habitual en zonas rurales conocer a las familias por sus motes, costumbre que parece ser se llevan a el aula. Sin embargo, los demás ítems no tienen datos negativos significativos, si acaso positivos, observemos que los alumnos no perciben ni insultos, ni rumores negativos ni hablan mal entre ellos.

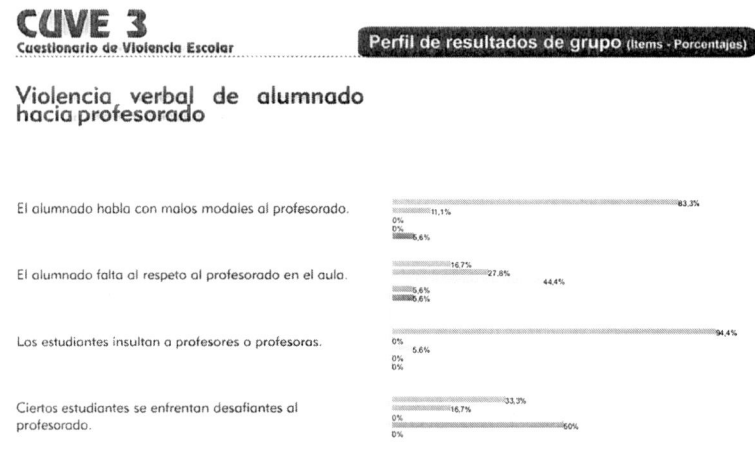

Figura 3. Violencia Verbal alumnado-profesor del Grupo 5º EP

En la figura 3, si cabe destacar que el alumnado o bien falta el respeto a los profesores 5,6% o bien utiliza malos modales para con ellos, el maltrato verbal incluye palabras denigrantes dirigidas hacia la otra persona, lo cual socava la autoestima y genera un doble daño el daño por parte de quien la recibe, y daño a la relación que existe entre ambos.

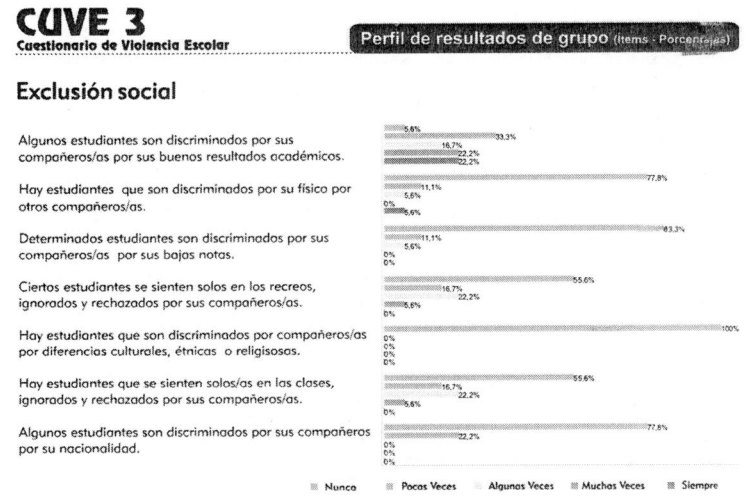

Figura 4. Exclusión social del Grupo 5° EP

En la figura 4, exclusión por alguna causa cabe resaltar la existencia de exclusión por destacar en las calificaciones o resultados académicos un 22,2 % mientras que por su aspecto físico es excluido un 5,6 %. Con estos datos obtenidos se puede observar como puede producirse un claro caso de acoso escolar con la exclusión de algunos compañeros, tanto por parte de varios alumnos hacia otro u otros ya sea por los buenos resultados académicos obtenidos algunos y por el físico otros, muestra clara que se está produciendo acoso escolar o del tipo social.

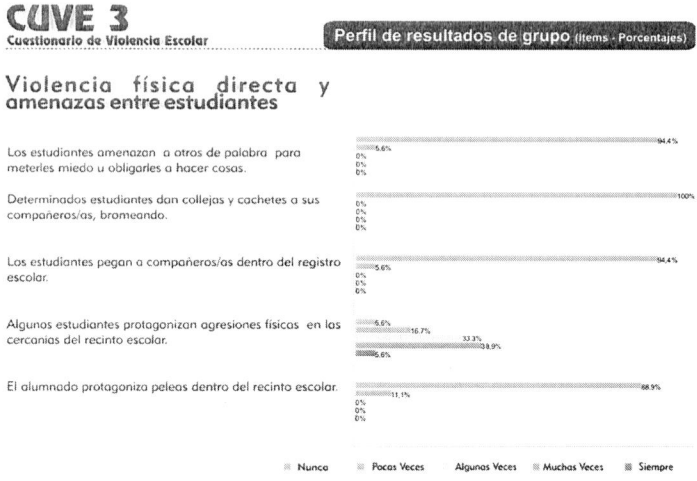

Figura 5. Violencia física directa del grupo 5º EP

En la figura 5, es también significativo la violencia física directa existente en los alrededores del centro escolar, un 5,6% la percibe siempre. Sin embargo dentro de las instalaciones no ha sido significativa. Se observa que las agresiones, las peleas se han realizado fuera del centro escolar, no pudiéndose determinar en estos casos si estos actos violentos han sido de forma mutua o en cambio, ha sido ejercido por uno o varios contra algún alumno o alumna de los casos anteriores.

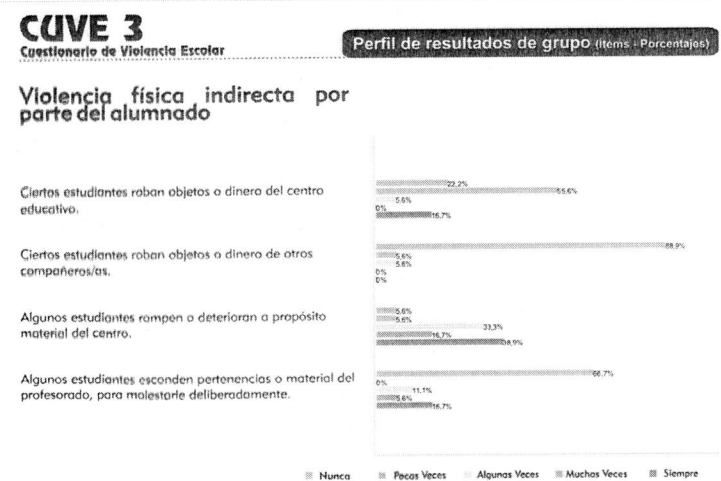

Figura 6. Violencia física indirecta entre alumnado del grupo 5º

Los robos están en un 16,7 %, la violencia física indirecta en niveles significativos, la agresión contra materiales del centro es muy elevada: un 38,9%, mientras que la violencia indirecta contra los materiales del profesorado también es elevada 16,7%.

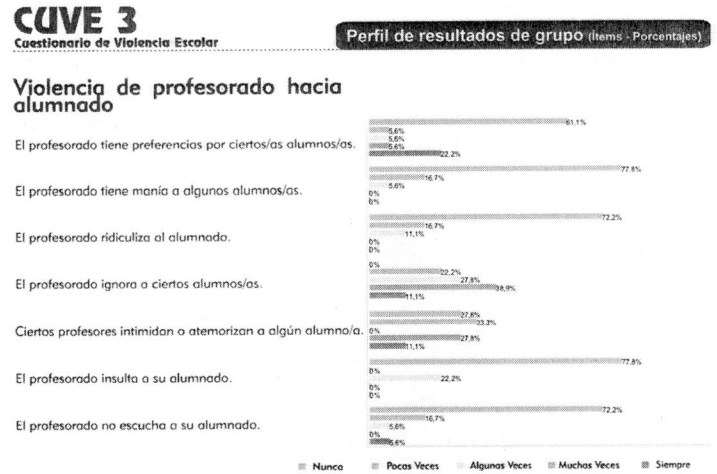

Figura 7. Violencia de profesorado hacia alumnado en el grupo 5º EP

En esta figura 7, cuantitativamente hemos detectado cierta violencia del profesorado hacia el alumnado, preferencias del profesorado hacia ciertos alumnos en 22,2%, ignorar a los alumnos 11,1%, no escuchar a los alumnos 5,6%, actitudes muy negativas que el alumnado de esa edad percibe, todo ello se refleja en la figura 5.

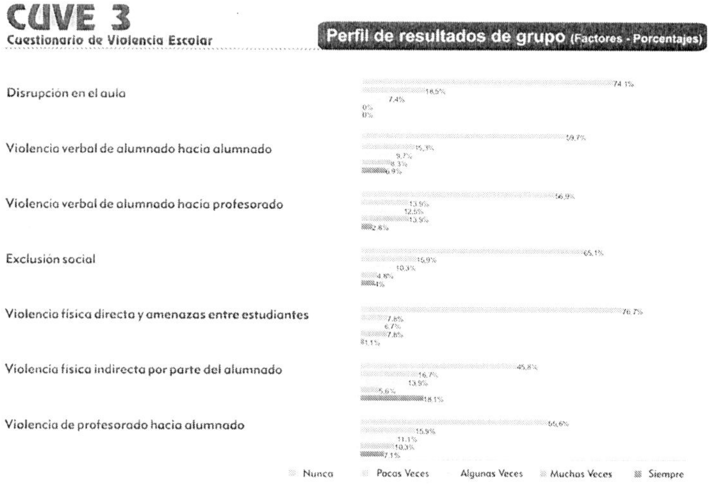

Figura 8. Factores porcentajes del grupo 5º EP

En la imagen 8 del grupo 5º EP, se puede apreciar que los resultados en factores por porcentajes son los más altos los que se corresponden a la Violencia verbal entre alumnado 6,90%, Violencia verbal hacia el profesorado 2,8%, exclusión social 4%, violencia física directa 1,1% violencia física indirecta por parte de los alumnos 18,1 y violencia del profesorado hacia el alumnado 7,1%. El resto de los factores permanece en cotas ajustadas a la media, siendo el que tienen menor reflejo en el grupo: la disrupción en el aula por parte del alumnado.

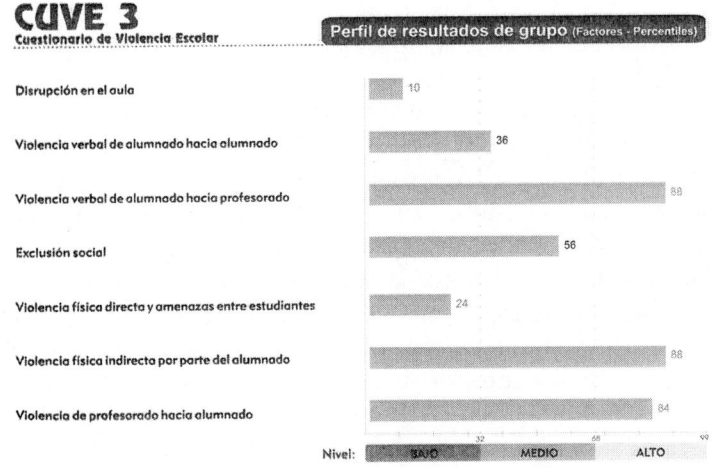

Figura 9. Percentiles del grupo 5° EP

En la imagen 9 del grupo de 5° de Primaria, se pone de manifiesto los factores por percentiles, manteniéndose en cotas muy altas de violencia verbal hacia el profesorado, la violencia física indirecta por parte del alumnado y la violencia de profesorado hacia el alumnado en este estrato estudiado.

Aunando los resultados obtenidos con los grupos se puede concluir que la forma de violencia escolar más presente en la muestra de estudio, si nos ceñimos a los factores por porcentajes, sería la violencia verbal entre del profesorado hacia el alumnado, curiosa situación esta que niños tan jóvenes perciban ese malestar para con sus maestros.

5. CONCLUSIONES

La violencia escolar puede afectar negativamente al rendimiento académico y al desarrollo psicosocial del alumnado. Respecto al rendimiento académico, se ha observado que participar como agresor en situaciones de maltrato entre estudiantes permite predecir una baja percepción de competencia académica por parte del propio alumno y la obtención de bajas calificaciones. Ser rechazado y víctima de agresiones también afecta al logro académico y al riesgo de fracaso escolar. Permite predecir una baja competencia percibida y, en muchos casos, evitación escolar, absentismo, pérdida del compromiso con lo académico y una baja participación, frecuentemente para evitar el maltrato (Totura, Green, Karver, & Gesten, 2009). La relación con el profesorado también incide en el rendimiento académico. El fomento de relaciones cercanas y de calidad entre estudiantes y profesorado está asociado a un mayor compromiso en el centro educativo por parte de ambos, lo cual se traduce en una mayor motivación, rendimiento, sentimientos de pertenecía y afecto en la escuela. Evidentemente la violencia escolar también puede tener un impacto negativo entre los implicados sobre ciertos aspectos de carácter psicosocial. Así, los problemas de comportamiento por parte del alumnado constituyen una de las principales fuentes de estrés y *burnout* en el profesorado, lo que puede derivar no sólo en insatisfacción y desmotivación laboral, sino también en síntomas de tipo somático, depresivo, de ansiedad, insomnio o irritabilidad, actitudes negativas hacia uno mismo o hacia los demás -que pueden afectar también a su vida familiar-, e incluso en casos más extremos fobia social, depresiones graves o intentos de suicidio (Moriana & Herruzo, 2004) Los estudiantes que han sido víctimas de un maltrato continuado por parte de sus compañeros.

Por último, el alumnado que presenta problemas de comportamiento en el centro educativo, puede extender su conducta a otros ámbitos, como el ámbito familiar, al grupo o al barrio. Por lo tanto, resulta fundamental, de cara a la prevención o al tratamiento de la violencia escolar y de sus efectos negativos, disponer de instrumentos de evaluación que permitan diagnosticar de manera objetiva y sistemática la situación de la convivencia en el centro educativo, a fin de desarrollar las medidas más ajustadas a cada caso, así como evaluar la eficacia de las medidas para la mejora de la convivencia que hayan sido puestas en marcha.

Por otra parte, hemos llegado a la conclusión de que la violencia está presente en cualquier nivel sociocultural. Ante esto, podemos interpretar que la violencia retroalimenta a la violencia. Es por ello por lo que se propone el uso de la mediación escolar. (Jares, 2006), propone contenidos de ciudadanía, que van de la mano cuando de lo que se trata es de ayudar a forjar el carácter moral y armonioso desarrollo de la personalidad del alumnado.

Aprender a convivir significa conjugar la relación igualdad-diferencia, somos iguales en igualdad, dignidad y derechos y somos diferentes, diferencias que son en ocasiones positivas y deben ser fomentadas. Las desigualdades sociales y escolares son las que exigen mayor compromiso e implicación por parte del profesorado y de las administraciones educativas. Estos contenidos de la pedagogía de la convivencia están dentro de los derechos de la infancia y de la adolescencia.

Dentro de la pedagogía de la convivencia incluimos dos factores de importancia significativa, nos referimos a la felicidad y a la esperanza. La felicidad como dice Russell, (1991) "todavía es posible" pero evidentemente son imprescindible unos mínimos que, aunque contemplados en los derechos humanos no son garantizados, pero están en la base de la felicidad. Como decimos, la esperanza es una necesidad vital que acompaña al ser humano desde que toma conciencia de la vida, somos los únicos seres vivos capaces de soñar e ilusionarse con tiempos mejores (Jares, 2006).

Por ello, proponemos como fórmula de resolución positiva de conflictos la mediación escolar, formando a alumnado y profesorados dentro del sistema educativo conseguiremos en nuestros alumnos y profesores competencias que repercutirán sin duda en una sociedad más democrática y capacitada para resolver las futuras controversias. Y contribuirá a estructurar un clima relacional constructivo, seguro y saludable de modo que todo el mundo pueda experimentar la protección y el afecto que le van a permitir integrarse y aprender algo nuevo (Boqué, 2018). La mediación escolar implica a todos los miembros de la comunidad educativa y es un instrumento proactivo para el acoso.

MEDIACIÓN ESCOLAR, METODOLOGÍA DE AFRONTAMIENTO DE CONFLICTOS POTENCIADORA DE ACTITUDES RESPONSABLES

EMILIA DE LOS ÁNGELES ORTUÑO MUÑOZ
EMILIA IGLESIAS ORTUÑO
MARÍA PAZ GARCÍA-LONGORIA Y SERRANO
Universidad de Murcia

RESUMEN

El trabajo que se presenta, responde a la necesidad de una búsqueda de alternativas de resolución de conflictos en el marco escolar, que ayuden a los alumnos a afrontar, de manera autónoma, responsable y participativa, los conflictos que se les presentan cotidianamente en el ámbito escolar, al tiempo que sirve de adquisición de habilidades de resolución transferibles a otros ámbitos de la vida así como a las situaciones conflictivas futuras. Tiene su punto de partida en una investigación realizada por las autoras, en centros educativos de la Comunidad Autónoma de la Región de Murcia, España. En un primer momento y a través de una investigación cuantitativa se ha podido constatar el impacto de un programa preventivo de sensibilización en los escolares. Posteriormente se realizó una valoración cualitativa, a través del estudio de caso, de los expedientes de mediaciones realizadas por los propios alumnos, en uno de los centros escolares participantes en la investigación.

Palabras clave: conflictos escolares, afrontamiento, autocontrol, responsabilidad, participación, sensibilización, prevención.

1. INTRODUCCIÓN

Es necesario replantearse la función de la escuela, como espacio donde se pueda compensar el déficit producido por la pérdida de capacidad de otras instituciones como la familia, la comunidad, o a sociedad en general. Esta nueva función debería ofrecer un marco idóneo para una educación que fomente la cultura de la paz y el respeto a los derechos humanos, y siente las bases de una convivencia fundamentada en el diálogo y la aceptación del otro, en la actual sociedad multicultural y diversa.

En el currículo no se suele integrar de manera explícita la formación para aprender a vivir juntos, tercer pilas de la educación, recogido en el Informe Delors para la UNESCO,[1] esto es algo primordialmente vivencial, inmerso en un entorno no exclusivamente educativo, lo que evidencia que, tanto alumnos como profesores, necesitan un contexto acogedor que posibilite el crecimiento personal integral.

Datos como los que se pueden extraer del informe elaborado por la Organización Mundial de la Salud (2002), nos revelan que los jóvenes se socializan en la actualidad en un contexto violento, que incluso puede comenzar en la propia familia, esto conlleva que en numerosos casos, son los mismos jóvenes los que se constituyen en actores de violencia.

Respecto de si el aumento de violencia escolar es real, encontramos que no existe una clara respuesta en estudios realizados tanto fuera como dentro España. Desde luego no es algo nuevo, y a la vista de los datos que arrojan los diferentes estudios es ineludible la intervención desde la escuela, ya que está comprobado que los programas preventivos dirigidos a niños durante los primeros doce años, pueden estimular el desarrollo de la compasión, la tolerancia, el sentido de autocrítica y la empatía.

Para hacer frente a este nuevo reto de la escuela entendimos necesario poner en práctica una fase de *sensibilización*, de toda la comunidad escolar, respecto a la *cultura de la mediación*, porque creemos, junto a Munné y Mac-Cragh (2006:85) que "la mediación en la escuela implica una nueva forma de relacionarse desde la docencia y un carácter transformativo en el alumnado".

2. OBJETIVOS DEL TRABAJO

El objetivo planteado para la primera parte de nuestra investigación fue el de medir el impacto de un programa preventivo de sensibilización en mediación en IES de la Región de Murcia. Comprobar

---

[1]   Informe a la UNESCO de la Comisión Internacional sobre la educación para el siglo XXI, presidida por JACQUES DELORS. La educación encierra un tesoro.

si éste había producido los cambios esperados respecto a valorar, por encima de las demás, las formas pacíficas de afrontar los conflictos.

El esquema del programa de sensibilización estaba basado en todos aquellos aspectos recogidos en la denominada "Cultura de la Mediación" entendida como conjunto de valores y creencias destinadas a definir las relaciones entre las personas integrantes de la comunidad escolar.

Para el segundo momento nos planteamos como objetivo analizar casos de mediación, llevados a cabo por el Servicio de Mediación de uno de los establecimientos educativos participantes en la investigación, el Instituto de Educación Secundaria Licenciado Francisco Cascales de la ciudad de Murcia.

3. DESARROLLO DE LA INVESTIGACIÓN

3.1. Primera parte: Medición del impacto del programa de sensibilización en mediación.

Abordamos en este primer momento una investigación de tipo explicativo que permitiera averiguar los efectos del programa, así como las variables que mediatizan estos efectos.

El diseño responde al siguiente esquema:

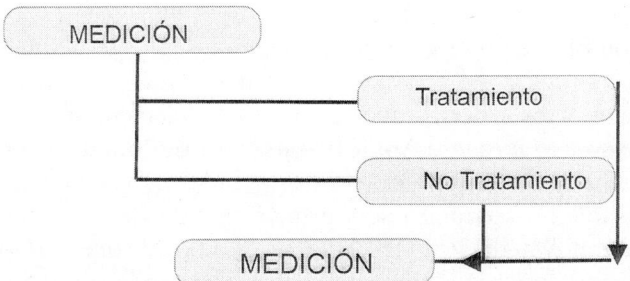

Hipótesis: Un programa de sensibilización en Mediación, tiene un impacto en la percepción de las formas de resolución de los conflictos, en alumnos de ESO de IES de la Región de Murcia.

La Variable Independiente (VI), el propio programa, requirió de su elaboración, partiendo del criterio de que optar por la mediación implica un cambio de paradigma en la resolución de conflictos consistente, como señala de Six (1997), en cambiar la *confrontación* por la *comunicación*.

Para esta fase tuvimos en cuenta los programas sobre transformación, resolución de conflictos y mediación desarrollados por autores como Alzate (2001) y su adaptación del programa Conflict Resolution; An Elementary School Curriculum de Community Boards, California (1987,1998, 1999), Boqué (2002), Torrego (2003), Ramos Mejía (2003) o Munné y Mac-Cragh (2006), de manera que incluimos en la intervención bloques temáticos que, con menor o mayor desarrollo, encontramos unánimemente tratados por los autores anteriormente mencionados.

1. El programa de sensibilización

Los contenidos y objetivos de cada uno de estos bloques temáticos fueron:

a) Comprensión del conflicto: Los contenidos fueron el conflicto y su valor neutro, estilos más usuales de afrontarlos. Los objetivos: comprender la conflictividad como un hecho consustancial a la vida y el conflicto como término neutro cuya connotación dependerá de la forma de responder al mismo. Conocer y valorar los cinco estilos de afrontamiento: competitivo, colaborativo, evasivo, acomodaticio y de compromiso.

b) Comunicación efectiva. Los contenidos de este bloque fueron: la comunicación verbal y no verbal, los obstáculos que la interfieren y los aspectos que la favorecen; los mensajes en primera persona o *mensajes-yo*, forma asertiva de comunicación; la escucha activa. Los objetivos: comprender el hecho de que "no es posible no comunicarse", primer axioma de la comunicación de Paul Watzlawick (1971, 1993, 2002), y de que es importante lo que decimos y cómo lo decimos; entender que la comunicación deficiente es fuente de conflictos. Saber que la escucha activa nos proporciona información y sirve para calmar o apaciguar emociones.

c) Expresión de emociones y sentimientos. Los contenidos fueron: las emociones, el vocabulario de los estados anímicos, el lenguaje no verbal de los sentimientos. Los objetivos: entender las emociones como parte subyacente de los conflictos y comprender la necesidad de tener conciencia emocional. Comprender la importancia del autocontrol de las emociones y su expresión apropiada ya que son patrimonio personal, cada uno es dueño de sus emociones.

d) Habilidades de pensamiento. Los contenidos fueron: *posiciones*, los *intereses* y *necesidades*, como partes que conforman los conflictos; las *perspectivas* ante un mismo hecho; los cinco pensamientos esenciales en la resolución de conflictos: causal, alternativo o creativo, consecuencial, de perspectiva, y medio-fin. Los objetivos fueron: conocer y diferenciar las partes del conflicto, *posiciones, intereses y necesidades*; entender que todo conflicto, como hecho real, tiene distintos puntos de vista. Experimentar que un cambio de pensamiento ayuda en una mejor resolución de los conflictos.

e) Participación activa. Los contenidos incluyeron: derechos y obligaciones de los escolares; participación efectiva de las personas en su entornos, o "práctica de la participación democrática", Torrego (2003:15); normas, sanción, disciplina, reparación. En cuanto a los objetivos: aprender a interesarse por el mundo que nos rodea y sentirse parte integrante de él, aprender a luchar por la justicia y evitar la postura de "mirar para otro lado", entender que las normas son necesarias para la convivencia, entender la diferencia entre sanción y disciplina, castigo y reparación.

f) Convivencia pacífica. Los contenidos fueron: la paz activa, la "noviolencia" de Gandhi. Los objetivos: trabajar para la convivencia pacífica, la cohesión social, y el desarrollo personal. Aprender a superar prejuicios, estereotipos y exclusiones. Impulsar la solidaridad.

g) Proceso de Mediación. Los contenidos ce sentraron en el *proceso formal de mediación*, fases, herramientas y habilidades del mediador. Tenía como objetivos: dar a conocer, a todo el alumnado, el proceso de mediación; mostrar la manera de optar por este recurso alternativo y/o complemento al Reglamento de Disciplina. Despertar, en algunos alumnos, el interés por llegar a ser mediador del centro.

2. La variable dependiente: cambio en la percepción de las estrategias de resolución de conflictos.

Con la variable dependiente medimos el impacto causado por el programa de sensibilización sobre la percepción respecto a las diferentes formas o estrategias de resolución de conflictos. Nos interesaba conocer si, tras la realización del programa de sensibilización, los alumnos experimentaban un cambio respecto a la consideración de las formas más adecuadas de respuesta a la conflictividad.

3. Métodos de obtención de datos

El modelo elegido para esta fase de la investigación fue el de la encuesta. Elaboramos tres tipos de cuestionarios basados en el propuesto por Boqué (2002). Un primer cuestionario se utilizó para la primera medición y se aplicó a todos los participantes y los otros dos, destinados al grupo experimental y de control respectivamente, se aplicaron en la segunda medición.

A) Cuestionarios: A, B-experimental, B-control.

Cuestionario A. Realizado a todos los participantes antes del Programa de Sensibilización

Este instrumento comprendía treinta y cinco preguntas cerradas. Utilizamos la Escala Likert, con cuatro posibles respuestas: 1 Nada de acuerdo, 2 Algo de acuerdo, 3 De acuerdo, 4 Muy de acuerdo. Las preguntas estaban relacionadas con la variable de la hipótesis planteada y sobre distintos aspectos y tipología de los conflictos más habituales en las aulas.

Cuestionario B-Experimental. Realizado después de recibir el programa de Sensibilización. Este cuestionario se componía de veintiocho preguntas cerradas, igualmente se utilizó la *Escala Likert.* Se incluyeron nuevos ítems destinados a la valoración personal sobre lo aprendido.

Cuestionario B-Control. Realizado después de celebrado el programa al grupo que no había recibido la formación en Mediación. Sus veinte primeros ítems eran coincidentes con el cuestionario B-Experimental, Se diferenciaba en la ausencia del bloque referido a la valoración personal de los cambios experimentados tras la realización del programa de sensibilización.

4. Sujetos

Para nuestro estudio, nos decantamos por un muestreo no probabilístico. Seleccionamos una *muestra multietapa o polietapa*, en la que en un primer momento se eligieron los centros educativos, en segundo lugar, los cursos y en tercer lugar, los grupos de alumnos pertenecientes a cada curso.

El total de los 956 alumnos que integraban la muestra, realizaron el primer cuestionario *(cuestionario A)*. Posteriormente, el número de alumnos que respondió al *cuestionario B-experimental*, alumnos que recibieron el tratamiento experimental, fue de 606 alumnos. Al *cuestionario B-control* respondió un total 330 alumnos que no recibieron el programa.

2ª Parte: Estudio de casos de mediación escolar

Para este segundo momento utilizamos una metodología cualitativa, el estudio de casos. Mediante ella se analizaron las mediaciones llevadas a cabo en uno de los centros escolares.

La recolección de datos se obtuvo de las fichas-registro, cumplimentadas por los mediadores. Las categorías analizadas fueron:

a) Tipología de los sujetos participantes: mediadores y partes en el conflicto. Edades, sexo, situación.

b) Clase de conflictos presentados. Se siguió para su clasificación la tipología aportada por Redorta (2004:317-321)

Los resultados que se obtuvieron fueron los siguientes:

a) *Tipología de los participantes en las mediaciones.*

a.1) En cuanto los mediadores.

En los 25 casos estudiados actuaron un total de 19 mediadores, de entre ellos 12 chicas y 7 chicos. Respecto al perfil personal de los mediadores se trataba, en la mayoría de los casos, de alumnos y alumnas con buenas habilidades sociales que habían decidido voluntariamente seguir los talleres de capacitación de mediadores realizados anualmente en el centro. La mayoría de ellos respondía a un buen rendimiento académico, no obstante contamos con dos alumnas de bajo rendimiento académico, que igualmente compartían con los demás alta capacidad de relacionarse positivamente. Las edades de los alumnos mediadores oscilaban entre 13 y 16 años, los cursos en los que se ubicaban estos mediadores eran los de 3° y 4° de ESO y 1° y 2° de Bachiller.

Actuaron en co-mediación, la intervención de dos mediadores favorece el clima de acogida y confianza en los mediados por presentar éstos características similares vinculadas a aspectos como edad, sexo, nacionalidad.

La forma de selección de mediadores fue una mezcla entre la elección de los alumnos en conflicto y otros criterios contemplados en función del caso, de las características personales de los mediados o de la disponibilidad horaria.

a.2) En cuanto a los Mediados.

El perfil de los alumnos en conflicto, presenta rasgos comunes como la edad, la mayoría oscila entre 12 y 14 años, y corresponde a alumnos que cursan 1° y 2° de Enseñanza Secundaria Obligatoria (ESO). Sólo en tres de los veinte casos estudiados, se trató de alumnos/as de 3° de ESO. En cuanto al perfil académico y de sociabilidad, no hay tanta homogeneidad, si bien presentan parecido grado de carencia en habilidades sociales.

b)Contenidos de los conflictos escolares mediados.

1. Dos personas enfrentadas. Se trata de un conflicto entre dos alumnos de carácter interpersonal. De este tipo de conflicto hemos encontrado 17 casos sobre los 25 estudiados

2. Una persona contra dos. En este caso se trata de una alianza de dos personas contra otra. Hemos encontrado 5 casos

3. Una persona contra un grupo. El grupo se une contra una persona. Hay un caso de esta tipología.

4. Dos grupos enfrentados. En 2 casos se trata de un grupo de chicos frente a otro grupo de chicas.

4. RESULTADOS CONCLUSIONES Y PROPUESTAS

4.1. Resultados referidos al impacto del programa de sensibilización en mediación.

Encontramos un cambio de percepción sobre las formas de afrontamiento de los conflictos. En este apartado, los ítems hacen referencia a los cinco estilos básicos de afrontamiento de los conflictos: *Evasivo* (Es mejor huir de los conflictos); *Competitivo,* (Has de procurar ganar a toda costa); *Colaborativo,* (Se puede solucionar el conflicto ganando los dos); *Acomodaticio* (Prefiero perder para no dejar la amistad); *Compromiso* (No me importa perder si el otro pierde.)

El tratamiento estadístico se realizó con el programa *Statistical Package for the Social Sciences* (SPSS). Aplicamos el análisis ANOVA de un Factor, para conocer la existencia de diferencias entre los grupos Antes, Después y Control. La prueba Sheffé nos indicaba entre que grupos se producían diferencias.

Se produce diferencia significativa cuando sigma bilateral (Sig.) presenta valores iguales o inferiores a 0.05 (Sig. $\leq$ 0,05)

1. Es mejor huir de los conflictos. Para la *respuesta evasiva* obtuvimos los siguientes datos:

(I) Tipo	(J) Tipo	Diferencia de medias (I-J)	Error típico	Sig.
Antes	Después	,49858*	,05829	,000
Antes	Control	,02210	,07142	,953
Después	Control	-,47648*	,07663	,000

Comprobamos diferencia significativa de medias entre los grupos Antes-Después del programa, no hallamos diferencia entre el grupo Antes-Control. Igualmente observamos que hay diferencia significativa entre los grupos Después-Control, podemos afirmar que sí hay un cambio de percepción en los alumnos respecto a no considerar adecuada la estrategia de la huida.

2. Has de procurar ganar a toda costa. Datos para la *respuesta competitiva:*

(I) Tipo	(J) Tipo	Diferencia de medias (I-J)	Error típico	Sig.
Antes	Después	,21794*	,04819	**,000**
Antes	Control	-,19223*	,05957	**,006**
Después	Control	-,41017*	,06374	**,000**

Observamos diferencias significativas entre los grupos Antes-Después y lo que implica que el grupo Experimental considera poco adecuada la estrategia competitiva.

3. Se puede solucionar ganando los dos. Con relación a la *respuesta colaborativa*:

(I) Tipo	(J) Tipo	Diferencia de medias (I-J)	Error típico	Sig.
Antes	Después	-,75099*	,05261	**,000**
Antes	Control	,10489	,06490	**,271**
Después	Control	,85588*	,06942	**,000**

Encontramos diferencia significativa entre los grupos Antes-Después, lo que evidencia un cambio de actitud sobre la estrategia colaborativa, pasa a ser más valorada por el grupo experimental. El dato se refuerza una vez más con la no existencia de diferencias con el grupo Control.

4. Prefiero perder para no dejar la amistad, En cuanto a la estrategia acomodaticia obtenemos los siguientes datos:

(I) Tipo	(J) Tipo	Diferencia de medias (I-J)	Error típico	Sig.
Antes	Después	,26439*	,05563	**,000**
Antes	Control	,04926	,06853	**,772**
Después	Control	-,21513*	,07340	**,014**

El programa ha producido el impacto deseado, el estilo acomodaticio pasa a ser menos valorado.

5. No me importa perder si el otro pierde. La estrategia de compromiso arroja los datos son los siguientes:

(I) Tipo	(J) Tipo	Diferencia de medias (I-J)	Error típico	Sig.
Antes	Después	,27956*	,05475	,000
Antes	Control	-,06833	,06701	,595
Después	Control	-,34788*	,07184	,000

Volvemos a encontrar diferencia significativa entre los alumnos antes y después del programa, evidencian el cambio de actitud sobre esta forma de afrontar el conflicto. Este dato se refuerza porque no existen diferencias entre el grupo inicial y el grupo de control. Perder si el otro también pierde, deja de ser una buena estrategia.

4.2. Resultados referidos al estudio de casos.

Los mediadores llevaron a cabo intervenciones que facilitaron el clima favorable a la expresión correcta de las emociones. Posibilitaron que las partes sintieran la necesidad de hablar por turnos, de utilizar la escucha activa, de comunicarse de manera eficaz. Facilitaron la creatividad para la búsqueda de soluciones satisfactorias para todos. Presentamos estos resultados en cuanto a la descripción del tipo de conflicto y en cuanto a la solución adoptada por las partes

4.2.1. Tipo de conflicto. Para la establecer la tipología de los conflictos tratados en las mediaciones seguimos la tipología del profesor Redorta (2004):

– Autoestima: disputamos porque el orgullo personal se siente herido. Ejemplo de este tipo lo encontramos en un conflicto entre un chico y una chica que mantenían una relación sentimental y delante de sus amigos el chico despreciaba y humillaba a la chica.

– Valores: el conflicto surge porque los valores o creencias fundamentales están en juego. Uno de los ejemplos se centró en la agresión de un muchacho, considerado más débil, y la defensa que realiza uno de sus compañeros de la clase frente al agresor. Ambos alumnos diferían en considerar como valor la ayuda a los compañeros más débiles.

- Identidad: el problema afecta a la manera íntima de ser lo que soy. Uno de los conflictos de este tipo, se centraba en la orientación sexual de un chico. La clase entera se unió contra la persona homosexual.

- Información: se disputa por algo que se dijo, o no se dijo, o que se entendió de forma distinta. En este caso encontramos varios temas relacionados con la existencia de rumores y descalificaciones utilizando, sobre todo, el canal de redes sociales e internet.

- Expectativas: el conflicto se genera porque no se cumplió o se defraudó lo que uno esperaba del otro. El conflicto que presentamos como ilustración se refiere a tres chicas que son amigas. Una de ellas comienza a fabular sobre sus éxitos. Las otras dos dejan de ir con ella porque no esperaban que ésta hubiera mentido.

- Poder: disputamos porque alguno de nosotros quiere mandar, dirigir, o controlar más a otro. Encontramos este tipo de conflicto cuando el líder de la clase tenía que mostrar su poder atacando a uno de los alumnos de orientación homosexual. En otro caso el poder se manifestaba en una pelea entre el líder de la clase y un chico clasificado como víctima- provocadora.

- Incompatibilidad personal persistente: disputamos porque no nos entendemos habitualmente como personas. El conflicto que presentamos se centró en el maltrato sistemático de tres chicos con insultos y desprecios a tres de las chicas de la clase más tímidas y reservadas.

- Legitimación: la controversia surge porque el otro no está autorizado a actuar como lo hace, lo ha hecho o pretende hacerlo. El conflicto producido en la clase surgió cuando dos de los alumnos estaban hablando de cuestiones personales y un tercer alumno se entrometió en la conversación. Este alumno, entienden los otros dos, no está legitimado para esta actuación.

- Recursos escasos: disputamos por algo de lo que no hay suficiente para todos. En uno de los casos el conflicto se produce entre un alumno y dos chicas. El primero insulta a sus compañeras porque éstas no quieren compartir el desayuno. En otro caso dos chicos disputan por la propiedad de un libro, que ambos consideran suyo.

- Intereses: disputamos porque los deseos o intereses son abiertamente contrapuestos a los de otros. El conflicto se centró, en varios de los casos, en el tema de la disputa por celos. Ambas alumnas disputaban el afecto de uno de los chicos.

- Inequidad: la acción o conducta del otro u otros las sentimos enormemente injustas. El conflicto se centró en el escenario de una conversación entre una de las alumnas y su compañero. Un tercero, entienden ellos que molesta y atacan con insultos. El interlocutor eleva el nivel de insultos al sentirse culpado por algo que sentía que no había hecho.

4.2.2. Resultados de la mediación en los estudios de caso

En cuanto a los resultados, en todos los casos se consiguió llegar a un acuerdo entre los alumnos. Los tipos de acuerdo fueron:

1). Reformulación de una conducta. En este aspecto las acciones consistieron en: *"Eliminación de la conducta que provocaba el malentendido; ofrecer disculpas a la otra parte; ser amigos de otra forma sin malentendidos; informar de la verdad a los padres; no ir juntos en los recreos; cambiarse de sitio en la clase; no hablar demasiado fuerte en clase"*. Se trata por tanto de dos tipos de modificación de la conducta, acción y evitación.

2). Restablecimiento/modificación de la comunicación. Los acuerdos adoptados en este sentido se podrían resumir en: *"Aclarar los problemas sin hacer caso a rumores; escuchar todas las versiones; establecimiento de normas; mayor respeto mutuo; hablarse con corrección; pedir las cosas amablemente"*.

3). Restablecimiento de la confianza. Algunos de los acuerdos logrados a través de la mediación se refirieron a: *"dar oportunidad al otro para volver a confiar o perdonarse"*. Confianza referida a la capacidad de una persona para otorgar veracidad o exactitud a las declaraciones o al comportamiento de otra.

4). Autocontrol. Otro tipo de acuerdos alcanzados se referían a *"mostrar más autocontrol. No involucrar a terceros en los conflictos"*. El efectivo autocontrol depende de una secuencia de procesos mentales y emocionales interconectados y en situaciones conflictivas el individuo es menos capaz de utilizarlo por encontrarse en situaciones altamente emocionales. La función que realizó la mediación fue la generar un espacio de reflexión.

Los acuerdos fueron objeto de seguimiento. El seguimiento del cumplimiento de los acuerdos se marcó de forma voluntaria con fecha de revisión recogida en el acta final. En los casos estudiados esta fecha oscila entre quince y treinta días, trascurridos estos volvían a reunirse las partes con los mediadores para confirmar si los acuerdos se cumplían. En el total de los veinticinco casos se expresó por las partes que los acuerdos se cumplieron o estaban cumpliéndose según lo establecido.

5. CONCLUSIONES

En cuanto al impacto del programa respecto a la percepción de las formas habituales de resolución de conflictos: Se ha producido impacto achacable al programa respecto a valorar los diferentes estilos de respuesta que se adoptan ante ios conflictos teniendo en cuenta tanto la defensa de los propios intereses como la relación con el otro. Por consiguiente los alumnos han comprendido que no son buenas las soluciones ganar *a toda costa, perder por conservar la amistad, conformarse con perder si el otro también pierde* o adoptar la *estrategia de la huida*. Por el contario han aprendido a considerar válidas las soluciones colaborativas que permiten satisfacer los intereses de ambas partes (ganar/ganar) y que éstas requieren adoptar actitudes responsables para gestionar los conflictos.

En cuanto al análisis de casos de mediación, nos aporta las siguientes conclusiones:

La mediación entre pares, se convierte en una útil metodología de resolución de conflictos al servicio del centro, no solamente como sistema de gestión de los mismos sino como herramienta que posibilita dar cabida a sistemas de prevención y facilitan la toma de conciencia de las propias acciones y esto potencia *actitudes responsables*.

Es cauce para la efectiva participación de los alumnos en la mejora de la convivencia.

Sirve para trabajar habilidades sociales, tanto en los mediadores como en los mediados, al igual que trabaja, de manera eficaz, las competencias básicas de los estudiantes y en concreto la competencia en *comunicación lingüística*, porque favorece el uso funcional del diálogo como herramienta básica para la comunicación efectiva y la escucha activa. La competencia *social* y *ciudadana*, al fomentar la cooperación, la mejora de la convivencia y la comprensión del conflicto como hecho consustancial a la vida. La competencia para *aprender a aprender* o deuteroaprendizaje, puesto que el aprendizaje en resolución de conflictos escolares es aplicable a la gestión de conflictos futuros. La competencia en *autonomía e iniciativa personal*, el proceso de mediación permite la adquisición de valores como la responsabilidad, el autoconocimiento, el control emocional, la autoestima y la creatividad.

El funcionamiento del Servicio de Mediación del Centro permite familiarizarse con los métodos alternativos de resolución de conflictos que en la actualidad son de gran interesan social.

6. PROPUESTAS

Es necesario abordar acciones preventivas de resolución de conflictos favorecedoras de soluciones educativas que pueden ofrecerse como alternativas al procedimiento sancionador. La sanción, necesaria en algunos casos, quedaría como medida excepcional.

Entendemos que los programas de sensibilización en mediación se deben abordar desde la acción tutorial del profesorado con el fin de ayudar a la formación integral del alumnado.

Entendemos también que la "cultura de la mediación", no solo debe quedarse en la formación y capacitación del alumnado, ni siquiera que esta formación sea patrimonio del ámbito educativo, sino que ha de extenderse a la sociedad en general, por lo que existe, a nuestro modo de ver, un vasto campo de actuación sobre el que se ha de trabajar.

Por último defendemos que los programas de sensibilización en mediación se deben acometer en un centro educativo desde los primeros cursos abarcando a la totalidad del alumnado y entendiendo que el cambio cultural emprendido desde la óptica de la mediación precisa, para su consolidación, de una constancia en el tiempo.

LA RESOLUCIÓN DE CONFLICTOS EN EL PROFESORADO DE EDUCACIÓN SECUNDARIA: EL APORTE DE LA MEDIACIÓN

MARÍA ISABEL ROJO GUILLAMÓN
Universidad de Murcia

RESUMEN

El objetivo del presente trabajo es conocer y analizar los tipos y las causas de los conflictos generados entre el profesorado y al mismo tiempo averiguar cuáles son las estrategias empleadas para su resolución. Para ello, centramos nuestra investigación en un Instituto de Educación Secundaria (IES), de la Región de Murcia, en concreto en el IES Francisco de Goya de Molina de Segura (Murcia). La información se obtuvo mediante una metodología mixta con aplicación de tres técnicas: Grupo de discusión, Encuesta y Entrevista semiestructurada. Los resultados apuntaron a que la mediación escolar es una herramienta idónea para resolver los conflictos entre el profesorado de Educación Secundaria.

PALABRAS CLAVE: Institutos de Enseñanza Secundaria, conflictos escolares, mediación escolar, organizaciones educativas, contexto escolar, convivencia escolar.

1. PLANTEAMIENTO DEL PROBLEMA/INTRODUCCIÓN

Los mecanismos de resolución de conflictos entre el profesorado en los IES, tratan de dar respuesta a los conflictos que se enmarcan en un contexto educativo, por lo tanto, cabe entender que éstos se sitúan dentro de lo que tradicionalmente se ha ido denominando conflictos escolares.

Los estudios sobre conflictos escolares entre el profesorado son escasos. Al mismo tiempo, somos conscientes de que en los Institutos de Enseñanza Secundaria (IES) hay experiencias de resolución de conflictos entre docentes, que si bien no siempre responden a las características de lo que podría recogerse como mediación, se acerca bastante.

Existen diversas técnicas para la resolución de conflictos interpersonales como: a) la negociación, técnica centrada en un hecho futuro o en uno ya ocurrido por medio de un contrato vinculante b) La conciliación, centrada en el pasado con resolución judicial o por medio de una recomendación c) Arbitraje, técnica centrada en el pasado con acuerdo entre las partes d) La mediación en términos generales, como la técnica basada en el futuro con resolución del conflicto según acuerden las partes.

De tal modo, que la mediación escolar se convierte en una herramienta que puede mejorar la gestión de determinados conflictos y aunque no aporta solución para todas las situaciones conflictivas, intenta transmitir habilidades de comunicación, escucha activa, empatía, asertividad e identificación de emociones en un contexto apropiado para el dialogo.

En los centros educativos cada vez son más frecuentes los programas y métodos encaminados a la resolución pacífica de problemas que afectan a la convivencia como la ayuda entre iguales, los programas de fortalecimiento de la asertividad, los programas de desarrollo de la empatía y los métodos del tipo "método de reparto de responsabilidades" con la intervención de expertos para su puesta en marcha y los programas de mediación escolar Benito (2012).

Los programas de mediación escolar fomentan la capacidad de trabajar unidos, luchando contra los problemas y no contra las personas, ofreciendo ventajas no solo en la prevención e intervención frente a los conflictos, sino también en las posibilidades innovadoras y transformadoras del propio contexto educativo (Boqué, 2004).

En la mediación escolar Rozenblum (2007), señala tres niveles, la mediación entre iguales que intervienen en conflictos, la mediación entre docentes o tutores, utilizada cuando no se ha solucionado el conflicto en su primera fase o porque el conflicto no era posible ser mediado y la mediación entre directivos o superiores a la que se recurre, cuando los dos procedimientos anteriores no han llegado a la solución del conflicto. Teniendo en cuenta esta última aportación, consideramos importante tratar la mediación escolar como mecanismo de resolución de conflictos en los IES, estableciendo una clasificación de conflictos generados entre el profesorado, haciendo una distinción entre aquellos conflictos que puedan, o no ser tratados con la mediación escolar.

Las estrategias empleadas por el mediador durante el proceso de mediación, ejercen una gran influencia sobre los resultados del proceso. Es decir, es fundamental que el mediador sea un experto que responda a atributos como, neutralidad, imparcialidad y objetividad, entre otros; características favorecedoras que van a permitir la confianza de las partes en el proceso de mediación aunque, puede variar en función del tipo de conflicto. No todas las estrategias son igual de efectivas, dependerá del conflicto mediado.

Teniendo en cuenta los resultados satisfactorios de la mediación escolar entre el alumnado (Cano, García Longoria y Ortuño 2009; Boqué, 2010; García-Longoria y Vázquez, 2013), cobraría importancia la mediación entre el profesorado como alternativa a la resolución de los conflictos, de un modo pacífico, donde las partes adquieran protagonismo con la ayuda de un tercero neutral que estructure el proceso y permita la posibilidad de barajar varias opciones para llegar a una solución que satisfaga a las partes enfrentadas, mediante el diálogo, pudiéndose resolver conflictos enquistados y aunque sabemos que no es la solución de los problemas de nuestra sociedad, ni tampoco de los centros educativos, consideramos que puede ser de gran ayuda, para hacer de los centros educativos lugares donde profesorado, alumnado y familia estén satisfechos.

2. OBJETIVO

El objetivo de este trabajo, se centra en averiguar los mecanismos de resolución que utiliza el profesorado del IES Francisco de Goya, para resolver los conflictos escolares que surgen entre los docentes.

3. METODOLOGÍA

La metodología que hemos utilizado ha sido una metodología mixta. Empleando para ello, un Grupo de discusión, la técnica de la Encuesta y la entrevista semiestructurada; recurriendo así a la Triangulación metodológica.

Participantes

La muestra elegida para llevar a cabo el grupo de discusión, fueron *los jefes de los departamentos didácticos* (matemáticas, historia, inglés, lengua, informática, tecnología y cultura clásica). A continuación seleccionamos la muestra para el cuestionario que fue seleccionada de forma probabilística, en el que todos los elementos de la población tuvieron la misma probabilidad de ser escogidos, a través de una selección aleatoria de las unidades de análisis, utilizando el "azar estadístico". Constituyendo la muestra para la realización del cuestionario, 35 profesores/as pertenecientes a distintas especialidades y departamentos didácticos. La selección se realizó con un listado del profesorado de un universo de 92 sujetos; eligiéndose uno de cada tres integrantes.

La muestra para realizar las entrevistas semiestructuradas, fueron algunos de los miembros de los departamentos didácticos (en función de la antigüedad), que representaban tanto a la ESO y Bachiller como a Ciclos formativos de Grado Medio y Superior; quedando representada así, toda la oferta educativa del IES y que además, no habían participado en las dos técnicas anteriores (Grupo de discusión y encuesta), coincidiendo en algunos casos, componentes del mismo departamento didáctico, para comprobar las opiniones de ambos ante las mismas preguntas.

Las entrevistas se realizaron a cada uno de los participantes de manera individual, formulando 18 preguntas semiabiertas que correspondían a los objetivos planteados en el estudio.

Instrumentos

Los instrumentos utilizados para la recogida de de información fueron:

a) Grupo de Discusión: utilizamos esta técnica encuadrada en la familia de las entrevistas grupales, para que nos pudiera propiciar información para confeccionar el cuestionario. Para ello, utilizamos a 7 jefes de departamento de las distintas especialidades.

Las cuestiones planteadas fueron las siguientes: conflictos entre el profesorado y la herramienta fundamental para afrontar o gestionar los conflictos escolares entre compañeros; preguntando además sobre cuál sería la mejor manera de salir restablecido de un conflicto.

Una vez, que el grupo discutió sobre los tipos de conflictos y los mecanismos o herramientas, de que disponían se recogieron todas las aportaciones que fueron recogidas en el cuestionario de elaboración propia, *ad hoc*.

b) Cuestionario: instrumento cuantitativo utilizado en el estudio integrado por ítems concretos aplicados a la muestra establecida para conocer opiniones guardando el anonimato, con posibilidad de que el sujeto proporcionara información veraz y fiable.

El cuestionario contenía 35 preguntas a las que correspondían cuatro valores; siendo 1 (nada de acuerdo), 2 (algo de acuerdo), 3 (de acuerdo) y 4 (muy de acuerdo). Empleando para ello una **escala Likert,** que consistió en un conjunto de ítems presentados en forma de afirmaciones o juicios ante los cuales se pedía la reacción de los sujetos. Se presentó cada afirmación pidiendo al sujeto que trasladara su reacción, eligiendo uno de los cuatro puntos de la escala, asignando a cada punto un valor numérico. Así obtendríamos de cada sujeto, una puntuación respecto a la afirmación y al final su puntuación total, sumando las puntuaciones obtenidas en relación con todas las afirmaciones, que nos permitiría medir las actitudes de los encuestados, preguntándoles en qué medida están de acuerdo o en desacuerdo con una afirmación y/o negación o pregunta en particular.

Las preguntas estaban destinadas a indagar sobre los mecanismos de resolución de conflictos entre el profesorado del IES.

c) Entrevistas semiestructuradas:

Consideramos la entrevista semiestructurada como complemento al cuestionario; siendo tratados en ella aspectos de nuestro interés, para ello se recurrió a 10 entrevistas, con una actitud del entrevistador abierta a lo que el/la entrevistado/a quisiera especificar, reorientar y manifestar. La realización de estas entrevistas fue una de las actividades más vivenciales y enriquecedoras en el estudio, siendo necesario emplear bastante tiempo.

Para iniciar la conversación, se hizo una pequeña introducción y se realizaron preguntas generales acerca de la convivencia escolar entre los docentes del IES. En cada uno de los casos se siguió el mismo modelo de preguntas, siendo diseñadas de modo que fueran cada vez más específicas a medida que avanzara la entrevista. Para llevar a cabo nuestra labor, se utilizó la grabadora, para posteriormente transcribir dichas entrevistas.

La entrevista estaba compuesta por 18 preguntas para obtener información, respecto a los objetivos planteados: mecanismos de resolución de conflictos entre el profesorado, preguntas sobre cómo se resolvían los conflictos entre el profesorado, quién los resolvía, el papel del equipo directivo, el papel de la Administración y la formación en mediación del equipo directivo.

Procedimiento

En primer lugar, se llevó a cabo una entrevista con el director del centro educativo para exponer los objetivos del estudio, describir los instrumentos de evaluación y promover su colaboración. En segundo lugar nos reunimos con los participantes, informando sobre el plan de actuación que pretendíamos llevar para la recogida de información: Grupo de discusión, Cuestionario y Entrevistas semiestructuradas. Después, se informatizaron los resultados y se realizaron los análisis de datos a través del programa SPSS versión 21 para Windows.

4. RESULTADOS

Los resultados fueron concretados a través de las técnicas cuantitativas y cualitativas empleadas y descritas anteriormente, que nos permitieron obtener los datos requeridos, en función de los objetivos planteados en el inicio del presente trabajo y que además nos permitieron sacar conclusiones y propuestas para futuros estudios.

El análisis cuantitativo, nos permitió obtener datos requeridos en relación a los objetivos planteados a través de la encuesta, utilizando una escala fiable junto al análisis cualitativo.

La escala utilizada tuvo una fiabilidad media alta (Alfa de Cronbach de 0,74).

Refiriéndonos a la validez de los ítems que componen la escala, queremos destacar que todos ellos cumplían con el criterio de validez, ya que todos los elementos correlacionaban con el total de la escala, de forma que si eliminábamos alguno de ellos la fiabilidad total de la escala hubiera descendido.

Analizando los resultados del cuestionario, clasificado en función de los mecanismos de resolución de conflictos entre el profesorado, obtuvimos los siguientes resultados:

Con respecto a los mecanismos de resolución de conflictos, en primer lugar, destacamos que del 30% de los encuestados manifestó estar muy de acuerdo en la utilización de la mediación frente a otras formas de resolución institucional, de forma que contestaron con una mayor frecuencia al ítem *"la mediación favorece la comunicación entre las partes."* En segundo lugar, encontramos en las respuestas sobre los mecanismos de resolución de conflictos en el IES, buscar *"la ayuda de otros para que puedan mediar"* habiendo *"oído hablar de mediación escolar y considerando que es un mecanismo muy útil."* Y en tercer y cuarto lugar informar *"al equipo directivo para que intervenga y pedir asesoramiento a los sindicatos de enseñanza."*

En cuanto a la existencia de diferencias en los mecanismos de resolución en función de la variable edad, sexo, experiencia y titulación de los encuestados, para saber si estas variables incidían de forma significativa en la prueba de Kruskal-Wallis obtuvimos los siguientes resultados:

Con respecto a la *variable edad,* se apreciaron diferencias significativas únicamente en la variable *"informar al equipo directivo para que intervenga",* en los mecanismos de resolución de conflictos entre el profesorado, obteniendo mayor promedio el profesorado más joven, con edades comprendidas entre los 25 a los 35 años.

Analizando la *variable sexo,* comprobamos que solo se apreciaban diferencias significativas, siendo la sigma inferior a 0,05, en cuanto a *"intentar que el conflicto no se sepa, siendo el tiempo quien lo resolverá",* alcanzando el mayor promedio el sexo femenino.

En *la variable experiencia y titulación del profesorado,* podemos comprobar que no existen diferencias significativas, puesto que la sigma es superior a 0,05 en ambas variables y en todos los casos.

La información que conseguimos a través del *Grupo de discusión,* en relación a los mecanismos de resolución de conflictos, fueron las siguientes:

Con respecto a la intervención en un conflicto entre compañeros, la mayor parte del grupo discutió que: *"mediaría para buscar una solución; aunque se piensa que la razón asiste a una de las partes, por lo tanto se pondrían de su parte para las actuaciones posteriores"* .Cuando se preguntó sobre cuál es el conflicto más grave que se recuerda entre el profesorado; a modo de ejemplo, uno de los participantes relata: *"que conocía dos, una denuncia de un compañero al equipo directivo por el mal uso de una partida de dinero y la denuncia a un compañero por parte de un grupo de padres y el desamparo de éste por parte del equipo directivo y de la Administración".*

La solución a los conflictos viene impuesta desde la dirección y Administración en algunos casos a través de la intervención sindical o en casos extremos desde órganos judiciales.

Cuando hablamos de mediación escolar, casi todos los participantes respondió de forma unánime, siendo la mediación muy valorada, defendiendo y comparando el éxito de los programas de mediación entre alumnos e incluso proponiendo un servicio de mediación en el propio IES o como servicio regional implantado en la Consejería de Educación. Uno de los participantes contestó que: *"muchos de los conflictos escolares entre el profesorado podrían tener una pronta solución favorable a las partes".* Por último se concluyó afirmando que, los conflictos quedan enquistados y se trasladan al plano personal en perjuicio de la convivencia, afectando a toda la comunidad educativa.

Cuando se preguntó a los entrevistados sobre los mecanismos de resolución y la necesidad de formación del equipo directivo en mediación, la respuesta fue afirmativa en todos los casos, ya que la mayoría de los entrevistados manifestó que. la formación en mediación es imprescindible para ayudar a gestionar y resolver los conflictos escolares entre el profesorado en el centro.

Así uno de los casos respondió que: *"Cuando ha ocurrido un conflicto entre profesores, se ha llevado el caso al equipo directivo para buscar solución, aunque éste en lugar de solucionar ha magnificado el conflicto porque se ha posicionado a favor de una parte, ya que carece de formación".* Con respecto a la formación, otro de los casos opinó que: *"la formación en mediación debiera ser impartida por expertos y no pedagogos o psicólogos de libro y no solo vendría bien la formación en mediación al equipo directivo sino también al resto del profesorado".* En relación a las vías o los mecanismos de resolución de conflictos entre el profesorado, uno de casos opinó que: *"la única vía para resolver conflictos entre el profesorado son el equipo directivo, que no sabe hacerlo, la administración que hace que el asunto o conflicto se dilate en el tiempo y nunca llegue la solución y los sindicatos de enseñanza que por lo menos te escuchan pero que tampoco llegan a solucionar nada".* Cuando ocurre un conflicto entre profesores en el IES, es el equipo directivo quien interviene u otro compañero que intentará ser neutral, en cuanto a conflictos entre el profesorado y el equipo directivo, son trasladados bien a inspección y/o a sindicatos de enseñanza. En cuanto a la implantación de un servicio de mediación regional para gestionar o solventar los conflictos entre el profesorado, la mayoría de los entrevistados hicieron referencia al éxito del programa de mediación entre alumnado en los centros por lo tanto, se considera que este servicio como la mejor opción para resolver conflictos escolares entre el profesorado.

5. CONCLUSIONES Y DISCUSIÓN

A modo de conclusión, el centro educativo utiliza como mecanismo de resolución la intervención de otro compañero sin formación en mediación. En otros casos, dependiendo del conflicto y sobre todo el profesorado más joven, opta por informar al equipo directivo para que intervenga. Sin embargo, el profesorado de mayor edad solicita asesoramiento a los sindicatos de enseñanza y/o busca a un compañero neutral, frente al sexo femenino que prefiere ocultar el conflicto y dejar pasar el tiempo.

La mayor parte del profesorado, considera la mediación una herramienta fundamental en la resolución de conflictos, haciendo alusión a los programas de mediación entre el alumnado, opinando que ésta resulta ventajosa porque favorece la comunicación entre las partes. Coincidiendo con Boqué (2004) y Benito (2012).

La formación en mediación es otro de los aspectos que el profesorado considera importante y que se debiera ofrecer no solo a los componentes del equipo directivo, sino también al resto del profesorado. Creyendo necesario un servicio de mediación bien en el IES o bien como servicio externo, objetando que muchos de los conflictos escolares que se producen entre este colectivo, tienen consecuencias en el plano personal, quedando enquistados en perjuicio de la convivencia escolar y que repercuten en el clima escolar afectando al alumnado y a las familias. En consonancia con Rozenblum (2007), se contempla la mediación escolar entre el profesorado, como herramienta primordial para el desarrollo de habilidades y control emocional, para afrontar el conflicto como hecho educativo y oportunidad de cambio que favorecerá las relaciones interpersonales.

En opinión de Iglesias, Pastor y Rondón (2017), la formación en mediación ha de realizarse desde la educación superior, mediante los programas en mediación basados en un aprendizaje por competencias, para planificar acciones formadoras por expertos, encaminadas a considerar la mediación como competencia profesional y no solo como estrategia de resolución de conflictos.

Limitaciones del estudio:

Por una parte, las limitaciones con las que nos hemos encontrado, ha sido la escasez de literatura y experiencias previas sobre mediación escolar entre el profesorado de ESO, en centros educativos.

Otra limitación ha sido el tamaño de la muestra, por lo tanto, no hemos podido profundizar en las causas y los tipos de conflictos entre el profesorado y el equipo directivo, por lo que creemos necesario ampliar el estudio en este aspecto. Además resultaría interesante abordar las relaciones de convivencia entre el profesorado, para averiguar cómo influyen o afectan las malas relaciones y conflictos escolares entre el profesorado en la convivencia escolar.

Algunos de los conflictos se intentan resolver por el bien del alumnado, pero deberíamos investigar que ocurre, cuando no se resuelven y de esta manera comprobar las repercusiones negativas en la calidad de la enseñanza.

En definitiva, no logramos entender como los conflictos entre el profesorado no trascienden y son abordados para encontrar una solución, iniciando en algunos casos, recursos administrativos y expedientes a docentes que sin duda pueden provocar una escalada de conflictos, que ocasionará no solo consecuencias personales y profesionales sino que en definitiva terminará afectando a la comunidad educativa.

Después de las reflexiones anteriores consideramos que, debiéramos ampliar nuestra investigación analizando los conflictos entre el profesorado, así como los mecanismos de resolución de varios IES de la Región de Murcia. En este caso deberíamos ampliar la muestra a todos los componentes de los distintos departamentos didácticos y a los cargos directivos.

En definitiva, la formación en mediación se convierte en herramienta importante para los profesionales de la educación y en especial a los cargos directivos por su perfil de liderazgo, para intervenir en los conflictos que puedan surgir entre su profesorado en beneficio propio y de toda la comunidad escolar.

5ª PARTE:
APLICACIÓN DE LA MEDIACION EN ÁMBITOS DIVERSOS

LA UNIDAD DE MEDIACIÓN INTRAJUDICIAL DE MURCIA. SEIS AÑOS DE EXPERIENCIA[1]

CARMEN MARÍN ÁLVAREZ
Jefe de la Unidad de Mediación Intrajudicial
Tribunal Superior de Justicia de Murcia

RESUMEN

La Unidad de Mediación Intrajudicial de Murcia –UMIM-, Servicio de Mediación integrado en Oficina Judicial a cargo de un Letrado de la Administración de Justicia, ofrece mediación de forma gratuita en los ámbitos de familia, penal, civil, menores y contencioso-administrativo. Cuenta con coordinadores y tutores mediadores expertos y más de 100 mediadores que colaboran pro-bono.

PALABRAS CLAVE: Oficina Judicial. Mediacion Intrajudicial.

1. CONTEXTO

Murcia, séptimo municipio español con mayor población, con 447.182 habitantes, cuenta, entre otros órganos, con 16 Juzgados de Primera Instancia, 3 de ellos especializados en Familia, 9 Juzgados de Instrucción, 6 Juzgados de lo Penal, 2 Juzgados de Menores, 2 Juzgados de Violencia sobre la mujer, 7 Juzgados de lo Contencioso-Administrativo y 9 Juzgados sociales. La Comunidad Autónoma de la Región de Murcia es territorio del Ministerio de Justicia al no tener transferidas las competencias en materia de Justicia. Este hecho junto con su tamaño manejable y la visión e implicación de sus responsables, han contribuido a que esta Ciudad y Región pudiera ser pionera en materia de Justicia, participando y promoviendo numerosos proyectos

---

[1] Unidad de Mediación Intrajudicial de Murcia.
Ciudad de la Justicia. Planta 2ª. Teléfonos: 968647874/76
——Mediacionintrajudicial.murcia@justicia.es; Mariadelcarmen.marin@justicia.es

innovadores, con el objetivo de mejorar y acercar la Justicia al ciudadano. Desde el 2010 participó en el despliegue e implantación de la Nueva Oficina Judicial con un nuevo modelo de estructura organizativa, generando macro servicios comunes: Servicio Común General, (SCG) Servicio Común Procesal de Ordenación del Procedimiento (SCOP) y Servicio Común Procesal de Ejecución (SCEJ).

Por otro lado los denominados "Puntos Neutros de Promoción de la Mediación" generados por GEMME para preparar el Simposio de 2013, que sirvieron para conectar a los mediadores y afines de todas las Regiones, generaron un Punto Neutro en Murcia especialmente participativo, que hoy en día sigue activo[2], que permitió conectar a los diferentes profesionales y asociaciones y generar las sinergias necesarias para encontrar un sustrato de mediadores comprometido y dispuesto a apostar por el proyecto para hacer de la mediación una realidad en nuestra región. Es en este contexto donde se genera el proyecto de la Unidad de Mediación.

2. PRESENTACIÓN

La UMIM, primera experiencia de mediación del Ministerio de Justicia dentro del concepto de Oficina Judicial, integrada orgánicamente en el Servicio Común Procesal de Ordenación de Murcia, presta servicios integrales, centralizados, especializados y gratuitos de mediación en asuntos que le son derivados desde los órganos judiciales de Murcia capital, en los ámbitos de familia, penal, civil, menores y contencioso-administrativo.

Comenzó a funcionar en modo experimental a finales del 2013, (Instrucción de la Secretaría de Gobierno TSJ Murcia 5/2013 de 4 de noviembre, sobre puesta en marcha de la Unidad de Mediación Intrajudicial de Murcia – UMIM), adquiriendo carta de naturaleza orgánica como dependencia formal de la Oficina Judicial de Murcia con la Orden JUS/1721/2014 de 18 de septiembre (BOE 25 de septiembre de 2014) [3]por la que se amplía la Oficina Judicial de Murcia.

---

[2]   Su página web https://www.mediacionmurcia.com/
[3]   https://www.boe.es/diario_boe/txt.php?id=BOE-A-2014-9722

3. ESTRUCTURA ORGANIZATIVA Y FUNCIONAMIENTO

La UMIM es la Sección 5ª. Servicio Común de Ordenación, está dirigida y servida por funcionarios de la Administración de Justicia: un jefe de servicio (Letrada de la Administración de Justicia, máster en mediación) y dos tramitadores procesales de plantilla (uno mediador titulado) y otro tramitador más de apoyo. Son ellos los responsables del control de la derivación y devolución de los asuntos, de la supervisión del proceso de mediación y del control de la calidad del servicio prestado. Pertenecer a la Oficina Judicial les da la posibilidad, realmente innovadora, de colaborar con funciones procesales con los distintos órganos para identificar asuntos y proponer su derivación, pudiendo acceder a los expedientes judiciales, material e informáticamente, tanto en la fase previa como en la fase posterior, para conocer la incidencia del proceso de mediación en el proceso judicial. El hecho de contar con un Letrado de la Administración de Justicia y con fe pública judicial ofrece interesantes posibilidades a explorar, fundamentalmente para potenciar una rápida y segura incorporación de los acuerdos de mediación a los procedimientos judiciales.

El Ministerio de Justicia, dentro del marco legal previsto en la Directiva 52/2008 y la disposición adicional segunda de la Ley 5/2012 de mediación en asuntos civiles y mercantiles que prevé el impulso a la mediación por parte de las administraciones públicas, apostando por la transparencia y la participación ciudadana, ha generado este Servicio de Mediación interno que, además, permite que la Sociedad Civil forme parte del sistema de Justicia, al generar este espacio en el que los mediadores, de diferentes orígenes profesionales, no sólo aceptan colaborar altruistamente con el proyecto sino que son sus verdaderos artífices y protagonistas, generándose una auténtica Comunidad de Aprendizaje y un entorno de trabajo colaborativo, que es mucho más valioso que la simple suma de sus implicados. De esta forma se apuesta por la auto-sostenibilidad del sistema mediante la colaboración en régimen pro-bono por parte de esos profesionales titulados en mediación, quienes conducen las sesiones informativas y las de mediación, una vez que son designados para cada caso por la UMIM que facilita todo el apoyo organizativo y documental.

Los mediadores colaboran actualmente sin remuneración ni coste para los litigantes ni para el sistema de Justicia, pero si cuentan con numerosas motivaciones para esta colaboración con la UMIM entre otras: a) posibilidad de ganar experiencia con el manejo de casos reales, en un espacio tutelado y colaborativo, contando con el apoyo y supervisión de mediadores expertos; b) recibir formación continuada especializada c) alcanzar prestigio profesional; d) obtener la certificación oficial de las horas de mediación reales; e) contar con el prestigio de ser colaboradores de los tribunales de Justicia; f) especializarse en áreas concretas y novedosas de mediación; g) contribuir al cambio cultural sobre la forma de resolución de los conflictos, forzando de esa forma la generación de una demanda social de servicios remunerados de mediación extrajudicial. h) una motivación intrínseca, disfrutar del reto personal y profesional que supone cada mediación.

El servicio cuenta con dos funcionarios tramitadores de plantilla, uno de ellos mediador titulado y un tramitador del Servicio común de apoyo, y una jefa de servicio (Letrada de la Administración de Justicia máster en mediación) asumiendo todas las funciones organizativas, siendo responsables del control de la derivación y devolución de los asuntos, de la supervisión del proceso de mediación y de los borradores de acuerdos para que tengan coherencia en el proceso judicial, así como de la estadística y control de la calidad del servicio prestado. Al mismo tiempo se colabora y compatibiliza con algunas funciones procesales con el SCOP civil, lo que permite potenciar y regular el flujo de la derivación, y al mismo tiempo, en el ámbito de familia y civil, permite incorporar directamente, al procedimiento judicial digital, el resultado de la sesión informativa y la mediación, intentando aliviar la carga de trabajo de los órganos judiciales.

Cada ámbito de especialización con un Coordinador técnico (CT) y un tutor (T), ambos mediadores expertos, que asumen la función de supervisión, apoyo y control, adjudicando los casos a los distintos mediadores una vez que han superado una fase de formación y adaptación. También contamos con un coordinador judicial (CJ), alguien de dentro de Justicia, normalmente Letrado de la Administración de Justicia, pero también puede ser Equipo Técnico, con formación e implicación en mediación, que colaboran para normalizar y potenciar el flujo y la relación con los órganos judiciales.

La UMIM está ubicada en la propia Ciudad de la Justicia, con unas excelentes instalaciones. Cuenta con un gran espacio inicial para los tres funcionarios del servicio que además dispone de 3 mesas más para los mediadores, una de ellas con ordenador, en el que se enmarcan 2 ambientes como salas de espera diferenciadas y supervisadas con un espacio específico para niños, el despacho de la Laj que también se usa en ocasiones como sala de mediación, 4 Salas de mediación, una de ellas de grandes dimensiones para sesiones multipartes con un ordenador para poder ofrecer mediación on line, una Sala grande de estancia para los mediadores y una Sala de visionado (en tiempo real, sin posibilidad de grabación).

ORGANIGRAMA

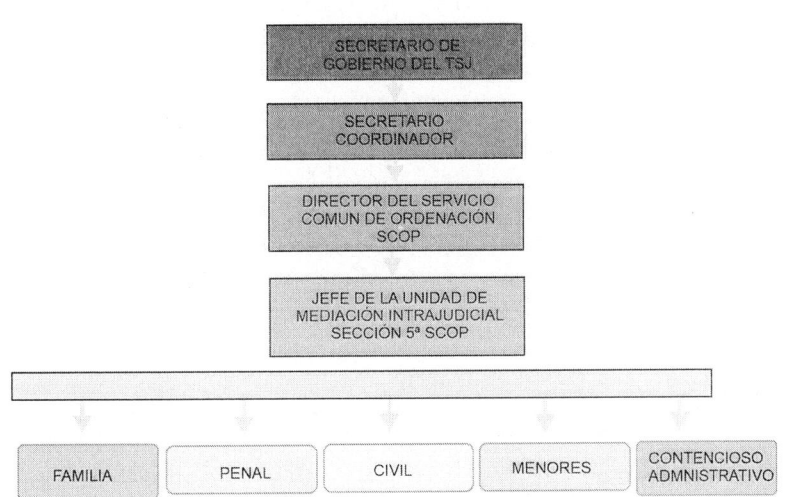

4. SEÑAS DE IDENTIDAD

La UMIM apuesta por la comediación y la multidisciplinariedad, generando equipos de trabajo muy numerosos, pero bien estructurados y organizados, con una supervisión técnica constante por parte de los coordinadores y tutores, mediadores expertos, apostando por un método de trabajo similar y homogéneo, pero al mismo tiempo flexible para adaptarlo a las necesidades de los usuarios y fomentar el espacio para que cada mediador pueda encontrar y desarrollar su propio estilo. La incorporación de los mediadores es gradual, empiezan observando, después haciendo llamadas de teléfono y sesiones informativas, luego comediando con otro mediador más experto y finalmente, cuando ya adquieren destreza, siendo mediador responsable de un ámbito concreto.

La UMIM, a través de la iniciativa de GEMME del Punto Neutro de Profesionales de la Mediación de Murcia, promovió una Bolsa de Mediadores en las que se han presentado ya más de 580 instancias, y se siguen presentando. De entre ellos, paulatinamente a lo largo de estos seis años se han ido seleccionando mediadores e incorporándose y aunque también han existido algunas bajas actualmente siguen colaboran más de 100 personas, estando previstas nuevas incorporaciones antes de que acabe el año 2019. Junto a la perspectiva de género en la selección, se intenta tener variedad de profesiones de origen. Aunque la mayoría proceden del mundo jurídico (abogados, procuradores, notarios, policías) contamos con, psicólogos, trabajadores sociales, educadores sociales, criminólogos, varios policías locales, un ingeniero, una arquitecta, un notario, bancarios jubilados, también tienen interés en colaborar Letrados de la Administración de Justicia y Funcionarios de Justicia y se ha incorporado un Magistrado jubilado.

Todos estos mediadores han acreditado su titulación universitaria previa, cuentan con la titulación de mediación exigida por el Ministerio de Justicia y el seguro de responsabilidad civil.

HOMBRES	MUJERES	TOTAL
31	71	102

FAMILIA	PENAL	CIVIL	MENORES	CONTENC
43	26	28	9	12

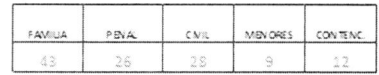

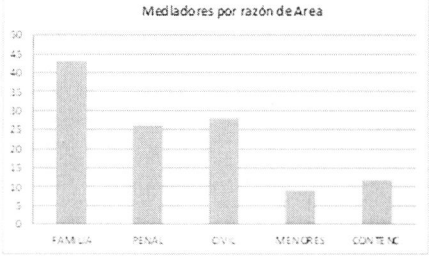

Mediadores por razon de sexo

HOMBRES 30%

MUJERES 70%

Mediadores por razón de Area

Se concibe como un espacio de los mediadores, un proyecto en el que ellos no sólo son actores imprescindibles sino también constructores, participando en el diseño y planificación, apostando por el crecimiento y evolución constante. El servicio también aplica los principios de la mediación a su organización, adaptándose continuamente para conseguir el difícil equilibrio entre el compromiso y la colaboración altruista. Se apuesta por el trabajo en equipo, incidiendo especialmente en el valor de la observación, no sólo a nivel de aprendizaje sino también coadyuvando en el proceso y también por la formación constante, con talleres periódicos para el seguimiento de los casos y talleres generales y específicos de materias concretas de mediación y de otras afines. Semanalmente existe un acompañamiento de los coordinadores que son quienes distribuyen las mediaciones que se inician en función del perfil del conflicto, del perfil del mediador y la disponibilidad, intentando que exista un equilibrio.

Además nace con una vocación de llegar a todos los ámbitos jurisdiccionales, iniciando su andadura en penal y familia, más adelantes se incorporaron menores y civil y en un momento posterior contencioso-administrativo, y a primeros de 2020 está previsto incorporar el ámbito laboral, expandir a los juzgados contenciosos (ya que inicialmente sólo se trabaja con la Ejecución contenciosa) y está solicitado al Ministerio llegar a todo el territorio de la Comunidad Autónoma con sedes delegadas a las que demos apoyo organizativo y de supervisión.

Uno de los pilares fundamentales del servicio es contar con los coordinadores técnicos y tutores, mediadores expertos de reconocido prestigio que además de mediar acompañan a los mediadores y supervisan técnicamente los procesos de mediación. El objetivo es la calidad, por eso se intentan medir todos los parámetros posibles de las mediaciones y de los mediadores, incluyendo las horas dedicadas al servicio, promoviendo la necesidad de documentar los casos con el objetivo futuro de generar una base de datos de carácter técnico con resúmenes de mediaciones y de acuerdos. También contamos con coordinadores judiciales, personal de Justicia (LAJ o equipo técnico) sensibilizado con el tema que facilita la derivación y comunicación con los órganos judiciales.

Se trata de ofrecer al ciudadano un espacio seguro y controlado, dentro de la propia Ciudad de la Justicia, para el diálogo y la solución positiva del conflicto que tienen judicializado, bajo los principios de la confidencialidad y la voluntariedad, de forma gratuita y con la asistencia de mediadores profesionales, imparciales y neutrales, que van a estar supervisados técnica y formalmente por mediadores expertos. Una de las grandes novedades es poder ofrecer también el servicio on line, pudiendo realizar las sesiones informativas y de mediación a través del ordenador cuando alguna de las partes no reside en Murcia, instrumento que está demostrando ser muy útil y con una excelente valoración por parte de los usuarios.

Por otro lado, la UMIM es una oficina más de los Juzgados, a los que está completamente conectada, pudiendo acceder los funcionarios de la UMIM a la aplicación informática para conocer el estado del procedimiento judicial y para proponer la derivación, permitiendo potenciar y regular el flujo de entrada. Es una Unidad propia que se concibe al servicio de los distintos órganos, al servicio de los Jueces, de los Letrados de la Administración de Justiciaos, de los Fiscales, de los funcionarios, con un contacto personal y frecuente. Orgánicamente dependemos del Secretario de Gobierno, y por tanto respondemos de nuestra actuación ante él y ante el Ministerio de Justicia, como cualquier otro órgano judicial. Además, pretende demostrar que la mediación puede estar también al servicio de los abogados, para ayudarles en su trabajo y devolverles el conflicto resuelto para que sean ellos quienes lo gestionen jurídicamente.

La UMIM cuenta con Protocolos/Guías de derivación consultados con los Jueces, Fiscales y Letrados de la Administración de Justicia del orden jurisdiccional, aprobados por la Sala de Gobierno del Tribunal Superior de Justicia y el de Menores también aprobado por Fiscalía General del Estado. Los primeros protocolos aprobados de familia, penal, civil y contencioso se encuentran en proceso de consulta de las actualizaciones. La UMIM cuenta también con un protocolo interno de funcionamiento para cada ámbito y se ha elaborado de forma colaborativa un Código Deontológico propio.

5. ESTRUCTURA Y FUNCIONAMIENTO DE CADA ÁMBITO

a) Ámbito de familia

En familia se está trabajando por un lado con los tres Juzgados exclusivos de Familia de Murcia capital, el Instancia n° 3, el Instancia n° 9, y el Instancia 15 que entró en funcionamiento el 31 de marzo del 2018 y los 6 Juzgados de Molina de Segura, localidad muy cercana a Murcia, contando con la colaboración del Servicio de Mediación de la Consejería de Sanidad y Bienestar Social de Murcia, que ya venía desempeñando esta función desde hace algunos años, cuyos responsables y mediadores son las mismas personas que técnicamente coordinan la UMIM en familia con perfiles de abogada y psicólogo. La coordinadora judicial es desempeñada por una trabajadora social del equipo técnico de los Juzgados de Familia, mediadora que actualmente es dependiente del Instituto de Medicina Legal.

El órgano judicial dicta la resolución oportuna, del Juez o del Laj, dependiendo del momento procesal en que se encuentre, revistiendo cualquier forma providencia, auto o sentencia o diligencia de ordenación o decreto, derivando a mediación, incluyendo el señalamiento de día y hora para la Sesión Informativa a través de una agenda compartida con el servicio (o por teléfono o correo electrónico). En dicha resolución de forma argumentada se invita a ambas partes para que acudan conjuntamente a esa Sesión Informativa aconsejando que también les acompañen sus abogados.

Los martes (por la mañana y por la tarde) y viernes por la mañana son los días seleccionados para estas sesiones informativas que se realizan con ambas partes a la vez y con sus abogados si les acompañan. Se les concede una semana de reflexión, para que valoren y decidan si aceptan entrar en mediación, y se les llama por teléfono por los mediadores que han realizado la sesión informativa. Si aceptan entrar en mediación por el coordinador técnico, junto con el tutor y asistidos por la responsable de la UMIM se adjudica la mediación a dos mediadores, atendiendo a la disponibilidad horaria de las partes y los mediadores, a que sean de diferentes sexos, incluso profesiones dependiendo de la dificultad y del tema discutido, intentando que sea de una forma equilibrada entre los mediadores más expertos y a la vez dando la oportunidad de entrar en comediación a los mediadores más noveles que ya han superado una fase previa de formación.

Aceptada la mediación se les convoca a una sesión de premediación para explorar, normalmente por separado, sus expectativas y necesidades, confirmando la viabilidad de la mediación, y en esa misma sesión o en otra posterior, si se necesita nueva reflexión o valoración por los mediadores, ya se firma el acta constitutiva donde firman el acuerdo de confidencialidad y las normas del proceso, iniciándose formalmente la mediación con una duración de unas 4 o hasta el máximo de 6 sesiones de 60 o 90 minutos de duración, aproximadamente, y con una periodicidad semanal/quincenal, atendiendo a la disponibilidad de las partes. Normalmente no asisten los letrados a estas sesiones, salvo que las partes o los propios abogados lo consideren necesario, y siempre respetando que exista equilibrio entre ambas y que, por tanto, asistan ambos abogados.

Se han incorporado como instrumentos de trabajo instaurar la llamada de teléfono a los abogados de las partes en el momento que se va a iniciar la mediación, para legitimar su papel, que se sientan partícipes y estén seguros de que no se van a tomar decisiones sin su asesoramiento así como introducir una sesión de premediación para explorar con las partes sus necesidades y expectativas. Se abrirán aquellas mediaciones en las que las partes estuvieran dispuestos a trabajar por alcanzar acuerdos y resolver esa situación, superando así una de las mayores dificultades iniciales ya que se abrían algunas mediaciones que no tenían perspectiva alguna porque las partes no tenían ningún interés, ni intención, de solucionar su problema.

Si las partes alcanzan acuerdos se redacta un borrador de acuerdo, que previamente a la firma, se supervisa por la coordinación técnica y por la Letrada de la Administración de Justicia responsable del servicio, que plasma por escrito las decisiones de las partes sin que se expresen de forma jurídica. Este borrador se les facilita a las partes para que, durante la semana, puedan revisarlo y comentarlo con sus abogados, a los que también se les comunica, citándoles a la semana siguiente para la firma del acuerdo a la que se invita a los Letrados. Si las partes lo solicitan y autorizan expresamente, se remite copia literal del acuerdo al Juzgado al que se comunica que la mediación ha concluido con acuerdo. Es ya función de los Letrados darle forma jurídica al acuerdo y presentarlo formalmente ante el juzgado, por ejemplo, a través de un Convenio Regulador o un escrito de desistimiento en una ejecución. A través de la aplicación informática, Minerva se hace un seguimiento posterior del caso para incorporar a la estadística el resultado final del proceso judicial. Este seguimiento permite constatar el número elevado de mediaciones que terminadas sin acuerdo en la UMIM finalmente concluyen con acuerdo en el Juzgado.

El ámbito de familia está consolidado a nivel organizativo, con una excelente acogida por parte de los usuarios, abogados y órganos judiciales. Hay que tener en cuenta que en la mayor parte de los casos trabajamos con familias ya muy judicializadas con varios procesos previos. El nivel de acuerdo se sostiene superando el 40% que prácticamente alcanza el 60% si tenemos en cuenta las mediciones que, concluidas sin acuerdo, finalmente se solucionan de forma consensuada en el propio proceso judicial. De cualquier forma, insistir en que la mediación no puede medirse sólo desde el punto de vista cuantitativo sino también cualitativo teniendo en cuenta su función social y pacificadora, trabajando desde la responsabilidad y enfocada a futuro, lo que la convierte en un instrumento muy potente y valioso.

AÑO	DERIVADOS	FINALIZADOS		MEDIACIONES	Con acuerdo	%	Sin acuerdo
2014	207	156					
2015	304	308		53	24	45,28	29
2016	378	389		59	27	45,76	32
2017	295	285		49	22	44,90	27
2018	307	305		49	21	42,86	28

Evolución de la mediación en el ámbito de familia

De todas formas se están valorando también otros datos como las mediaciones cerradas sin acuerdo que luego tienen su repercusión en el proceso judicial y a modo de ejemplo en el año 2018 estos fueron los datos interesantes

Resolución judicial tras el NO acuerdo	Nº	%
Sentencia contradictoria	9	32,14
Sentencia con acuerdo	8	28,57
Acuerdo en juicio	3	10,71
Pendiente de resolución	8	28,57
TOTAL	**28**	**100**

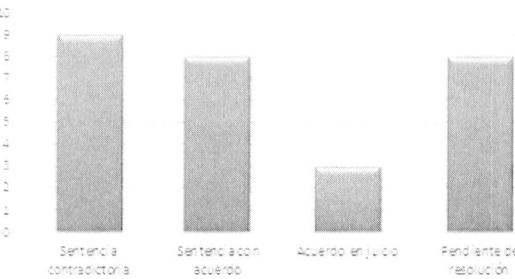

b) Ámbito penal

En el ámbito penal se ofrece mediación a nueve Juzgados de Instrucción, seis Juzgados de lo Penal, Audiencia Provincial, directamente al juzgado o a la UPAD y también a través de los servicios comunes SCOP y SCEJ. Dando cumplimiento al Estatuto de la víctima se ofrece un servicio de justicia restaurativa para hacer realidad el derecho de las víctimas a participar en un proceso dialogado y poder expresarse y decidir cómo quieren ser reparadas. Al mismo tiempo potencia la responsabilización del infractor en orden a la reparación y restauración del daño, evitando la reiteración en la conducta delictiva, promoviendo el restablecimiento de la paz social, así como la reparación e integración también con la comunidad. El hecho de que, si se alcanza un acuerdo, pueda suponer algún beneficio para el infractor, porque el Ministerio Fiscal (principio de oportunidad) y en última instancia el Juez, así lo consideren, será una consecuencia no el objetivo del proceso que, en cualquier caso, corre paralelo al proceso judicial sin interrumpirlo.

Contamos con una Coordinadora técnica y una tutora, ambas abogadas mediadoras con años de experiencia acreditada y una Coordinadora Judicial, letrado de la Administración de Justicia, actualmente destinada en el SCEJ penal.

Por el órgano judicial (Juez o Laj de los Servicios comunes) por resolución motivada se deriva el asunto a mediación, en la medida en que el expediente judicial sea digital ya no será necesario acompañar copia de las actuaciones más relevantes puesto que se pueden consultar desde Minerva por los funcionarios del Servicio. En la resolución judicial se indica que será el Servicio de mediación quien contacte con las partes, aunque estamos intentando que también se pudiera incorporar una cita concreta para aquellas partes que estén personadas. Desde la UMIM, por los mediadores asignados, el contacto se hace por llamada de teléfono y en caso de no ser posible también puede utilizarse una carta. En mediación penal se trabaja los miércoles y viernes por la mañana y los jueves por la tarde.

Por parte de la coordinadora técnica, o tutora, se asigna el expediente desde el principio a dos mediadores, en función de la temática y la complejidad, quienes contactan telefónicamente con las partes. Primero se hace la sesión informativa con el denunciado y luego, si acepta el recurso de la mediación, con el denunciante, siempre por separado y en momentos distintos. Los mediadores de reciente incorporación empiezan participando sólo como observadores en la mediación, incorporándose de forma gradual siempre acompañados de un compañero con más experiencia. Si ambos están de acuerdo se inicia la mediación, de forma conjunta o separada si la víctima así lo desea, y en una o dos sesiones se concluye, aunque si se trata de familia, especialmente se está trabajando con Impagos de Pensiones ya la mediación conlleva más sesiones y se alarga en el tiempo.

Desde el primer momento se explica que el proceso de mediación corre paralelo al judicial y el hecho de que lleguen a un acuerdo no implica el archivo de las actuaciones, sino que dependerá de que por el Ministerio Fiscal se formule o mantenga la acusación y en definitiva de la decisión del Juez que sin duda verá con buenos ojos que las partes hayan sido capaces de superar sus diferencias y solucionar el problema. En mediación penal no sólo la víctima tiene la oportunidad de sentirse escuchada y reparada y el denunciado la oportunidad de explicar lo ocurrido y cuáles eran sus circunstancias, responsabilizándose de sus actos, sino que además ambos puedan escucharse y ponerse en el lugar del otro. Todo ello también puede tener efectos muy importantes por ejemplo para la víctima que deje de tener miedo, que perdone, y respecto del denunciado de cara a la reincidencia, porque de verdad son conscientes del daño ocasionado, han escuchado el sufrimiento causado, le han puesto cara, y probablemente ello conlleve que nunca más vuelvan a generar una situación de este tipo.

Se ha configurado muy útil la posibilidad de que las partes que alcanzan acuerdos que incluyen la decisión de la parte denunciante de retirar la denuncia y solicitar el archivo del procedimiento penal por no tener nada que reclamar, pueda la denunciante hacer esta manifestación por medio de comparecencia ante la Letrado de la Administración de Justicia, bajo su fe pública, como integrante de un Servicio Común Procesal, sin perjuicio de que el Juzgado pueda entender necesario su ratificación posterior.

Evolución del ámbito de mediación penal

AÑO	DERIVADOS	FINALIZADOS	MEDIACIONES	Con acuerdo	%	Sin acuerdo
2014	114	97	28	21	75	7
2015	171	158	33	23	69,70	10
2016	148	151	48	34	70,83	14
2017	139	115	38	24	63,16	14
2018	125	147	45	30	66,67	15

Incluimos también la repercusión en el proceso judicial –sólo medido en el 2018- de mediaciones concluidas sin acuerdo

Motivos de no acuerdo	Nº	%
Sentencia Absolutoria	4	28,57
Pendiente de sentencia	3	21,43
Archivo	1	7,14
Continuación de la ejecución	0	0,00
Sentencia condenatoria	3	21,43
Suspensión de la ejecución	0	0,00
Sobreseimiento Provisional	3	21,43
TOTAL	14	100

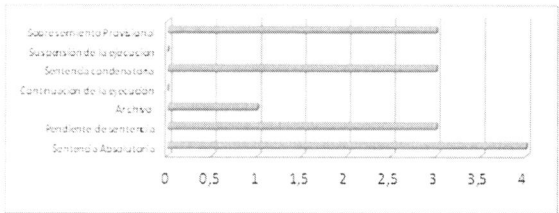

c) Ámbito civil

Este área se inició a finales del 2015 ofrece el recurso a los 14 Juzgados de Primera Instancia y a los 2 juzgados de lo mercantil y sus refuerzos.

Cuenta con una Coordinadora Técnica, abogada y psicóloga y 2 tutores, Procurador e ingeniero mecánico. La coordinadora judicial, letrada de la Administración de Justicia, Jefe del SCEJ Civil Mediadores que iniciaron la colaboración con la UMIM en el ámbito de familia consolidándose como mediadores expertos. Es un ámbito que se ha generado en una segunda fase con mediadores que colaboraban con otros ámbitos y que incluso en algunos casos siguen compatibilizando más de un ámbito de colaboración.

El formato de trabajo de inicio es como el de familia, porque se deriva directamente a Sesión Informativa con día y hora desde el órgano judicial a través de la Agenda compartida, si bien esta sesión se hace por separado con cada parte del proceso, no de forma conjunta y se está procurando que los mismos mediadores que llevan a cabo la sesión informativa puedan ser quienes asuman la mediación de iniciarse. A través de la colaboración de la Laj de la UMIM en funciones procesales con el SCOP civil se deriva el mayor porcentaje de asuntos, casi un 60%. En esta área se trabaja los lunes por la mañana y por la tarde. Son mediaciones que en general conllevan varias sesiones y pueden dilatarse en el tiempo. Especialmente necesitan tiempo las divisiones de herencia porque además de la parte jurídica tienen un claro componente familiar y emocional. Destacar el papel que se reconoce al abogado desde el inicio de la mediación lo que le está convirtiendo, en general, en un gran aliado durante todo el proceso. También está siendo muy positiva y un gran aprendizaje de toda la casuística posible la supervisión de cada borrador de acuerdo por la Letrada de la Administración de Justicia, para velar por su coherencia y utilidad en el proceso judicial y promover un formato y parámetros comunes a todos los acuerdos.

El hecho de colaborar con funciones procesales con el SCOP nos permite derivar directamente por resolución de la Letrado de la Administración de Justicia de la UMIM, a sesión informativa en la incoación de las Divisiones de Herencia. En estos temas incluso si la mediación se cierra sin acuerdo y el procedimiento judicial continúa puede que intervenga la Letrado en el Acta para nombramiento

de contador partidor, si coincide con la mañana que dedica a se-
ñalamientos del SCOP y al haber podido descargar las emociones
en algunos casos se les ha podido ayudar a alcanzar finalmente un
acuerdo. La combinación de mediación con luego la Junta de inven-
tario o de nombramiento de Contador partidor con un Letrado con
habilidades mediadoras permite alcanzar soluciones, quizás porque
los propios abogados no terminan de confiar y apoyar el proceso de
mediación y se sienten más seguros en las comparecencias judiciales.
Otro de los tipos procedimentales en los que continuamos trabajando
con buenos resultados son las conciliaciones, normalmente derivadas
por la propia Laj dela UMIM que dedica la mañana del jueves a ce-
lebrarlas. Se está consolidando como una excelente combinación de
ambos recursos, ofreciendo la mediación el tiempo y reflexión que se
necesite, así como la verdadera participación de sus protagonistas y
afectados, aspectos que la conciliación no puede generar, entre otras
cosas porque se señalan unas 20 conciliaciones en la mañana.

Evolución del ámbito de mediación civil

AÑO	DERIVADOS	FINALIZADOS	MEDIACIONES	Con acuerdo	%	Sin acuerdo
2015	4	1	1	1	100,00	0
2016	59	41	13	8	61,54	5
2017	89	86	42	18	42,86	24
2018	114	83	24	18	75,00	6

Incluimos también la repercusión en el proceso judicial –sólo medido en el 2018- de mediaciones concluidas sin acuerdo

Resolución judicial tras el NO acuerdo	Nº	%
Sentencia contradictoria	2	28,57
Sentencia con acuerdo	0	0,00
Homologación acuerdo posterior a Mediación	0	0,00
Auto Desistimiento	2	28,57
Pendiente de resolución	3	42,86
TOTAL	7	100

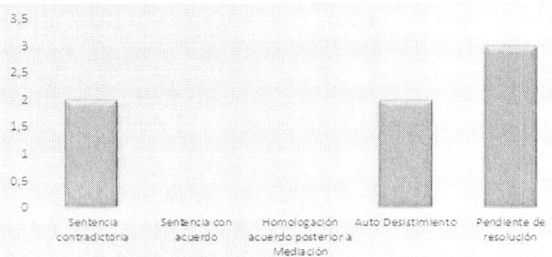

d) Ámbito contencioso-administrativo

Este ámbito inició su participación en el proyecto de mediación en el año 2016, con un protocolo de derivación en materia de Ejecución tanto de la Sala de lo Contencioso del TSJ como del SCEJ contencioso y en breve está previsto incorporar la fase declarativa e incluir a los Juzgados de lo contencioso-administrativo.

Cuenta con un coordinador técnico y una tutora, ambos abogados. El Coordinador judicial de la Sala de lo Contencioso del TSJ. Contar con su implicación está siendo fundamental puesto que es el principal filtro a la hora de identificar asuntos y se hace una gran labor de difusión e información desde la propia Sala.

Desde la Sala del TSJ se deriva a sesión informativa de mediación, normalmente por resolución judicial (providencia) previa calificación procesal del Laj del Tribunal Superior de Justicia, con día y hora, previa consulta telefónica. Esta sesión informativa se realiza de forma conjunta con todas las partes implicadas y normalmente se realiza en las propias dependencias del TSJ y con intervención del Letrado de la Administración de Justicia generando más confianza a las partes. De aceptarse la mediación, que a veces conlleva hasta meses de gestión previa, por el coordinador técnico se asignan los mediadores, uno de ellos como responsable del asunto. Las mediaciones ya se desarrollan en las dependencias de la UMIM con frecuencia en la Sala más grande para poder dar cabida a todos los participantes.

Este área tiene asignado como día de trabajo el jueves por la mañana, aunque puntualmente puede utilizar cualquier otro día, aunque coincida con otra área. Son mediaciones complejas, con un alto componente jurídico, con numerosas partes implicadas e incluyendo en ocasiones a los propios técnicos. Se dilatan bastante en el tiempo y aunque en ocasiones intervengan las personas físicas, si las hay, que muchas veces por primera vez se sienten escuchadas por la Administración, destaca especialmente el gran papel protagonista de los abogados. Es un modelo de intervención más estilo Harvard configurándose en ocasiones muy cercano a la negociación asistida. En general el ciudadano ha acogido muy bien el recurso, pero sigue existiendo mucha sorpresa y reticencia a participar por parte de las administraciones públicas, a excepción de la Comunidad Autónoma cuyos servicios jurídicos están muy implicados en el proyecto.

Es una mediación que requiere, además de técnicas y herramientas de mediación, conocimientos jurídicos de una materia que es además compleja y amplia. Por ese motivo todos los mediadores son jurídicos y actualmente contamos con la valiosa colaboración del Magistrado Emérito jubilado de la propia Sala de lo Contencioso, Mariano Espinosa. Uno de los temas que genera mucha tranquilidad a los usuarios es que el acuerdo, puede ser condicionado a la espera de la confirmación de la autoridad competente, en base al apartado 37 del protocolo de derivación. Cuando es un acuerdo definitivo este habrá de ser aprobado por auto por el tribunal, tomando como base el apartado 3° del artículo 77 de la LJC, declarando terminado el procedimiento siempre que lo acordado no fuera manifiestamente contrario al ordenamiento jurídico ni lesivo del interés público o de terceros.

Es un área novedosa que ha tenido una excelente acogida y muy buenas perspectivas de futuro.

Evolución del ámbito de mediación contencioso-administrativo

AÑO	DERIVADOS	FINALIZADOS	MEDIACIONES	Con acuerdo	%	Sin acuerdo
2015	0	0	0	0	0,00	0
2016	8	1	4	0	0,00	0
2017	19	17	5	2	40,00	3
2018	11	12	6	3	50,00	3

e) Mediación con menores infractores

En menores se ofrece el recurso a Fiscalía de Menores Este ámbito tiene asignados los lunes por la tarde. Desde Fiscalía se deriva el asunto a mediación y son los mediadores quienes ya contactan con las partes, menor, padres, víctima, abogados, para invitarles a una Sesión Informativa, empezando por el menor denunciado, junto con su abogado y su padre/madre/tutor. En casos de violencia familiar se hace una primera intervención conjunta y ya por separado primero con el menor y luego con los padres. A continuación, se hace una Sesión Informativa con la víctima, si existe un mínimo reconocimiento de hechos y una intención de reparar, y si ambos están de acuerdo se inicia la mediación.

Contamos con un Coordinador Técnico, abogado y una tutora técnica, trabajadora social, ambos mediadores con años de experiencia pública en este ámbito, habiendo participado en el Servicio de Mediación Intergeneracional que existió en la Comunidad Autónoma. La Coordinadora Judiciales trabajadora social del Equipo Técnico de los Juzgados de Menores.

Este ámbito se ha convertido en algo puntual y residual sin llegar a consolidarse, con un nivel mínimo de derivación al existir conciliación y reparación por parte de los Equipos Técnicos, con la dificultad añadida de que existe muy poco tiempo para trabajar ya que es una jurisdicción muy rápida. Los pocos casos derivados han sido en violencia familiar, intergeneracional que de evolucionar favorablemente la mediación requiere numerosas sesiones y poner en práctica nuevas pautas de comportamiento en la familia. El coordinador técnico compatibiliza esta función con la coordinación técnica de contencioso-administrativo y con el inexistente nivel de movimiento que ha tenido el área no ha tenido la oportunidad de consolidarse como equipo de mediadores.

6. POSIBILIDADES QUE OFRECE ESTE MODELO

La UMIM se postula como un modelo de mediación intrajudicial que trata de paliar algunas de las dificultades a las que se enfrenta la mediación, cómo son entre otras:

– La lucha de colectivos y asociaciones por el "monopolio" de la mediación se atempera porque la UMIM es un espacio público, del Ministerio de Justicia, como una dependencia más, en el que tienen cabida todos los profesionales al apostar por la multidisciplinariedad. Además, es un espacio para ellos, de trabajo colaborativo, generándose una verdadera y excepcional Comunidad de aprendizaje, lo que les ha servido para estar más unidos y generar sus propias colaboraciones y espacios en la mediación extrajudicial.

– La falta de cultura de paz y desconocimiento de la mediación, contribuyendo a promover ese cambio cultural. Al generarse como un espacio público ofrece confianza a profesionales y usuarios y en estos años se han llevado a cabo más de 2000 sesiones informativas de calidad.

– Supone una apuesta por la calidad, con procesos de trabajo homogéneos, supervisión, encuestas de calidad, estadísticas. La UMIM se configura como un perfecto laboratorio para medir qué, cómo y cuándo en mediación.

– Al formar parte de la oficina Judicial podemos controlar, potenciar y regular la derivación de asuntos a mediación y, al mismo tiempo, ofrecer una devolución más rápida y transparente del resultado al procedimiento, incorporando los acuerdos siempre y cuando las partes lo autoricen.

– Ofrece un espacio tutelado y supervisado para que puedan adquirir experiencia los mediadores que sólo cuentan con formación, consolidando a mediadores profesionales. En España se calcula que hay más de 17000 personas formadas en mediación. En Murcia ya tenemos un número elevado de mediadores, realmente expertos, que están preparados para ofrecer servicios de mediación extrajudicial de mucha calidad.

– Al ser tantos los mediadores, con mucho esfuerzo de organización, podemos ofrecer un espacio autosostenible que compatibilizan con sus profesiones de origen, enriqueciéndolas.

– Al distribuirse por ámbitos promueve la especialización y que realmente se consoliden expertos en los diversos ámbitos de la mediación.

– Para los abogados no es un espacio competitivo sino al revés un espacio a su servicio y, poco a poco, van confiando y dándose cuentas de los beneficios que les ofrece la mediación, entre otros el absoluto control del resultado final.

– Para el propio Sistema Judicial también es un espacio de confianza, cercano y accesible, a su servicio y un espacio al que pedir "responsabilidades" si algo no funciona bien, como cualquier otro servicio interno.

– Al conectar la mediación con el proceso judicial con una comunicación bidireccional rápida y eficaz, a través de la supervisión de los acuerdos, se cuida mucho que el acuerdo de mediación sea coherente y útil al proceso judicial.

- Aunque es un espacio multidisciplinar, por su propia elección el mayor porcentaje es el de abogados y se está generando un beneficio colateral inesperado y sorprendente, ya que al consolidarse como mediadores también se transforman en el ejercicio de la abogacía apostando por un ejercicio del derecho mucho más colaborativo. Al ser tantos los abogados mediadores ese beneficio tiene el poder de contagiarse y traspasar al resto de los abogados murcianos.

De cualquier forma, es un proyecto que está en sus inicios y que poco a poco, con mucho esfuerzo, reflexión y autoinvención constante, se va consolidando en cuanto a procesos, forma y estructura. Está teniendo una gran acogida entre los ciudadanos, a modo de ejemplo se incorporan algunos de los datos de las Encuestas de calidad y por otro lado la evolución, crecimiento y mejora de los mediadores es realmente espectacular. Para apostar por su verdadera profesionalidad seguimos buscando alguna forma de financiación que les remunere o al menos cubra los gastos. Estamos convencidos de que la mediación intrajudicial puede ser el motor para la consolidación de la mediación, el cambio cultural, la generación de confianza y la profesionalización de los mediadores, pero también que el verdadero mercado remunerado ha de ser el de la mediación extrajudicial.

Además de seguir consolidando experiencia y calidad también queremos extendernos a Regional con sedes delegadas en las principales ciudades de la Comunidad Autónoma y también ampliar a otros ADR como la conciliación o el tercero neutral experto para poder ofrecer un multi-door con recursos diversos.

Y, por supuesto, todo el trabajo que estamos desarrollando se pone al servicio de quien lo necesite y lo pueda utilizar para compartir conocimientos y experiencias, tender puentes y generar sinergias.

DIEZ CLAVES PARA LA MEDIACIÓN EN EL PROCESO CONTENCIOSO-ADMINISTRATIVO

FERNANDO MARTÍN DIZ
Universidad de Salamanca

RESUMEN

El trabajo ofrece un cambio de paradigma en la relación d elas administraciones públicas con los ciudadanos. Ante la controveria de la utilización de la mediación en este ámbito el autor recurre al derecho comparado. El ejemplo de Francia, Estados Unidos o Brasil se proponen con antecedentes. Se realiza una propuesta de mediación contencioso.administrativa presentando el rol del mediador así como las causas mediables, asi como el valor y la eficacia de los posibles acuerdos de mediación.

PALABRAS CLAVE: Administraciones públicas, litigios contencioso-administrativo. Mediación en procesos contencioso-administrativos.

1. ADMINISTRACIÓN PÚBLICA, LITIGIOS Y MEDIACIÓN: UN NUEVO HORIZONTE

Un nuevo modelo para la gestión de los litigios y procesos contencioso administrativos de la Administración Pública es posible[1]. Un modelo dialogante, de cogestión, transparente, dinámico y transaccional que puede perfectamente abrirse paso dentro del entramado legal que rige la resolución de litigios entre ciudadanos y administraciones públicas. Aunar interés público, y su salvaguarda, con el interés particular del administrado puede encontrar un cauce a través de la mediación.

Incluso vientos prelegislativos soplan a favor de ello. La Resolución del Parlamento Europeo de 12 de septiembre de 2017 relativa a

---

[1]   Tornos Más, J., "Medios alternativos de resolución de conflictos en el Derecho Administrativo", *Anuario de Justicia Alternativa*, n.º 14, 2017, pp. 109-118, Pérez Moreno, A., "Justicia administrativa y fórmulas alternativas", en *La justicia administrativa: libro homenaje al profesor Dr. D. Rafael Entrena Cuesta*, coord., M.J. Montoro Chiner, Ed. Atelier, Barcelona, 2003, pp. 175-184.

la aplicación de la Directiva sobre ciertos aspectos de la mediación en asuntos civiles y mercantiles de 2008 recomienda a la Comisión que "en el marco de la revisión de la normativa, busque soluciones que permitan ampliar eficazmente el ámbito de la mediación también a cuestiones administrativas... y que en este contexto, la Comisión y los Estados miembros, establezcan y apliquen salvaguardas adecuadas en los procedimientos de mediación a fin de limitar los riesgos para las partes más débiles y protegerlas contra todo posible abuso de procedimiento o posición por las partes más poderosas"[2]

Fortalecer una cierta, siempre reglada, disponibilidad y margen de negociación para la Administración y los administrados en la resolución de litigios es una tendencia moderna, expresada a través de acuerdos (autocompositivos) o de soluciones vinculantes heterocompositivas distintas de la jurisdiccional (arbitraje), estimulando el consenso, ya sea en la búsqueda y elaboración de la solución (mediación) o en el hecho de optar, mediante la autonomía de la voluntad, por una solución extra jurisdiccional vinculante (arbitraje). Prevenir litigios o reducir su carga contenciosa, proporciona también una Administración más diligente en solucionar problemas al ciudadano, a través de mecanismos más accesibles, comprensibles, sencillos, e incluso participativos, como lo es la mediación, en relación con el volumen de casos y situaciones administradas, en menor plazo, disminuyendo igualmente el volumen de recursos materiales y personales en la Administración pública dedicados a atender su propia litigiosidad

---

[2]   La Ley 24/2018 de Mediación de la Comunidad Autónoma Valenciana, prevé, en su Exposición de Motivos, que: "resulta idónea la implantación de los procedimientos mediadores en multitud de ámbitos tan aparentemente heterogéneos como pueden ser el sanitario, el empresarial, el comunitario o el administrativo, por poner sólo algunos ejemplos. La gran flexibilidad que caracteriza el procedimiento de mediación favorece su utilización extensiva en otros sectores de la actividad humana en los que pueden producirse conflictos y en los que interese una solución autocompositiva que permita el mantenimiento de las relaciones entre las partes"

2. CAMBIO DE PERSPECTIVA

La relación jurídica entre Administraciones Públicas y ciudadanos ha de cambiar en cuanto a desarrollar la potencialidad que ofrece el diálogo y los consensos, respetando el equilibrio entre derechos públicos y privados, para la resolución de litigios. En cierto modo, este cambio ha de pasar, en primer término, por una disminución (o casi eliminación) de los privilegios jurídicos de las Administraciones Públicas que dificultan, en muchos casos, encontrar una solución común y ventajosa para ambas partes. En este sentido el nuevo panorama relacional ha de transformarse, abandonando el modelo de imposición unilateral de la Administración en sus relaciones jurídicas con el ciudadano (jugando para ello en su favor, en muchas ocasiones, la disponibilidad de medios materiales y personales que le facilitan alargar las causas judicialmente y fomentar la litigiosidad) hacia un modelo bilateral. Evolución, por tanto, de la autogestión jurídica administrativa a la cogestión del conflicto.

De esta deseable interacción en el futuro escenario de las relaciones jurídicas entre Administración y ciudadano se podrá obtener una solución colaborativa que, respetando la ley y el interés general, se adaptará al caso concreto, singularizando cada conflicto administrativo, cada expediente, cada procedimiento y con una mayor opción a la composición de todos los diferentes intereses en el litigio (Administración y administrado).

3. COBERTURA LEGAL

La normativa vigente alberga opciones para la incorporación de la mediación en el ámbito del litigio entre Administración y administrado. En el procedimiento administrativo de forma clara y evidente se dan cobertura expresa en dos situaciones

a) Terminación convencional[3] del procedimiento administrativo –art. 86 y 114.1d) Ley 39/2015-

---

[3]   1.Las Administraciones Públicas podrán celebrar acuerdos, pactos, convenios o contratos con personas tanto de Derecho público como privado, siempre que no sean contrarios al ordenamiento jurídico ni versen sobre materias no susceptibles

b) Sustitución de recursos administrativos[4] por, entre otras alternativas, una mediación -art. 112.2 Ley 39/2015-

En el marco del proceso contencioso-administrativo, la referencia se sitúa en el art. 77 LJCA, desde cuya interpretación se puede dar cabida a una mediación intrajudicial[5] dentro de las previsiones aplicables a "otras formas de terminación del proceso contencioso-administrativo". El párrafo primero del precepto en cuestión determina que "en los procedimientos en primera o única instancia, el Juez o Tribunal, de oficio o a solicitud de parte, una vez formuladas la demanda y la contestación, podrá someter a la consideración de las partes el reconocimiento de hechos o documentos, así como la posibilidad de alcanzar un acuerdo que ponga fin a la controversia, cuando el juicio se promueva sobre materias susceptibles de transacción y, en particular, cuando verse sobre estimación de cantidad. Los representantes de las Administraciones públicas demandadas necesitarán la autorización oportuna para llevar a efecto la transacción, con arreglo a las normas que regulan la disposición de la acción por parte de los mismos".

---

de transacción y tengan por objeto satisfacer el interés público que tienen encomendado, con el alcance, efectos y régimen jurídico específico que, en su caso, prevea la disposición que lo regule, pudiendo tales actos tener la consideración de finalizadores de los procedimientos administrativos o insertarse en los mismos con carácter previo, vinculante o no, a la resolución que les ponga fin. 2. Los citados instrumentos deberán establecer como contenido mínimo la identificación de las partes intervinientes, el ámbito personal, funcional y territorial, y el plazo de vigencia, debiendo publicarse o no según su naturaleza y las personas a las que estuvieran destinados

4   Las leyes podrán sustituir el recurso de alzada, en supuestos o ámbitos sectoriales determinados, y cuando la especificidad de la materia así lo justifique, por otros procedimientos de impugnación, reclamación, conciliación, mediación y arbitraje, ante órganos colegiados o comisiones específicas no sometidas a instrucciones jerárquicas, con respeto a los principios, garantías y plazos que la presente Ley reconoce a los ciudadanos y a los interesados en todo procedimiento administrativo. En las mismas condiciones, el recurso de reposición podrá ser sustituido por los procedimientos a que se refiere el párrafo anterior, respetando su carácter potestativo para el interesado.

5   Martín Diz, F. (2018). *Mediación en el ámbito contencioso administrativo*. Thomson Reuters Aranzadi. *García* Vicario, M.C. (2013). La mediación como sistema alternativo y complementario de resolución de conflictos en la jurisdicción contencioso-administrativa, *Revista Jurídica de Castilla y León*, 29.

La configuración, por la interpretación que proponemos del art. 77 LJCA, de la mediación contencioso-administrativa como intrajudicial, conlleva, en conexión con el último párrafo del artículo, que si el resultado final de la mediación fuese un acuerdo, y con ello la desaparición de la controversia, requerirá de necesaria homologación judicial[6]. Surge aquí la duda interpretativa de qué ocurrirá si el acuerdo de mediación es parcial, en cuanto al objeto de la controversia, y no supone la "desaparición de la misma", quedando alguna cuestión imprejuzgada. Entendemos que el órgano judicial homologaría lo acordado, siempre que se cumplan las exigencias del art. 77 LJCA en su última parte, y proseguiría la causa para la parte imprejuzgada.

No obstante, también hay detractores y posiciones contrarias a dar entrada a la mediación intrajudicial en el proceso contencioso-administrativo basadas fundamentalmente en que no es factible, al no existir una ley de cobertura (Ley de mediación contencioso-administrativa) y que, asimismo, el tenor vigente del art. 77 LJCA no es apropiado ni habilita la opción de la mediación[7].

4. REFERENTE: EL DERECHO COMPARADO

Tomamos como punto de partida la Recomendación (2001) 9 del Comité de Ministros del Consejo de Europa sobre solución alternativa de litigios entre autoridades administrativas y personas privadas, que podría ser de aplicación para el desarrollo a nivel legal interno del acceso a otras formas extrajudiciales (arbitraje, conciliación, acuerdos

---

[6] En este sentido el Auto del Juzgado de lo Contencioso Administrativo núm.3 de las Palmas de Gran Canaria de 7 de noviembre de 2017, en el conocido como "Caso Club Lanzarote" determinaba en su FJ 2.º "Por tanto, mediante esta resolución procede aprobar el acuerdo al que han llegado las partes conforme a su derecho de disposición sobre el objeto de este proceso, según lo dispuesto en el art. 77 LJCA"

[7] Posición que se plantea en los votos particulares al Auto del Tribunal Superior de Justicia de Galicia de 8 de febrero de 2019 (Caso antiguo Edificio Fenosa" en que los magistrados que los formulan alegan que no puede haber "mediación sin ley, transacción sin cobertura del art. 77 LJCA, en este caso al ser ejecución de sentencia la homologación judicial es contraria al art. 103 LJCA (9.1 y 117.1 CE y 18 LOPJ) como acto contrario y que cambia contenidos sobre una resolución judicial firme en su ejecución".

negociados y mediación) en el ámbito de las potestades discrecionales de las Administraciones públicas a través de criterios de legalidad y oportunidad, incluso como elemento preventivo para eludir litigios futuros antes de que estos afloren. Señalaba dicha Recomendación como ámbito propicio para su aplicación los asuntos de responsabilidad patrimonial, reclamaciones económicas o actos administrativos de carácter individual. Ofrecía, por tanto, una pauta genérica (con disposiciones muy elementales) que al menos servía como orientación inicial a considerar por los legisladores nacionales[8], señalando, por ejemplo, que la mediación sería factible en actos administrativos individuales, frente a los generales.

Desde la Unión Europea no se ha avanzado en este aspecto. Apenas hay iniciativas en armonización procesal contencioso-administrativa para sus Estados miembros, llamativamente a diferencia del proceso civil y el proceso penal en los cuales, quizá merced a la operatividad de la cooperación judicial mutua, sí se ha alimentado una actividad intensa y prolífica. En ningún caso, al menos hasta la fecha, esta circunstancia se ha traducido normativamente en la Unión en la implantación de la mediación como expresión de buenas prácticas administrativas[9].

---

[8]   Vandenhende, L., Warnez, B. (2016). The way to mediation in Belgian administrative procedural law, *Netherlands Administrative Law Library*, DOI: 10.5553/NALL/.000023

[9]   Véase: de Graaf, K. J., Marseille, A. T., & Tolsma, H. D. (2014). Mediation in Administrative Proceedings: A Comparative Perspective, en D. C. Dragos, & B. Neamtu (Eds.), *Alternative Dispute Resolution in European Administrative Law*, Berlin, pp. 589-605.
El "Grupo de Trabajo sobre Derecho Administrativo de la Unión Europea" (WGAL) publicó un documento (Situación actual y perspectivas futuras del Derecho administrativo de la UE, 2011) que contenía, como una de sus recomendaciones al Parlamento Europeo, en futuras previsiones normativas sobre la revisión interna de las decisiones administrativas de las instituciones europeas se pudiesen incorporar algunas disposiciones aplicables que fomentasen la resolución alternativa de disputas sin perjuicio de los recursos judiciales. Más recientemente la Unión Europea ha dado un tímido y muy singular paso adelante en materia de resolución extrajudicial de litigios en derecho público con la promulgación de la Directiva 2017/1852, relativa a los mecanismos de resolución de litigios fiscales en la Unión Europea, de 10 de octubre, en el Considerando Sexto de la citada Directiva se refiere de forma expresa a la entrada de opciones extrajudiciales consensuales en los siguientes términos: "Debe alentarse a los

Acudimos entonces, como referencia cercana y próxima, donde la mediación contencioso-administrativa ha comenzado a despegar a Francia en virtud de la cobertura legal que presta el art. 213-5 del Código de Justicia Administrativa[10]. En el modelo francés[11], el juez tiene facultades para promover la mediación, pero no para imponerla, además de quedar abierta la posibilidad de sean las partes (Administración o administrado) quien la solicite. Puede ser una mediación total o parcial en relación a las cuestiones del litigio o de la resolución administrativa concernida y, al respecto, pueden asumir la condición de mediador tanto personas físicas como instituciones de mediación e incluso corporaciones, acreditando en todo caso "cualificación, preparación y experiencia apropiada y específica en vista de la naturaleza del litigio". De abrirse paso, tiene efectos procesales en cuanto se interrumpe el plazo para el ejercicio de acciones judiciales (art.

Estados miembros a que recurran a formas de resolución de litigios alternativas no vinculantes, como la mediación o la conciliación, durante las fases finales del período del procedimiento amistoso. De no llegarse a un acuerdo amistoso en un plazo determinado, el caso debe someterse a un procedimiento de resolución de litigios. Debe haber flexibilidad en la elección del método para la resolución de litigios, bien mediante estructuras *ad hoc*, bien mediante estructuras más permanentes".

10 Cuando el juez considere que es probable que la disputa que tiene ante sí encuentre un resultado amistoso, podrá en cualquier momento proponer una mediación. Establecerá un plazo para que las partes respondan a esta propuesta", además en dicha decisión –art. 213-6-, deberá relatar el asunto, nombrar al mediador y, según las circunstancias del caso, establecer la duración del procedimiento y la remuneración del mediador, notificando dicha decisión al mediador designado y a las partes. En caso de que la actuación del mediador sea remunerada, según el art. 213-7, el juez, puede conceder al mediador, a petición de éste último, una asignación provisional (adelanto de fondos) sobre el importe de sus honorarios y desembolsos.

11 Modelo que ha dado un paso adelante para su efectiva implantación con el Decreto núm. 2018-101 sobre experimentación de un procedimiento de mediación obligatoria preliminar en litigios sobre función pública y conflictos sociales, bajo pena de inadmisibilidad del recurso judicial frente a la decisión administrativa en dos tipos de litigios: relativos a situación personal de funcionarios cubiertos por el estatuto del servicio civil y litigios sobre los beneficios, subsidios o derechos otorgados en materia de asistencia social y vivienda para trabajadores desempleados. Se pretende valorar la idoneidad de un sistema de mediación preprocesal obligatoria con el objetivo de aliviar la carga de asuntos en los tribunales, y regular el flujo de entrada de recursos judiciales frente a resoluciones administrativas

213-4) hasta la conclusión del procedimiento de mediación, si bien la remisión a mediación no libera al juez de que haya de adoptar las "medidas necesarias" en relación al asunto (art. 213-8) –por ejemplo, medidas cautelares-. Concluirá: bien a petición de una de las partes (manteniendo intacto el principio de voluntariedad que la preside en su acceso y abandono) o del propio mediador, o bien por acuerdo.

Finalmente, desde un ámbito externo al más cercano, regionalmente hablando como es el de la Unión Europea, podemos sumar el antecedente que aporta el Administrative Dispute Resolution Act (1996) en Estados Unidos de América, habilitando la opción del recurso a la mediación como vía de solución de litigios con las Agencias y entidades de gobierno público y constatando en su art. 2 que "los procedimientos administrativos se han vuelto cada vez más formales, costosos y largos, con gastos innecesarios de tiempo y con una menor probabilidad de lograr una resolución consensual de disputas" frente al empleo de ADR en litigios de derecho privado que, en circunstancias apropiadas, han producido resoluciones más rápidas, menos costosas y menos contenciosas, conduciendo a resultados más creativos y eficientes, considerando, por todo lo anterior que "la disponibilidad de una amplia gama de procedimientos de resolución de disputas, y un aumento de la comprensión del uso más eficaz de dichos procedimientos mejorará el funcionamiento del Gobierno y el servicio público".

Desde la región latinoamericana, Brasil[12] ha dado un paso adelante con la promulgación de la Ley 13.140, de junio de 2015, disponiendo la opción de mediación y de conciliación en el ámbito de los litigios con la Administración Pública, desde una renovada concepción de la Administración, como dialogante, cercana e igualitaria. A ello dedica el Capítulo II, bajo el rótulo de "Autocomposición en conflictos en que sea parte una persona de derecho público" que comprenden los arts. 32-40 del precitado texto normativo. Desde este planeamiento legal confiere a los entes federados la posibilidad de que se creen "Cámaras de prevención y resolución administrativa de conflictos".

---

12   Ávila Fagúndez, P.R., y Ribeiro Goulart, J. (2016). O marco legal da mediaçao no Brasil: aplicabilidade na Administraçao Pública, *Revista de formas consensuais de soluçao de conflitos*, 2, pp. 148-164

5. ES GARANTISTA Y ACORDE CON EL DERECHO A LA TUTELA JUDICIAL EFECTIVA (NO EXCLUYE EL CONTROL JURISDICCIONAL)

Un modelo de mediación contencioso administrativa intrajudicial cumple perfectamente la exigencia constitucional de control jurisdiccional. Esto es así, dado que vía homologación del acuerdo de mediación por parte del órgano jurisdiccional (mediante auto) y con la actual cobertura del art. 77.3 LJCA se procede a llevar a cabo el imprescindible control jurisdiccional de lo acordado y se evita generar áreas inmunes ni espacios exentos del cumplimiento de la legalidad en el ámbito administrativo y tributario. Desde otra perspectiva, el control jurisdiccional de las Administraciones públicas y de su actividad, es exclusivo del Poder Judicial, tal y como preceptúan los arts. 106 y 117 de la Constitución Española, pero no EXCLUYE que los litigios puedan ser resueltos por vías diferentes (y complementarias) de la jurisdiccional.

El objetivo, por tanto, del control jurisdiccional del acuerdo de mediación obtenido a través de la opción que habilita el art. 77 LJCA sería dar cumplimiento al mandato constitucional llevando a efecto, por parte del órgano jurisdiccional, un examen sobre la validez y alcance del acuerdo adoptado y sus efectos, controlando legalidad, adecuación al interés público, no perjuicio de terceros, etc.

6. SISTEMA Y MODELO POSIBLE

Consideramos que en el caso nacional el sistema de mediación contencioso-administrativa debería ser intrajudicial y de carácter institucional público. Desde la experiencia que de las mismas ya se puede extraer, puede ser muy idóneo al efecto el sistema que encarnan las Unidades de Mediación Intrajudicial, coordinadas desde los Servicios Comunes Procesales a cargo de un Letrado/a de la Administración de Justicia. Desde esta Unidad se canalizarían las derivaciones aprobadas judicialmente hacia los mediadores/as o instituciones de mediación que hayan convenido prestar sus servicios al efecto, retornando también desde este nodo, el resultado final del procedimiento de mediación hacia el proceso contencioso-administrativo de origen.

Además del diseño institucional es clave para el desarrollo de la mediación contencioso-administrativa que se diseñe, regule legalmente, implemente y desarrolle con sustantividad propia lo que implica:

Autonomía conceptual y operativa frente a otros modelos de mediación

Ley específica de mediación contencioso-administrativa

7. ÁMBITO SUBJETIVO

Es imprescindible la delimitación en cuanto a quién/quienes intervienen en mediación por en representación de las Administraciones Públicas. Consideramos que podría ser positivo un modelo de representación dual: jurídico-procesal y técnica, que asumirían la Abogacía del Estado/Letrados de la respectiva Administración pública y los concretos intervinientes (funcionarios, técnicos) en el expediente administrativo (designados por la administración autora del acto impugnado y que hayan tenido intervención principal en relación con el objeto del proceso). A efectos de ratificación del acuerdo obtenido, debieran habilitarse a representantes jurídico procesales, previa norma legal o acuerdo administrativo, que directamente en nombre de la AAPP lo suscriban con plenos efectos vinculantes para solventar dificultades en el orden competencial que puedan presentarse para que quien represente a la Administración adopte acuerdos en la fase final de la mediación, debe equilibrarse y flexibilizarse el régimen de autorización en la toma de decisiones, moderando el rigor que establece la Ley General Presupuestaria para regular la transacción.

Igualmente sería recomendable la participación del Abogado en labor de asesoramiento y orientación al ciudadano, como garantía de sus derechos. En este tipo de mediación se pueden ver afectados con frecuencia terceros que no han participado en la misma, por lo que estimamos que, para salvaguardar sus intereses[13], la resolución por la

---

[13] Auto TSJ Galicia de 8 de febrero de 2019 (Caso antiguo Edificio Fenosa) "De los elementos obrantes en los autos, no se desprende que el acuerdo adoptado por las partes sea contrario al ordenamiento jurídico ni lesivo del interés público o de terceros... Desde el año 1997, en que el procedimiento se sustancia, no se ha tenido conocimiento ni han formado parte del asunto otros intervinientes que

que se acuerde admitir el trámite de mediación se notificará a cuantos aparezcan como interesados en el proceso, emplazándoles para que puedan personarse en el procedimiento de mediación en calidad de interesados.

8. LA IMPORTANCIA DEL MEDIADOR

Las condiciones particulares que plantea una mediación contencioso-administrativa son todo un reto para el mediador/a que la asuma, especialmente desde la prominente posición de desequilibrio que de partida aparece. De ahí que se requiera de profesionales de la mediación muy cualificados y especializados, expertos contrastados en Derecho público (administrativo, o tributario en su caso) y totalmente ajenos a la Administración pública para preservar su independencia e imparcialidad[14].

9. ÁMBITO OBJETIVO

Otra de las paradas inexcusables es la determinación de las materias en las cuales pueda ser viable con plenas garantías, especialmente en cuanto a la disponibilidad y transigibilidad del asunto litigioso por parte de la Administración (el primer apartado del art. 77 LJCA establece como condición de acceso a la remisión extrajudicial del

---

los que suscriben la petición de homologación, por lo que cualquier invocación de intereses o perjuicio para terceros a partir de este acto habría de entenderse, en principio, realizada en abuso del derecho."

[14]   Protocolo de mediación contencioso-administrativa del TSJ de Madrid (2017): "En cuanto al servicio de mediación deberá ser prestado por mediadores externos que reúnan los requisitos establecidos en el Real Decreto 980/2013, de 13 de diciembre y, teniendo en cuenta las singularidades de este orden jurisdiccional y las limitaciones que el sometimiento de las Administraciones Públicas al principio de legalidad entraña en la selección de los procedimientos susceptibles de mediación, resulta necesario que los mediadores sean juristas especialistas en las materias propias de este orden jurisdiccional. La Unidad de mediación del CGPJ es la encargada de comprobar la cualificación de los mediadores profesionales que llevarían a cabo la mediación".

asunto el que verse sobre "materias susceptibles de transacción y, en particular, cuando verse sobre estimación de cantidad").

Ilustrativamente podrían concordar para acoplarse a mediación contencioso-administrativa asuntos que versaran sobre:

a) Fijación de la cuantía de indemnizaciones por responsabilidad de la Administración[15], justiprecios, compensaciones o rescates

b) Concreción y aplicación de obligaciones bilaterales en contratos de derecho público y privado, convenios y reintegro de subvenciones

c) Utilización de bienes públicos (licencias, aprovechamiento)

d) Actividades molestas, insalubres, nocivas y peligrosas (otorgamiento, modificación y extinción de autorizaciones…)

e) La inactividad de la administración, la vía de hecho y el silencio administrativo

f) Las ejecuciones de medidas en la potestad disciplinaria y sancionadora de la Administración (graduación de sanciones)

g) Ejecución de sentencias (incidentes de ejecución y cumplimiento de la sentencia)

h) Expropiaciones forzosas (fijación del justiprecio, no respecto a declaración de utilidad pública/interés social)

i) Función Pública: potestad disciplinaria o sancionadora, mobbing o acoso laboral, valoración y baremación de méritos en concursos públicos, concursos de destinos, traslados.

j) Medio ambiente

k) Derecho tributario: comprobación de valores y cumplimiento de recaudación ejecutiva por vía de apremio

---

[15]   Belando Garín, B. (2015). La mediación en supuestos de responsabilidad administrativa, *La Ley*, 8666.

10. EL ACUERDO DE MEDIACIÓN CONTENCIOSO-ADMINISTRATIVA: VALOR Y EFICACIA

El supuesto menos problemático que se puede producir, en términos jurídicos, es que no se llegue a ningún tipo de acuerdo en mediación. Esta situación abocaría a la reanudación del proceso contencioso-administrativo del cual tomó origen el procedimiento de mediación, en uso de las opciones del art. 77 LJCA, en la fase y momento en que se encontrase antes de la suspensión por derivación del asunto a mediación.

Planteamos la diatriba de si sería aceptable un término medio. Concretamente: la conjetura sobre un acuerdo parcial, siempre que legalmente ello fuera posible y no contraviniese normas imperativas de derecho administrativo. Entendemos, que no obstaría, teóricamente, a que dicha eventualidad fuese aceptada por el órgano jurisdiccional al homologar lo acordado, prosiguiendo las actuaciones judiciales respecto a lo "no resuelto" en mediación y sin que lo acordado pueda condicionar o prejuzgar la decisión judicial sobre las cuestiones pendientes.

¿Cuál es el valor de un acuerdo obtenido en mediación contencioso-administrativa? La primera aseveración de la que podemos dejar constancia es que el acuerdo obtenido en una mediación contencioso-administrativa no es un acto administrativo. Conferirle dicha condición vulneraría la reserva de ejercicio de la potestad administrativa, y nos encontramos ante un acto negociado y procedente de una derivación judicial. En ese estado inicial, sin todavía el refrendo judicial que requiere el art. 77 LJCA, entendemos que el acuerdo tendría el valor de un pacto o convención privada que, eso sí, desde el momento en que es ratificado formalmente por ambas partes, las vincula. Además, en cuanto a su alcance, el acuerdo no puede *per se* modificar o anular el acto administrativo (ej. la declaración de interés público de una expropiación) pero si ajustar las consecuencias y aplicación o ejecución de dicho acto –determinación del justiprecio, por ejemplo- (dentro de la conjugación del binomio legalidad-discrecionalidad, y en atención a las circunstancias del caso, el buen gobierno, la transparencia y la eficiencia, el interés público, no perjuicio de terceros)

La segunda secuencia del acuerdo de mediación en materia contencioso-administrativa viene dada por la imprescindible homologación judicial[16] del mismo que requiere el apartado tercero del art. 77 LJCA, reserva jurisdiccional expresa y que conferirá, una vez ratificado y plasmado en el pertinente auto, por el órgano jurisdiccional valor de cosa juzgada (cuando alcance firmeza) y categoría de resolución judicial, sustituyendo entonces y automáticamente el valor y condición de pacto privado que tenía el acuerdo desde su ratificación por los intervinientes en el procedimiento de mediación.

Por parte del órgano jurisdiccional, y por imposición legal, debe controlar, en una inequívoca labor de control sustantivo[17], para validar que la pertinente homologación del acuerdo no sea manifiestamente contrario al ordenamiento jurídico ni lesivo del interés público o de terceros, según exigencia expresa del art. 77.3 LJCA. Una vez homologado, dicho auto tendrá eficacia ejecutiva[18] a tenor de lo dispuesto en el art. 517.2.3 LEC.

Dicho acuerdo no es anulable (a diferencia del acuerdo de mediación en derecho privado, Ley 5/2012 –art. 23.4-) pero por el contrario si será recurrible el Auto que lo homologa, por vía de reposición (art. 79.1 LJCA), no siendo susceptible de posterior apelación (no entra en los supuestos del art. 80 LJCA, salvo las mediaciones vinculadas a ejecución de sentencia, en que sí sería posible: art. 80.1.b).

---

[16]   Auto TSJ Galicia de 8 de febrero de 2019: "se homologa cuando satisface intereses particulares sin incurrir en infracción del ordenamiento jurídico ni perjuicio de tercero", esta es la base de aprobación del acuerdo, y el límite infranqueable para la Administración.

[17]   En expresión de González-Moro Méndez, A., "La mediación en el ámbito de la jurisdicción contencioso-administrativa", en *La mediación a examen: experiencias innovadoras y pluralidad de* enfoques, Dir. R. Castillejo Manzanares, Ed. Universidad de Santiago de Compostela, Santiago de Compostela, 2017, p. 160.

[18]   Auto del Juzgado de lo Contencioso Administrativo núm.3 de las Palmas de Gran Canaria de 7 de noviembre de 2017, FJ 2.º "Si el acuerdo fuera incumplido esta resolución será título ejecutivo a los efectos previstos en los arts. 517 y ss. de la LEC".

MEDIACIÓN EN ARRENDAMIENTOS: UNA HERRAMIENTA EFICIENTE

ISABEL VIOLA DEMESTRE[1]
Universidad de Barcelona
EMMA LÓPEZ SOLÉ
Codirectora del Postgrado en resolución de conflictos y mediación
Fundación Universitat Rovira i Virgili (URV)

RESUMEN

El ámbito de la vivienda ha sido uno de los mas castigados por la crisis financiera por lo que se ha impulsado desde entidades bancarias y desde las administraciones públicas la negociación en el ámbito hipotecario. Se plantea la mediación como fórmula de incorporación de mecanismos alternativos de resolución de conflictos en el ámbito de los conflictos derivados del contrato de arrendamiento, tanto a nivel estatal como internacional. El derecho comparado se incuye como aval de esta fórmula de resolución de conflictos en el ámbito de la vivienda.

PALABRAS CLAVE: Vivienda. Conflictos arrendaticios. Conflictos hipotecarios. Mediación en arrendamientos

En la última década, el impago de la cuota del préstamo hipotecario ha sido uno de los conflictos relacionados con la vivienda que más se ha visibilizado. Desde que estalló la crisis financiera, miles de personas y familias se encontraron en una situación laboral y económica precaria, sin o con pocos recursos para hacer frente a sus deudas, principalmente, el de la cuota del préstamo con garantía hipotecaria sobre la vivienda. Desde 2012, las administraciones, principalmente, la estatal, han venido promulgando normas que tienen como finalidad promover, de un lado, la reestructuración del crédito con un afán claro de evitar la exclusión residencial que un procedimiento de eje-

---

[1] Este trabajo parte de la investigación que la autora lleva a cabo en el marco del proyecto "Consumidor y vivienda: acceso, financiación y resolución de conflictos" PGC2018-096260-B-C21 y la Clínica Jurídica en Derecho Inmobiliario y mediación residencial (www.clinhab.com), que se desarrolla en la Facultad de Derecho de la Universidad de Barcelona.

cución hipotecaria puede conllevar y, del otro, el alquiler social, entre
las cuales destacan, entre otras, el Real Decreto-Ley 6/2012, de 9 de
marzo, de medidas urgentes de protección de deudores hipotecarios
sin recursos[2]; el Real Decreto-ley 27/2012, de 15 de noviembre, de
medidas urgentes para reforzar la protección a los deudores hipotecarios[3] y la Ley 1/2013, de 14 de mayo, de medidas para reforzar la
protección a los deudores hipotecarios, reestructuración de deuda y
alquiler social[4], ambos modificados por el Real Decreto-ley 1/2015,
de 27 de febrero, de mecanismo de segunda oportunidad, reducción
de carga financiera y otras medidas de orden social[5] y, dos años más
tarde, por el Real Decreto-ley 5/2017, de 17 de marzo[6]. Más reciente
es la ley 5/2019, de 15 de marzo, reguladora de los contratos de crédito inmobiliario[7].

Desde las distintas administraciones también, se vienen ofreciendo
servicios de (inter) mediación con el objetivo de proporcionar a las
familias el asesoramiento y la interlocución con la entidad financiera
que favorezca que la familia no pierda su vivienda.

Sin embargo, este conflicto del lanzamiento hipotecario ocultaba
otro, igual o más numeroso incluso, en la relación jurídica arrendataria y que va en aumento. Las estadísticas más recientes muestran un
incremento del número de desahucios por impago de la renta[8].

El porcentaje de personas que en España vive en un piso en régimen de alquiler representa un 24% de la población frente al 76% que

---

2   BOE núm. 60, 10 de marzo de 2012.
3   BOE núm. 276, 16 de noviembre de 2012.
4   BOE núm. 116, 14 de mayo de 2013.
5   BOE núm. 51, 28 de febrero de 2015. Consolidado por el Congreso en marzo de
     2015.
6   BOE núm. 66, 18 de marzo de 2017.
7   BOE núm. 65, de 16 de marzo de 2019.
8   Las estadísticas del primer trimestre de 2017 ponen de manifiesto un incremento
     en el número de lanzamientos por desahucio en Cataluña, que es la Comunidad
     Autónoma que encabeza la clasificación con 2.422, seguida de Madrid (1.346);
     Andalucía (1.262) y la comunidad valenciana (1.117). http://www.poderjudicial.
     es/cgpj/es/Temas/Estadistica-Judicial/Estudios-e-Informes/Efecto-de-la-Crisis-en-
     los-organos-judiciales/.
     https://www.lavanguardia.com/economia/20190610/462772204579/desahu-
     cios-alquiler-hipoteca-espana-cataluna-cgpj.html

son propietarias de su vivienda, con o sin préstamo pendiente, según los datos del Eurostat actualizados en 2019[9].

Sin embargo, las demandas en materia arrendaticia son de tal relevancia que tienen su apartado específico en el sitio web del Consejo General del Poder Judicial donde se publican los datos relativos a la actividad en los juzgados y tribunales en España, junto con las separaciones, divorcios y nulidades matrimoniales, los procedimientos concursales, las ejecuciones hipotecarias y jurisdicción social. Y es que las divergencias entre el arrendador y el arrendatario pueden ser de muy diversa índole; la más habituales se centran, principalmente, falta de pago de la renta o de cantidades que se asimilan (incluido fianzas), los desacuerdos sobre quién de los dos debe asumir el coste de una reparación o sobre la devolución de la fianza, entre otros[10]. Si queremos reducir a los supuestos estrictamente necesarios[11] los lanzamientos ejecutados a raíz de procesos de desahucio, que conllevan la pérdida de la vivienda, hay que impulsar los mecanismos que favorezcan preservar la relación arrendataria o, en su caso, ponerle fin de manera pacífica.

La mediación es un procedimiento que permite gestionar de forma consensuada estos conflictos arrendaticios. Ante las experiencias ya existentes[12], se ha intentado promoverla con la reforma operada en la Ley de Arrendamientos Urbanos (LAU) por la Ley 4/2013, de 4 de junio, de medidas de medidas de flexibilización y fomento del mercado del alquiler de viviendas [13], que incorporó dos apartados al artículo 4 LAU, uno de los cuales, el número 5, se destina a establecer la promoción de

---

[9]   https://ec.europa.eu/eurostat/statistics-explained/index.php?title=File:Fig18_2_1.png

[10]   Véanse las estadísticas últimas estadísticas publicada por Consejo General del Poder Judicial, relativas a los datos del año 2017, en concreto, en el apartado de sentencias de arrendamientos http://www.poderjudicial.es/cgpj/es/Temas/Estadistica-Judicial/Estadistica-por-temas/Datos-penales—civiles-y-laborales/Civil-y-laboral/Arrendamientos-Urbanos/.

[11]   Como sería, por ejemplo, el caso del arrendatario que se niega al pago de la renta mensual sin justificación alguna, teniendo medios economicos para complir con su obligación arrendaticia.

[12]   A modo de ejemplo, el servicio de mediación en las oficinas de vivienda del Ayuntamiento de Barcelona. Véase_https://habitatge.barcelona/es/servicios-ayudas/mediacion-asesoramiento.

[13]   Artículo 1 de la Ley 4/2013. BOE núm. 134, de 5 de junio de 2013.

los dos mecanismos alternativos de gestión de conflictos más conocidos, casi a título de recordatorio: "Las partes pueden pactar el sometimiento a mediación o arbitraje de aquellas controversias que por su naturaleza puedan resolver a través de estas formas de resolución de conflictos, de conformidad con lo establecido en la legislación reguladora de la mediación en asuntos civiles y mercantiles y el arbitraje" La sumisión de un conflicto a mediación o arbitraje que, entre particulares, se puede pactar en el mismo contrato o, también, en un anexo.

Esta mediación tiene por objetivo gestionar los conflictos que nacen en el marco de una concreta relación jurídica, en general, el arrendamiento de cosas, regulado en el Código civil (art. 1.542 y ss.), en particular, el arrendamiento de un bien concreto, el inmueble, en su doble vertiente, urbano (subdividido a su vez, según si se destina a uso de vivienda o distinto a ella) y el rústico, en cuyo caso son de aplicación sendas legislaciones, esto es, la Ley de arrendamientos urbanos, principalmente, la LAU de 1994[14] y la Ley de arrendamientos rústicos. Aunque las normas están destinadas a resolver los conflictos, en ocasiones, la aplicación de las mismas al caso concreto generan un conflicto o también, porque no, las normas no gestionan todos los supuestos ni de forma satisfactoria para los intereses de ambas partes. Se trata de una relación en la que no suele existir la proximidad personal de las partes implicadas como sucede en otros ámbitos como el familiar, el organizacional o laboral o el vecinal, por citar algunos. Sin embargo, sí que existe una relación jurídica, un vínculo, que reporta beneficios a ambas partes (uso de un bien, para una; remuneración, para la otra) que puede verse afectada por las divergencias que puedan surgir. Ante las situaciones de conflicto, es fundamental tener la voluntad de llegar a un acuerdo de buena fe. Y no todo el mundo tiene esa predisposición. Cuando las partes enrocan en sus posturas, sólo generan un conflicto mayor. Antes de llegar a una situación irresoluble, es altamente recomendable la intervención de una tercera persona imparcial–el mediador–que las acompañe para gestionar esta situación.

---

[14]   Todavía quedan contratos de arrendamiento a los que es de aplicación la ley de arrendamientos urbanos de 1964 (Decreto 4104/1964, de 24 de diciembre, por el que se aprueba el texto refundido de la Ley de Arrendamientos Urbanos. BOE 29 de diciembre de 1964. BOE núm. 312 de 29 de diciembre de 1964.

Existen, en este sentido, varias experiencias de incorporación de mecanismos alternativos de resolución de conflictos en el ámbito de los conflictos derivados del contrato de arrendamiento, tanto a nivel estatal como internacional.

En el ámbito estatal podemos hacer referencia al Consejo Arbitral para el Alquiler de la Comunidad de Madrid y Bizilagun al del País Vasco. El Consejo Arbitral para el Alquiler de la Comunidad de Madrid, adscrito a la Consejería de Medio Ambiente y Ordenación del Territorio. Se trata del órgano colegiado, de carácter técnico y consultivo, constituido por promover y apoyar la implantación del sistema arbitral previsto en la Ley 60/2003, de 23 de diciembre, de Arbitraje[15]. El objetivo es establecer un sistema de solución extrajudicial de los conflictos entre las partes firmantes de los contratos de arrendamiento, de viviendas suscritos al amparo de la Orden 1/2008, de 15 de enero, de la citada Consejería, por la que se establecen las medidas de fomento al alquiler de viviendas en la Comunidad de Madrid.

El Bizilagun, creado por la Orden de 24 de octubre de 2007, del Consejero de Vivienda y Asuntos Sociales del País Vasco, por la que se regulan las funciones de mediación y conciliación en materia de propiedad horizontal y arrendamientos urbanos[16]. El objeto de la presente Orden es el desarrollo de la disposición adicional tercera del Decreto 15/2006, de 31 de enero, sobre régimen y destino del personal y patrimonio de las Cámaras Oficiales de la Propiedad Urbana. Es un servicio público, universal y gratuito nacido con el objetivo de ofrecer una serie de instrumentos que permitan solucionar controversias y desacuerdos que surgen dentro de las comunidades de vecinos o en los contratos de alquiler de vivienda.

En el ámbito internacional destaca el Residential Tenency Board de la República de Irlanda, creado por la Residential Tenency ACT 2.004[17]. Una de las funciones del Residential Tenency Board (RTB) es resolver disputas entre propietarios y arrendatarios. Ofrece un servicio de resolución de disputas a los propietarios (incluidas asociaciones

---

15   Publicada en el BOE nº 309 de 26 de diciembre de 2003.
16   Publicada en el BOPV nº 222 de 19 de noviembre de 2007.
17   Residential Tenencies Act 2004, http://www.irishstatutebook.ie/eli/2004/act/27/enacted/en/html

de vivienda) e inquilinos. Pueden acceder a este servicio los propietarios, inquilinos u otras partes que han sido afectados directamente, como vecinos, pueden iniciar el proceso. Cualquier acuerdo alcanzado con su ayuda, o adjudicado por él, es jurídicamente vinculante para ambas partes. Los propietarios deben estar registrados en el RTB para utilizar el servicio, pero los inquilinos pueden utilizarlo aunque el propietario no haya registrado el arrendamiento. El servicio cubre, entre otros, los litigios sobre las siguientes materias: depósitos, plazos de arrendamiento, terminación de arrendamientos, rentas demoradas, rentas del mercado, reclamaciones de los vecinos, las violaciones de las obligaciones estatutarias por parte del propietario o arrendatario y cualquier otra cuestión relacionada con el arrendamiento.

En el ordenamiento jurídico alemán, se considera que este tipo de controversias son adecuadas para la solución alternativa de disputas, especialmente considerando el hecho de que un contrato de arrendamiento, que es un contrato a largo plazo, involucra a partes que típicamente continúan teniendo relaciones contractuales estrechas incluso después de un juicio concluido, y que las cuantías de los procedimientos son relativamente pequeñas. Más de diez estados federales han establecido un procedimiento obligatorio de conciliación previa al juicio que debe llevarse a cabo si el monto en disputa es inferior a 750 EUR[18].

Además, existen diferentes programas de resolución de conflictos en el ámbito de los arrendamientos urbanos, tanto a nivel municipal como de los estados (Länder). Algunos de estos programas están aprobados por el ministerio de justicia de los respectivos Länder, siendo las decisiones acordadas en este tipo de centros de mediación, ejecutables de acuerdo con el § 794 (I) (no. 1) del Código de Procedimiento Civil alemán[19].

En el caso de Inglaterra (Reino Unido) existen multiples programas específicos relacionados con conflictos derivados del contrato de alquiler. Así, los Tenancy Deposit Schemes están disponibles en Inglaterra para disputas relacionadas con el depósito de un inquilino,

---

[18]   Germany Brochure (1st edn, TenLaw 2014) <http://www.tenlaw.uni- bremen.de/Brochures/GermanyBrochure_09052014.pdf>
[19]   Wurmnes, W.
       https://www.eui.eu/Documents/DepartmentsCentres/Law/ResearchTeaching/ResearchThemes/EuropeanPrivateLaw/TenancyLawProject/TenancyLawGermany.pdf

incluidos reembolsos y deducciones. Por lo general, ofrece servicios gratuitos de resolución de conflictos tanto para propietarios como para inquilinos. Por otro lado, en el ámbito de los tenedores de vivienda social o *Housing associations* están obligados a formar parte del *Housing Ombudsman Scheme* que en entró en vigor en abril del 2018 y que tiene por objeto resolver disputas que involucren a miembros del programa, incluida la concesión de compensaciones u otros remedios cuando sea apropiado, así como promover la resolución efectiva de disputas entre propietarios e inquilinos[20].

En el caso de Francia existe un servicio oficial de mediación patrocinado por el gobierno, llamado *Commission Départementale de Conciliation* (CDC) al que debe acceder cualquier disputa en este ámbito de manera previa a la vía judicial[21].

El objetivo principal de los programas anteriores es ofrecer la posibilidad a las partes en conflicto de un proceso a través del cual los intereses de la propiedad y las necesidades de las personas inquilinas puedan ser gestionadas por vía no judicial.

Las ventajas y las dificultades, de todos conocidos, que se predican de la mediación son plenamente trasladables al proceso que se pueda desarrollar en este contexto arrendaticio. La mediación proporciona el espacio para que ambas partes, arrendador y arrendatario, y con el acompañamiento de una tercera persona, que actúa de manera imparcial y neutral, puedan comunicarse para que expongan sus percepciones, ventilen sus emociones, expresen cuáles son sus intereses y necesidades y que puedan generar opciones de solución con base en estos intereses, teniendo en cuenta su mejor y peor alternativa a un acuerdo negociado y, si así lo desean, poner fin al conflicto preservando la relación contractual[22]. Permite aclarar malentendidos, negociar

---

20   https://www.housing-ombudsman.org.uk/wp-content/uploads/2018/05/Housing-Ombudsman-Scheme-May-2018.pdf

21   http://www.ain.gouv.fr/commission-departementale-de-conciliation-cdc-de-l-a4756.html

22   No hay datos generales sobre los resultados de los procesos de mediación en el ámbito del alquiler de vivienda. Podemos referirnos a la opinión manifestada desde Arrenta, una asociación para el fomento del arrendamiento y el acceso a la vivienda, cuya web dispone de un apartado de gestión de conflictos, con el arbitraje como proceso destacado, pero también con un espacio dedicado a la

la cuantía de la renta, de qué manera se afrontan los diferentes pagos sobre reparaciones, etc. Si hay acuerdo, la relación arrendataria se preserva y el inquilino puede seguir a la vivienda o, si así lo pactan, que tenga el tiempo para encontrar otro.

Las dificultades, recordemos, las encontramos cuando las partes no tienen esta actitud dialogante, colaborativa o, también, cuando hay entre ellas un desequilibrio de poder, insalvable. En estos casos, habrá que recurrir a otros medios de solución. En los demás, la intervención de la tercera persona puede favorecer una solución consensuada que signifique una continuidad en la relación jurídica arrendaticia o, porque no, terminarla de manera pacífica[23]. En todo caso, vale la pena que las partes conozcan de la existencia de la mediación.

---

intervención mediadora. En ella se publica que se llega a acuerdos amistosos, en una semana, en un 30% de los casos. Véase http://arbitraje-alquiler.es/.

[23]   Una arrendadora quería promover el juicio de desahucio contra una arrendataria que le debía aproximadamente 12.000 € (entre renta y suministros) y que no atendía a sus llamadas. La arrendadora pretendía el desahucio, no solo porque no podía soportar por más tiempo el impago, sino también por el interés de un hijo suyo de vivir en el inmueble arrendado. Por su parte, la arrendataria manifestó que no quería ver a la propietaria, que la estaba atosigando con el pago, a pesar de haberle dicho que fuera pagando lo que pudiera. Sin embargo, la arrendataria accedía a abandonar la vivienda si la propietaria le facilitaba la salida, esto es, si le pagaba los gastos de alquilar otro piso y tres meses de renta: unos 2.000 o 2.500 €, más o menos. La propuesta se interpretó como un gesto para intentar llegar a un acuerdo.
El proceso de mediación culminó con un acuerdo que, en síntesis: la arrendataria renunciaba a cualquier derecho que pudiera tener sobre la vivienda y la dejaba libre, vacua y expedita y a disposición de la arrendadora y manifestaba que el coarrendatario había abandonado la vivienda hacía más de un año y que desconocía su paradero. Por su parte, la arrendadora condonaba cualquier cantidad pendiente de pago. La arrendataria hacía la entrega de llaves y de la posesión de la vivienda a la arrendadora, quien la recibía de conformidad. Ambas se daban por saldadas y finiquitadas, renunciando a nada pedirse ni reclamarse. Se cerró el acuerdo, no en la mesa de mediación, sino en la propia vivienda.
Este proceso de mediación sirvió, además, para reforzar la consabida utilidad de las sesiones individuales para la gestión de conflictos con alta tensión entre las partes, pues permite que se desarrolle la labor mediadora sin que la presencia física de los afectados impida alcanzar una solución satisfactoria para ambas. Esta experiencia puso de relieve, también, la flexibilidad del proceso de mediación, en cuanto a las personas presentes en distintos momentos del mismo; en este caso concreto, con familiares próximos a las partes, que les hacían sentir más seguras y cómodas, sin que por ello intervinieran directamente en la resolución del caso.

En otro orden de cosas, proponemos que se estudie la posibilidad de institucionalizar un servicio de mediación al alcance de todos los propietarios e inquilinos que tienen su contrato inscrito, tomando como modelo el sistema irlandés de resolución de conflictos estructurado por la Junta de arrendamientos residenciales, que tiene una función casi-judicial. Los propietarios y los inquilinos que tienen su contrato de arrendamiento registrado disponen de acceso a información precisa sobre los derechos y deberes respectivos y la posibilidad de acudir a la mediación cuando surgen estos conflictos.

Y en un sentido similar, para el arrendamiento rústico. Puede ser que ya exista algún organismo que se ocupe de gestionar esta tipología de conflictos, como sucede en Cataluña, donde su Código civil, prevé, específicamente, en su Disposición adicional segunda, que es la Junta de Arbitraje y Mediación de los Contratos de Cultivo y de los Contratos de Integración, adscrita al departamento competente en esta materia, es el órgano competente para resolver extrajudicialmente las cuestiones litigiosas. En la misma se prevé, además, aspectos procedimentales básicos como el acceso a este servicio, la designación de la persona mediadora, la sujeción de los respectivos procedimientos a la legislación sobre cada una de las materias y los efectos del laudo.

Se propone, pues, que desde la "ventanilla única" local (municipal, comarcal o provincial) a la que se dirige el ciudadano cuando tiene un conflicto relacionado con su vivienda ofrezca la mediación como un servicio más de gestión de la situación cuando se trata de preservar una relación interpersonal y que se recomiende la inclusión de una cláusula de sometimiento a la mediación en los contratos, por ejem-

---

También se manifestó su flexibilidad en cuanto al lugar de la firma del acuerdo (en el inmueble arrendado), tanto porque se facilitó que las partes se comprometieran a poner fin a la controversia como porque se ejecutó en ese mismo momento, evitando, de este modo, conflictos futuros. El análisis de las alternativas que se ofrecían ante la imposibilidad de llegar a un acuerdo fue útil y sirvió para que las partes fueran conscientes de sus posibilidades ante un eventual proceso judicial y, por consiguiente, de su posición en la negociación. Este caso sirve para explicar la mediación no solo como instrumento de gestión de conflictos que preserva la relación, sino también como un medio para terminarla de manera rápida y eficaz. Véase Viola, I; Espinós, F. y Vidal, A., en Revista La trama, 42, agosto de 2014, p. 1 – 6. http://www.revistalatrama.com.ar/contenidos/larevista_articulo.php?id=294&ed=42

plo, los celebrados entre arrendador e inquilino, una vez conocido que es la mediación y cómo se desarrolla.

También se propone incluir la mediación en la Ley 49/2003, de 26 de noviembre, de arrendamientos rústicos, cuyo artículo 34, intitulado cuestiones litigiosas extrajudiciales, ya contempla que las partes puedan someterse al arbitraje en los términos previstos en la legislación aplicable en la materia.

Un apunte final. Nos congratulamos por toda iniciativa que sirva para promover la cultura de la mediación. Bienvenido es, pues, el Anteproyecto de Ley de Impulso de la Mediación, aprobado por el Gobierno en enero de 2019. El texto aboga por establecer una obligatoriedad mitigada, esto es, una sesión informativa de mediación como requisito de procedibilidad para un lista de numerus clausus de supuestos, entre los cuales se hallan los procesos arrendaticios que hayan de ventilarse por los cauces del juicio ordinario (propuesta de modificación del artículo 6 de la LMACM, en su apartado n)). Nos ha sorprendido que la mediación previa obligatoria al juicio se circunscriba tan solo a las cuestiones arrendaticias que deben ventilarse en este juicio y no el verbal también. Nos llama la atención porque, precisamente, el artículo 249.1.6º LEC establece que se decidirán en el juicio ordinario, cualquiera que sea su cuantía las demandas que versen sobre cualesquiera asuntos relativos a arrendamientos urbanos o rústicos de bienes inmuebles, salvo que se trate de reclamación de rentas o cantidades debidas por el arrendatario o del desahucio por falta de pago o extinción del plazo de la relación arrendaticia o salvo que sea posible hacer una valoración de la cuantía del objeto del procedimiento, en cuyo caso el proceso será el que corresponda a tenor de las reglas generales de esta Ley. Cuanto menos sorprende porque el porcentaje de demandas judiciales procede, como hemos indicado al inicio de nuestro escrito, de las reclamaciones por impago de la renta o devolución de la fianza. ¿Será una muestra de que la mediación no tiene como finalidad única descongestionar los juzgados y tribunales? Tal vez esté pensando en gestionar otros conflictos, de determinación del pago de los gastos, entre otros.

En suma, las experiencias en derecho comparado avalan la mediación como herramienta eficiente para gestionar los conflictos derivados de la relación arrendaticia.

LA MEDIACIÓN POLICIAL. MODELO DE SEGURIDAD Y CONVIVENCIA

JOSE ANTONIO MIRETE PARRA

Universidad de Murcia

RESUMEN

La Mediación Policial, en evolución de los sistemas precedentes, se presenta como un modelo de intervención proactivo dirigido al abordaje pacífico de los problemas de convivencia que surgen en la comunidad, previniendo su escalada y la aparición de la violencia, todo ello, bajo el paraguas de la misión principal de la Policía, tendente a la protección y garantía de los derechos, libertades y seguridad ciudadana.

La naturaleza *intuitu personae* que confiere el policía mediador, le permite gestionar *in situ* los conflictos comunitarios gracias al espacio abierto, neutral e imparcial generado para una comunicación y diálogo constructivo entre las partes, quienes se corresponsabilizan en la búsqueda de soluciones pacíficas que concilien sus intereses y necesidades. Además, con la implementación del Servicio de Mediación Policial, se ofrece al ciudadano un servicio público gratuito y voluntario para las partes, que se sirve de un procedimiento estructurado, garantista y con sujeción a los principios inherentes a la mediación, cuyo proceso es desarrollado en dependencias policiales y ante policías mediadores, dentro del marco de la Institución.

La función de "cooperación policial en la resolución de conflictos privados", legitima el ejercicio de la Mediación Policial y coadyuva en el establecimiento de un marco jurídico propio, cuyo proceso queda sujeto a los principios informadores de la mediación, donde los límites de neutralidad "legalmente modulada", confidencialidad, voluntariedad y libre disposición, ciertamente, adquieren una virtualidad mayor, representando a su vez, la confianza y credibilidad que la comunidad deposita en dicha Institución para la resolución de sus problemas.

Entendida la Mediación Policial como una especialidad *sui generis* de la mediación comunitaria, ésta queda configurada como un servicio público destinado a la convivencia pacífica de la comunidad, que se muestra propicio para la efectiva resolución de las heterogéneas controversias que acontecen en la misma.

PALABRAS CLAVE: Mediación Policial – Servicio Público – Convivencia – Seguridad – Comunidad.

1. INTRODUCCIÓN

Como es sabido, la función policial ha sido caracterizada tradicionalmente como represiva y retributiva, limitándose a la estricta observancia de la legislación jurídico-sancionadora existente para la salvaguarda del orden público. En este sentido, el art. 104 de la Constitución Española, en línea con la normativa europea e internacional, establece como misión principal de la policía: *"Proteger el libre ejercicio de los derechos y libertades y garantizar la seguridad ciudadana"*.

Para tal cometido, históricamente se ha venido haciendo uso del conocido como modelo tradicional de policía, cuyas características pasan por una estructura centralizada, jerarquizada, formalista y carente de objetivos globales. Calificado este modelo como un sistema de respuesta, reactivo ante las posibles incidencias del servicio, su tarea principal reside en la denuncia de infracciones, investigación de delitos y persecución del responsable, para su detención y puesta a disposición judicial.

Esta visión tradicional de los cometidos policiales para el cumplimiento de sus fines se ha visto claramente superada tanto por la demanda de la comunidad de un servicio cada vez más cercano, acorde con sus necesidades y problemas reales, como por la escasa incidencia que este modelo tenía en la seguridad colectiva, donde los diferentes estudios realizados abogaban por un tratamiento diferente.

A raíz de ello, surge el modelo de Policía comunitaria o de proximidad que, sin modificar su misión principal, supone un cambio de estrategias a seguir, estando orientadas ahora hacia un sistema proactivo, basado en la iniciativa y corresponsabilidad con la propia comunidad, tanto en el sistema de seguridad pública como en la resolución de problemas que les afectan.

Este modelo destaca por el hecho de que la Policía es considerada como un servicio público incardinado a la protección de la comunidad, de la que es parte integrante y sirve con objetividad, pero que a su vez exige cierta participación activa de los ciudadanos en los asuntos a ellos concernientes. En este sentido, la Policía de proximidad establece una prelación de la prevención de la delincuencia, la convivencia social pacífica y el mantenimiento de la seguridad pública, sobre la represión policial a resultas de la estricta aplicación del Ordenamiento Jurídico (Gallardo y Cobler, 2012).

Al mismo tiempo, entrados ya de lleno en el ámbito español, adquiere singular relevancia el mandato legal de *"cooperación policial en la resolución de conflictos privados cuando sean requeridos para ello"*. Dicha función abarca un conjunto de actuaciones, en principio con carácter informal, donde la Policía coadyuva in situ en la superación paífica de las disputas de los ciudadanos, por lo general, antes de que escalen en complejidad, surja la violencia y terminen por judicializarse.

No obstante lo anterior, aun reconociendo el papel fundamental que han venido desarrollando los colectivos policiales, tanto con la creación de programas de proximidad y prevención *ad hoc*, tales como el policía de barrio o el policía tutor, así como por la resolución de numerosos conflictos de carácter incipiente, es cierto que en la mayoría de los casos, no se ofrecía una respuesta efectiva a estos últimos.

A este respecto, no puede desconocerse, mucho menos desde la propia experiencia profesional de quien lleva realizando tales cometidos durante más de una década, que los conflictos que adolecen en el seno de la comunidad, responden por lo general a situaciones enquistadas derivadas de la convivencia, caracterizadas por el reproche mutuo, la falta de dialogo y soluciones con base legal suficiente, donde una simple intervención a pie de calle basada en la utilización de viejos métodos ya obsoletos, no resuelve en absoluto el problema.

Resulta evidente que, en estos supuestos de respuesta insuficiente por parte de la Policía, cuya actuación habitual pasa por el zanjamiento momentáneo del asunto, su derivación hacia instancias judiciales, e incluso, por la formulación de las pertinentes denuncias administrativas, difícilmente se va a ofrecer una solución al problema subyacente al conflicto, por estar el mismo necesitado de una gestión pacífica a medida que evite su escalada y cronificación en el tiempo.

Precisamente, es en este mismo escenario de prevención, convivencia pacífica y cooperación en la resolución de conflictos comunitarios, en clara evolución del paradigma precedente, donde irrumpe la Mediación Policial como herramienta de cohesión social, que pretende ofrecer una solución efectiva a los problemas que surgen en el seno de la comunidad, transformando las relaciones personales.

En este sentido, no puede obviarse que una Policía cada vez más próxima y cercana a la ciudadanía, tiende a ser considerada como parte integrante de esa misma comunidad a la que sirve y protege, no pudiendo en ningún caso quedar al margen de las diferentes controversias que surgen en torno a la misma.

Esta posición socialmente asumida por quienes deben ser parte de la solución y no del problema, lleva a una implicación activa de la comunidad en la gestión pacífica del conflicto y en la búsqueda de soluciones acordes con la situación creada, que coadyuven en el restablecimiento de las relaciones presentes y mantenimiento de las futuras.

Debido a ello, el Policía debe dar un paso decidido al frente, asumir el rol que le corresponde en la actualidad, para terminar convirtiéndose en un auténtico operador de transformación social de la misma comunidad a la cual pertenece (Pérez I Montiel, 2014). Nada debe obstar para lo anterior, puesto que los Agentes de Policía disponen de los elementos necesarios para el desarrollo de esta labor, como así son, la legitimidad y autoridad inherentes a su posición, que en todo caso, les habilitan como interlocutores válidos de cara a la ciudadanía.

Así, como consecuencia lógica y esperada de lo hasta ahora expuesto, surge el nuevo paradigma de la Mediación Policial, donde el policía adquiere un rol de prevención de la violencia y de respuesta efectiva frente a los actos que atentan contra la comunidad (Cobler, 2017), compartiendo los mismos objetivos de la mediación comunitaria, a saber, la corresponsabilidad ciudadana y la creación de vínculos sociales en aras de una convivencia pacífica, con la única salvedad que la figura del mediador recae en este caso, en un agente debidamente formado en técnicas y habilidades mediadoras.

En definitiva, el presente trabajo, tratará de ofrecer respuesta a las principales cuestiones que plantea este nuevo modelo de intervención policial proactiva tendente a la seguridad pública y la convivencia pacífica comunitaria, cuya culminación pasa por el ineludible cambio cultural de toda la organización (Redorta y Gallardo, 2014), así como por la efectiva implementación del Servicio de Mediación Policial para la resolución amistosa de las heterogéneas controversias que acontecen en el seno de la comunidad, mediante una gestión formal y profesional de los problemas ciudadanos.

2. METODOLOGÍA

Este trabajo, tiene como objetivo ofrecer respuesta a los principales interrogantes teórico-jurídicos que plantea el fenómeno de la Mediación Policial, como nuevo modelo de intervención proactiva que surge para la consecución de la seguridad pública a través del logro de una convivencia pacífica comunitaria.

Asimismo, se ha delimitado el concreto marco legal y operativo, que ofrece cobertura al ejercicio formal de esta nueva función de las Fuerzas y Cuerpos de Seguridad, gracias a la efectiva implementación del Servicio de Mediación Policial, para la resolución amistosa de los heterogéneos conflictos que acontecen en el seno de la comunidad, mediante la gestión profesional y pacífica llevada a cabo por el policía mediador.

A tal fin, se ha procedido a la búsqueda, estudio y análisis en profundidad, tanto de la normativa aplicable como de la literatura existente, quedando articulado en torno a los siguientes puntos principales:

Primero.- "Mediación Policial. Nuevo modelo de seguridad pública para la convivencia pacífica de la comunidad".

Segundo.- "Marco jurídico de la Mediación Policial".

Tercero.- "Ámbito de la Mediación Policial. Servicio Público destinado a la comunidad".

3. RESULTADOS Y CONCLUSIONES

Se planteaba al inicio que la Mediación Policial, como nuevo modelo de intervención proactiva para la consecución de la seguridad pública a través del mantenimiento de la convivencia pacífica de la comunidad, podía ofrecer una serie de interrogantes relativos a su fundamentación teórica y al específico marco jurídico que legitima el adecuado desarrollo de dicha función por parte de las Fuerzas y Cuerpos de Seguridad, sin olvidar la delimitación de su ámbito de actuación material.

Centrado por tanto, el objeto de estudio e investigación, en las vicisitudes que sugiere la Institución de la Mediación Policial, a continuación se tratará de ofrecer una respuesta fundada a los diferentes planteamientos indicados, habiéndose llegado en consecuencia a una serie de resultados, concretados en las siguientes conclusiones:

PRIMERA.- Mediación Policial. Nuevo modelo de seguridad pública para la convivencia pacífica de la comunidad.

Contestando a la primera cuestión, cabe señalar que el fenómeno de la Mediación Policial, en clara evolución de los sistemas precedentes, efectivamente se presenta como un modelo de intervención dirigido al abordaje pacífico de los problemas de convivencia que surgen en el seno de la comunidad, evitando así la escalada de estos conflictos y la aparición de la violencia, todo ello, bajo el paraguas de la misión principal de la Policía, tendente a la protección del libre ejercicio de los derechos y libertades, y la garantía de la seguridad ciudadana (*ex* art. 104.1 de la Constitución Española).

Singularmente, la Mediación Policial responde a un método alternativo de resolución de conflictos comunitarios, que cuenta con una especial naturaleza *intuitu personae* que le confiere la necesaria figura del policía mediador, quien gracias al uso de las nuevas técnicas y herramientas sociales adquiridas, gestiona *in situ*, de forma prospectiva y eficaz, determinadas disputas donde intervenga por razón del servicio, anticipándose a los comportamientos incívicos que acontezcan en la comunidad (Cobler, Gallardo, Lázaro y Pérez I Montiel, 2014).

El policía mediador, sin que pueda obviarse la premura e inmediatez de este tipo de intervenciones, deberá generar un espacio de confianza, neutral e imparcial, facilitando con ello, la necesaria comunicación y dialogo entre las partes, que mediante su participación en este proceso abierto e informal, tendrán la oportunidad de mitigar, o incluso, poner fin a sus desavenencias, conciliando sus respectivos intereses y necesidades, así como corresponsabilizándose en la búsqueda de soluciones pacíficas (Cobler et al., 2014)

En añadido, esta actitud mediadora, permite al Policía enfocar su actuación profesional hacia la *"provención"* (Redorta y Gallardo, 2014), llevándole hacia una explicación adecuada de los conflictos, reconociendo así los cambios estructurales necesarios tanto para eliminar sus posibles causas, como para fomentar el cambio de actitudes y formas de colaboración pacífica por parte de la comunidad (Gallardo e Hierro, 2016).

Cabe destacar igualmente, que el recurso a la Mediación Policial promueve el aprendizaje y desarrollo de nuevas habilidades sociales en las partes intervinientes, tales como la resiliencia, la empatía o asertividad, que les van a permitir afrontar ulteriores situaciones conflictivas por sí mismos y desde medios pacíficos, mejorando con ello las relaciones y el consenso social.

Por otra parte, aunque la Mediación Policial pueda ser considerada apriorísticamente como un modelo de intervención proactiva, incardinado en el mantenimiento de convivencia comunitaria y la seguridad pública, mediante la *"provención"* de la violencia y la gestión pacifica de los conflictos, cabe precisar que su rasgo distintivo más definitorio, se corresponde con los Servicios de Mediación Policial que vienen implementándose en la actualidad.

En este sentido, sin desconocer la virtualidad del uso de técnicas o habilidades mediadoras desarrolladas en una Mediación Policial "informal", lo cierto es que la mayor parte de los conflictos comunitarios, requieren de un tratamiento *ad hoc* centrado en las causas que originan el problema, que difícilmente podrá darse durante el transcurso de una primera intervención, donde las emociones están a flor de piel y, por lo común, no se dispone de tiempo efectivo.

En consecuencia, para la adecuada resolución de las controversias indicadas y ante la creciente especialización de esta función, emerge la Mediación Policial "formal" como alternativa a los métodos de confrontación tradicionales, cuya efectiva implementación a través del Servicio de Mediación Policial, representa la culminación de este nuevo modelo dentro de las organizaciones policiales, ofreciendo así, una solución a aquellas situaciones necesitadas de una gestión formal y profesional, que escapan de las posibilidades reales de la mediación informal a pie de calle.

La Mediación Policial, queda configurada ahora como un servicio público gratuito y voluntario para las partes, que cuenta con un procedimiento estructurado, garantista y sujeto a los principios inherentes a la mediación, cuyo proceso es desarrollado en dependencias policiales y ante Agentes mediadores uniformados, que intervienen como terceros imparciales y neutrales en la gestión constructiva del conflicto (Gallardo, Pérez y Pérez I Montiel, 2014).

SEGUNDA.- Marco jurídico de la Mediación Policial.

Respondiendo a la segunda cuestión indicada, y lejos de la idea de "alegalidad" que defienden algunos sectores interesados, la Mediación Policial dispone de un marco jurídico propio que legitima el ejercicio de esta función por parte de las Fuerzas y Cuerpos de Seguridad, encontrando cobertura en el mandato legal de "cooperación policial en la resolución de conflictos privados" establecido en su obsoleta norma estatutaria, cuyos postulados básicos se corresponden en gran medida con la institución general de la mediación regulada en la Ley 5/2012, de 6 de julio, de mediación en asuntos civiles y mercantiles (Lázaro, 2014).

Lo anterior, deriva necesariamente en que el desarrollo del proceso de Mediación Policial quede sujeto a los principios informadores de la mediación, con los límites y modulaciones pertinentes propias del ejercicio de esta especialidad en adaptación de las particularidades que presenta la singular figura del policía mediador, como se ha dicho.

Entrados de lleno en este campo, si bien la imparcialidad predicada en la Ley de Mediación no dispone de elementos diferenciadores respecto de la actuación del policía mediador, la neutralidad de éste siempre vendrá supeditada a que el resultado del proceso no vulnere el interés general tutelado por la Ley, preservando, en todo caso, el mantenimiento del orden público y el respeto de las normas de convivencia de carácter imperativo.

Aunque este "principio de neutralidad legalmente modulada", pueda parecer a priori una limitación al ejercicio de la Mediación Policial, lo cierto es que representa un valor añadido a este proceso, pues del mismo siempre resultará, llegado el caso, una solución acorde a los intereses y necesidades de las partes, que además, descansa su fundamento legal en el respeto y adecuación al ordenamiento jurídico vinculante.

En iguales términos debe interpretarse el principio de confidencialidad inherente a la mediación, puesto que las excepciones y límites establecidos en la normativa general, guardan semejanza tanto con el secreto profesional del policía del art. 5.5 de la Ley Orgánica 2/1986, de 13 de marzo, de Fuerzas y Cuerpos de Seguridad, como con lo estipulado en el Real Decreto Legislativo 5/2015, de 30 de octubre, por el que se aprueba el texto refundido de la Ley del Estatuto Básico del Empleado Público, sin perjuicio de que la inobservancia de las obligaciones legales atinentes al cargo de policía, pueda derivar en consecuencias más gravosas para éstos en la esfera disciplinaria, e incluso penal (Lázaro, 2014).

Especial mención merece la voluntariedad y libre disposición de las partes en la Mediación Policial, donde nuevamente la figura del policía mediador puede incidir en el proceso a causa de la coerción que en cierto modo supone la actuación de un profesional garante del cumplimiento de la Ley.

Efectivamente, al igual que sucede en la mediación ordinaria, los principios indicados decaen en aquellos casos en los que el objeto de negociación no sea disponible para las partes (Gallardo e Hierro, 2016), debiendo el mediador policial informar sobre estos extremos, de cara a evitar la suscripción de acuerdos contrarios a derecho, que además, no tienen mucho recorrido.

En base a lo expuesto, aun siendo conscientes de que las limitaciones existentes para el efectivo desarrollo de la Mediación Policial adquieren una mayor virtualidad a causa de la intervención del policía mediador, no puede obviarse que al mismo tiempo, el saber y poder socialmente reconocidos a la Policía, representan la necesaria confianza y credibilidad que la comunidad deposita en dicha Institución (Gallardo e Hierro, 2016), para la gestión pacífica de su conflicto de forma objetiva, confidencial, imparcial, neutral y garantista.

TERCERA.- Ámbito de la Mediación Policial. Servicio Público destinado a la comunidad.

También nos preguntábamos por el campo de actuación de la Mediación Policial, que dada su consideración de especialidad *sui generis* de la mediación comunitaria (Redorta, 2004), queda configurada como un servicio público destinado a la comunidad, sin más limitaciones que las propias de la jurisdicción y marco competencial del Cuerpo correspondiente.

En este sentido, si bien el Servicio de Mediación Policial se encuentra estrechamente ligado a los conflictos de índole comunitaria, entendidos éstos en un sentido amplio del término, no es menos cierto que dicha Institución se muestra del todo propicia para la efectiva resolución de las heterogéneas controversias que acontecen en el seno de la comunidad, con independencia de que en estos casos la materia diste inicialmente de los problemas cotidianos surgidos a resultas de la convivencia ciudadana.

En su virtud, quedarían incluidos dentro de la esfera de la Mediación Policial, además de los conflictos comunitarios de tipo vecinal, familiar, escolar o intercultural, aquellos otros que debido al carácter multidisciplinar de la Policía sea conveniente su gestión pacífica en este servicio público, como así sucede con las controversias de índole civil o patrimonial, las desavenencias de las organizaciones policiales, las que interviene la Administración Pública, y por supuesto, los conflictos previamente judicializados dentro del ámbito intrajudicial.

Por último, conviene señalar la idoneidad de la Policía Local para la prestación de este servicio, por ser el colectivo que en la actualidad desarrolla *de facto* las funciones de proximidad en una clara readaptación de su trabajo profesional hacia actuaciones proactivas de carácter preventivo (Lázaro, 2014).

LA ESPECIALIDAD DE LA MEDIACIÓN CONCURSAL

KAREN BARRIGA VILLAVICENCIO
Universidad Rey Juan Carlos

RESUMEN:

En los últimos años se ha hablado mucho sobre las bondades de la mediación en asuntos civiles y mercantiles. Sin embargo, la mayor crítica de profesionales y expertos en la materia ha venido por la implantación de la mediación en el Derecho Concursal. Con la promulgación de la *Ley de Emprendedores* en el año 2013 se crea la figura del Acuerdo Extrajudicial de Pagos (AEP) o Mediación Concursal como instrumento que sirva de remido temprano a situaciones de dificultad económica del deudor con pluralidad de acreedores.

En efecto, la norma contempla la dualidad institucional: Establece como normativa básica la ley 5/2012, en tanto que se trata de un medio de solución de controversias que, con la intervención de un mediador pretende evitar un juicio *pre, intra o para*, y lo complementa con lo establecido en la Ley Concursal (art. 231 a 242), otorgando nuevas reglas/herramientas adaptadas a la complejidad de los supuestos de insolvencia. Ciertamente se alteran las reglas propias de la mediación tradicional (voluntariedad, igualdad entre las partes, neutralidad, confidencialidad, modo de intervención del tercero...etc.) pero, el marco de la ley de 2012 es suficientemente amplio para abarcarla debido a que persiguen el mismo objetivo.

De este modo, la técnica legislativa empleada por el legislador ha permitido construir un procedimiento específico más allá del purismo de estas instituciones. Es más, la necesidad de buscar cauces alternativos que pongan freno a la destrucción de empresas y se convierta en un mecanismo eficaz de continuidad y viabilidad empresarial en un contexto de crisis económica propició el apoyo de su regulación, abogando por la cooperación como estrategia primaria para la resolución de los conflictos de crisis empresarial.

Palabras clave: Mediación, concursal, AEP, insolvencia, crisis.

1. INTRODUCCIÓN

Con la promulgación de la ley 14/2013, de 27 de septiembre, de apoyo a los emprendedores y su internacionalización, se ha introducido en nuestro ordenamiento jurídico un procedimiento extrajudicial denominado acuerdo extrajudicial de pagos, también conocido como mediación concursal. Esta normativa despertó especial interés entre profesionales y expertos debido a la técnica legislativa empleada por el legislador, ya que crea una figura híbrida bajo el marco de la Ley 5/2012, de 6 de julio, de mediación en asuntos civiles y mercantiles y de la legislación concursal. Así, *a priori*, esta institución generaba dudas en torno a si se trataba de un mecanismo pre-concursal y extrajudicial, si se enmarcaba dentro del procedimiento concursal, o incluso, si lo evitaba y conducía a un escenario distinto, los efectos sobre los acreedores, o la intervención del tercero mediador/ negociador, que con sus herramientas tiene como objetivo conducir un mecanismo rápido y flexible que permita llegar a un acuerdo entre deudor y acreedores y así superar las dificultades económicas de la empresa de reducidas dimensiones.

En un contexto de crisis económica generalizada, de desconfianza hacia el sistema judicial, del elevado coste económico y temporal de los procedimientos judiciales y la estigmatización del derecho concursal, se favorecían el establecimiento de la mediación como alternativa el concurso. Sin embargo, la mediación concursal se configuró un procedimiento rígido debido a la complejidad de los supuestos de insolvencia. En la práctica ha sido poco empleando, a diferencia de otros países de nuestro entorno, entre otros motivos por la escasa y ambigua regulación y por la incertidumbre que genera una institución novedosa, a pesar de que la mediación en España ya era una realidad y desde hace varios años, en el ámbito europeo se ha mostrando un gran interés en impulsar y promover los métodos alternativos como medio de modernización de la administración y acceso a la Justicia.

La imperiosa necesidad de ofrecer un mecanismo eficaz y versátil para el deudor insolvente alternativo al concurso de acreedores que facilite la viabilidad de la empresa vino a través de este mecanismo de negociación extrajudicial de deudas entre empresarios. Esta alternativa al concurso, si bien no obstante, presenta unas características propias que afectan a su naturaleza y régimen jurídico. La denominación o las facultades atribuidas al mediador concursal y las consecuencias que se derivan de la imposibilidad de alcanzar un acuerdo negociado dotan a esta herramienta de una especialidad sustantiva. De esta manera se hace necesario analizar un breve análisis de las particularidades de la mediación concursal y sus implicaciones dentro de nuestro ordenamiento jurídico.

2. METODOLOGÍA

La metodología empleada para este trabajo es un análisis jurídico-descriptivo y jurídico-comparativo tomando fuente normativa como principal referencia. El ámbito de la mediación concursal está afectado por la Ley 5/2012, de 6 de julio, de mediación en asuntos civiles y mercantiles y la Ley 22/2003, de 9 de julio, Concursal, que incorpora el Título X denominado "Acuerdo Extrajudicial de pagos" (arts. 231 a 242) a través de la Ley 14/2013, de 27 de septiembre, de apoyo a los emprendedores y a su internacionalización", aunque son varias las modificaciones que se han llevado a cabo en sucesivas leyes, esta dualidad institucional sienta las bases procedimentales de esta herramienta y a partir de ahí se desprenden sus especialidades.

Así pues, como venimos señalando, la mediación concursal es un mecanismo pre-concursal de tratamiento de la insolvencia. Con carácter general, los mediadores y concursalistas en España afirman que la mediación concursal no es mediación y mucho menos concursal, quizás esta opinión tenga su origen, por la acepción reducida del término y por los ámbitos en los que se ha venido desarrollando (familiar, psicosocial, etc.). No obstante, si ampliamos esta definición a la mantenida por la Directiva 2008/52/CE del Parlamento Europeo y del Consejo, de 21 de mayo de 2008 , sobre ciertos aspectos de la mediación en asuntos civiles y mercantiles, la compatibilidad es evidente, al señalar que la mediación "es un procedimiento estructurado..." y que le mediador es "todo tercero a quien se pida que lleve a cabo una mediación de forma eficaz, imparcial y competente, independientemente de su denominación o profesión en el Estado miembro en cuestión y del modo en que haya sido designado o se le haya solicitado que lleve a cabo la mediación". Este mismo criterio mantiene las Naciones Unidas al manifestar que mediación es "cualquier procedimiento, independientemente de cómo sea llamado por la partes o por la leyes, mediante el cual las partes traten de llegar a un acuerdo amistoso de su controversia con la asistencia de uno o más terceros..." sí que se interpreta que se enmarca dentro del concepto genérico de mediación *ex lege*

Es más, no cabe duda que la figura del mediador concursal es controvertido, no solo por la cualificación sino también por las funciones que desempeña. En cuanto a lo primero, al mediador concursal se le exige dos cualificaciones, ser mediador y administrador concursal, (ex art 233 LC) guarda lógica dado el ámbito material del que se ocupa y sobre todo por su posible cambio de rol en caso de fracaso de las negociaciones. Si atendemos a sus funciones, le mediador concursal es conciliador en la medida que acerca a las partes en conflicto con estrategias comunicativas, cooperativas y negociadas en buscas de un acuerdo satisfactorio para todos. Su marco de operatividad está plenamente definido, atiende un conflicto acaecido por el impago de los créditos con el deber de buscar fórmulas que conduzcan al pago de créditos de los acreedores (plan de pagos y plan de viabilidad) y su forma de atender el conflicto responde a un modelo de negociación y mediación propio – Escuela de Harvard-, idóneo para la mediación mercantil, que propone una solución que puede ser aceptada por las partes tras un procedimiento mediatorio centrado en los intereses. Una vez más aquí, la interpretación de sus labores debe ser extensa, puesto que no impone a las partes una solución, sino tan solo, proporciona soluciones bajo un criterio económico, hecho que tampoco entra en colisión con lo señalado en la ley de mediación.

Ahora bien, si atendemos a los principios esenciales de la mediación, ciertamente estos son alterados, pero no de manera sustancial, ya que guardan concordancia con el sentido del procedimiento. Al mediador concursal se le exige como, a los mediadores de otros ámbitos: el deber de la imparcialidad, esto es, garantizando el equilibrio entre las partes y actuando de buena fe y profesionalidad a pesar de verse incentivado económicamente por un futuro cambio de rol. El deber de neutralidad, indudablemente sobrelimitado debido a las funciones encomendadas por la ley. La voluntariedad queda salvaguardada a pesar de que el procedimiento de mediación concursal es facultativo del deudor, pero una vez que este se ha iniciado son las partes las que deciden si acepta o no el acuerdo. En cualquier caso, si volvemos a tomar como referencia la Directiva de mediación, podemos ver que los Estados tienen absoluta libertad para regular sus leyes nacionales bajo la "obligatoriedad del uso de la mediación o bajo incentivo" (criterio que actualmente se está tomando en consideración en el Anteproyecto de Impulso de la Ley de Mediación)

El principio de confidencialidad, volvemos a realizar una interpretación amplia de la ley de mediación, ya que esta contempla la renuncia a la confidencialidad en su art 9, para con ello, el mediador pueda conocer libremente de hechos o datos relevantes de la actividad económica, el deudor y las partes, sin perjuicio de su actuación en futuros escenarios.

Por último, con respecto al *iter* del procedimiento, la mediación concursal dista del procedimiento ordinario ya que se desarrolla en fases bien diferenciadas y estructuradas. 1°. Solo el deudor tiene facultar para iniciar el procedimiento. 2°. El nombramiento y aceptación del mediador concursal debe estar certificado por el Registrador Mercantil, el Notario o la Cámara de Comeercio. 3°. Examinada la situación por el mediador concursal, con la mayor brevedad posible, debe elaborar una propuesta de plan de pagos y de viabilidad y presentarla a los acreedores (quitas, esperas, cesiones, conversiones de deuda...ect). 4°. Trascurridos diez días naturales del envío de la propuesta, los acreedores podrán presentar propuesta alternativas o modificarlas. 5°. Se vota el resultado y si el acuerdo es aceptado se debe elevar a escritura pública para su efectividad. Si por el contrario es rechazado, o incluso, el acuerdo es incumplido, el mediador instará el concurso consecutivo.

Como vemos, el procedimiento de la mediación concursal está muy definido, muy al margen de la plena flexibilidad y ámbitos de actuación que se pueden desarrollar en otras áreas.

3. CONCLUSIONES

Finalmente formulamos las siguientes conclusiones a las cuestiones planteadas a lo largo de este trabajo.

- La mediación concursal, tal y como ha sido configurada por nuestro legislador, se enmarca dentro de las herramientas extrajudicial y pre-concursales, en tanto que busca evitar la "entrada" en el concurso de acreedores, y al mismo tiempo, "para-concursal" puesto que se desarrolla la margen del mismo. Solo en el caso de que esta no tenga éxito se percibe su relación con un tipo específico de concurso.

- Para su plena y eficaz instauración en nuestro ordenamiento jurídico es necesario, por un lado, una aclaración semántica que se ajuste más a su naturaleza y régimen jurídico y por otro, un cambio de mentalidad de los operadores con respecto a la cultura del acuerdo y los causes pacíficos en la esfera empresarial

- La dualidad institucional de la mediación concursal pone de manifiesto las diferencias en relación con el régimen ordinario de mediación (imparcialidad, neutralidad, flexibilidad, voluntariedad y confidencialidad) y el especial tratamiento de la insolvencia.

- El procedimiento de mediación concursal responde a una mediación estructurada, directiva, en el que el mediador concursa a través de una estrategia basada en intereses aboga por un acuerdo consensuado entre las partes con la mayor brevedad posible. No en vano se le exige a este tercero una doble cualificación, ya que, de no llegar a un acuerdo, su rol cambia a la de administrador en el concurso consecutivo.

- Son muchas la incertidumbres que plantea la mediación concursal, su reciente incorporación en nuestro ordenamiento jurídico hace previsible que vaya a seguir siendo modificada y completada. Su desarrollo en el tiempo nos demostrará si se convierte en una herramienta eficaz.

MEDIACIÓN PENAL COMO UN NUEVO CAMINO PARA LA CONCRETIZACIÓN DE LA JUSTICIA

ARIANE TREVISAN FIORI

Universidade Estácio de Sá – Rio de Janeiro/BRASIL

RESUMEN

Los desafíos de combatir el crimen en la sociedad posmoderna se relacionan con el enfrentamiento de la sociedad del miedo y los instrumentos jurídicos de excepción que son usados por esta. Las sociedades democráticas actuales, en especial en América Latina, pasan por un momento histórico político muy complejo y de difícil solución. La proliferación de nuevas formas de crímenes y la total ineficiencia del Estado para controlarlas y combatirlas, generan una desestabilización de las relaciones sociales, aumentando la inseguridad y el sentimiento de exclusión de los considerados 'indeseables' para el mantenimiento de la orden y la paz social. Muchas veces el Poder Público legitima acciones que destituyen los derechos fundamentales en lugar de buscar medidas alternativas. Actualmente, la sociedad vive la erosión del derecho penal clásico y por eso la importancia en dar más atención a la justicia restaurativa que, a pesar de existir desde hace mucho, aún no se la utiliza como podría. La justicia restaurativa puede ser un nuevo camino para la disminución de la criminalidad y la verdadera reinserción social. Los individuos que tienen la posibilidad de beneficiarse de la mediación, obtienen además de una ventaja sobre los efectos en su condena, una mejora como persona en todos los aspectos, principalmente el psicológico que les permite una reinserción social positiva y seguramente con más habilidades sobre el control de sus acciones que beneficia a todo su entorno y reduce la posibilidad de volvieren a cometer delitos. Una verdadera contribución para la paz social y la justicia.

PALABRAS CLAVE: Sociedad, Crimen, Mediación, Justicia Restaurativa, Reinserción, Paz Social.

1. INTRODUCIÓN

El tiempo en la contemporaneidad es el ahora, el instante. Y puede tener influencias devastadoras en la aplicación del derecho penal. El tiempo en el proceso criminal no puede ser instantáneo, de lo contrario se pueden violar los principios universales y las garantías constitucionales previstas en las constituciones democráticas de los países. Sumándose al problema del tiempo, los crímenes actuales son a cada día más complejos y globalizados, dificultando aún más la posibilidad de la aplicación de la ley. Por eso la importancia de encontrar un equilibrio para asegurar la verdadera concretización de la justicia. El objetivo de este trabajo es proponer una (re)lectura del Derecho Penal a través de la justicia restaurativa, sobretodo llamar la atención sobre la importancia de la mediación penitenciaria, sus beneficios hacia los individuos involucrados en un hecho penal y toda la sociedad. La idea de la justicia restaurativa es hacer una nueva lectura de los sistemas penales, no con una justicia retributiva con el objetivo de punición/castigo, sino con el fin reparador del daño causado, ya sea de orden patrimonial o sentimental.

A través de la mediación se permite un *espacio de conversación* entre las partes involucradas que buscarán la solución del conflicto de forma pacífica. Es una oportunidad de reconocer el delito, reparar el daño, restablecer la paz social y, principalmente, concretizar la justicia en el caso concreto.

A través de la investigación bibliográfica y la actuación práctica como mediadora de un centro penitenciario, se puede afirmar que queda un largo camino, pero se puede verificar efectos prácticos muy positivos donde la mediación penal y penitenciaria ya es una realidad. Es extremamente importante profundizar en las discusiones teóricas y prácticas sobre la justicia restaurativa como un nuevo camino para la disminución de la criminalidad y la verdadera reinserción social, utilizando como contrapunto realidades distintas entre España y Brasil.

La realidad penitenciaria en Brasil es deshumana, las personas en las cárceles pierden no solo cualquier posibilidad de reintegrarse en la sociedad, como los derechos básicos del individuo. Mientras en los locales donde se permiten la mediación se puede percibir una mejora del individuo en todos los aspectos de su vida y una concreta disminución de la reincidencia. La reinserción social, en estos casos, pasa a ser una realidad.

2. LA EROSIÓN DEL DERECHO PENAL CLÁSICO Y LA NECESIDAD DE NUEVAS MEDIDAS

La complejidad de las relaciones sociales y la globalización hacen que el espacio sea cada vez más pequeño, en el sentido que se puede estar en varios sitios distintos y en diferentes ordenamientos jurídicos en un espacio de tiempo reducido, quizá en el mismo día. En ese contexto surgen nuevos tipos penales, donde hay dificultad muchas veces en identificar los sujetos (activo y pasivo), el objeto y cual ley a ser aplicada.

El derecho penal clásico se ha vuelto ineficiente para reaccionar frente a esos avances. Hay una erosión del Estado-nación, menos Estado en la economía y con sus poderes tradicionales fragmentados. Hay un declive de la justicia tradicional, frente a los tribunales arbitrales y tribunal penal internacional, por ejemplo (Faria Costa, 2015).

Por esta razón, es necesario una (re)lectura del derecho para garantizar la aplicación de la justicia y asegurar el respecto a los derechos individuales. Hay también, con la contemporaneidad, el surgimiento de nuevos derechos relativos a la personalidad, como los relacionados a circulación de noticias; búsqueda de informaciones, acceso a datos (Illuminati & Caparelli, 2015).

Por esta dificultad, se percibe un aumento de la criminalidad y de la inseguridad, generando una desestabilización de las relaciones sociales, creando aún más la sensación de miedo entre las personas. Tal situación permite que pensamientos de exclusión y autoritarios se desarrolle y crezcan.

El autoritarismo se alimenta de la disminución del espacio publico y de la crisis del Estado (Sousa Santos, 2013).

A través de los discursos de protección contra el terrorismo, leyes son creadas, como el Patriot Act, criminalizase movimientos sociales, barreras contra los inmigrantes o refugiados son impuestas. Es la era de los buenos y los malos. Y los individuos malos son considerados un riesgo para la sociedad y por eso deben ser excluidos para garantizar la seguridad nacional.

Hay un miedo social institucionalizado, un miedo compartido que genera inquietud colectiva y permite que derechos individuales sean restringidos en nombre de la protección de los demás (de los individuos buenos). Según Zaffaroni (2015), hay una fabricación de leyes penales como forma de reprimir la violencia y los marginales.

Los refugiados, en muchos países, son considerados como individuos "indeseables" al convivio social, así como los criminales. El gran problema es que esos individuos, que son seres humanos, son tratados como cosas, sujetos destituidos de valor.

Es muy importante atentar para esta cuestión, porque hace no mucho tiempo, fue así que empezó el pensamiento nazista. Eran acciones de protección al pueblo alemán que al final fueran capaces de las más grandes atrocidades que un ser humano podría hacer a otro de su especie. Los judíos pasaran a ser personas "indeseables" que deberían ser excluidas para garantizar el bienestar del pueblo.

Giorgio Agamben (2004b), utiliza dos figuras para caracterizar la política moderna de los gobiernos autoritarios/nazistas. El *Homo Sacer*– una figura del derecho romano arcaico en que la vida humana se incluye en la orden jurídica únicamente por la forma de exclusión, es una forma de vida matable, no siendo considerado ilícito los actos practicados contra esa vida. É una vida insacrificable y renunciable. Agamben afirma que esta figura es esencial para la política moderna, siendo que el poder político a partir de esto período tiene a su disposición la vida desnuda para hacer parte del ejercicio del poder estatal, o sea, tiene el poder de vida y de muerte. Otra figura es el *muselmann* de Auschwitz, era la denominación para los prisioneros del campo de concentración que estaban en una situación de tanto dolor y olvidados que no eran considerados seres humanos y si uno cadáver, ya en agonía (Agamben, 2008).

Sobre los campos de concentración, esclarece; "el campo es el espacio que se abre cuando el estado de excepción empieza ser la regla" (Agamben, 2004a).

La búsqueda por nuevas formas para el derecho penal es necesaria para cerrar los espacios y impedir que nuevamente pensamientos "racistas" crezcan. Aunque los criminales, por ejemplo, deban cumplir sus condenas, es importante que sus derechos fundamentales sean preservados. El Estado tiene que garantizar que todas las personas tengan los derechos básicos de supervivencia. En la América Latina, sobretodo en los presidios brasileños, eso no es una realidad. Los prisioneros no están tan diferentes del *muselmann* de Auschwitz.

La sensación de miedo generada en las personas hace que se permita y se acepte acciones violadoras de derechos. Estas pasan a ser consideradas necesarias para el control de la situación de peligro. Es la idea del estado de excepción, donde la orden jurídica es suspensa por existir una situación considerada límite y urgente. Derechos son limitados y acciones extremadas son legitimadas por estar en este espacio de excepción. El problema es, cuando se observa las políticas publicas de países como Brasil, que se vive un eterno estado de excepción.

3. LA JUSTICIA RESTAURATIVA Y LA MEDIACIÓN PENAL Y PENITENCIARIA EN EL CONTEXTO DEL DERECHO INTERNACIONAL

Aúnque cada sociedad tenga sus propias características, los desafíos de combatir la criminalidad es una cuestión para todas las sociedades en la posmodernidad. Hoy, como ya dicho, la sociedad está dividida, de un lado "los buenos individuos" que exigen seguridad y protección de sus derechos y del otro, "los malos" que deben ser rechazados y excluidos para garantizar la aplicación de la orden y la paz social. Y el Estado, en este contexto, no está consiguiendo frenar la criminalidad actual con los métodos tradicionales.

La justicia restaurativa, que esta presente en muchos ordenamientos, incluso en las Naciones Unidas, es subutilizada. Esta podría ser un método alternativo para un nuevo camino para el derecho penal. A justicia restaurativa visa una justicia más justa y tiene como una de sus formas a mediación penal y penitenciaria.

La mediación, en este ámbito, tiene como preocupación principal la solución del caso concreto, llevando en consideración la victima y la reparación del daño. Es un proceso reparador, cooperativo y participativo, en que las partes son los protagonistas, mediadas por un tercero imparcial con habilidades especificas para eso.

Es posible identificar variadas formas de justicia restaurativa a lo largo de la historia, pero fue en 1974 identificada la primera sentencia con contenido especifico en Canadá. Después se observan practicas en Estados Unidos, Nova Zelanda, Australia y Irlanda (Lorenzo Aguilar, 2017). Actualmente, en Europa, la aplicación de la justicia restaurativa esta presente en recomendaciones del Consejo Europeu y en leyes.

Todavía, en los países de la América Latina, en especial Brasil, aún hay un largo camino en materia criminal. Lo único que hay, próximo de una mediación, esta relacionado a los delitos de menor potencial ofensivo en que se permite la 'transación penal' o 'suspensión condicional del proceso'.

'La transación penal' es la posibilidad que el autor del hecho criminal, con sanción máxima de 2 años de cárcel, haga un acuerdo con el fiscal para que este no ingrese con la acción penal (denuncia criminal). Si el autor cumple los requisitos del acuerdo, estará extinta su punibilidad. Y la 'suspensión condicional del proceso' está permitida para los delitos de pena mínima de 1 año. En estos casos, el proceso se quedará suspenso hasta el cumplimiento del acuerdo. Una vez cumplido, el proceso estará extinto[1].

Defender la mediación penal y penitenciaria es garantizar un espacio de conversación entre las partes involucradas y posibilitar que se lleguen a una justicia más justa y efectiva para las partes que son directamente afectadas y para todos en su torno, toda la colectividad. El ámbito de la mediación penal, es permitir que victima y infractor pueda hablar del hecho. El infractor reconocer el delito, reparar el daño y volver a un buen convivio. Mientras que la mediación penitenciaria visa, principalmente, mejorar la situación del interno durante el cumplimiento de su condena, aún que sea posible la mediación entre infractor y victima en este momento, lo que seguramente habría un efecto positivo no tocante a su condena.

Los internos suelen tener problemas entre ellos, o entre ellos y los agentes penitenciarios o, muchas veces, entre ellos y sus familiares. La mediación penitenciaria centrase, particularmente, en estos conflictos. La mediación, conducida por un profesional imparcial y neutro (mediador), permite el reconocimiento de la responsabilidad de las conductas practicadas, un crecimiento y mejora personal, emocional y psíquica, ayudando que este interno pueda reintegrarse, mejorando su vida dentro de la cárcel y después en la sociedad.

La vida en las cárceles, aún que llevando en consideración todos los derechos del interno, es muy difícil. Hay una pierda de privacidad, de la personalidad, es un proceso de desidentificación personal. Inúmeras enfermedades, físicas o psíquicas, pueden ser desarrolladas por estar en una espacio de confinamiento.

Las cárceles en España, por ejemplo, aún que puedan tener sus problemas, aseguran las condiciones básicas de respectos a los derechos fundamentales para sus internos. Y, en aquellos que el programa de mediación penitenciaria es una realidad, hay comprobadamente disminución de la violencia y conflictos, mejora de calidad de vida dentro de la cárcel, así como la reducción de la reincidencia. Los internos aprenden a controlar sus emociones y a resolver los problemas

---

[1]   Para los delitos que se procesan mediante acciones penales privadas también se aceptan los acuerdos con la victima como forma de extinción de la punibilidad.

sin utilizar la violencia. En general también hacen talleres o estudian, encontrando otro camino diferente del crimen.

Pero, infelizmente, esta no es la realidad en Brasil. La superpoblación de las cárceles, las condiciones indignas a que viven los internos, son hechos denunciados por muchas organizaciones internacionales de protección de los derechos humanos.

El Consejo Nacional de Justicia Brasileño publicó que la población total de las cárceles en 2019 es de 812.564 presos, siendo 41,5% presos provisorios. Todavía la cantidad máxima que las cárceles tienen son un total de 415.960 cupos. Así, que hay 396.604 presos a más que el sistema puede suportar[2].

Este número habla por si mismo, los presos no tienen donde dormir, hacen turnos para sentarse dentro de las celdas, son condiciones subhumanas. La violencia dentro de la cárcel, las enfermedades son el día a día del interno. Imposible pensar en resocialización delante de esta realidad. Los presos provisorios son mesclados a los condenados justamente por el problema de espacio. Los internos acaban saliendo mucho peor del estado que entraron, con más rabia del mundo. No es posible mejorar cuando no se respectan las condiciones mínimas para la supervivencia.

Además, hay una disputa de poder de las organizaciones criminales dentro de la cárcel, que refleja en inúmeras muertas de presos por otros presos en diversos centros penitenciarios brasileños.

No hay políticas públicas, a largo plazo, para cambiar esta situación y la legislación es obsoleta y sigue buscando cada día más el encarcelamiento, razón por la cual cual es imprescindible pensar en alternativas como la justicia restaurativa, bajo peligro del colapso.

4. CONCLUSIONES

Las principales consideraciones que se puede hacer a partir de lo expuesto, es que el derecho penal actual, independiente de la sociedad analizada, está en crisis. Hay una ineficiencia en su respuesta frente a complejidad de las relaciones sociales y los nuevos crímenes. Por lo

---

2   http://www.cnj.jus.br

tanto, es preciso buscar alternativas para enfrentar y reaccionar a criminalidad contemporánea.

Ese enfrentamiento, todavía, no puede ser deslegitimando derechos en beneficio de la seguridad nacional. Es necesario comprender el miedo social y tratarlo con medios alternativos a punición, a justicia retributiva. Pensar en la justicia restaurativa como un nuevo camino de aplicación de la justicia a través de la reparación.

El delito es un problema social y es necesario que la sociedad haga cargo de ello. Si la comunidad ayuda a resolverlo, ampliase la noción de responsabilidad social y el respecto por los derechos individuales de los miembros de la comunidad. Para las partes la sensación de justicia es mucho más grande cuando siente que participó de la decisión. El infractor tiene la posibilidad de arrepentirse y reparar, aumentando las chances de no volver a delinquir más y restablecer la paz social.

La flexibilidad es una característica de la mediación, posibilitando que sea aplicada en cualquier situación, de la más sencilla a la más compleja. Incluso, puede ser muy útil en la solución de conflictos internacionales. En consecuencia, disminuye los procesos judiciales y los encarcelamientos.

La mediación penitenciaria mejora las condiciones físicas y psíquicas del individuo en la cárcel, una vez que pueden dialogar y aprender a resolver sus diferencias en un contexto neutro. Comprenden que hay otras maneras de actuar sin necesitar utilizar de la violencia, propiciando una mejora como persona. Es muy probable que el individuo que tiene la experiencia de la mediación se reintegre en la sociedad con más facilidad y no vuelva a practicar delitos.

Sin duda que este método es uno de los mejores avances que se puede tener al utilizarse la justicia restaurativa, principalmente en países como Brasil. Hacer la mediación penitenciaria en las cárceles brasileñas una realidad, es traer una esperanza para la disminución de la superpoblación y permitir una mejora de calidad de vida dentro de los centros penitenciarios, garantizando el respecto a los derechos básicos. Por supuesto que solo la mediación no resolverá el problema, pero hay que empezar por alguna parte. La mediación puede traer la esperanza de una efectiva aplicación de la justicia.

MEDIACIÓN INTERCULTURAL, SOCIAL Y COMUNITARIA: UNA TRÍADA INSEPARABLE PARA CONSTRUIR ESPACIOS DE MEDIACIÓN

LUIS MIGUEL RONDÓN GARCIA
Universidad de Malaga

RESUMEN

Se presenta la mediación social como un paradigma estratégico para afrontar la complejidad social y los conflictos derivados de ella, como espacio de intervención que centra su objeto de estudio en los conflictos que se producen en las relaciones sociales, comunitarias, entendidas como una realidad pluriétnica, dinámica, cada vez más compleja en la dinámica comunitaria. Esta perspectiva comparte un espacio disciplinar con las talladas experiencias de intervención comunitaria desde hace décadas, pero adquiere un matiz específico cuando hacemos alusión a los conflictos derivados por la falta de comunicación o por una comunicación compleja. El contexto intercultural plantea nuevos retos a la mediación.

PALABRAS CLAVE: Relaciones sociales. Conflicto comunitario. Mediación e Intervención intercultural

1. LA MEDIACIÓN SOCIAL COMO PARADIGMA ESTRATÉGICO EN EL NUEVO ESCENARIO SOCIAL

La estructura social que acontece tiene un nivel de complejidad superior a las etapas anteriores, modificando los modos de vida que vinculan a los miembros de nuestra sociedad. En este sentido, los cambios en la vida comunitaria, la nueva realidad que vislumbra en el medio multiétnico y el desarrollo de la mediación social están interrelacionados. La mediación es un producto social resultado del contexto en el que se desarrolla y en consecuencia su esplendor se corresponde con la dinámica de los cambios sociales. En adelante, inferimos la interrelación de estos hechos sociales, como factores explicativos del esplendor de la mediación social y comunitaria en la presente centuria caracterizada por el pluralismo cultural.

En el contexto que hemos descrito se entrevén nuevos espacios de intervención que pueden ampliar sus programas a la gestión participativa sociocomunitaria, siendo los propios destinatarios protagonistas activos que gestionan por la vía pacífica sus conflictos. La función terciaria corresponde a los profesionales de la mediación que basan sus actuaciones en el método científico. En palabras de Weber (1993), hoy en día se necesita estar en la situación interior de vocación científica para lograr la plenitud. Hay que responder como hombre y como profesional a las exigencias de cada día. Se necesitan respuestas científicas y coherentes en lo construcción del lazo social necesario para la deseada afiliación social o comunitaria. En estas exigencias epistemológicas situamos la cuestión social y comunitaria como vectores esenciales de la mediación

Como punto de partida y a modo de aproximación conceptual, la palabra o atributo social, hace alusión a la construcción de la sociedad, de las relaciones sociales y en consecuencia a la necesidad de una dialógica comunicación humana. Si lo llevamos al conocimiento científico que nos compete, las ciencias sociales y del comportamiento se relacionan con el adjetivo social, es decir, con lo relacional y/o comunitario (Fantova, 2009). Por consiguiente, la mediación social es un espacio de intervención que centra su objeto de estudio en los conflictos que se producen en las relaciones sociales, comunitarias, entendidas como una realidad pluriétnica, dinámica, cada vez más compleja en la dinámica comunitaria. Esta perspectiva comparte un espacio disciplinar con las talladas experiencias de intervención comunitaria desde hace décadas, pero adquiere un matiz específico cuando hacemos alusión a los conflictos derivados por la falta de comunicación o por una comunicación compleja.

Se ha indicado en los párrafos precedentes, que el epicentro de la vida es la sociabilidad, y por ello cada miembro de la comunidad es responsable colectivamente del grupo o colectividad al que pertenece. Esta idea de comunidad ha ido ganando importancia en los últimos años, tanto en la investigación como en la práctica social y de la mediación. La conflictología ha despertado el interés de los profesionales de la intervención social, porque la relación dialógica desarrolla el sentimiento de pertenencia de los miembros de la comunidad mediante la comunicación porque posibilita mejorar la vida comunitaria, y la participación activa en las decisiones colectivas. Todo ello en aras a una ciudadanía plena, partícipe, con las formas de organización social que ejercen su actividad, resultando la dinámica interna de la comunidad central para la producción científica. En este sentido, la mediación social tanto en la acepción social como en la comunitaria, se presenta como una alternativa eficaz de resolución de conflictos, de vertebración comunitaria entre los miembros de la comunidad que aspiran a ser una comunidad y lograr el deseado contrato social. Esto a su vez permite prevenir conflictos o paliarlos en caso de que florezcan fuerzas antagónicas en una sociedad cada vez más mecánica, líquida y propensa a los conflictos. No olvidemos que la falta de comunicación es directamente proporcional a la emergencia de conflictos sociales, al fallar la base o esencia de la idea de comunidad.

En el análisis por la teoría social clásica, encontramos algunas referencias en Habermas (2003) cuando apunta a una combinación de lógicas en la sociedad moderna, es decir, una comunidad de comunicación, que va más allá de la comunidad jurídica. Y la mediación es una alternativa extrajudicial, que busca articular las lógicas a veces poco complementarias, entre unas partes y grupos sociales cada vez más heterogéneos y diversos. Nos referimos al establecimiento de comunidades de comunicación que se autoprotegen, buscando una identidad personal y colectiva. Las transformaciones que actualmente suceden en la sociedad, contribuyen de forma decisiva en la modificación de las relaciones sociales. Si por un lado, estas modificaciones traen consigo diversidad que a su vez potencia el cambio, igualmente origina tensiones en la convivencia entre los diferentes grupos sociales que conforman la colectividad.

Desde hace dos décadas hemos vivido unos intensos cambios en nuestra estructura social, con el cambio en los modelos, costumbres y, la desaparición de los tradicionales espacios de encuentro. Todo ello unido a la convivencia con nuevos vecinos de diferentes culturas, que demandan el diálogo intercultural, para la deseada interculturalidad como vector positivo en la sociedad pluriétnica emergente. Ya no es el espacio homogéneo de antaño, la nueva comunidad requiere de nuevas reglas para consensuarlas entre las distintas partes, que suman un todo articulado de muchas realidades diferentes.

Las circunstancias descritas indican que los cambios sociales y la mediación social están necesariamente interrelacionadas. Los niveles de la realidad y los fenómenos sociales enlazados entre sí explican los principales acontecimientos que han contribuido a su evolución (Rondón y García-Longoria, 2012). Inspirados en el pensamiento complejo de Habermas (1988), consideramos que la mediación es una respuesta mediante una comunidad de comunicación a la reductiva racionalidad moderna, que abre posibilidades a la racionalidad estratégico-instrumental que subyace en la sociedad presente. Esto se hace plausible al asegurar un mayor espacio a los proyectos particulares y una coordinación de plenos de acción comunicativamente mediados.

Los hechos que hemos señalado revelan la mediación social y comunitaria como un proceso que valora la condición humana, que es capaz de impulsar cambios en las relaciones sociales. Su objeto de estudio se centra en las relaciones y conflictos que se generan en la vida social y comunitaria, centrado sus actuaciones en las siguientes líneas o puntos de referencia:

– Acciones encaminadas a recomponer los vínculos sociales, negociando los acuerdos con los grupos comunitarios, generando las condiciones necesarias para una comunidad integrada y equilibrada

– Fomentar la vertebración comunitaria, evitando conflictos entre los actores sociales y elementos que rodean esta estructura desde una posición imparcial y de neutralidad.

– Valora la ciudadanía con la promoción de la participación. Constituye un indicador de la capacidad de los/as ciudadanos/as para la gestión autónoma de los conflictos sociales.

– Se revaloriza y empodera a los sujetos, para incentivar posturas activas y participativas en la toma de decisiones.

En síntesis, la práctica de la mediación social aboga por la reconstrucción de la dinámica individual y colectiva. Su papel consiste en restablecer las condiciones necesarias para entablar relaciones sociales o de comunicación entre dos partes o instituciones en situación de conflicto (Rondón y Alemán, 2011). Por asignación, la figura de la persona mediadora social ejerce un rol intermediario que coordina alternativas a los problemas y conflictos sociales existentes (Neves, 2001). En la figura número 1, indicamos los conflictos que puede gestionar la mediación social en la doble dimensión intercultural y comunitaria:

Dimensión de la mediación social	Posibles conflictos en las organizaciones sociales
Sociocomunitaria	Conflictos entre ciudadanos y administración local Conflictos vecinales por la convivencia Conflictos derivados del uso del tiempo, espacio y medio ambiente Conflictos entre comunidades de vecinos
Intercultural	Conflictos entre miembros de la comunidad inmigrante y autóctonos Negociación cultural en cuanto al uso de símbolos y ritos culturales Convivencia y relaciones interétnica Conflictos educativos y sanitarios Conflictos en la adquisición de competencias interculturales.

Fuente: Elaboración propia.

2. MEDIACIÓN SOCIAL, COMUNITARIA E INTERCULTURAL.

Los argumentos anteriores exhortan que los servicios de mediación socio-comunitaria se asientan en un enfoque para el manejo de conflictos basado en el consenso. Constituyen una respuesta a las desigualdades y a la falta de sostenibilidad de los planteamientos basados en la confrontación, como por ejemplo los que se fundamentan en su judicialización (Fisher, 1992). Su objetivo es generar acuerdos y resultados que puedan ser aceptados por las partes en conflicto con un nivel mínimo de compromiso o compensaciones.

Según estas premisas, la interculturalidad debe ser un factor de análisis para la intervención en las situaciones de conflicto en realidades multiformes. Esta visión es útil en una gran variedad de contextos y resulta eficaz para la mediación, pues tiene en cuenta las nuevas dinámicas sociales del mundo, con ciudadanos de identidades múltiples (Legault, 2000).

Para Cohen-Emerique (1993) el enfoque intercultural está presente en todos los procesos de la intervención social. Teniendo en cuenta que la identidad cultural en sus múltiples facetas: étnica, nacional, regional, de clase social, género, está en evolución continua. Por ello, dos portadores de identidad tienen cada uno su propia importancia. Es la interacción de esas dos partes la que hace determinantes sus diferencias en un escenario de conflicto.

Como decimos, la perspectiva intercultural tiene una aplicabilidad trascendente en la mediación por su carácter empírico. Se compone de distintos campos conceptuales que dan las claves del universo de las percepciones, ofreciendo al mismo tiempo una potencia de descodificación de los discursos sobre los comportamientos, dando importancia al sistema de valores de cada parte.

En el mundo globalizado, la pérdida de identidades propiciada por los procesos de enculturación, llama a una nueva dinámica cultural, para promover una sinergia que supere todas las diferencias con el objetivo de diseñar un proyecto común. Pero la multiculturalidad presente en los espacios comunitarios, no favorece necesariamente las relaciones interculturales enriquecedoras. La relación entre individuos o grupos de orígenes culturales distintos, en ocasiones, está deformada por los estereotipos y prejuicios que generan malentendidos, juicios de valor, disputas, que pueden derivar en conflicto.

Por estas razones, es necesario convenir con las partes las competencias interculturales, para superar las diferencias, poniéndose en relación con el otro, transformando las relaciones sin perder la identidad y administrando los conflictos desde todos los puntos de vista, para construir puentes hacia la cooperación.

El objetivo de definir las competencias interculturales es más que elocuente. Se trata de desarrollar las condiciones y medios que permiten pasar el choque de la aculturación, para desarrollar progresivamente una experiencia de sinergia intercultural. Se sitúa en el seno de las habilidades sociales y las relacionales de base; que son en definitiva las capacidades de establecer y mantener relaciones, de comunicar y comprender el pensamiento; compartir las emociones; interactuar con el otro sin forzarlo, de forma asertiva (Rondón, 2012). La finalidad es la creación consensuada de la interculturalidad. En palabras de Vázquez (2002) todos los sujetos son socializados en un medio determinado. Este proceso otorga una visión del mundo que sirve para orientar su comportamiento y evaluar el de los demás. El marco de referencia sería la suma de las visiones que los individuos tienen acerca de la sociedad, la organización social y la distribución del poder. En suma, la importancia de la competencia intercultural reside en que cada individuo está dotado de un marco de referencia del que no se desprende nunca de manera definitiva, aunque abandone el contexto de socialización en el que funciona adecuadamente.

Si bajamos a un terreno más pragmático, como establece Giménez (2001) la mediación intercultural, como modalidad de intervención presenta unas características específicas:

- La naturaleza etonoculturalmente diferencia de las partes involucradas.
- Las personas, grupos o instituciones envueltas en ella tienen o se les atribuyen identidades culturales diferentes.
- La interculturalidad es el objetivo final para establecer relaciones interculturales, donde los sujetos se reconocen como interlocutores válidos, se comunican y enriquecen mutuamente

Se trata de una intervención profesionalizada, que pretende contribuir a una mejor comunicación, relación, entre personas o grupos presentes en un territorio y pertenecientes a una o varias culturas, que responde a:

- Las dificultades de comunicación entre personas de diferentes culturas
- El desconocimiento de los códigos culturales de unos y otros.
- La falta de adecuación de los diferentes contextos e instituciones a las especificidades culturales.

Concluimos, entonces, que se trata de un conjunto de acciones que se llevan a cabo con dos personas o grupos, pertenecientes a varias culturas, para mejorar la comunicación y las relaciones interculturales en una comunidad o territorio (Rondón, 2012). Traducido al lenguaje de las ciencias naturales sería el sumatorio de la siguiente fórmula: A + B con C y D= E.

A: Grupos culturales diferenciados

B: Grupos culturales dominantes.

C: Mediador/a

D: Interlocutor válido o intérprete cultural

E: Resultado (sociedad pluriétnica, intercambio, interculturalidad, comunicación intercultural).

A su vez, entendemos que la mediación intercultural puede ser personalizada o grupal. La mediación intercultural personalizada es la que se realiza en el encuentro con personas de culturas diferentes o con personas autóctonas con diversidad cultural. En todo momento, se potenciará que ambas partes se muevan la una hacia la otra, buscando los aspectos que le conciernen en su vida. Es una intervención flexible, que posibilita el desarrollo progresivo, teniendo en cuenta que el encuentro llega a través de un proceso y no por la deseada mediación natural. Para conseguir los objetivos descritos, las personas mediadoras interculturales llevan a cabo las siguientes funciones:

– Gestión de la interpretación de las visiones culturales de cada parte para la comunicación cultural y retroalimentación.

– Mediación entre culturas diferentes para la búsqueda de la posición de neutralidad.

– Interpretación cultural de los significados, símbolos culturales y conflictos.

En definitiva, el rol esencial del mediador intercultural es el de agente cultural que busca caminos de acomodación en aquellas personas, familias o grupos comunitarios donde existan conflictos entre valores culturales en cambio. Este rol pude extenderse a mayores sistemas, incluyendo organizaciones humanitarias y comunidades, facilitando con ello la convivencia ciudadana y dando una imagen de ciudad acogedora.

Debemos tener en cuenta que tanto las personas autóctonas como las foráneas, están inmersas en la sociedad desde su prisma cultural. Que cada sujeto cuenta con sus propias redes y espacios concernientes a diversas facetas de la vida. Estos espacios son los que definimos a continuación como áreas de la mediación intercultural. La persona mediadora intercultural, es la que actúa de enlace intercultural, favoreciendo la comunicación, el encuentro, el respeto de las diferencias y la interacción positiva de las mismas.

Veamos a continuación, el desarrollo del ámbito de la mediación social intercultural, que está interrelacionada con la vertiente comunitaria y los conflictos susceptibles de intervención en cada una de las áreas específicas

Área educativa. La mediación intercultural en el ámbito educativo se propone prevenir conflictos derivados de las interacciones culturales en los actores de la educación y promover cambios que mejoren la convivencia escolar. Se centra en mejorar o restablecer la comunicación del centro y las familias afectadas por la existencia o dificultades debidas a diferencias culturales en el proceso educativo.

Esta área está estrechamente relacionada con la mediación comunitaria. No podemos obviar que los centros educativos son parte de la comunidad, y un espacio clave de intervención comunitaria. Por eso sería mejor denominar esta mediación como intercomunitaria. Los conflictos específicos que trabaja la mediación intercultural educativa son entre otros:

- Conflictos con educandos de origen cultural diferenciados.
- Conflictos entre profesores y alumnado diverso
- Conflictos con el personal de administración y servicios derivados de las identidades múltiples.
- Conflictos entre asociaciones de representación cultural y el sistema educativo.
- Conflictos entre padres y madres diversos/as.
- Conflictos de género

Área de familias multiculturales o transnacionales. Cada vez son más emergentes las familias con miembros de otras culturas u orígenes culturales diversos, tanto en el subsistema conyugal como en el parental. Aquí entran a colación factores tan importantes como la socialización y la conformación de identidades culturales múltiples en la dinámica familiar. Se gestionan entre otros los siguientes conflictos:

- Matrimonios mixtos o transnacionales o parejas multiculturales
- Diversas identidades en la unidad familiar
- Identidad mixta de los progenitores
- Conflictos entre la familia nuclear y la extensa por razón cultural.
- Conflictos derivados del uso de símbolos culturales

- Conflictos de género relacionados con la dialéctica de la igualdad y la diferencia.

Al pertenecer cada miembro a un grupo étnico distinto, en las rupturas surgen junto a los habituales conflictos de intereses con respecto a los hijos, la cuestión cultural como una variable explicativa específica en la dificultad para lograr acuerdos. Estos conflictos pueden extenderse a las familias extensas de ambas partes.

En los casos de las familias biculturales, esto se complica al sumarse dos biografías culturales, y la necesidad de negociar un modelo familiar y educativo para los menores. En una pareja multicultural, se pone en juego mucho más que el entendimiento entre dos personas. La adecuación de las costumbres, la lengua, la educación de los hijos o la religión, puede suponer todo un reto para estas uniones.

Por otra parte, los hijos e hijas de inmigrantes nacidos/as en España, también tienen conflictos específicos relacionados con la identidad múltiple y la cohabitación del patrimonio cultural de sus antecesores, con la socialización del país de crianza. El impacto psicosocial aquí es fundamental. El papel de la herencia étnica, es vital para el desarrollo de la identidad como futuros individuos, al ejercer los padres una función socializadora. En los casos de reagrupación familiar y de las nuevas familias formadas por inmigrantes, en ocasiones hay conflictos de normas, de desconocimiento de leyes y costumbres.

Por último, al margen de las cuestiones de nacionalidad o extranjería, hacemos alusión a las familias constituidas por la etnia gitana. Existen choques culturales y conflictos específicos, cuestiones de género, etc. que requiere un abordaje específico, operar desde su concepción del conflicto para lograr acuerdos comunes. Las diferencias etnoculturales pueden plantear ocasiones de diálogo y crecimiento pero no hay duda de que desencadenarán conflictos.

Área de mediación intercultural en el origen. Cuando en una familia se ha producido una adopción internacional, existen distintas identidades en una unidad familiar, y el menor debe ser educado para la conformación de una identidad mixta. La Ley 54/2007, de 28 de diciembre de Adopción Internacional explicita en su art. 12, el derecho a conocer los orígenes biológicos. Conocer nuestro origen es una necesidad vital en el ser humano, al fin y al cabo somos el resultado de nuestra herencia social y cultural.

Este derecho se hará efectivo con el asesoramiento, la ayuda y mediación de los servicios especializados. También se pueden trabajar en estas mediaciones los conflictos culturales del menor con otros hermanos o en el sistema educativo. No podemos olvidar que las dificultades no desaparecen cuando los adoptantes consiguen finalmente llevar el menor a su casa. A partir de ese momento surgen otras disyuntivas como la educación intercultural que hay que ofrecer, resolver los problemas de relación con su entorno derivados de los símbolos culturales diferenciados.

Área de salud. La mediación intercultural en el ámbito sanitario está justificada por el aumento de personas inmigrantes y de orígenes culturales diversos que demandan servicios sanitarios y en ocasiones, tienen una noción diferenciada de salud y enfermedad. En este caso, la mediación es una herramienta eficaz para mejorar la calidad de la atención sanitaria a toda la ciudadanía. Por esta razón, con mayor frecuencia se presentan en el sistema sanitario conflictos entre pacientes y personal sanitario, en el transcurso del proceso de curación y de la enfermedad. Para gestionar estos conflictos, se trabaja desde la mediación intercultural en las siguientes actuaciones:

– Reparación de la relación entre las personas de origen cultural diferenciado y los profesionales.

– Orientación a los servicios de las características culturales y religiosas de otras personas.

– Negociación con las personas inmigrantes, sobre las características y procedimientos de los servicios sanitarios.

– Relativismo cultural de la noción de salud.

– Cuestiones éticas relativas a la atención a la salud: entre la norma legal y la moral.

Área social. En el análisis de los discursos de los/as principales autores/as sobre mediación comunitaria encontramos un déficit al no introducir el elemento de la interculturalidad como factor inherente a los nuevos espacios comunitarios. Aunque exista una mediación intercultural como modalidad específica, los nuevos vecinos inmigrantes que son parte de la comunidad, son precisamente la población diana de todo trabajo comunitario que se precie, y no se pueden obviar. (Rondón, 2012). Concluimos que en realidad interculturalidad y comunidad, ante unos espacios comunitarios tan plurales, de diversos colores y escenografía, son dos conceptos interrelacionados, asociados entre sí. Necesitamos un pacto social para la convivencia pacífica, común, que permita la armonía social y la atención a las distintas sensibilidades e identidades de pertenencia.

- Con intención clarificadora, para evitar duplicidades, nos referimos a los conflictos comunitarios que se pueden presentar en la comunidad por las diferentes culturas de forma específica:
- Conflictos por el uso común de espacios públicos y comunitarios
- Conflictos derivados de la manifestación de ritos y símbolos culturales.
- Conflictos de normas.
- Conflictos por el uso de espacios comunitarios.
- Conflictos con las comunidades de vecinos.
- Conflictos medioambientales (ruido, estética de los edificios, horarios, etc.)
- Conflictos entre inquilinos y propietarios.

BIBLIOGRAFÍA CITADA

AA.VV. (2013). *Catálogo de Buenas Prácticas en Acción Comunitaria Intercultural en España y Europa*. Murcia (España). Fundación Cepaim.

Acevedo, S. y Dassen, N. (2016). *Innovando para una mejor gestión. La contribución de los laboratorios de innovación pública*. Washington D.C.: BID. Recuperado de: https://publications.iadb.org/en/innovation-better-managementcontribution-public-innovation-labs#sthash.MGj6gJHT.dpuf

Agamben, G. (2004a) *Estado de exceção*. São Paulo, Brasil: Boitempo.

Agamben, G. (2004b) *Homo sacer. O poder soberano*. Belo Horizonte: UFMG.

Agamben, G. (2008) *O que resta de Auschwitz: o arquivo e a testemunha (Homo Sacer III)*. Tradução de Selvino J. Assman. São Paulo, Brasil: Boitempo.

Agüero Ortiz, A. (2013). El mediador concursal como administrador extraconcursal, *Revista de Derecho Concursal y Paraconcursal*, 20. Editorial La Ley.

Aguilar, L. F. (1996). *El Estudio de las políticas públicas*. Ciudad de México: FCE.

Aguirre, J. F. (2009). Ciudadanía hermenéutica. Un enfoque que rebasa el multiculturalismo de la aldea global en la sociedad del conocimiento. *Andamios. Revista de Investigación Social*, 6 (11), 235-255.

Ajdukovic, Marina, at al. (2014). En Die Wiener Volkshochschulen (Ed.): *ECVision. A European glossary of supervision and coaching*. Viena: Die Wiener Volkshochschulen.

Alemán, C. y Munuera, P. (2018). Los derechos de los pacientes en la protección social de la salud: transformación digital de la sanidad. *e-SLegal History Review*, 27, pp. 1-24.

Allred, K. G., Mallozzi, J.S., Matsui, F. y Raia, C. P. (1997). The influence of anger and compassion on negotiation performance. *Organizational Behavior and Human Decision Processes, 70(3)*, 175-187. Doi: 10.1006/obhd.1997.2705.

Alonso Ledesma, C. (2015). Algunas reflexiones sobre la proyectada reforma de la administración concursal, *Revista de derecho Concursal y Paraconcursal* 23, 1 de jul. de 2015, Wolters Kluwer.

Alvarez-Garcia,D.;Nuñez,J.C.Alvarez,L.Dobarro,A; Rodriguez,C y Gonzalez-Castro,P.(2011). Violencia a través de las Tecnologías de La Información y la comunicación em estudiantes de secundaria. *Anales de Psicologia, 27(1)*221-230

Alzate Sáez de Heredia, R. (2001). *Transformación del Conflicto: Curriculum para Educación Primaria*. Adaptado del Conflict Resolution; An Elementary School Curriculum, 1987, 1998, 1999. San Francisco, California, USA. San Sebastián: Facultad de Psicología, Universidad del País Vasco.

Alzate Saéz De Heredia, R. y Merino Ortiz, C. (2010). Principios éticos y Código de Conducta para personas y entidades mediadoras, *DOXA, Cuadernos de Filosofía del Derecho*, 33, 659-670. Disponible en: https://doxa.ua.es/article/view/2010-n33-principios-eticos-ycodigo-de-conducta-para-personas-y-entidades-mediadoras

American Psychological Association. (2012). Guidelines for the Practice of Parenting Coordination. The American Psychologist, 67, 63-71. https://doi.org/10.1037/a0024646

Anguera, M. T., Portell, M., Chacón-Moscoso, S., y Sanduvete-Chaves, S. (2018). Indirect observation in everyday contexts: concepts and methodological guidelines within a mixed methods framework. *Frontiers in psychology*, 9, 13.

Anguera, M.T., Blanco-Villaseñor, A., Losada, J.L., Sánchez-Algarra, P., y Onwuegbuzie, A.J. (2018). Revisiting the Difference between Mixed Methods and Multimethods: Is It All in the Name? *Quality & Quantity*, 52, 2757-2770. doi: 10.1007/s11135-018-0700-2.

Argilaga, M. T. A., y Villaseñor, Á. B. (Eds.). (2008). *Evaluación de programas sociales y sanitarios: un abordaje metodológico*. Síntesis.

Argudo Périz, J.L. (2016). Límites de la autonomía de la voluntad y mediación en derecho privado, en *Autonomía privada y límites a su libre ejercicio* (coord. por Parra Lucán, María Ángeles). Granada: Ed. Comares, pp. 199-243.

Argudo Périz, J.L. (2019). ¿Una ley aragonesa de mediación integral?, en *Estado y situación de la mediación en Aragón. 2018* (coordinadores: Argudo Périz, J. L. y González Campo, F. de A.). Zaragoza: Ed. Comuniter, pp. 361-395.

Argudo Périz, J.L. (2019). Las competencias legislativas en mediación de las Comunidades Autónomas según el Consejo General del Poder Judicial, en *Mediación y tutela judicial efectiva. La Justicia del siglo XXI* (Dir. Argudo Périz, J. L.; coords: González Campo, F. de A. y Júlvez León, M. A.). Madrid: Ed. Reus, pp. 267-292.

Argudo Périz, J.L. y González Campo, F. de A. (2018). Mediación en conflictos de consumo ¿uniformidad o diversidad de la mediación?, en *Construcción de la Paz a través de la mediación: conocimiento y práctica de una metodología*, (F. Fariña, M. Rosales, K. Rolán y M. J. Vázquez, Coords.), *Pontevedra*, CUEMYC, pp. 440-452.

Asamblea General de Naciones Unidas (1989). Ratificación de la Convención sobre los Derechos del niño. BOE 313 de 31 diciembre 1990. Recuperado en: https://www.boe.es/buscar/doc.php?id=BOE-A-1990-31312

Asamblea Nacional Constituyente (2015). Código Orgánico General de Procesos. Recuperado de https://tinyurl.com/yyepy3fa

Asamblea Nacional Constituyente. (2008). Constitución de la República del Ecuador. Recuperado de https://tinyurl.com/ybmunazy

Association of Family & Conciliation Courts. (2006). Guidelines for Parenting Coordination. *Family Court Review*, 44, 164-181. https://doi.org/10.1111/j.1744-1617.2006.00074.

Association of Family and Conciliation Courts Guidelines for Parenting Coordination (2019)Recuperado: https://www.afccnet.org/Portals/0/Guidelines%20for%20Parenting%2

Attar Schwartz, S. y Fuller-Thomson, E. (2017). Adolescents' closeness to paternal grandmothers in the face of parents' divorce. *Children and Youth Services Review*, 77, 118-126. doi: https://doi.org/10.1016/j.childyouth.2017.04.008.

Ausubel, D. P. (2002). Adquisición y retención del conocimiento. Una perspectiva cognitiva. Ed. Paidós. Barcelona.

Aznar Giner, E. (2014). *Mediación concursal: los acuerdos extrajudiciales de pago*. Valencia: Tirant lo Blanch.

Bala, N., Hunt, S., y McCarney, C. (2010). Parental Alienation: Canadian Court Cases 1989-2008. *Family Court Review* (48) 164-179.

Baldry, Anna. (1998). Victim-Offender Mediation in the Italian Juvenile Justice System: The Role of the Social Worker. *British Journal of Social Work*, 28(5), 729-744.

Balea, F. J., González, S. y Alonso, J. (2020). Relación abuelo/a nieto/a cuando existen conflictos familiares. *International Journal of Developmental and Educational Psychology*, 1 (1), 217-224.

Bardales, L. E. (2017). *Medios alternos de solución de conflictos y justicia restaurativa*. México: Ed. Flores. P. 48, 106, 139 y 151.

Barea Cobo, L.C. Los valores del mediador. Reflexión sobre su formación y desarrollo, en *Repositorio Institucional de la Universidad Internacional de Andalucía*: http://dspace.unia.es/handle/10334/2677

Baron, R. A. (1990). Environmentally induced positive affect: Its impact on self-efficacy, task performance, negotiation, and conflict. *Journal of Applied Social Psychology, 20(5)*, 368-384. Doi: 10.1111/j.1559-1816.1990.tb00417.x.

Baron, R. A., Fortin, S. P., Frei, R. L., Hauver, L.A. y Shack, M. L. (1990). Reducing organizational conflict: The role of socially induced positive affect. *International Journal of Conflict Management, 1(2)*, 133-152. Doi: 10.1108/eb022677.

Barona Vilar, S. (2013). *Mediación en asuntos civiles y mercantiles en España. Tras la aprobación de la Ley 5/2012, de 6 de julio*. Valencia: Tirant lo Blanch.

Barrios, I. (2013). *Elementos interactivos del modelo Harvard*. Recuperado de: http://lidavasque.blogspot.com.es/

Baruch Bush, R. A., y Folger, J.P. (1996). *La promesa de mediación*. Barcelona: Granica.

Bazemore, Gordon, & Umbreit, Mark. S. (1999). *Conferences, circles, boards, and mediations: Restorative justice and citizen involvement in the response to youth crime*. Washington, DC: Office for Juvenile Justice and Delinquency Prevention (BARJ Project), US Department of Justice.

Beck, U.; Beck- Gernsheim, E. (2001). *El normal caos del amor. Las nuevas formas de relación amorosa*. Barcelona: Paidós

Becker ES, Keller MM, Goetz T, Frenzel AC and Taxer JL (2015) Antecedents of teachers' emotions in the classroom: an intraindividual approach. *Front. Psychol*. 6:635. doi: 10.3389/fpsyg.2015.00635

Benito, A., y Cruz, A. (2005). *Nuevas claves para la Docencia Universitaria en el Espacio Europeo de Educación Superior*. Madrid: Narcea.

Benito, B. (2006). *Las relaciones interpersonales de los profesores en los centros educativos*. Universidad de Salamanca.

Berasaluze, A., Ariño, M., Ovejas, R., y Epelde, M. (2020). *Supervisión en trabajo social: Una metodología para el cambio*. Cizur Menor, Navarra: Aranzadi.

Berasaluze, A., y Ariño, M. (2014). De la supervisión educativa a la profesional. *Cuadernos de Trabajo Social, 27*(1), 103-113.

Berasaluze, A., y Ariño, M. (2020). Una apuesta por la supervisión como modalidad de IAP. In A. Berasaluze, M. Ariño, R. Ovejas y M. Epelde (Eds.). *Supervisión en trabajo social: Una metodología para el cambio* (pp. 19-37). Cizur Menor, Navarra.: Aranzadi.

Bernal Samper, T. (2006). *La Mediación Familiar. La solución a los conflictos de pareja*. Madrid: Colex.

Bernet, W., von Boch-Galhau, W., Baker, A. J. L., y Morrison, S. L. (2010). Parental alienation, DSM-V, and ICD-11. *American Journal of Family Therapy*, 38(2), 76-187.

Biddle, S., & Goudas, M. (1997). Effort Is Virtuous: Teacher Preferences of Pupil Effort, Ability and Grading in Physical Education. *Educational Research, 39*, 350-355.http://dx.doi.org/10.1080/0013188970390310

Bilbeny, N. (2015). *Justicia compasiva: la justicia como cuidado de la existencia*. Madrid: Tecnos.

Bisquerra, R., Martínez, F., Obiols, M. y Pérez, N. (2006). Evaluación de 360°. Una aplicación a la educación emocional [360° Evaluation. An application to emotional education]. *Revista de Investigación Educativa (RIE) 24(1)*, 187-203

Blake, R.R. y Mouton, J.S. (1964). The managerial grid, Houston, TE, Gulf.

Blanco García, A.I. (editor) (2017). *Tratado de Mediación. Tomo I. Mediación en asuntos civiles y mercantiles.* Valencia: Tirant lo Blanch, pp. 129-163.

Blanco García-Lomas, L. (2017). El estatuto del mediador concursal, en *El mecanismo de la segunda oportunidad. Del acuerdo extrajudicial de pagos al beneficio de exoneración del pasivo insatisfecho.* Coord. Pardo Ibáñez, Borja. Barcelona: Bosch

Blohom-Brenneur, B. y Soleto, H. (2019). *La mediación para todos: mediación en el ámbito civil e intrajudicial.* Madrid: Dykinson.

Blondiaux, L. (2008). *Le nouvel esprit de la démocratie. Actualité de la démocratie participative.* París: Seuil y La République des Idées.

BOE (1989).*Instrumento de Ratificación de la Convención sobre los Derechos del Niño, adoptada por la Asamblea General de las Naciones Unidas (1989).* BOE n° 313 diciembre (1990), pp. 38897 a 38904. Recuperado en: https://www.boe.es/buscar/doc.php?id=BOE-A-1990-31312

BOE (2005). *Ley 15/2005, de 8 de julio, por la que se modifican el Código Civil y la Ley de Enjuiciamiento Civil en materia de separación y divorcio.* BOE núm. 163, de 9 de julio de 2005, pp. 24458-24461.

BOE (2012). *Ley 5/2012, de 6 de julio, de mediación en asuntos civiles y mercantiles.* BOE núm. 162, de 7 de julio de 2012.

BOE (2013). *Real Decreto 980/2013, de 13 de diciembre, por el que se desarrollan determinados aspectos de la Ley 5/2012, de 6 de julio, de mediación en asuntos civiles y mercantiles.* BOE núm. 310, de 27 de diciembre de 2013.

Bohman, J. (2007). Political communication and the epistemic value of diversity: Deliberation and legitimation in media societies. *Communication Theory*, 174: 348–355.

Boldó Roda, C. (2015). Capítulo XIV. El acuerdo extrajudicial de pagos. Aspectos procedimentales, en Boldó Roda, C. (Dir.) y Andreu Martí, M. M. (Coord.): *La mediación en asuntos mercantiles.* Valencia: Tirant lo Blanch.

Bonet Navarro, Á. (director) (2013). *Proceso civil y mediación.* Cizur Menor (Navarra): Thomson Reuters Aranzadi.

Boqué Torremorell, M.C. (2002). *Guía de mediación escolar. Programa comprensivo de actividades de 6 a 16 años.* Barcelona: Octaedro-Rosa Sensat.

Boqué, C.(2004). Mediación escolar: unidos ante el conflicto. *Revista perspectiva*, 8.

Boqué, M. C. (2010). Mediación escolar: pasado, presente y futuro. 209-214 en *La convivencia escolar: aspectos psicológicos y educativos*, editados por J. J. Gazquez y M. del C. Pérez. Granada: GEU.

Boqué,M.C.(2018). *La mediación va a la escuela. Hacia um buen plan de convivencia en el centro.* Madrid: Narcea

Boy, H. (2000) *Las nuevas familias. Convivir con los hijos de tu pareja*. Barcelona: Océano.

Boyan, S.M., Termini A.M. (2005). *The Psychotherapist as Parent Coordinator in High-Conflict divorce: Strategies and Techniques*. N.York: Haworth Press.Inc

Boyatzis, R. E. (1982). *The competence manager: A model*. New York: Wiley.

Bradt, L. (2009). *Victim-offender mediation as social work practice. A comparison between mediation for young and adult offenders in Flanders*. Tesis Doctoral. Universiteit Gent.

Brasil (2015). *Ley Brasileña nº 13.140 de Mediación, del 26 de junio de 2015*.

Brown, A., y Bourne, I. (1996). *The social work supervisor: supervision in community, day care, and residential settings*. Philadelphia: Open University Press Buckingham.

Buades Fuster J. y Giménez Romero C. (coords) (2013). *Hagamos de nuestro barrio un lugar habitable: Manual de intervención comunitaria en barrios*. Valencia: Tirant Humanidades.

Bush, R. A. B. y Folger J. P. (1996): *La promesa de la mediación. Cómo afrontar el conflicto a través del fortalecimiento propio y el reconocimiento de los otros*. Barcelona: Ediciones Granica S.A.

Bush,E,S.,Ladd,G.W. y Herald,S.L.(2006). Peer exclusion and victimization:processes that mediate te relation between peer group rejection and children's clasroom engagement and achivment?.*Journal of Educational Psycology 98(1)*,1-13

Bustelo, D. (2009). *La mediación. Claves para su comprensión y práctica*. Madrid, España: Hara Press – Tri toma.

Campos, B. (2011). *Supervisión. Un modelo de asesoramiento y de formación para la calidad de y en el trabajo. Material de formación del Plan de Formación y capacitación en supervisión y coaching. HZ Consultoría y Bidari Formación y Asesoramiento*. Inédito.

Campos, F., Cardona, J. Cuartero. M. E., y Riera, J. A. (2016) El marco de competencias profesionales para la formación de mediadores y el ejercicio de la mediación y la resolución de conflictos. Comunicación presentada en el *I Congreso Internacional para el Estudio de la Mediación y el Conflicto*. CUEMYC. Almagro, Ciudad Real

Cano, C., García-Longoria M. P. y Ortuño, E. (2009). *Manual de prácticas de mediación escolar*. Murcia: Universidad de Murcia.

CARM (s/f): *Punto de Encuentro Familiar*. Recuperado de: [Fecha de consulta:3 de septiembre de 2019].

Carnevale, P. J. e Isen, A. M. (1986). The influence of positive affect and visual access on the discovery of integrative solutions in bilateral negotiation. *Organizational Behavior and Human Decision Processes, 37(1)*, 1-13. doi: 10.1006/obhd.1997.2734.

Carrasco Perera, A. (2013). Los nuevos mediadores concursales. *Actualidad Jurídica Aranzadi, Nº 872*. Sección Opinión. Aranzadi, S.A. Cizur Menor Navarra.

Carretero Morales, E. (2016). *La mediación civil y mercantil en el sistema de Justicia*. Madrid: Dykinson.

Carter, D. (2018). Seminario. Practicas avanzadas en coordinación de Parentalidad. Noviembre 2018. Barcelona: COP

Cartié, M., Casany, R., Domínguez, R., Gamero, M., García, C., González, M., y Pastor, C. (2005). Análisis descriptivo de las características asociadas al síndrome de alienación parental (SAP). *Psicopatología Clínica Legal y Forense, 5*, 5-30.

Cascón, P. (2000). La mediación. *Cuadernos de pedagogía*, (287), 72-76.

Castanedo, A. (2009). *Mediación para la gestión y solución de conflictos*. La Habana: Ediciones ONBC.

Castañeda, J., y Rosales, M. (2017). Trabajo Fin de Master. Manuscrito no publicado. Universidad de La Laguna.

Castillejo Manzanares, R. (dir), Alonso Salgado, C. y Rodríguez Álvarez, A. (coords) (2013). *Comentarios a la Ley 5/2012, de mediación en asuntos civiles y mercantiles*. Valencia: Tirant lo Blanch.

Caycedo, C., Gutiérrez, C., Ascencio, V., y Delgado, A. (2005). Regulación emocional y entrenamiento en solución de problemas sociales como herramienta de prevención para niños de 5 a 6 años. Bogotá, Colombia: *Revista Suma Psicología, 12th.*, 1-18. Revisado: http://web.a.ebscohost.com. cidreb.uned.ac.cr/ehost/pdfviewer/pdfviewer?vid=5&sid=a990d6d7-3746-42e5-bd17-cec94c9ad08d%40sdc-v-sessmgr04

Cazorla González-Serrano, L. (2012). El administrador concursal persona jurídica: su naturaleza jurídica en la ley 38/2011, *Revista de Derecho Concursal y Paraconcursal*, 17, Wolters Kluwer.

Ceballos Fernández, M. (2009). La educación formal de los hijos e hijas de familias homoparentales. *Aula Abierta*, 37 (1).

Ceballos Fernández; M. (2012-a). Ser padres y madres en Familias Homoparentales: Análisis del discurso de sus percepciones sobre la educación de sus hijos e hijas. *Ensayos. Revista de Educación de Albacete*. 27, 143-158.

Ceballos Fernández; M. (2012-b) Familias homoparentales y trabajo doméstico: Implicaciones para la disciplina de Trabajo Social. *Revista Internacional de Trabajo Social y Ciencias Sociales*, 4, 85-104.

Cerdas, E. (2018). Violencia golpea a 6 de cada 10 colegios. *La Nación*. Recuperado de: https://www.pressreader.com/costa-rica/la-nacion-costa rica/20180128/282059097432321

CGPJ (2019). Informe favorable del Consejo General del Poder Judicial avalando el *Anteproyecto de Ley de impulso de la mediación*, de fecha 28 de

marzo de 2019 (2019).   Recuperado   de http://www.poderju-
dicial.es/cgpj/es/Poder_Judicial

Christensen JF, Levinson W, Dunn PM. (1992). The heart of darkness: the
impact of perceived mistakes on physicians. *Journal Gen Intern Med*, 7
(4), 424-431.

Clavijo, Palacios, Mora, Villavicencio. (2018). Percepción de aceptación y rechazo parental de los hijos y su relación con las características de los padres. Ecuador: *Maskana, 9* (1). Recuperado en: https://doi.org/10.18537/
mskn.09.01.01

Cobb, S. (2016a). *Hablando de violencia: La política y las poéticas narrativas
en la resolución de conflictos*. Barcelona, España: Gedisa.

Cobb, S. (2016b). *Mediation as narrative transformation*. Taller llevado a
cabo en el I Congreso Intercontinental de Mediación, Tenerife, Islas Canarias.

Cobb, S., Costa, M., López, E., Festinger, L., Fisher, R., Shapiro, D. y Pease,
A. (1996). *Mediación. Conducción de disputas, comunicación y técnicas*.

Cobler, E. (2017). *Mediación y prácticas restaurativas policiales. Construyendo la cultura de la paz*, Uno, España.

Cobler, E., Gallardo, R., Lázaro C., Pérez I Montiel J. (2014). *Mediación Policial. Teoría para la gestión del conflicto*. Madrid: Dykinson.

Código Civil del Estado de Nuevo León, Ed. POE. México. 2018. Art. 323
Bis y 323 Bis

Código Civil. Real Decreto de 24 de julio de 1889 por el que se publica el
Código Civil.

Código Nacional de Procedimientos Penales. Ed. DOF. México. 2016. Art.
186

Código Penal del Estado de Nuevo León, Ed. POE. México. 2018. Art. 287
Bis

Cohen-Emerique, M. (19939. La approche interculturelle dans le processus
d´aide". *Revue Santé Mentale au Québec 8*, 20-35.

Congreso Nacional del Ecuador (2006). Ley de Arbitraje y Mediación. Recuperado de https://tinyurl.com/y25xvbg4

Consejo De Europa (2018). *Recomendación del Comité de Ministros a los
estados miembros sobre la justicia restaurativa en asuntos penales*.

Consejo Permanente de la Organización de los Estados Americanos (2001).
*Métodos alternativos de resolución de conflictos en los sistemas de justi-
cia de los países americanos*.

Constitución Política de los Estados Unidos Mexicanos. Ed. DOF. México.
2019. Art. 17

Constitución Política del Estado de Nuevo León, Ed. POE. México. 2017.
Art. 16

COPC (2015). Comparación del rol del CP con otros roles ejercidos por psicólogos/as. Recuperado en: http://www.psiara.cat/view_article.asp?id=4659

Covington, M.; Omelich, C. (1979) ¿Are causal attributions causal?: A path analysis of the cognitive model of achievement motivation. *Journal of Personality and Social Psychology, 37*, pp. 1487-1504

CUEMYC (2019). Borrador del Documento de alegaciones y aportaciones al Anteproyecto de ley de impulso de la mediación elaborado por la Conferencia de Universidades para el estudio de la Mediación y el Conflicto (2019). *Recuperado de https://cuemyc.org/*

Cummings, E. M.; Davies, P. T. (2010). Marital conflict and children: An emotional security perspective. Nueva York: Guilfors Press.

Cunill, N. (1991). *La participación Ciudadana*. Caracas: Centro Latinoamericano de Administración para el Desarrollo.

De Diego, R. y Guillén, C. (2012). *Mediación. Proceso, tácticas y técnicas*. Madrid: Pirámide.

De la Torre, S. (2005). *Dialogando con la creatividad: de la identificación a la creatividad paradójica*. Barcelona: Octaedro.

De Verda, J. R. (2013). Separación y divorcio. En AAVV, *Derecho Civil IV. Derecho de Familia*.

De Verda, J. R. (2020). Relaciones personales entre abuelos y nietos: sobre la justa causa del Art. 160.II CC. Comentario a las SSTS de España núm. 581/2019, de 5 de Noviembre, y núm. 638/2019, de 25 de Noviembre. *Revista Boliviana de Derecho, 30*, 692-701.

De Vicente, I. (2012). La supervisión profesional. Más allá de la suma de oportunidades. En Fombuena Valero, J. (Ed.), *El trabajo social y sus instrumentos. Elementos para una interpretación a piacere*. (pp. 191-208). Valencia: Nau Llibres.

Defensor Del Pueblo (2000) *Informe sobre violencia escolar*. Madrid. Defensor de Pueblo. Recuperado de Defensor del pueblo (2014). *Estudio sobre la escucha y el interés superior del menor. Revisión judicial de medidas de protección y procesos de familia*. Madrid: Editorial MIC.

Delors, J. Et. al. (1996). *La educación encierra un tesoro*. Madrid: Santillana-UNESCO

Desivilya, H. S. y Yagil, D. (2005). The role of emotions in conflict management: The case of work teams. *International Journal of Conflict Management, 16(1)*, 55-69. Doi: 10.1108/eb022923.

Diario Oficial de la Federación (México) (2008). *Decreto por el que se reforman y adicionan diversas disposiciones de la Constitución Política de los Estados Unidos Mexicanos*. Reforma constitucional en materia de justicia penal y seguridad pública. Proceso legislativo de 18 de junio de 2008.

Diario Oficial de la Unión Europea (2008). *Directiva 2008/52/CE del Parlamento Europeo y del Consejo de 21 de mayo de 2008 sobre ciertos aspectos de la mediación en asuntos civiles y mercantiles*. Recuperado de https://www.boe.es/doue/2008/136/L00003-00008.pdf

Diariojuridico.com (2014). *¿Tienen los abuelos derecho legal a tener un régimen de visitas con sus nietos?*. Disponible en https://www.diariojuridico.com/tienen-los-abuelos-derecho-legal-a-tener-un-regimen-de-visitas-con-sus-nietos/. Consultado el 04 de diciembre de 2020.

Diaz Revorio. E. (2014). Efectos del inicio del Acuerdo Extrajudicial de pago. En AAVV. *La Ley Concursal y la Mediación Concursal. Un estudio realizado por especialistas*. Madrid: Dykinson.

Diccionario de la Real Academia de la Lengua Española. (2019). Diccionario Español Jurídico. Recuperado de https://dej.rae.es/lema/mediaci%C3%B3n

Doyle, M., O'Dywer, C. y Timonen, V. (2010). How can youjustcut off a wholeside of thefamily and saymoveon? Thereshaping of paternal grandparent– grandchildrelationshipsfollowingdivorceorseparation in themiddlegeneration. *FamilyRelations, 59*, 587-598.

Dryzek, J. S. (1996). *Democracy in Capitalist Times: Ideals, Limits, and Struggles*. New York: Oxford University Press.

Dryzek, J. S. (2000). *Deliberative Democracy and Beyond. Liberals, Critics, Contestations*. Oxford: Oxford University Press.

Dueñas, L. (dir.), Hernández, J., Negro, A., Redondo, M. y Serrano, N. (2013). *Guía práctica de mediación sociolaboral*. Valladolid, España: Thomson Reuters.

Echeburúa, E., De Corral, P. (2015). *Manual de violencia familiar*. Ed. Siglo XXI. España. P. 187-188.

Eddy, Bill (2014). *So, What's your proposal? Shifting High-Conflict People from Blaming to Problem-solvin in 30 seconds*. Tampa: HCI Press.

Ehrenberg, M. y Smith, S. (2003). Grandmother-Grandchild Contacts Before and After an Adult Daughter's Divorce. *Journal of Divorce & Remarriage, 39* (1-2), 27-43. doi: https://doi.org/10.1300/J087v39n01_03.

Ellis, E. M., Boyan, S. (2010). Intervention Strategies for Parent Coordinators in Parental Alienation Cases. *The American Journal of Family Therapy, 38*(3), 218-229.

Enciso Alonso-Muñumer, M. T. (2014). Acuerdo extrajudicial de pagos y segunda oportunidad, en VV. AA., *La Ley concursal y la Mediación Concursal: un estudio conjunto realizado por especialistas*. Madrid: Dykinson.

España. Tribunal Supremo (Sala primera, de lo Civil). Sentencia número 632/2004, del 28 de junio.

España. Tribunal Supremo (Sala primera, de lo Civil). Sentencia número 576/2009, del 27 de junio.

España. Tribunal Supremo (Sala primera, de lo Civil). Sentencia número 723/2013, del 14 de noviembre.

España. Tribunal Supremo (Sala primera, de lo Civil). Sentencia número 90/2015, del 20 de febrero.

España. Tribunal Supremo (Sala primera, de lo Civil). Sentencia número 18/2018, del 15 de enero de 2018

Estadonacion.or.cr. (2017). *Estado de la educación [State of education].* (pp. 309-352). San José, Costa Rica: CONARE-PEN. Retrieved from https://www.estadonacion.or.cr/educacion2017/informe-para-descarga.html

European Forum For Restorative Justice (2006). *Recommendations on the training of mediators in criminal matters.* Leuven: European Forum for Restorative Justice.

European Forum For Restorative Justice (2018). *Practice guide on values and standards for restorative justice practices.* Leuven: European Forum for Restorative Justice.

Fapromed y la Universidad de Murcia (2018). *Estado de la mediación en España.* Recuperado de http://www.fapromed.es/docpdf/ESTADO%20 DE%20LA%20MEDIACION%2 0EN%20ESPANA.pdf

Faria Costa. A. (2015) *Direito penal e política criminal* (pp. 4-19). Porto Alegre, Brasil: EDIPUCRS.

Farkas, M. M. (2011). An Introduction to Parental Syndrome. *Journal of Psychosocial Nursing and Mental Health* Services, 49 (4) pp.20-26.

Fidler, B. J.; Bala, N. (2010). Children resisting postseparation contact with a parent: Concepts, controversies, and conundrums. *Family Court Review,* 48 (1) pp. 10-47.

Filella, G., Ros-Morente, A., Oriol, X., & March- lanes, J. (2018). The Assertive Resolution of Conflicts in School with a Gamified Emotion Education Program. *Frontiers in Psychology, 9,* 2353. https://doi.org/10.3389/fpsyg.2018.02353

Fisher, R. y Ury, W.(1996). *Obtenga el sí: el arte de negociar sin ceder.* Madrid: Ediciones gestión.

Fisher, R., Ury, W. y Patton, B. (1993). *Sí de acuerdo: como negociar sin ceder.* Bogotá, Colombia: Editorial Norma.

Fishkin, J. S.; Luskin, R. C. y Jowell, R. (2000). Deliberative polling and public consultation. *Parliamentary Affairs, 534:* 657–666.

Folger J. y Baruch B. R. Ideología, orientaciones respecto del conflicto y discurso de la mediación; en Folger, J. P., y Jones, T. S. (coops.) (1997). Nuevas direcciones en mediación: investigación y perspectivas comunicacionales. Buenos Aires: Paidós.

Folger, J.P. (1996). *La Promesa de mediación,* Ediciones Granica SA.

Folger, J.P. (2005). Purpose driving practice. The ideological foundations of third-party practice. *I Congreso Mundial de Mediación y V Congreso Nacional de Méjico.* Hermosillo, (Sonora). Mexico.

Folger, J.P. (2008). La Mediación Transformativa: Preservación del potencial único de la mediación en situación de disputas. *Revista de Mediación*, (2). Recuperado de: https://revistademediacion.com/wp-content/uploads/2013/06/Revista-Mediacion02-02.pdf

Folger, J.P.; Baruch, R.A y Della Noce, D.J. (2016). *Mediación transformativa: guía práctica. Teoría y recursos para la intervención en conflictos.* España: Editorial Ágora Mediación.

Forgas, J. P. (1998). On feeling good and getting your way: Mood effects on negotiation cognition and bargaining strategies. *Journal of Personality and Social Psychology, 74(3)*, 565-577. Doi: 10.1006/obhd.2001.2971.

Frenzel, A. C., and Götz, T. (2007). Emotionales Erleben von Lehrkräften beim Unterrichten. *Z. Pädagog. Psychol*, 21, 283-295. doi: 10.1024/1010-0652.21.3.283

Frías-Navarro, D. (2014). *Apuntes de SPSS.* Recuperado de:

Friedlander.S; Gans Walters, M. (2010). When a child rejects a parent: tailoring the intervention to fit the problem. *Family Court Review*, 48 (1) pp.98-111

Fuentealba-Martínez, M.S., González-Ramírez, I.X. y Valdebenito-Larenas, C. (2018). Un novedoso instrumento para evaluar la calidad de la mediación de conflictos jurídicos familiares en Chile, *Revista Jurídicas*, 15 (1), 65-87. DOI: 10.17151/jurid.2018.15.1.5.

Fundacion Cepaim (2014). *Herramientas para la cohesión social: Un proceso de reflexión y sistematización entre buenas prácticas en acción comunitaria intercultural de España y Portugal.* Murcia (España): Fundación Cepaim.

Fundación Encuentro (2013). *Informe España 2013, una interpretación de su realidad social.* Madrid. Recuperado de file:///C:/Users/isanc/Downloads/todos_2013.pdf

Galaway, B. (1988). Crime victim and offender mediation as a social work strategy. *Social Service Review*, 62(4), 668-683.

Gallardo, R., Cobler, E. (2012). *Mediación Policial. El manual para el cambio en la gestión de conflictos.* Valencia: Tirant lo Blanch.

Gallardo, R., Hierro, A. (2016). *Mediación Policial. La reflexión sobre la reflexión.* Castellón: Universitas.

Gallardo, R., Pérez H., Pérez I Montiel J. (2014). *Mediación Policial: un oxímoron*, Ed. Loisele, Vila-real, enero.

Gallego Sánchez, E. (2004). El presupuesto objetivo del concurso en la nueva Ley Concursal. En Práctica de Tribunales, Nº 5, Sección Estudios, *Revista de Derecho Procesal Civil y Mercantil, La Ley.*

Galtung, J. (1980) The Basic Needs Approach. En Katrin Lederer, D. A. y Johan G. (Eds), *Human Needs: A Contribution to the Current Debate,*

Cambridge (Massachusetts), Oelgeschlager, Gunn & Hain; Koningstein, Anton Hain.

García Escribano, J. J. (2015). Sociedad y ciudadanos en tiempos de incertidumbre: cuando se hace necesaria la participación. *Revista Perspectivas del Desarrollo*, 3, 85-96.

García Herrera, A. (2018). Hacia una justicia eficiente: la figura del coordinador de parentalidad en las crisis de familia. *Boletín Mediando* 28, pp 2-10.

García Ibañez, J. (2012). Un derecho a las relaciones personales entre los nietos y sus abuelos: Una aproximación socio-jurídica. *REDUR, 10*, 105-122.

García Martínez, C. y Rayón Ballesteros, M. C. (2017). Ley de Cantabria 4/2017, de 19 de abril, por la que se modifica la Ley 1/2011, de 28 de marzo, de mediación de Cantabria. La adaptación de la ley y el desarrollo del primer proyecto piloto de mediación intrajudicial en Cantabria, en *Foro, Nueva época*, 20, (1), pp. 315-328.

García Tomé, M. (2012). La Formación del Profesional de la Mediación Familiar. Investigación sobre la Mediación Familiar y la formación del Mediador. *Sociedad y Utopía. Revista de Ciencias Sociales*, 39, 151-175.

García Villaluenga, L (2005b) La profesionalidad del mediador, en el Monográfico: El Trabajo social y la mediación, Rev. Trabajo Social Hoy, Madrid, primer semestre.

García Villaluenga, L (2012). Comentarios a la Ley de mediación en el artículo 11 Condiciones para ejercer de mediador, *En* Libro *Comentarios a la Ley 5/2012, de 6 de julio de mediación en asuntos civiles y mercantiles*. Codir. García Villaluenga, L y Rogel Vide,

García Villaluenga, L (2014) La enseñanza de la mediación en la universidad: La CUEMYC. Un testimonio. *Simposio Tribunales y Mediación en España*. Editorial. *HUYGES*. págs 149 a 153.(cap 12), parte 2º.

García Villaluenga, L. (2006). *Mediación en conflictos familiares. Una construcción desde el Derecho de familia*. Madrid: Editorial Reus.

García Villaluenga, L. y Rogel Vide, C. (Directores) y Fernández Canales, C. (coordinadora) (2012). *Mediación en asuntos civiles y mercantiles. Comentarios a la Ley 5/2012*. Madrid: Editorial Reus.

García Villaluenga, L. y Vázquez De Castro, E. (2013). La mediación civil en España: luces y sombras de un marco normativo, en *Política y Sociedad*, 50 (1), pp. 71-98.

García Villaluenga, L.(2005a) Hacia una red de formadores en mediación familiar justificación y propuestas. La mediación una visión plural. Diversos campos de aplicación. (coord. Romero, F), *Consejería de presidencia y Justicia del Gobierno de Canarias*. pp. 323-330.

Garcia Villaluenga,L (2012). Comentarios a la Ley de mediación Disposición Final 8. Pgs 577-587. *En Libro Comentarios a la Ley 5/2012, de 6 de julio de mediación en asuntos civiles y mercantiles.* Codir. García Villaluenga, L y Rogel Vide,

García, J. (2014). Gobierno abierto: transparencia, participación y colaboración en las Administraciones Públicas, *Revista Innovar,* 24 (54),75-88.

García, S. Abadía, B. Durán, A. y Bernal, E. (2010). España: Análisis del Sistema Sanitario 2010. Organización Mundial de la Salud 2010: Observatorio Europeo de Sistemas y Políticas de Salud.

García. A. y. Martínez, J.B. (2002). Los conflictos escolares: causas y efectos sobre los menores. *Revista Española de Educación Comparada,* 8. 175-204.

García-Longoria, M. P. Y Gutiérrez, R. V. (2013). La mediación escolar y las habilidades sociales en los estudiantes de educación secundaria. Un estudio en institutos de la región de Murcia. *Comunitania: Revista internacional de trabajo social y ciencias sociales,* (5), 113-136.

García-Pablos De Molina, A. (1999) *Tratado de Criminologia.* Valencia, España: Tirant lo Blanch.

Gardner, Howard (1998). A Reply to Perry D. Klein's 'Multiplying the problems of intelligence by eight'. *Canadian Journal of Education 23 (1):* 96–102. doi:10.2307/1585968. JSTOR 1585790.

Garrity, C.B.; Baris, M (1997). *Caught in the Middle: protecting the children of hihg-conflict divorce.* New York: Lexington Books

GEMME. (2019). Propuestas de GEMME España al Anteproyecto de Ley de impulso de la mediación (2019). Recuperado de https://mediacionesjusticia.com/category/legislacion/

Gimenez Romero C. (2011). Convivencia e Intervención Comunitaria. Ponencia en el congreso *El Barrio: escuela de ciudadanía y convivencia.* Daimiel (Ciudad Real) (España). IMEDES (Instituto Universitario de Investigación en Migraciones, Etnicidad y Desarrollo Social).

Giménez, C. (2001). Modelos de Mediación y su aplicación en Mediación Intercultural. *Revista Migraciones 10,* 5-10.

González Seara, L. (1971) El conflicto social. En *La Sociología Aventura Dialéctica.* Madrid: TECNOS.

González, M .M y Sánchez M.A. (2003). Las familias homoparentales y sus redes de apoyo social. *Portularia,* 3, 207-220.

Gonzalo Quiroga, M. (2019), La paradoja española de la mediación, *Diario de mediación.* Recuperado de https://www.diariodemediacion.es/la-paradojaespanola-de-la-mediacion-por-marta-gonzalo-quiroga/

Gonzalo Quiroga, M. (2019), Marco Regulatorio comunitario en materia de mediación, en *Práctica de la mediación en España.* Valencia: Tirant lo Blanch.

Gonzalo Quiroga, M. (2019), Mediación en la esfera internacional: actualidad y retos transfronterizos, en *Las medidas alternativas de resolución de conflictos (ADR) en el ordenamiento jurídico*. Valencia: Tirant lo Blanch, pp. 162-196.

Gonzalo Quiroga, M., (2019) Prontuario práctico de mediación para abogados: ¿Dónde encontrar normativa, doctrina, modelos, guías, herramientas de interés y jurisprudencia al respecto?, *Revista de Mediación*, 24 de septiembre de 2019 (1-20) Recuperado de https://revistademediacion.com/wp-content/uploads/2019/09/PRONTUARIO.pdf

Gordillo, L.F. (2007). *La justicia restaurativa y la mediación penal*. Madrid: Iustel.

Gorjón, F. y Pesqueira, J. (Coords.) (2015). *La ciencia de la mediación*. México: Tirant lo Blanch.

Gorjón, F.J. (2015). Teoría de la Impetración de la Justicia. Por la necesaria ciudadanización de la justicia y la paz. *Comunitania, Revista Internacional de Trabajo Social y Ciencias Sociales*, 10. Julio; 116.

Gorjón, F.J. (2020). *La Mediación como vía al Bienestar y la Felicidad*. Mexico D.F.: Tirant lo Blanc.

Gorrell Barnes, (1992). *Working with families*. London: Macmiliam.

Górriz López, C. (2014). Mediación concursal, *Diario La Ley*, 8384.

Gorvein, N.S. (1999). *Divorcio y Mediación. Construyendo nuevos modelos de intervención en mediación familiar*. México: Maldonado Editores.

Gottman, J.M. (1999). The Marriage Clinic: A Scientifically Based Marital Therapy. N.York: Norton y Company

Grandinetti, R. (2018). De la innovación en el gobierno, más allá, y más acá, del Gobierno Abierto, *Estado Abierto*, 2 (3), 91-116.

Gross, J. J. & Thompson, R.A. (2007). Emotion Regulation: Conceptual foundations. En J.J. Gross, (Ed.) (2007). *Handbook of Emotion Regulation* (pp. 3-24). New York, NY: Guilford Press.

Guaraca Duchi, J. (2015). La mediación y su relación con el derecho constitucional, *Revista Judicial*. Recuperado de http://tinyurl.com/KindleWireless

Habermas, J. 1988. *Teoría de la acción comunicativa. Volumen 1: Racionalidad de la*

Hargreaves, A. (2000). Mixed emotions: Teachers' perceptions of their interactions with students. *Teaching and Teacher Education*, 16(8), 811-826.

Haynes, J. (1995). *Fundamentos de la Mediación Familiar*. Madrid: Gaia Ediciones.

Haynes, J.M. (2000). *Fundamentos de la mediación familiar: manual práctico para educadores*. Madrid, España: Editorial Gaia.

Held, D. (2001). *Modelos de democracia*. Madrid: Alianza Editorial.

Hernández Aristu, J. (ed.). (2002). La supervisión como sistema de evaluación continua que garantiza la calidad de los servicios. *Documentación Social*, (128), 219-240.

Hernández-Ramos, C. (2014). Modelos aplicables en mediación intercultural. *Barataria. Revista Castellano-Manchega de Ciencias Sociales*, pp 67-80, número 17. Toledo, España: Asociación Castellano Manchega de Sociología.

Hernández-Sampieri, R., Fernández-Collado, C. y Baptista Lucio, P. (2003). *Metodología de la Investigación*. México, D.F: McGraw-Hill Interamericana.

Hetherington, M. (2003). Social Support and the Adjustment of Children in Divorced and Remarried Families. *Childhood a global Journal of Child Research* 10.

Hilton, J. M. y Koperafrye, K. (2007). Differences in resourcesprovidedbygrandparents in single and marriedparentfamilies. *Journal of Divorce&Remarriage, 47,* 33-54.

Hulac,D.H.y Benson,N.(2010). The use of group contengencies for preventing and managing disruptive behaviors. *Intervention in School and Clinic.*

Ibáñez, J. (1997). *A contracorriente.* Madrid: Fundamentos.

Igartua, I., Olalde, A. J., Pedrola, M., Varona, G. (2015). *Evaluación del coste de la justicia restaurativa integrando indicadores cuantitativos y cualitativos: el caso de la mediación penal aplicada a las infracciones de menor gravedad* (Álava, 2013). Departamento de Administración Pública y Justicia. Servicio Central de Publicaciones del Gobierno Vasco.

Iglesias de Ussell, J. y Mari-Klose, P. (2011). La familia española en el siglo XXI: los retos del cambio social, en F. Chacón y J. Bestard (dirs.) *Familias. Historia de la sociedad española (del final de la Edad Media hasta nuestros días.* Madrid: Cátedra, pp. 1001-1123.

Iglesias, E., Pastor, E., y Rondón, L. M. (2017). Mediación como profesión emergente: actualidad formativa desde la Educación Superior. *Mediaciones Sociales,* (16), 135-154.

Illuminati, G. y Caparelli, B. (2015) *Direito penal e política criminal* (pp. 3548). Porto Alegre, Brasil: EDIPUCRS.

INE (2018). Estadística de Nulidades, Separaciones y Divorcio Año 2017. Notas de Prensa 24 de septiembre. http://www.ine.es/prensa/ensd_2016.pdf.

Jares, X.R.(2006). *Pedagogia de La convivência.* Barcelona: Grao

Johnson, C. y Gastil, J. (2015). Variations of Institutional Design for Empowered Deliberation. *Journal of Public Deliberation,* 11: 2. Disponible en: https://www.publicdeliberation.net/jpd/vol11/iss1/art2

Johnston, J.; Walters.; Friedlander,S. (2001). The MMFI Model. *Family Court Review.* (48) 1 111-201

Juanas, A y Fernández, M. P. (2008) Competencias y estrategias de aprendizaje. *Cuadernos de Trabajo Social,* 21, 217-230.

Kadushin, A., y Harkness, D. (2002). *Supervision in social work*. New York: Columbia University Press.

Kuhn, M. y Stahl, S. (2003). Fluidez: una revisión de las prácticas de desarrollo y recuperación. *Revista de Psicología Educativa*. 95. (1), 3-21.

Lasheras, P. (2014). ¿Es mediador el mediador concursal?, Actualidad Jurídica Aranzadi, 895, Editorial Aranzadi.

Lauroba Lacasa, M. E. y Ortuño Muñoz, P. (COORDS.) (2014). *Mediación es justicia. El impacto de la Ley 5/2012, de mediación civil y mercantil*: Barcelona: Huygens Editorial.

Lázaro, C. (2014). Marco jurídico de la mediación policial, en Cobler, E y otros, *Mediación Policial. Teoría para la gestión del conflicto*, Madrid: Dykinson.

Lederach, J. (1986). *Educar para la paz*. Barcelona: Fontamara, 3rd ed., pp. 15-125

Legault, G. (2000). *L'intervention interculturelle*. Quebec: Gaetan Morin.

León Sanz, P. (2010). Cuestiones éticas en Cirugía Ortopédica y Traumatologia. En Forriol, F. (coord). *Manual de cirugía ortopédica y traumatología*, Volumen 1. Madrid: Panamericana.

Ley 1/2006, de 6 de abril, de Mediación Familiar de Castilla y León. *BOE*, núm 105, de 3 de mayo, p. 17034-17041.

Ley 1/2007, de 21 de febrero, de Mediación Familiar de la Comunidad de Madrid. *BOCM*, núm 54, de 5 de marzo de 2007. *BOE*, núm 153, de 27 de junio de 2007.

Ley 1/2008, de 8 de febrero, de Mediación Familiar de la Comunidad Autónoma del País Vasco. *BOE*, núm 212, de 3 de septiembre de 2011, p. 95645-95661.

Ley 1/2009, de 27 de febrero, reguladora de la Mediación Familiar en la Comunidad Autónoma de Andalucía. *BOJA*, núm 50, de 13 de marzo de 2009 y *BOE*, núm 80, de 2 de abril de 2009, p. 31274-31287.

Ley 13/2005, de 30 de Julio, por el que se modificó el art. 44 del Código Civil, que permite el matrimonio entre personas del mismo sexo y como consecuencia, otros derechos como la adopción.

Ley 14/2010, de 9 de diciembre, de mediación familiar de las Islas Baleares. *BOIB*, núm 183, de 16 de diciembre de 2010 y *BOE*, núm 16, de 19 de enero de 2011.

Ley 14/2010. Derechos y oportunidades en la infancia y la adolescencia. BOE 156. Recuperado en https://www.boe.es/eli/es-ct/l/2010/05/27/14/con

Ley 15/2009, de 22 de julio, de mediación en el ámbito del derecho privado de Cataluña. *DOGC*, núm 5432 de 30 de Julio de 2009, y *BOE*, núm 198 de 17 de agosto de 2009.

Ley 3/2005, de 23 de junio, para la modificación de la Ley 15/2003, de 8 de abril, de la mediación familiar en las Islas de Gran Canaria. *BOE*, núm 177, de 26 de julio, p. 26485-26486.

Ley 3/2007, de 23 de marzo, de Mediación Familiar, de la Comunidad Autónoma del Principado de Asturias. *BOPA*, núm 81, de 9 de abril de 2007 y *BOE*, núm 170, de 17 de julio de 2007. Referencia: BOE-A-2007-13751.

Ley 4/2001, de 31 de mayo, reguladora de la Mediación Familiar de Galicia. *DOG*, núm 117, de 18 de junio de 2001 y *BOE*, núm 157 de 2 de julio de 2001, p. 23425-23429.

Ley 4/2005, de 24 de mayo, del Servicio Social Especializado de Mediación Familiar de Castilla-La Mancha. *BOE*, núm 203, de 25 de agosto, p. 29486-29493.

Ley 42/2003, de 21 de noviembre, de modificación del Código Civil y de la Ley de Enjuiciamiento Civil en materia de relaciones familiares de los nietos con los abuelos. *BOE*, núm 280, p. 41421-41422.

Ley 5/2012, de 6 de julio, de Mediación en asuntos civiles y mercantiles: «BOE» núm. 162, de 7 de julio de 2012, p 49224 a 49242.

Ley 7/2001, de 26 de noviembre, reguladora de la Mediación Familiar, en el ámbito de la Comunidad Valenciana. *BOE*, núm 303, de 19 de diciembre de 2001, p. 48192-48198.

Ley 9/2011, de 24 de marzo, de mediación familiar de Aragón y *BOE*, núm 115, de 14 de mayo de 2011, p. 49062-49075.

Ley de Prevención Social de la Violencia y la Delincuencia con Participación Ciudadana del Estado de Nuevo León. POE. México. 2016. Art. 7 F II – III y 13

Ley General de Acceso de las Mujeres a una Vida Libre de Violencia. DOF. México. 2017. Art. 9

Ley Orgánica 1/1996. Protección Jurídica del menor, de modificación parcial del Código Civil y de la Ley de Enjuiciamiento civil. BOE 15. Recuperado en https://www.boe.es/eli/es/lo/1996/01/15/1

Ley Orgánica 2/2006 de Educación. *Boletín Oficial del Estado*, nº 106, 2006, *4 de mayo, p. 17158-17207.*

Llena, A y Úcar, X. (2006). Acción comunitaria: miradas y diálogos interdisciplinares e interprofesionales. En Xavier Úcar y Asun Llena (coord.). *Miradas y diálogos en torno a la acción comunitaria.* Barcelona: Graò.

Lorenzo Aguilar, J. (2017) *Memento Experto Mediación.* Madrid, España: Francis Lefebvre.

Luján, I. (2015). *Mediación y resolución de conflictos.* Las Palmas de Gran Canaria: Vicerrectorado de Profesorado y Planificación Académica Universidad de Las Palmas De Gran Canaria.

Luján, I., Rodríguez-Mateo, H. y Rodríguez, C. (2016). Perfil del mediador. Modelo interactivo integrador de mediación (MIIM). *International*

Journal of Developmental and Educational Psychology. *Revista* INFAD de Psicología., 2(1), 491-500.

Luskin, R. C.; Fishkin, J. S. y Jowell, R. (2002). Considered opinion: Deliberative polling in Britain. *British Journal of Political Science*, 323: 455–487.

Madrid, S. (2017): "Editorial". Revista de Mediación, Vol. 10 (1), pp. 1-3. Disponible en: https://revistademediacion.com/articulos/presentacion-la-fama-cuesta/

Máiz, R. (2000). Democracia participativa. Repensar la democracia como radicalización de la política. *Metapolítica*, 5 (18), 72-95.

Marchioni M. (2002). *Organización y Desarrollo de la Comunidad: La intervención comunitaria en las nuevas condiciones sociales.* En VV.AA., Programas de animación sociocultural (pp. 455-479). Madrid: Universidad nacional de educación a distancia.

Marelli, A. (2000) Introducción al análisis y desarrollo de modelos de competencia. *Documento de trabajo fotocopiado.* ,

Marín Hita, L. (2015). ¿Para qué una nueva Ley autonómica de mediación familiar?, *Diario La Ley*, nº 8503.

Marín López, M. J. (2011). La mediación familiar en Castilla-La Mancha, a la luz del Anteproyecto de Ley de Mediación en Asuntos Civiles y Mercantiles, *Aranzadi Civil-Mercantil* nº 5/2011 (estudio) (edición electrónica, BIB 2011/161).

Martínez, M.d.C y Álvarez, B. (2002). *Orientación Familiar.* Madrid, España: Impresos y Revistas, S.A.

Martín-Ramírez, P. (2016). *Evaluación de la eficacia mediadora a través del modelo MIIM.* [Trabajo Final de Máster en Mediación Familiar y Sociocomunitaria]. Universidad de Las Palmas de Gran Canaria, Las Palmas de Gran Canaria.

Mediación Familiar (1998). Recomendación del Comité de Ministros a los Estados miembros R (98). Recuperado en: https://www.ucm.es/data/cont/media/www/pag-40822/recomendacioneuropea.pdf

Meil, G. (1999). *La postmodernización de la familia española.* Madrid: Acento.

Meil., G. (2006) *Padres e Hijos en la España actual.* Barcelona: Fundación La Caixa. Colección Estudios Sociales nº 19.

Merino Espinar, M. B. (2015). Una primera aproximación a la realidad del acuerdo extrajudicial de pagos y la figura del mediador concursal y su relación con el Registro de la Propiedad, *Revista de Derecho Civil*, vol. II, núm. 1.

Mestre Navas, J., & Guil Bozal, R. (2012). La regulación de las emociones Una vía a la adaptación personal y social. [The regulation of emotions. A path to personal and social adaptation.]. *Colección «Psicología» Sección: Manuales Prácticos, (1),* 1-92. Recuperado de

Ministerio de Justicia. (2019). Anteproyecto de Ley de impulso de la mediación (2019). Recuperado de

Montero, J. R., Font, J. y Torcal, M. (ed.) (2006). *Ciudadanos, asociaciones y participación en España*. Madrid: Centro de Investigaciones Sociológicas.

Montes, C., Rodríguez, D., & Serrano, G. (2014). Estrategias de manejo de conflicto en clave emocional. [Conflict management strategies in an emotional key]. Retrieved from http://revistas.um.es/analesps

Montes, P. (2014). El Derecho de visitas de los abuelos a los nietos en derecho español, diez años después de la ley 42/2003. *Revista boliviana de derecho, 18*, 578-589.

Moore, D. B., y Mcdonald, J. M. (1998). *TJA community conferencing facilitators kit*. Sidney: Trasnsformative Justice Australia

Mulgan, G. (2007). *Ready or not: Taking innovation in the public sector seriously*. London: NESTA. Recuperado de:

Munné, M. y Mac-Cragh, P. (2006). *Los 10 Principios de la Cultura de la Mediación*. Barcelona: Graó.

Munuera, P. (2016). Mediación Sanitaria. Valencia: Tirant lo Blanch.

Munuera, P. (2018). Cuidados paliativos y tratamiento humanizado: mediación en enfermedades avanzadas. En Iglesias, E. y Vázquez, R. L. Mediación para la paz social. Valencia: Tirant lo Blanch. ISBN13: 9788491905257. pp. 129-156.

Munuera, P. (2019). El Trabajo social en la gestión positiva de conflictos en salud. En Moreno, M.N., Díaz, M. T. y Gijón, M. T.. La protección social de la salud en el marco del estado del bienestar. Una visión nacional y europea. Granada: Editorial Comares. ISBN: 978-84-9045-665-1. pp. 419- 446.

Munuera, P. y Silva, AMC. (2020). La mediación como disciplina científica: El espacio profesional y académico. Revista Mediaciones sociales, Vol.19, pp. 1-9.

Muñoz de Morales Ibáñez, M., & Bisquerra Alzina, R. (2006). Evaluación de un programa de educación emocional para la prevención del estrés psicosocial en el contexto del aula. País Vasco: *Revista Ansiedad y Estrés 12th*, 401-412.

Muñoz, H. S. (2016). La mediación: método de resolución alternativa de conflictos en el proceso civil español. *Revista Eletrônica de Direito Processual, 3*(3).

Nadal Sánchez, H. (2016). Mediación: de la herramienta a la disciplina. Su lugar en los sistemas de justicia. Pamplona: Aranzadi.

Neves, H. (2001). El perfil de la Mediación Social. *Revista de Servicios Sociales y Política Social, 53*, 81-82.

Olalde, A. J. (2017). *40 ideas para la práctica de la justicia restaurativa en la jurisdicción penal*. Madrid: Dykinson.

Olalde, A. J. (2019). La percepción de los equipos de justicia restaurativa de Euskadi ante el protocolo del servicio de mediación intrajudicial de Euskadi. *Oñati Socio-Legal Series*, 9(4), 494-518.

Olalde, A. J. (2020a). Justicia restaurativa y victimizaciones a menores en su sexualidad en el seno de la iglesia católica española: Reflexiones inacabadas desde una práctica incipiente. *Revista de Victimología*, (10), 119-152.

Olalde, A. J. (2020b). El humor payaso en justicia restaurativa: transgresiones e implicaciones éticas. In G. Varona (Ed.), *Arte en prisión. Justicia restaurativa a través de proyectos artísticos y narrativos*. (pp. 403-420). Valencia: Tirant lo blanch.

Oliva, A. (2003). Adolescencia en España a principios del Siglo XXI. *Cultura y Educación*, 15 (4), 373-383.

ONU (2020). *Handbook on Restorative Justice Programmes*. Vienna: United Nations Office on Drugs and Crime.

Oszlak, O. y Kaufman, E. (2014). *Teoría y Práctica del Gobierno Abierto. Lecciones de la Experiencia Internacional*. Buenos Aires: IDRC; RedGealc y OEA.

Pares, M (coord.) (2009). *Participación y calidad democrática. Evaluando las nuevas formas de democracia participativa*. Barcelona: Ariel.

París-Albert, S. (2003). Reseña de Aprender del conflicto. Conflictología y Educación. *Convergencia. Revista de Ciencias Sociales*, 10(33).

Parkinson, L (2005) Mediación familiar: teoría y práctica. Principios y estrategias operativas, Gedisa: Barcelona.

Parkinson, L. (2000) Consultar y hacer participar a los niños en la mediación familiar. Libro de Actas de las Jornadas Internacionales de Mediación Familiar. UNAF. Madrid. UNAF. pp.155-187

Parlamento Europeo (2017). *Resolución del Parlamento Europeo, de 12 de septiembre de 2017, sobre la aplicación de la Directiva 2008/52/CE del Parlamento Europeo y del Consejo, de 21 de mayo de 2008, sobre ciertos aspectos de la mediación en asuntos civiles y mercantiles* (Directiva sobre la mediación). Recuperado de https://www.europarl.europa.eu/doceo/document/TA-8-2017-0321_ES.pdf?redirect

Pastor, E. (2015). Opportunities for participation in the policies of municipal social services in Spain. *Convergencia Revista de Ciencias Sociales*, 68, 229-257.

Pereira A.L.; Matos, M. (2010). Litigio e interferencias parentales: Lecturas de jueces en casos de guarda y custodia. citado en Fariña, Arce, Novo y Seijo. Separación y Divorcio: Interferencias parentales. Sevilla: Asociación Española Multidisciplinar de Investigación sobre Interferencias Parentales (ASEMIP).

Pérez I Montiel, J. (2014). Conflicto y sociedad, en Cobler E. y otros, *Mediación Policial. Teoría para la gestión del conflicto*, Madrid: Dykinson.

Pérez-Serrabona González, J. L. (2015). Capítulo XII. Mediación en asuntos mercantiles», en Guillermo Orozco Pardo y José Luis Monereo Pérez (dirección), *Tratado de mediación en la resolución de conflictos*. Madrid: Tecnos, pp. 263-286.

Perrone, L. (2003). Perspectivas sistémicas. *Salud mental y Comunidad* (46).

Pichardo Galán, J. I. (2009). (Homo)sexualidad y familia. Cambios y continuidades al inicio del tercer milenio *Política y Sociedad*, 46 (1 y 2), 143-160.

Pillonel, A., Hummel, C. y De Carlo, I. (2013). Les relations entre adolescents et grands- parents en Suisse:séparation conjugale et équilibre entre lignées. *Population*, *68*(4), 643- 665. doi: https://doi.org/10.3917/popu.1304.0643.

Pimentel, M. (2013). *Resolución de conflictos*. Barcelona, España: Plataforma Editorial.

Poussin, G. y Lamy, A. (2004). *Custodia compartida. Como aprovechar sus ventajas y evitar los riesgos*. Madrid: Espasa Calpe.

Puig, C. (2009). *La supervisión en la intervención social. Un instrumento para la calidad de los servicios y el bienestar de los profesionales*. (Tesis Doctoral. Universitat Rovira i Virgili, Tarragona.

Pulgar Ezquerra, J. (2015). Acuerdos extrajudiciales de pagos, PYMES y mecanismos de segunda oportunidad, Diario La Ley, Sección Doctrina, 8538.

Ramos Mejía, C. (2003). *Un mirar, un decir, un sentir en la mediación educativa*. Argentina: Librería Histórica, Colección Visión Compartida.

Ramos, R. (2012). *Mediación familiar en las relaciones abuelos-nietos*. Trabajo de Diploma. Universidad Central "Marta Abreu" de las Villas. Cuba.

RD 980/2013 de 27 de Diciembre de 2013, referido a la formación que debe tener el mediador

Redorta, J. (2004). Aspectos críticos para implantar la mediación en contextos de policía, *Revista Catalana de Seguridad Pública*, Barcelona.

Redorta, J. (2007). *Cómo analizar los conflictos. La tipología de los conflictos como herramienta de mediación*. Barcelona: Paidós.

Redorta, J. (2011). *Gestión de conflictos: lo que necesita saber*. Barcelona, España: Editorial UOC.

Redorta, J., Gallardo, R. (2014). Nuevas Herramientas en Seguridad Pública: La Mediación Policial, *Revista e-Mediación*. Año 8, 180, septiembre.

Rico, C., Serra, E. y Viguer, P. (2001). *Abuelos y nietos: abuelo favorito, abuelo útil*. Madrid: Pirámide.

Ripol Millet, A. (2011). *Estrategias de Mediación en Asuntos Familiares*. Madrid: Reus

Ripol-Millet. A. (2001). *Familias, Trabajo Social y Mediación*. Barcelona, Paidós. Trabajo Social.

Rivas, A.M (2012). El ejercicio de la parentalidad en las familias reconstituidas. *Portularia*, XII (2), 29-41.

Rivas, S. (2015): *Generaciones conectadas. Beneficios educativos derivados de la relación entre nietos y abuelos.* Madrid: Pirámide.

Rodríguez Prieto, F. (2014). El acuerdo extrajudicial de pagos desde la perspectiva del notario, en VV. AA., *La Ley concursal y la Mediación Concursal: un estudio conjunto realizado por especialistas*, Dykinson.

Rodríguez, N. (2012). *Hermanos cada 15 días. Como encontrar el equilibrio dentro de las nuevas familias.* Madrid: Integral.

Rogel Vide, C. (2010). Mediación y transacción en el Derecho civil, en Leticia García Villaluenga, Jorge Tomillo Urbina y Eduardo Vázquez de Castro (codirectores), *Mediación, arbitraje y resolución extrajudicial de conflictos en el siglo XXI. I. Mediación.* Madrid: Editorial Reus, pp. 19-39.

Roizblatt, A. (2014), *Divorcio y familia: antes, durante y después.* Santiago de Chile: Ril editores.

Rojas Marcos, L. (2015) *Convivir el laberinto de las relaciones de pareja, familiares y laborales.* Barcelona: Debolsilo Clave.

Rojas Marcos. L. (1994). *La pareja rota. Familia, crisis y separación.* Madrid: Espasa Hoy.

Romero Navarro, F. (2002). La Mediación Familiar: Un ejemplo de aplicación práctica: La comunicación a los hijos de la separación de los padres. El papel del mediador. *Revista del Ministerio de Trabajo y Asuntos Sociales*, 40, 31-54.

Romero Navarro, F. (2005). El Conflicto familiar. Aspectos Epistemológicos. La Mediación Familiar, en Romero Navarro, F. (comp.) *La Mediación una visión plural. Diversos campos de aplicación.* Canarias: Gobierno de Canarias, Consejería de Presidencia y Justicia.

Romero Navarro, F. (2009). Coparentalidad y Género. *Intervención Psicoeducativa en la desadaptación social.* 2, 11-28.

Romero Navarro, F. (2011). Hacia el estatuto científico de la mediación. Una propuesta de áreas temáticas que articulan un proyecto docente de formación universitaria en mediación familiar. En Rondón García, L.M. y Funes Jiménez, E. (coord.). I Congreso Internacional en Mediación y Conflictología: Cambios Sociales y Perspectivas de la Mediación para el Siglo XXI. .Baeza: UNIA, pp. 11-40.

Romero, F. (2003). La formación en mediación familiar. La experiencia en Canarias. *Anuario de Filosofía, Psicología y Sociología*, (6), pp 183-212.

Rondón García y García-Longoria y Serrano. (2012). Mediación: una propuesta formativa para el Trabajo Social. En Ariño y Uranda. *Mediación. ¿Mediamos o sustituimos?*. Vitoria: Universidad del País Vasco.

Rondón, L. M. y Munuera, P. (2009). Mediación Familiar: Un nuevo espacio de intervención para trabajadores sociales. *Revista Trabajo Social*, 11, 25-

41. Universidad Nacional de Colombia, Facultad de Ciencias Humanas. Bogotá. Colombia.

Rondón, L.M. (2011). Modelos de mediación en el medio multiétnico. *Trabajo Social*, (13), 153.

Rondón, L.M. (2012). *Bases para la mediación familiar*. Valencia: Tirant lo Blanch.

Rondón, L.M. y Alemán, C. (2011). El papel de la mediación familiar en la formación del Trabajo Social. *Revista Portularia, XI (2)*, 23-32.

Rosales, M. y García Villaluenga, L. (2019). La mediación intrauniversitaria: reflexiones y propuestas, en el libro: *Conflictos y mediación en contextos plurales de convivencia*. Coord. Isabel Luján. Servicio de Publicaciones y difusión científica. ULPGC. 2019. Págs.:176-177.

Rosales, M. y García, L. (coords.) (2020). *Las competencias para la formación de la persona mediadora*. Santiago de Compostela: CUEMYC.

Rozenblum, S. (2007). *Mediación. Convivencia y resolución de conflictos en la comunidad*. Barcelona: Graó.

Ruiz Balza, A. (2011). Comunicación en cinco axiomas. Recuperado en: http://comunicologosblog.blogspot.com/2011/09/comunicacion-en-5-axiomas.html

Ruiz, M. P. (2004). Credibilidad y repercusiones civiles de las acusaciones de maltrato y abuso sexual infantil. *Psicopatología Clínica Legal y Forense*, 4, 155-170.

Sáenz, K.C (2015). La epistemología de la ciencia de la mediación. En Gorjón, F. y Pesqueira, J, (coor) *La ciencia de la Mediación*. México D.F.: Tirant Lo Blanc

Sáez, R. y Rujano, R. (2018). Aproximación a un modelo para la participación social en salud. *Interacción y Perspectiva*. 8 (1), pp. 93-110

Sánchez Ruiz, I. (2016). El Conflicto y la Mediación en la Comunidad Educativa.. Murcia, España: *Universidad de La Rioja. (8)*, 1-9. Recuperado de https://publicaciones.unirioja.es/catalogo/online/CIFETS_2016/Monografia/pdf/TC396.pdf

Sánchez Urios, A. (2001). Aportaciones del Trabajo Social a la intervención con familias monoparentales. *Cuadernos de Realidades Sociales*, 57-59, 329-346.

Sánchez Urios, A. (2015). *Trabajo Social con los sistemas individual y familiar*. Murcia: Diego Marín.

Sánchez, I. (2013). *La práctica reflexiva en el trabajo social. Aportes desde el modelo integrado de supervisión. Trabajo de Investigación*. Master de Bienestar Social: Intervención individual, familiar y social. *Universidad de Valencia*.

Sanjuan Muñoz, E. (2014). La naturaleza jurídica del mediador concursal: sistema alternativo de gestión de los supuestos de insolvencia, Diario la Ley 8230.

Schön, D. A. (1998). *El profesional reflexivo: Cómo piensan los profesionales cuando actúan*. Barcelona: Paidós Ibérica.

Scottish Government. (2017). *Guidance for the delivery of restorative justice in Scotland*. Edinburgh: Scottish Government.

Senado y Cámara de Diputados de la Nación (2010). *Ley 26.589 de Argentina sobre Mediación y Conciliación*. Sancionada 15 de abril de 2010. Promulgada 3 de mayo de 2010.

Senés Motilla, C. (2014). El acuerdo extrajudicial de pagos: ¿alternativa efectiva al concurso de acreedores?, *Revista de Derecho Civil*, vol. I, núm. 1.

Senge, P. (2005) La quinta disciplina. El arte y la práctica de la organización abierta al aprendizaje. Buenos Aires: Ediciones Gradice. 2ª edición 4ª rep.

Severson, M. M., y Bankston, T. V. (1995). Social work and the pursuit of justice through mediation. *Social Work, 40*(5), 683.

Silva, A. M. y Munuera, P. (2020). A mediação enquanto ramo do conhecimento e disciplina científica. Revista da Federação Nacional de Mediação de Conflitos, Lisboa (Portugal), Vol. 5, pp. 1-11.

Six, J.F. (1997). *Dinámica de la Mediación*. Barcelona: Paidós

Smith, G. (2009). *Democratic Innovations. Designing Institutions for Citizen Participation*. Cambridge: Cambridge University Press.

Soleto Muñoz, H. (Dir.). Carretero Morales, E., Ruiz López, C. (coords.) (2017), *Mediación y resolución de conflictos. Técnicas y ámbitos*. Madrid: Tecnos (3ª ed.)

Sousa Santos, Boaventura. (2013) *Se Deus fosse um activista dos direitos humanos*. Coimbra, Portugal: Almedina.

Steiner, J. (2012). *The Foundations of Deliberative Democracy*. Cambridge: Cambridge University Press.

Stewart, S. (1998). *Conflict Resolution: a foundation guide* (Vol. 1). Waterside Press.

Suares, M. (2002). *Mediando en sistemas familiares*. Barcelona: Paidós.

Tena Piazuelo, I. (2011). Ley aragonesa de mediación familiar..., la que faltaba, *Diario La Ley* (edición electrónica), n° 7626, Sección Doctrina, 10 Mayo 2011, año XXXII, Ref. D-201.

Thomas, K.W. y Kilmann, R.H. (1974). *Thomas-Kilmann Conflict Mode Instrument*. Palo Alto, California Consulting Psychologists Press, Inc.

Timonen, V., Doyle, M. y O'Dwyer, C. (2009). *The role of grandparents in divorced and sepa- ratedfamilies*. Dublin, UK: Trinity CollegeDublinSchool of Social Work and Social Policy.

Tolson, E.; Reid, W.; Garvín, Ch. (1994). *Generalist Practice. A Task-Centered Approach*. Nueva York: Columbia Universito Press.

Torrego, J. C. (2000). *Mediación de conflictos en instituciones educativas* (Vol. 282). Madrid: Narcea.

Torrego, J. C. (2003). *Mediación de conflictos en instituciones educativas: manual para la formación de mediadores*. Madrid, España: Narcea.

Umbreit, M. S. (1997). Humanistic mediation: A transformative journey of peacemaking. *Mediation Quarterly, 14*(3), 201-214.

Umbreit, M. S. (1999). Victim-offender mediation in Canada: the impact of an emerging social work intervention. *International Social Work, 42*(2), 215-227.

Urías, J.L. (2013). *Violencia familiar un enfoque restaurativo*. México: Ed. Ubijus. P. 230-231.

Vall Rius, A. (2019). Las leyes autonómicas de segunda generación. Cataluña, en *Mediación y tutela judicial efectiva. La Justicia del siglo XXI* (Dir. Argudo Périz, J. L.; coords: González Campo, F. de A. y Júlvez León, M. A.). Madrid: Ed. Reus, pp. 293-314.

Van Wormer, K. (2003). Restorative Justice: A Model for Social Work Practice with Families. *Families in Society, 84*(3), 441-448.

Varona, G. (2009). *Justicia restaurativa a través de los servicios de mediación penal en Euskadi. Evaluación externa de su actividad (octubre 2008–septiembre 2009)*. Disponible en: https://www.ehu.eus/documents/1736829/2153076/Justicia+restaurativa+a+traves+de+los+servicios+de+mediacion+penal.pdf

Varona, G. (2020). *Arte en prisión. Justicia restaurativa a través de proyectos artísticos y narrativos*. Valencia: Tirant Lo Blanch.

Vassiliou, D. (2005). The impact of the legal system on parental alienation syndrome. Dissertation, Montreal, Quebec: McGill University.

Vázquez, O. (2002). Trabajo Social y competencia intercultural. *Revista Portularia vol. 2*.

Viana, M.I. (2011*). La mediación en el ámbito educativo en España. Estudio comparado entre Comunidades Autónomas*, pp. 71-89. Valencia: Universidad de Valencia.

Vicuña P., L., Hernández V., H., Paredes T., M., y Rios D., J. (2014). Elaboración del test de habilidades para la gestión en la negociación de conflictos. *Revista de Investigación en Psicología, 11*(2), 183. doi: 10.15381/rinvp.v11i2.3847

Vila, E., Holgado, F., Barbero, M. (coord.) (2015). *Psicometría: teoría y formulario*. Madrid, España: Sanz y Torres.

Villarroel, G. (2014). Atributos de la participación: acercamiento a un análisis conceptual. En: *Espacio Abierto Cuaderno Venezolano de Sociología*. 23 (2): pp. 219 -240. Universidad del Zulia, Maracaibo.

Viola Demestre, I. (Dir.) y Barral Viñals, I. y Lauroba Lacasa, M. E. (coords.) (2018). *Comentarios a la ley catalana 15/2009, de 22 de julio, de media-*

ción en el ámbito del Derecho privado y concordantes. Madrid: Marcial Pons.

Walker, L.; Saphiro, D. (2010). Trastorno de alienación parental: ¿por qué etiquetar a los niños con un diagnóstico mental? *Journal of Child Custody* 7 (4) 266-286.

Wallerstein, J. (2006). *Y los hijos ¿qué? Cómo guiar a los hijos antes, durante y después del divorcio*. Madrid: Gránica.

Wallerstein, J.; Lewis, J.; Blakeslee, S. (2001). *El inesperado legado del divorcio*. Madrid: Editorial Atlántida.

Warren, M. E. (2001). *Democracy and association*. Princeton: Princeton University Press.

Watzlawick, P. (1971). *Teoría de la comunicación humana. Interacciones, patologías y paradojas*. Buenos Aires: Tiempo Contemporáneo.

Watzlawick, P.; Bavelas, J.B.; Jackson, D. (1967). *Pragmatics of Human Communication: A study of Interaccitional Patterns, Pathologies and Paradoxes*. N.York: W.W.Norton & Company.

Watzlawick, P.; Weakland,J., Fisch,R. (1974). *Change*. N.York: W.W. Norton & Company.

Weber, M. (1993) *El político y el científico*. Madrid: Alianza Editorial

Weitekamp, E. G. M. (2013). *Developing peacemaking circles in a European context. Final research report*. Tübingen: Eberhard Karls University Tübingen.

Westphal, S.K., Poortman, A.R. y Van der Lippe, T. (2015). Whataboutthegrandparents? Children'spostdivorceresidencearrangements and contactwithgrandparents. *Journal of Marriage and Family, 77*, 424-440. doi: https://doi.org/doi:10.1111/jomf.12173.

Whatling, T. (2013). *Mediación: habilidades y estrategias: guía práctica* (Vol. 63). Madrid, España: Narcea Ediciones.

Wong, D. S., y Lo, T. W. (2011). The recent development of restorative social work practices in Hong Kong. *International Social Work, 54(5)*, 701.

Wright, M. (1998). Restorative justice: From punishment to reconciliation–the role of social workers. *European Journal of Crime, Criminal Law y Criminal Justice, 6(3)*, 267-281.

Zehr, H. (1990). *Changing lenses. A new focus for crime and justice*. Scottdale, Penssylvania: Herald Press.

Zehr, H. (2002). *The Little Book of Restorative Justice*. Intercourse, Pennsylvania: Good Books.

Zehr, H. (2007). *El pequeño libro de la justicia restaurativa*. Ed. Good Books, E. U. P. 28-31 y 45.

Zembylas, M. (2002). Constructing genealogies of teachers' emotions in science teaching. *Journal of Research in Science Teaching, 39(1)*, pp. 79-103. http://dx.doi.org/10.1002/tea.10010

Žilinčíková, Z. y Kreidl, M. (2018). Grandparenting after divorce: Variations across countries. *Advances in Life Course Research*, *38*, 61-71.

Zinsstag, E., Teunkens, M., y Pali, B. (2011). *Conferencing: a way forward for restorative justice in Europe*. Leuven, Belgium: European Forum for Restorative Justice.